Schmidt · Weidner · Hrsg
Bibel als Literatur

TRAJEKTE

Eine Reihe des Zentrums für
Literatur- und Kulturforschung Berlin

Herausgegeben von

Sigrid Weigel und Karlheinz Barck

Bibel
als Literatur

Herausgegeben von
Hans-Peter Schmidt und Daniel Weidner

Wilhelm Fink

Umschlagabbildung:
Madonna des Kanonikus Georg van der Paele,
Detail: Bibel und Brille des Kanonikus,1436

Übersetzt von Tim Caspar Boehme, Hans-Peter Schmidt und Daniel Weidner

Bibliografische Information der Deutschen Nationalbibliothek

Die Deutsche Nationalbibliothek verzeichnet diese Publikation in der Deutschen
Nationalbibliografie; detaillierte bibliografische Daten sind im Internet über
http://dnb.d-nb.de abrufbar.

Alle Rechte, auch die des auszugsweisen Nachdrucks, der fotomechanischen
Wiedergabe und der Übersetzung, vorbehalten. Dies betrifft auch die Vervielfältigung und
Übertragung einzelner Textabschnitte, Zeichnungen oder Bilder durch alle Verfahren wie
Speicherung und Übertragung auf Papier, Transparente, Filme, Bänder, Platten und
andere Medien, soweit es nicht §§ 53 und 54 URG ausdrücklich gestatten.

© 2008 Wilhelm Fink Verlag, München
(Wilhelm Fink GmbH & Co. Verlags-KG, Jühenplatz 1, D-33098 Paderborn)

Internet: www.fink.de

Einbandgestaltung: Evelyn Ziegler, München
Herstellung: Ferdinand Schöningh GmbH & Co. KG, Paderborn

ISBN 978-3-7705-4560-5

Inhalt

DANIEL WEIDNER

Einleitung: Zugänge zum Buch der Bücher

Schlägt man die Bibel auf, stößt man schnell auf Vertrautes, und selbst wenn man sie nicht aufschlägt, meint man doch wenigstens ungefähr zu wissen, worum es geht. Schaut man aber genauer hin, so findet man Mehr, Anderes und Überraschendes. Das fängt schon an, wenn man von den bekannten Stellen ein Stück vor- oder zurückblättert und etwa nach dem triumphalen Durchzug durch das Rote Meer plötzlich auf das gegen Gott murrende Volk Israel stößt. Aber auch die vertrauten Geschichten erweisen sich bei näherem Hinsehen oft als recht rätselhaft: Eigentlich geht es in ihnen nie so einfach zu, wie man es in Erinnerung hatte, oder die Einfachheit ist selbst bemerkenswert, ja staunenswert, wenn man sie unbefangen ansieht. Wenn man sich mit ihnen beschäftigt, reicht es daher nicht aus, zu wiederholen, was sie sagen oder was man über sie weiß, man muss auch beschreiben, wie sie sagen, was sie sagen: man muss sie *lesen* können.

Das scheint uns heute nötiger denn je. Die historischen Ereignisse und theoretischen Entwicklungen der letzten Jahrzehnte haben zu einer Renaissance der Religionen im Diskurs der Kulturwissenschaften geführt. An die Stelle der Religionsvergessenheit der alten Geisteswissenschaften ist eine höchst fruchtbare Diskussion über Religion getreten, die nicht mehr allein von einigen wenigen Spezialisten – Religionswissenschaftlern, Theologen und allenfalls noch einigen Historikern – geführt wird, sondern an der sich auch Literaturwissenschaftler, Philosophen, Kunsthistoriker beteiligen. Allerdings sind solche Diskurse oft erstaunlich undifferenziert: Man redet lieber allgemein von ‚dem‘ Monotheismus oder ‚dem‘ Christentum als sich mit konkreten Phänomenen und Texten auseinanderzusetzen. Wir glauben, dass literaturwissenschaftliche Konzepte und Methoden hier eine wichtige Rolle spielen können, weil die Fragen nach rhetorischen Mitteln und literarischen Darstellungsweisen es auch dem Nicht-Spezialisten erlauben, die historischen Texte und in diesem Fall: die Bibel reflektiert und produktiv zu lesen. Natürlich kann man einer solchen Lektüre entgegenhalten, dass man Texte nicht verstehen könne, ohne den historischen Kontext zu kennen aus dem sie stammen, genauso: dass man sie nicht außerhalb ihrer Wirkungsgeschichte lesen kann und daher auch die Geschichte ihrer Auslegung kennen müsse. So berechtigt beide Einwände auch sein mögen, so wenig hilfreich sind sie in der gegenwärtigen Situation. Denn beide Aufgaben, die Erforschung des historischen Umfelds der Texte wie ihrer Wirkungsgeschichte, sind nahezu unendlich. Gegenüber den hochentwickelten Spezialdiskursen über Vor- und Nachgeschichte der biblischen Texte scheint die Analyse ihres literarischen Charakters ein leichterer und breiterer Zugang zu sein und kann vielleicht sogar als eine Art Mittelfeld dienen, auf dem sich die Methoden und Fragen verschiedener Disziplinen begegnen und in

8	DANIEL WEIDNER

Interaktion treten können. Der literaturwissenschaftliche Ansatz und die literarische Lektüre der Bibel haben also keineswegs per se Priorität und die hier versammelten Texte sind auch nicht als Versuche einer ‚feindlichen Übernahme‘ der Theologie durch die Literaturwissenschaft zu verstehen. Sie beanspruchen nicht, eine ‚neutrale‘ Herangehensweise zu sein, sondern haben wie jede andere Interpretation ihre besonderen Interessen und ihre unbefragten Vorannahmen, die zu kennen wichtig ist, um zu verstehen was ‚Bibel als Literatur‘ ist und kann. Trotzdem kann die Frage nach der Literatur die biblischen Texte öffnen, wenn man sie nicht selbst wiederum dogmatisch begreift und die ‚Literatur‘ nicht als Zweck um ihrer selbst willen versteht, sondern berücksichtigt, dass die literarische Analyse der Bibel von selbst zu ganz anderen, weiterreichenden Fragen führen kann und in den hier präsentierten Texten auch oft geführt hat.

Wenn man versucht, die Bibel literarisch zu lesen, stößt man bald auf die anglo-amerikanische Debatte über *Bible as Literature*. Seit den 1970er Jahren gibt es vor allem in Amerika, England und Israel eine lebhafte literaturwissenschaftliche Forschung über die Bibel. Wir glauben, dass es sich lohnt, einige der inzwischen klassischen Texte aus dieser Debatte einem deutschen Publikum zu präsentieren, denn sie verbinden die besondere Frische eines ersten Zugangs mit einer Eleganz und Verständlichkeit, die der einmal etablierten Fachwissenschaft oft verloren geht. Am Anfang unserer Arbeit stand dann auch die Begeisterung für diese Texte, für ihre Methoden und die Art ihres Zugriffs, für die Weite ihres Interesses und die Weltläufigkeit ihres Stils. Die Verwunderung, dass diese Texte in Deutschland außerhalb eines kleinen Kreises von Exegeten noch kaum rezipiert worden waren und hier ein sehr interessantes und wichtiges Feld brachzuliegen schien, ließ uns schließlich die Arbeit an der vorliegenden Anthologie beginnen. Möglich wurde das Unternehmen erst durch vielfältige Unterstützung: Gedankt sei an dieser Stelle dem Zentrum für Literatur- und Kulturforschung, das es uns ermöglichte, einen Teil der Übersetzung zu finanzieren, und dem Übersetzer, Tim Caspar Boehme, der sich geduldig in die schwierigen Texte eingearbeitet hat. Gedankt sei auch Alexa Alfer für die Übersetzung des Textes von Meir Sternberg, Sabine Zimmermann und Angelika Molk für ihre Hilfe bei der redaktionellen Arbeit und Marietta Damm für die redaktionelle Einrichtung des Manuskripts, schließlich dem Fink-Verlag und unserem Lektor Andreas Knop für die tatkräftige Unterstützung.

Trotz dieser Unterstützung ist uns die Arbeit nicht leicht gefallen. Nicht weniger schwierig als die Auswahl der Texte erwies sich die Übersetzung von englischen Texten über hebräische Texte. Grundsätzlich haben wir den Bibelzitaten die Einheitsübersetzung zugrunde gelegt, die uns ein angemessener Kompromiss zwischen Korrektheit und Lesbarkeit zu sein schien; sie wird aber verändert, sofern die Argumentation eine präzisere Übersetzung verlangt. Aber nicht nur die Bearbeitung, sondern auch die Perspektivierung und Kontextualisierung der einzelnen Texte und des gesamten Themas war alles andere als einfach, und zwar um so mehr als wir, die beiden Herausgeber dieses Bandes, keineswegs immer einer Meinung waren. Wir vertraten und vertreten Standpunkte, die manchmal geradezu diametral entgegengesetzt sind und das Unternehmen mehr als einmal beinahe scheitern ließen; im Rückblick erscheint es freilich, als sei vielleicht gerade dieser Gegensatz die Bedingung dafür gewesen, das Projekt überhaupt anzugehen. Die unterschiedliche Herangehensweise schlägt sich jetzt in den beiden Texten nieder, die unsere Anthologie rahmen. Während der Schlussessay von Hans-Peter Schmidt das literarische Denken in der Bibel sowie in der Literaturgeschichte ihrer Interpretationen thematisiert, soll die Einleitung Daniel Weidners zeigen, welche Aspekte und Voraussetzungen die Untersuchung der Bibel als Literatur umfasst. Dazu wird anhand von kleinen Lektüren biblischer Passagen gezeigt, (1) wie produktiv die Lektüre der Bibel als Literatur für allgemeine kulturwissenschaftliche Fragen sein kann, (2) wie die Bibel selbst Teil einer Lektüregeschichte ist, die für die europäische Textkultur und daher unser Verständnis von ‚Literatur' zentral ist, (3) wie auch literarische Texte die Bibel ‚lesen' und daher die Beschäftigung mit Literatur einen Zugang zur Bibel ermöglicht und benötigt, (4) wie die Debatte über *Bible as Literature* selbst eine gewisse Geschichte hat, die man kennen muss, um die einzelnen Ansätze und ihre Probleme zu verstehen, und schließlich (5) wie unser Band aufgebaut ist und welche weiteren Perspektiven ‚Bibel als Literatur' hat.

1. Text und Herrschaft – Bibel und die Kulturwissenschaft

Im achten Kapitel des ersten Samuelbuches beginnt die Geschichte der Königsherrschaft in Israel:

> Als Samuel alt geworden war, setzte er seine Söhne als Richter Israels ein. Sein erstgeborener Sohn hieß Joël, sein zweiter Abija. Sie waren in Beerscheba Richter. Seine Söhne gingen nicht auf seinen Wegen, sondern waren auf ihren Vorteil aus, ließen sich bestechen und beugten das Recht. Deshalb versammelten sich alle Ältesten Israels und gingen zu Samuel nach Rama. Sie sagten zu ihm: Du bist nun alt, und deine Söhne gehen nicht auf deinen Wegen. Darum setze jetzt einen König bei uns ein, der uns regieren soll, wie es bei allen Völkern der Fall ist. Aber Samuel missfiel es, dass sie sagten: Gib uns einen König, der uns regieren soll. Samuel betete deshalb zum Herrn, und der Herr sagte zu Samuel: Hör auf die Stimme des Volkes in allem, was sie zu dir sagen. Denn nicht dich haben sie verworfen, sondern mich haben sie verworfen: Ich soll nicht mehr ihr König sein. Das entspricht ganz ihren Taten, die sie (immer wieder) getan haben, seitdem ich sie aus Ägypten heraufgeführt habe, bis zum heutigen Tag; sie haben mich verlassen und anderen Göttern gedient. So machen sie es nun auch mit dir. Doch hör jetzt auf ihre Stimme, warne sie aber eindringlich, und mach ihnen bekannt, welche Rechte der König hat, der über sie herrschen wird. Samuel teilte dem Volk, das einen König von ihm verlangte, alle Worte des Herrn mit. (1 Sam 8,1-10)

Diese Geschichte ist offensichtlich ein Gründungsnarrativ über die Etablierung einer politischen Ordnung. Historisch wird der Übergang von den charismatischen Heerführern der Richter zur stetigen Herrschaft der Könige erzählt, wobei der Text das Königtum spürbar ambivalent bewertet. Auf der einen Seite macht er kein Hehl daraus, dass das Begehren nach einem König zu verurteilen ist und sich eigentlich gegen Gott richtet, auf der anderen Seite sagt er nicht weniger explizit, dass das Königtum schließlich doch auf göttlichen Befehl eingerichtet wird, sogar auf wiederholten. Historisch ist diese Geschichte dann auch ganz verschieden gelesen worden: So ist etwa das folgende Königsgesetz in der politischen Ideengeschichte geradezu heiß umkämpft. Samuels Warnung, die gewünschten Könige würden ein Heer aufstellen, Steuern erheben, Beamte einsetzen und das Volk zu Dienern machen, erschien etwa für die Republikaner der englischen Revolution im 17. Jahrhundert als Warnung vor den tyrannischen Neigungen der Könige, den Royalisten dagegen schlicht als Liste von Rechten, die Königen nun einmal zukommen.

Man hat die Ambivalenz des Textes historisch erklärt: als eine Art Kompromissbildung zweier Überlieferungen oder auch als nachträgliche und (königskritisch-) tendenziöse Überarbeitung einer älteren Vorlage. Tatsächlich besteht jene Ambivalenz aber nicht nur im Schwanken zwischen zwei ideologischen Standpunkten, sondern sie reicht viel tiefer und schlägt sich überall im Text nieder. Auffällig sind zunächst die Wiederholungen: Warum wird uns eigentlich am Anfang zweimal gesagt, dass Samuel alt ist und seine Söhne „nicht auf seinen Wegen" gehen (Vs. 3 und 5)? Als Information redundant, erfahren wir es von zwei Seiten: vom Erzähler des Textes und von den Ältesten, wobei sich jener auf die Seite der Ältesten und damit, zumindest tendenziell, gegen Samuel stellt. Aber das ist nicht die einzige Wiederholung. Dass Gott seinen Befehl, auf das Volk zu hören, wiederholt, scheint ein Zögern des Propheten anzudeuten, das später noch deutlicher wird: „Und der Herr sagte zu Samuel: Hör auf ihre Stimme, und setz ihnen einen König ein! Da sagte Samuel zu den Israeliten: Geht heim, jeder in seine Stadt!" (8,22). Anstatt den König einzusetzen, schickt Samuel das Volk nach Hause, und es wird dann auch noch mehrere Kapitel dauern, bis Saul zum König wird. Es scheint also im Text mehrere Standpunkte zu geben, und sowenig Samuel schlichtweg das Sprachrohr Gottes ist, sowenig ist auch der Erzähler ein bloßes Sprachrohr Samuels.

Aber die dreimalige Wiederholung des göttlichen Befehls zu „Hören" lenkt die Aufmerksamkeit auch auf etwas Anderes, Spezifischeres: auf das sprachliche Geschehen im Text, der ja fast ausschließlich aus wiedergegebener Rede besteht. Auf den Dialog der Ältesten mit Samuel sowie Samuels mit Gott folgt eine Rede Samuels – das erwähnte Königsgesetz –, dann die Antwort des Volkes:

> Doch das Volk wollte nicht auf Samuel hören, sondern sagte: Nein, ein König soll über uns herrschen. Auch wir wollen wie alle anderen Völker sein. Unser König soll uns Recht sprechen, er soll vor uns herziehen und soll unsere Kriege führen. Samuel hörte alles an, was das Volk sagte, und trug es dem Herrn vor. Und der Herr sagte zu Samuel: Hör auf ihre Stimme, und setz ihnen einen König ein! (1 Sam 8,19-22)

Das „Hören" – hebräisch *shama*, bei Luther auch mit *Gehorchen* übersetzt – bestimmt die gesamte Erzählung und entwirft eine komplexe Kommunikationssituation, in der Samuel – dessen Namen man auch als ,von Gott erhört' deuten kann – als Vermittler tätig ist. Nun bringt es diese Vermittlerrolle mit sich, dass alles zweimal gesagt wird, von Gott und von Samuel, dann vom Volk und von

Samuel. Der Erzähler hebt dabei die Treue der Wiederholung hervor, indem er konstatiert, Samuel habe „alle Worte des Herrn" dem Volk mitgeteilt (8,10) bzw. „alles, was das Volk sagte", Gott vorgetragen (8,21). Damit scheint er nicht nur Samuel aufzuwerten, sondern könnte sich auch ersparen, diese Worte zu wiederholen. Aber das geschieht nur im zweiten Fall, im ersten Fall trägt Samuel gegenüber dem Volk in direkter Rede das Königsgesetz vor, das Gott zwar erwähnte, aber nicht zitierte; während er die „Worte Gottes" (Vs. 7-9) erwähnt (10), aber nicht zitiert. Auf der Ebene der zitierten Rede herrscht also geradezu ein Kontrast: Während Samuel dem Volk detaillierte politische Bestimmungen mitteilt, von denen wir nicht wissen, woher er sie hat, spricht er die so viel wichtigere grundsätzliche Verwerfung der Königsherrschaft durch Gott nicht aus. Wenn er sie *auch* gesagt hat – dem Volk also „alle Worte" Gottes *und* das Königsgesetz mitgeteilt hat –, so teilt der Erzähler uns das jedenfalls nicht mit. So entsteht zumindest der Verdacht, dass das Volk sich seines Frevels gar nicht bewusst ist – und damit auch die Frage, ob der Erzähler diesen Verdacht schüren will. Das „alle Worte" erweist sich also als unzuverlässig und stimmt nicht mit dem überein, was der Text tut. Der Text ist selbst nicht eindeutig und verschränkt verschiedene Stimmen, durch die nicht nur die Königsherrschaft infrage gestellt wird, sondern auch diese Infragestellung untergraben wird. Damit eröffnet sich ein Spielraum, in dem im Folgenden nicht nur das Thema der politischen Herrschaft, sondern auch der Beherrschung des Wortes verhandelt wird: Denn wenn der Prophet dem Volk das Wort Gottes vermittelt, so vermittelt der Erzähler uns seinerseits das Wort des Propheten; und wenn jene Übermittlung vom Erzähler als unzuverlässig dargestellt wird, so hindert uns nichts daran, auch die Übermittlung des Erzählers infrage zu stellen. Die Begründung der Herrschaft erweist sich hier also als höchst komplex, und die historische Wirkung dieses Textes ist wohl nicht zuletzt darauf zurückzuführen, dass es der Text erlaubt, die Frage nach der (diskursiven) Repräsentation und der (politischen) Repräsentation immer wieder anders zu denken.

Die Instituierung und Inszenierung (und Inszenierung der Instituierung) von Herrschaft gehört zum Kernbestand dessen, wofür sich die in den letzten Jahrzehnten rasant gewachsenen ‚Kulturwissenschaften' interessieren. Denn Disziplinen wie die Sprach- und Literaturwissenschaften, die Kunstgeschichte und Musikwissenschaft, die Geschichte und die Archäologie, die früher als ‚Geisteswissenschaften' die Erzeugnisse des menschlichen Geistes – und das hieß faktisch meistens: der Hochkultur – erforschten, werden heute oft als ‚Kulturwissenschaften' reformuliert, die sich für die zahlreichen Praktiken und Zeichensysteme interessieren, die die menschliche Kultur in ihren verschiedenen Ausprägungen charakterisieren. Das geht nicht nur mit der Ausweitung der Gegenstände einher, zu denen jetzt auch nicht kanonisierte Texte und inoffizielle Praktiken gehören, sondern auch mit einer Verschiebung der Methoden, insofern jetzt auch ‚nichtliterarische' Texte wie Tagebücher und Gesetze mit literaturwissenschaftlichen Mitteln gelesen werden. Denn wenn Kulturen insgesamt Bedeutungssysteme sind, so schlägt sich das in allen ihren Texten nieder.

Man könnte erwarten, dass sich von diesem Ansatz her fast von selbst ein Zugang zu einer literarischen Analyse biblischer Texte ergeben hätte, um so mehr als das Thema der Religion sich bald als zentrales Gegenstandsgebiet der Kulturwissenschaft abzeichnete und ja auch im allgemeinen Diskurs eine bemerkenswerte Renaissance erfuhr. Aber zumindest in Deutschland war das nicht der Fall, ganz im Gegenteil. Zwar wird viel über Religion gesprochen und deren Wiederkehr beschworen, aber sie erscheint dabei eher als etwas Fremdes: als das große Andere der Kultur, als deren dunkler Ursprung, als ursprüngliche Naivität, die zwar etwas Faszinierendes hat, aber eben dadurch der Differenziertheit entbehrt. Für die politische Theologie etwa, vielleicht der anspruchsvollste Diskurs, der sich in den letzten Jahrzehnten mit der Religion in unserer Kultur auseinandersetzte, steht die Theologie für eine ursprüngliche Ungeschiedenheit von Herrschaft und Heil, die dann in der Geschichte Europas mehr oder weniger langsam auseinandergetreten sein sollen. Dabei zeigt doch schon die hier vorgestellte kurze Lektüre einer theokratischen Urszene, dass die vermeintliche Ursprünglichkeit komplexer und die behauptete Identität von Politik und Religion ambivalenter ist, als es der erste Augenschein vermuten ließ. Denn der Text legt zumindest nahe, dass die sakrale Begründung der Herrschaft nicht erst in der Moderne, sondern von seinem Ursprung her paradoxe Züge trägt. Um die kulturelle Bedeutung der Bibel zu verstehen, ihre Wirkung, ihre Nachgeschichte, ihre Subtexte, darf man daher nicht nur oberflächlich lesen – mit dem Resultat etwa, dass Israel ‚königskritisch' war –, sondern muss die Texte öffnen und neue, weniger zutage liegende Bedeutungen herausarbeiten. Denn hier handelt es sich nicht um eine Ursprungsgeschichte, die einen bestimmten Zustand erklären und als natürlich legitimieren soll; eher ist es eine Urszene im Freudschen Sinne: eine Konstellation, in der die verschiedenen Protagonisten in einer spannungsreichen Konstellation versammelt sind. Es gibt eine ganze Reihe solcher Urszenen in der Bibel, in denen verhandelt wird, was Moral und Schuld, Wissen und Unwissenheit, Darstellung und Abbild, Geschlecht und Genealogie ist. Immer werden dabei nicht nur Aussagen gemacht, deren Wirksamkeit wohl kaum überschätzt werden kann, sondern es geschieht auch auf höchst komplexe Weise. Von Kulturwissenschaftlern ist zu erwarten, dass sie diese Texte nicht einfach nur zitieren oder ihre Bedeutsamkeit beschwören, sondern sie wenigstens so genau lesen, wie sie andere Texte lesen können.

2. Das Buch der Bücher – Urgeschichte der Literatur

Am Ende des Deuteronomiums, damit auch am Ende der mosaischen Bücher, wird die Geschichte „dieses Buches" erzählt:

> Als Mose damit zu Ende war, den Text dieser Weisung in eine Urkunde einzutragen, ohne irgend etwas auszulassen, befahl Mose den Leviten, die die Lade des Bundes des Herrn trugen: Nehmt diese Urkunde der Weisung entgegen, und legt sie neben die Lade des Bundes des Herrn, eures Gottes! Dort diene sie als Zeuge gegen euch. Denn ich kenne deine Widersetzlichkeit und deine Halsstarrigkeit. Seht, schon jetzt, wo ich

noch unter euch lebe, habt ihr euch dem Herrn widersetzt. Was wird erst nach meinem Tod geschehen? (Dtn 31,24-27)

Die hier zitierte Stelle scheint eine ganze Reihe von Sicherheitsvorkehrungen zu treffen, um die Erinnerung zu sichern und das Aufschreiben zu ordnen. Nicht nur in dieses Buch soll die Weisung geschrieben werden, sondern auch aufs Herz und auf die Seele (11,18), zum Schmuck auf der Stirn (ebd.) und an die Türpfosten (11,20). Die Bibel ist ein mächtiger Gedächtnistext. Aber trotz aller Vorkehrungen wird das zukünftige Vergessen schon kurz darauf zur Gewissheit: „Denn ich weiß: Nach meinem Tod werdet ihr ins Verderben laufen und von dem Weg abweichen, den ich euch vorgeschrieben habe. Dann, in künftigen Tagen, wird euch die Not begegnen, weil ihr tut, was in den Augen des Herrn böse ist, und weil ihr ihn durch euer Machwerk erzürnt." (31,29) Der Text geht hier in das vollendete Futur über: wenn ihr mich vergessen haben werdet, wird Euch die Not begegnen. Aber auch diese Vergessenheit wird nicht radikal sein, denn Moses hat noch eine weitere Absicherung installiert: das folgende Kapitel 32, das so genannte *Lied des Moses*.

> Wenn ich dieses Volk in das Land geführt habe, das ich seinen Vätern mit einem Schwur versprochen habe, in das Land, wo Milch und Honig fließen, und wenn es gegessen hat und satt und fett geworden ist und sich anderen Göttern zugewandt hat, wenn sie ihnen gedient und mich verworfen haben und es so meinen Bund gebrochen hat, dann wird, wenn Not und Zwang jeder Art es treffen, dieses Lied vor ihm als Zeuge aussagen; denn seine Nachkommen werden es nicht vergessen, sondern es auswendig wissen. (Dtn 31,20 f.)

Hier wird noch eine weitere Stufe in die vollendete Zukunft eingeschoben, die zeitlich schon schwer zu konstruieren ist: Wenn ihr Gott verraten haben werdet und (danach) in Not gekommen sein werdet, wird Euch dieses Lied erinnern – an den Moment jetzt, indem ich Euch das sage, aber auch an die Verheißung an die Väter. Offensichtlich projiziert sich die Weisung in die eigene Zukunft, in der sie erinnert werden wird, selbst wenn sie Vergessen wird – indem der Text über sich selbst spricht, befestigt er seine Position.

Aber welche Weisung ist eigentlich gemeint? Zur selbstreflexiven Wendung der Stelle passt, dass Moses hier von ‚dieser Urkunde' und ‚dieser Weisung' spricht und beides miteinander verschränkt: in Vs. 24 heißt es wörtlich, „die Worte dieser Weisung", in Vs. 26 „diese Urkunde der Weisung". Beides scheint sich, so die Konvention auch des Hebräischen Demonstrativpronomens, auf etwas zu beziehen, das im Kontext der Äußerung vorliegt und auf das gezeigt werden kann. Ein solches Zeigen ist freilich in einem geschriebenen Text immer paradox, weil er als geschriebener ja eben keinen Kontext hat. Zeigt Moses auf ‚dieses Buch', das wir lesen, beinhaltet das Schreiben ‚dieser Worte' auch ‚diese Worte' selbst? Oder sind die ‚Worte', die ‚Weisung' und die ‚Urkunde' zu unterscheiden? Der Text scheint hier nicht klar zu sein, und er verschleiert diese Unklarheit zugleich. Erzähltheoretisch wäre der Verweis des Textes auf sich selbst eine ‚Metalepse', ein Wechsel der narrativen Ebene (der klassische Fall im Roman des 18. Jahrhunderts: ‚Während unser Held sich zur Ruhe legt, wollen wir seine Jugend berichten'). Er verwirrt den Leser, aber er führt auch zu einer neuen Stabilität, indem es den Text gegen seine Außenwelt abschließt, denn noch das Niederschreiben ‚dieser Worte' gehört gewissermaßen zu ‚diesen Worten' selbst. Dabei steht dieser Schluss des Deuteronomiums nur exemplarisch für eine viel allgemeinere Eigenschaft, die so bemerkenswert und meist selbstverständlich akzeptiert ist: In den mosaischen Büchern werden ‚Weisung' und Erzählung verbunden, denn sie enthalten ja nicht nur die Anweisungen des mosaischen Gesetzes, sondern auch die Geschichte, wie ‚dieses Gesetz' empfangen, niedergeschrieben, verkündet worden ist. Was in den Gesetzen, die wir kennen, säuberlich auseinander gehalten wird – die Präambel, die von den historischen Umständen eines Gesetzes handelt, und das Gesetz, dass eben unter allen Umständen gelten soll –, ist im mosaischen Text vermischt. Sie erzählen sich selbst als gültig. Es ist daher auch irreführend zu sagen, sie seien ‚im Nachhinein' kanonisiert worden – wenn das historisch so gewesen ist, so ist dieser Schritt doch jetzt in die Struktur der Texte eingeschrieben, die sich selbst als ‚diese Worte' bezeichnen und den Akt ihres Schreibens als Schreiben einer unvergesslichen ‚Weisung' darstellen, ja noch mehr: die sogar ihre Lektüre, sogar noch das Vergessen ‚dieser Worte' voraussehen und mit dem Lied des Moses' dagegen ihre Vorsichtsmaßregeln treffen. Es sind dabei gerade die Unschärfen des Textes – ‚diese' Urkunde oder ‚diese' Weisung, und was ist ‚diese'? –, die ihn in die Lage versetzen, sich auf sich selbst zu beziehen und sich selbst zu kommentieren. Durch sie enthält er weder eine monolithische Botschaft noch ist er ein bloßes Reservoir von Bedeutungen, aus dem jeder etwas anderes entnehmen kann; eher gleicht er einer offenen Struktur, einem Feld der Lektüren oder Schauplatz von Verhandlungen nicht nur über die Welt und das Tun des Menschen, sondern auch darüber, was eigentlich ‚Lesen' und was eigentlich ein Buch ist.

Die Bibel ist nicht nur eine Sammlung von Geschichten, Motiven und Urszenen, sondern auch ein Modell des Buches, ‚Buch der Bücher' ist sie nicht nur als besonders wichtiges Buch und als Buch, dass aus anderen Büchern zusammengesetzt ist, sondern als Muster des Buchs, das lange Zeit bestimmend dafür war, was man unter einem Buch versteht und wie man mit ihm umgeht. Das biblische Modell der ‚Heiligen Schrift' war lange Zeit zentral für die europäische Textkultur und hat auch nach dem Ende seiner selbstverständlichen Geltung ein machtvolles Nachleben. Letztlich kann man wohl kaum verstehen, was ‚Lesen' in Europa bedeutet, ohne die Traditionen der Lektüre der Bibel zu berücksichtigen, die durch die Urszene ‚dieser Urkunde' veranlasst wurde. Die Geschichte dieser Lektüre ist lang und vor allem breit und umfasst unzählige Texte ganz verschiedener Epochen und verschiedener Strömungen, die einander vielfach beeinflussen (vgl. dazu auch den Schlussessay von Hans-Peter Schmidt). Für die Spätantike, das Mittelalter oder die Frühe Neuzeit könnte man die Kulturgeschichte als Geschichte der Bibellektüre schreiben. Und sie beginnt schon sehr früh. Schon in der Hebräischen Bibel selbst findet man vielfältige Spuren der Lektüre, so wenn sich die Propheten auf die mosaische ‚Weisung' beziehen und sie teilweise höchst eigenwillig interpretieren. Die rabbinische Lektüre und Kommentierungspraxis setzt bereits einen geschlossenen Kanon von Texten voraus, die zu ihrer wechselseitigen Erhellung miteinander verbunden werden: Jede Stelle der Schrift kann potenziell eine andere erklären oder ein Gebot für einen konkreten Fall spezifizieren, ohne dass sich die Interpreten dabei definitiv für eine Bedeutung entscheiden. Die Präzision, Subtilität und Ambiguität dieser Lektüren hat übrigens auch zu einer in vieler Hinsicht parallelen Debatte über *Midrash as Literature* geführt, deren Rezeption in Deutschland ebenfalls noch aussteht. Fast gleichzeitig greifen auch die ersten christlichen Schriftsteller auf die Bibel zurück: Im Neuen Testament wird die Hebräische Bibel ‚typologisch‘ als Vorausdeutung auf Christus gelesen. Die mittelalterliche Exegese entwickelt das System des vierfachen Schriftsinns, der jeder Bibelstelle mehrere Schichten von Bedeutungen gibt, ‚Jerusalem‘, so das bekannteste Beispiel, bezieht sich ‚literal‘ auf die historische Stadt, ‚allegorisch‘ auf die christliche Kirche, ‚tropologisch‘ auf die menschliche Seele und ‚anagogisch‘ auf das zukünftige himmlische Jerusalem. Die Reformatoren brechen zwar mit dieser Ordnung, lesen aber weiterhin die Schrift ‚typologisch‘ und zugleich als direkte Ansprache des Gläubigen. Das reformatorische Schriftprinzip fordert gerade, sich nicht auf Autoritäten und nicht auf Vernunft, sondern nur auf die Schrift zu verlassen und begründet damit ein intensives Verhältnis zum Buch, das zu den entscheidenden Voraussetzungen für die Entstehung der modernen Literatur gehört. Die historische Kritik des 18. und 19. Jahrhunderts entwickelt sich in diesem Kontext: Um den offenkundigen Verständnisschwierigkeiten zu begegnen, sollen die Texte historisch verstanden werden. Das führt schon früh dazu, dass die einzelnen Texte historischen Autoren zugewiesen werden – schon Spinoza hatte etwa Esra und nicht Moses für den Autor der ‚mosaischen‘ Bücher gehalten –, später werden sie dann selbst noch historisch aufgespalten: Für die sich um 1800 entwickelnde Pentateuchkritik sollen die Erzählungen des Alten Testaments ursprünglich aus verschiedenen ‚Urkunden‘ bestanden haben, die ein späterer ‚Redaktor‘ zusammenkompiliert habe; in den Evangelien sucht die synoptische Kritik ältere und jüngere Überlieferung und unterscheidet bald das wirklich Geschehene von seiner mythischen Überformung. Diese historisch-kritische Auslegung spielt eine entscheidende Rolle für die Entstehung der modernen Hermeneutik, also der Kunst des Verstehens, in der sich auf paradoxe Weise der emphatische Begriff des ‚Geistes‘ eines bestimmten Textes bzw. seines als ‚Schöpfer‘ gedachten Autors mit der mikrologischen Untersuchung einzelner Textteile verbindet. Gegen Ende des 19. Jahrhunderts, als sich die Leistungen dieser Philologie erschöpft haben, treten religions-, kultur- und formgeschichtliche Fragen in den Vordergrund der Forschung: Die biblischen Texte werden nicht mehr als historische Berichte oder als Werke einzelner Autoren gelesen, sondern als Ausdruck allgemeiner Tendenzen der Frömmigkeit oder als Spiegel kultureller Spannungen und Konflikte: Fragen und Methoden, die für die um 1900 entstehende ‚Kulturwissenschaft‘ etwa bei Max Weber, Ernst Cassirer und Aby Warburg eine große Bedeutung haben. Weil dabei ein besonderes Augenmerk auf die ‚Form‘ der Texte gelegt wird – die kleinen Formen wie Spruch, Gedicht, Segen gelten als besonders alte Reste einer mündlichen Literatur und die ‚Umformung‘ von Stoffen in Erzählungen oder größere Texte als literarisch wie kulturell bedeutsamer Prozess –, kann sich an den Rändern dieser Formgeschichte auch eine literarische Lektüre der Bibeltexte entwickeln. Die seit den 1920er Jahren erscheinende Übersetzung der Hebräischen Bibel durch Martin Buber und Franz Rosenzweig legt besonderen Wert auf die Übersetzung der sprachlichen Form, und begreift die Bibel – oft unter Rekurs auf formgeschichtliche Argumente – als ‚gesprochenes Wort‘, allerdings nicht aus historischen und nicht aus primär literarischem Interesse, sondern um die säkularen jüdischen Zeitgenossen wieder zur Bibel zurückzuführen. 20 Jahre später schreibt der jüdische Romanist Erich Auerbach im Istanbuler Exil das berühmte erste Kapitel von *Mimesis. Dargestellte Wirklichkeit in der abendländischen Literatur* (1946), in der die Gegenüberstellung der griechischen Erzählweise in der Odyssee und der biblischen Erzählung in Genesis 22 zum Grundmotiv einer umfassenden Literaturgeschichte von der Antike bis in die Moderne wird. Kaum irgendwo zeigt sich so deutlich wie in diesen Projekten, aus welchen Spannungen die moderne literarische Lektüre der Bibel entspringt: zwischen verschiedenen Sprachen und Disziplinen, zwischen historischen Methoden und theologischen Hintergrundannahmen, zwischen kulturellen Projekten und persönlichen Schicksalen und schließlich verbunden mit dem Judentum in einem neuen, radikalisierten Exil angesichts der Vernichtungsdrohung.

3. Die Versuchung der Dichtung – Literatur liest die Bibel

John Miltons kleines Epos *Paradise Regained*, Gegenstück und Anhang zum großen *Paradise Lost*, erzählt die Geschichte von Jesus‘ Versuchung. Sie wird bei Markus nur kurz erwähnt (Mk 1,12 f.) und erst bei Lukas (Lk 4,1-13) und Matthäus (Mt 4,1-11) zu einer kleinen Geschichte ausgearbeitet, deren starke Typisierung, Wiederholung (drei Versuchungen durch Satan, drei Antworten Jesu) und Variation (Lukas endet mit der Versuchung, von der Zinne des Tempels zu stürzen, Matthäus mit der Schenkung aller Herrlichkeit dieser Reiche) dem Text fast märchenhafte Züge gibt. Es scheint kaum ein größerer Kontrast denkbar als zwischen dieser simplen Erzählung zu der von Milton benutzten Form des klassischen Epos mit seinen mythologischen Vergleichen, seinem gehobenen Stil und der rhetorischen Brillanz seiner langen Reden. Handelt es sich hier um jenes ‚Umgießen‘ eines biblischen Inhalts in eine ‚pseudoantike Form‘, die nach dem Literaturkritiker Ernst Robert Curtius das Bibelepos zu einer „innerlich unwahren Gattung" gemacht hat? Wenn man beide Texte nebeneinander legt, zeigt sich ganz im Gegenteil, dass auch der biblische Text keineswegs simpel ist, sondern einige Rätsel und Unbestimmtheiten in sich birgt, an denen Miltons Epos ansetzt. Literatur interpretiert hier die Bibel und macht deren verborgene Strukturen sichtbar, ebenso wie die Untersuchung der literarischen Struktur der Bibel es möglich macht, Miltons Text differenzierter zu lesen.

Trotz der offenkundigen formalen Differenz ist die Grundstruktur der biblischen Geschichte im Epos noch deutlich erkennbar, vor allem in Gestalt der vier Zitate, die die Versuchungsgeschichte gliedern. Denn auf die erste Versuchung des Satans:

But, if thou be the Son of God, command / That out of these hard stones be made thee bread,

antwortet Jesus wie in der Bibel mit einem Zitat:

Think'st thou such force in bread? Is it not written
(For I discern thee other than thou seem'st),
Man lives not by bread only, but each word
Proceeding from the mouth of God, who fed
Our fathers here with manna? (Canto I, Vs. 347ff.)

Das Zitat aus dem Deuteronomium – „der Mensch lebt nicht nur von Brot, sondern von allem, was der Mund des Herrn spricht" (Dtn 8,3) – wird im Epos ausgebaut und wird auf die Wüstenwanderung und auf Eliahs Aufenthalt in der Wüste bezogen. Aber das entfaltet nicht nur den Kontext jenes Zitats, sondern diese Stellen sind ja auch tatsächlich die Vorbilder, nach der die Versuchungsgeschichte gestaltet ist. Auffällig ist freilich, dass sich Jesus' Erwiderung im Folgenden auf das wechselseitige Erkennen bezieht: „Why dost thou, then, suggest to me distrust / Knowing who I am, as I know who thou art?" Aber auch diese Erweiterung ist keineswegs willkürlich, sondern greift auf ein bemerkenswertes Charakteristikum des biblischen Textes zurück: Es ist nämlich gerade der Versucher, der hier konditional vom ‚Sohn Gottes' spricht: „Wenn Du Sohn Gottes bist" (Mt 4,3, Lk 4,3). Das ist nicht nur (abgesehen von der Verkündigung Lukas' 1,35) das erste Mal, dass dieser Titel in den Evangelien fällt, es kann auch als direkter Kommentar zur unmittelbar vorhergegangenen Taufe Jesu gelesen werden, bei der die Stimme aus dem Himmel spricht: „Das ist mein geliebter Sohn, an dem ich gefallen gefunden habe" (Mt 3,17). Was diese Sohnschaft sein kann, wird in der Versuchungsgeschichte erörtert, und Miltons *Paradise Regained* macht Satan zum Wortführer dieser Suche.

Das wird vor allem am Schluss des Epos deutlich. Nachdem der Versucher Jesus erfolglos nicht nur alle Königreiche der Welt, sondern auch Weisheit der Welt und die Macht der Dichtung angeboten hat – typisch für Milton wird in der Dichtung die Gewalt der Dichtung problematisiert –, geht er zu einer letzten Probe über: „that I might learn / In what degree or meaning thou art called / The Son of God, which bears no single sense." Wieder folgt die Prüfung selber dem biblischen Text bei Lukas, nach der Satan Jesus auf den Tempel stellt und auffordert: „Wenn du Gottes Sohn bist, so stürz dich von hier hinab, denn es heißt in der Schrift: Seinen Engeln befiehlt er, dich zu behüten und: Sie werden dich auf ihren Händen tragen, damit dein Fuß nicht an einen Stein stößt." (Lk 4,9-11) Hier ist nun schon die Bibel keineswegs ‚naive' Erzählung, sondern inszeniert einen rhetorischen Zweikampf, einen Wettstreit um die richtige Bibelauslegung. Die letzte Prüfung stellt die Frage, was es heißt, ‚Sohn Gottes' zu sein, in besonders subtiler Weise, denn die Versuchung bedient sich jetzt nicht des Brotes, der Herrschaft oder der Weisheit, sondern der Schrift selbst, die Satan hier zitiert. Aber Jesus geht nicht in die Falle, sondern antwortet wie in der Bibel mit einem anderen Zitat: „To whom thus Jesus: „Also it is written, / ,Tempt not the Lord thy God.'" He said, and stood; / But

Satan, smitten with amazement, fell." Jesus bleibt also auf dem Tempel stehen, Satan fällt, und zwar fällt er aufgrund einer Erkenntnis, wie der folgende Vergleich mit der Sphinx deutlich macht:

> [...] as that Theban monster that proposed
> Her riddle, and him who solved it not devoured,
> That once found out and solved, for grief and spite
> Cast herself headlong from the Ismenian steep,
> So, strook with dread and anguish, fell the Fiend. (Canto IV, Vs. 572ff.)

Auch dieser Vergleich, der scheinbar nur eine mythologische Ausschmückung ist, trägt entscheidend zum Verständnis des Textes bei: Der Satan fällt, weil seine Frage beantwortet worden ist, weil damit auch die Versuchung, die von ihr ausging: die Versuchung zu handeln, Wunder zu tun, zu springen, erloschen ist. Aber wo soll eine solche Antwort erfolgt sein? Jesus' letzte Entgegnung scheint der Versuchung doch eher auszuweichen oder sie doch nur sehr äußerlich zurückzuweisen. Aber, und das ist entscheidend, sie tut das mit einer charakteristischen Unschärfe: Zitiert Jesus „Du sollst den Herrn, deinen Gott nicht versuchen" eigentlich als allgemeine Maxime, oder wendet er sich mit ihm konkret an Satan? Anders gesagt: Wer soll denn nicht in Versuchung führen: Soll Jesus Gott nicht versuchen, wie *man* eben Gott nicht versuchen soll, oder soll der Satan – wen nicht versuchen? Gott – wie könnte er? Oder nicht vielmehr Jesus? Wenn man aus dem Vorhergehenden weiß, dass hier alles um die Frage kreist, was es heißt, Gottes Sohn zu sein, kann man das, was ein Zitat zu sein scheint, auch als ganz direkte Aussage lesen: Du, Satan, sollst deinen Gott nicht versuchen – nämlich mich, denn Gottes Sohn ist Gott. Das wäre schließlich die Antwort auf die Frage, die Satan Jesus stellte und die ihn nun selbst zu Fall bringt. Allerdings bleibt diese Aussage zweideutig und auch die erste Lesart als Zitat bleibt möglich und wäre nicht weniger passend. Hier würde der Sohn sich ermahnen, seinem Vater gegenüber gehorsam zu bleiben, Sohn und Gott wären also gerade unterschieden. Beide Versionen liegen nicht nur im Rahmen der christologischen Dogmatik, die hier verhandelt wird, sondern auch in der Ambivalenz, die Zitaten genauso wie generell literarischen Texten eigen ist. Miltons Verhältnis zum Text ist also nicht willkürlich. Sein Epos stellt Fragen, die der biblische Text nicht stellt, aber auch dieses Nicht-Stellen ist eine Eigenschaft des Textes, der nun, gewissermaßen rückwirkend, anders lesbar wird. Es handelt sich also nicht um einen Umguss, es handelt sich auch nicht einfach um eine Neuinterpretation des biblischen Textes, sondern präzise um eine Relektüre, die an den Paradoxien und Leerstellen des biblischen Textes ansetzt und sie literarisch ausgestaltet. Dass diese Paradoxien dabei als Paradoxien bestehen bleiben, dass die Ambiguität nicht aufgelöst, sondern nur verstärkt wird, ist die besondere Leistung von Miltons Epos.

In der englischen Literaturgeschichte ist Milton immer ein Klassiker gewesen. Auch das mag ein Grund sein, warum es hier eine umfassende und differenzierte Forschung über das Verhältnis der Literatur zur Bibel gibt. Das umfasst Überblickswerke wie David Nortons *A History of the Bible as Literature* (1993), die dem kulturellen und literarischen Einfluss der Bibel insbesondere durch ihre Übersetzungen nachgeht; es betrifft auch eine ganze Reihe von Untersuchungen zu einzelnen Epochen oder Gattungen sowie zum prägenden literarischen Einfluss der King James Bible, zu schweigen von der Fülle von Studien zu einzelnen Autoren. Diese Forschungen sind umso bemerkenswerter, als sie theoretisch oft auf hohem Niveau stehen. Wichtige allgemeine Literaturtheoretiker haben sich auch mit der Bibel beschäftigt und wesentliche Bestandteile ihrer Theorien an biblischen Texten entwickelt und veranschaulicht. Kenneth Burkes universale Theorie der Rhetorik diskutierte in der *Rhetoric of Religion* (1961) etwa das Problem, wie man eigentlich einen absoluten Anfang wie die Schöpfung überzeugend erzählen könne. Northrop Fryes universale Theorie literarischer Modi als verschiedene Weltzugänge bezog sich immer wieder auf die Bibel, die als *The Great Code of Art* (1982) wie kein anderer Text die verschiedenen Darstellungstheorien verbinde. Stanley Fischs *reader response criticism* entwickelte sich gerade an einer Untersuchung von Bibeldichtungen, etwa wenn er zeigt, dass Miltons *Paradise Lost* den Leser selbst der biblischen Erfahrung von Versuchung, Fall und Buße unterziehe. Schließlich entwickelt sich auch Harold Blooms dekonstruktivistische Theorie der Literaturgeschichte als permanente und ambivalente Subversion der Vorgänger am Vorbild der Bibel, demgegenüber alle anderen Texte immer als verspätet und abhängig erscheinen müssen. Gerade diese theoretischen Impulse haben die allgemeine Literaturwissenschaft sensibel für religiöse Texte und deren besondere Dynamik gemacht, haben aber umgekehrt auch wieder die Untersuchung biblischer Texte befruchten können.

Ganz anders in der deutschen Literaturwissenschaft. Hier sind Arbeiten zur Bibel nicht besonders häufig und theoretisch nicht immer auf der Höhe der Zeit. Sie sind größtenteils entweder autormonographisch – ‚Die Bibel im Werk von x‘ – oder motivgeschichtlich – ‚Esther in der Literatur‘ – orientiert. So verdienstvoll diese Ansätze auch sein mögen, sie sind in der heutigen literaturwissenschaftlichen Diskussion kaum noch anschlussfähig. Autoren sind längst keine entscheidende theoretische Größe mehr, und das meist geübte Verfahren, ihren Umgang mit der Bibel mit einer besonderen ‚Weltanschauung‘ oder gar existentialen Entscheidung zu erklären, kann heute kaum mehr überzeugen. Und der Motivgeschichte haftet noch immer oft die Vorstellung an, die auch Ernst Robert Curtius‘ einflussreicher Rede vom ‚Umguss‘ biblischer Inhalte in eine antike Form zugrunde liegt und die sich auf die Formel bringen lässt: Religiöse Stoffe werden mit mehr oder weniger ‚dichterischer Freiheit‘ einer literarischen Form unterworfen. Diese Vorstellung macht die religiöse Bezugnahme per se zu etwas Äußerlichem, oft nur apologetisch Begründeten; sie impliziert, dass Bibeldichtung je mehr Dichtung ist, desto ‚freier‘ sie von etwaigen nichtliterarischen (also auch religiösen) Zwecken ist; insgesamt schreibt diese Unterscheidung von Form und Inhalt einen veralteten Literaturbegriff fort, den es heute nach der methodischen Selbstkritik des Faches und seiner kulturwissenschaftlichen Erweiterung zu verabschieden gilt. Aber während es zur Selbstverständlichkeit geworden ist, die Interaktion und Interdependenz literarischer Diskurse mit politischen oder wissenschaftlichen zu beobachten, werden religiöse Texte immer noch als etwas Fremdes betrachtet.

Die Entgegensetzung von Bibel und Literatur prägt auch die in Deutschland einflussreichste Theorie ihres historischen Verhältnisses: Albrecht Schönes Untersuchung der literarischen Verwendung religiöser Sprache als ‚Säkularisation'. Immer wieder und insbesondere um 1800 werde in der Dichtung religiöse Sprache benutzt und damit gewissermaßen religiöse Bedeutung auf die Literatur ‚übertragen'. Schöne denkt diese Übertragung freilich einseitig als wachsende Befreiung der Literatur von der Bibel und dementsprechend als zunehmende Freiheit im Umgang mit dem religiösen Material. Das impliziert, dass ein Bibelzitat im literarischen Text entweder ‚schon' dichterisch ist oder ‚noch' religiös, was aber eben den ‚literarischen' Charakter des Textes in Frage stellt. Tatsächlich soll Schönes Theorie wohl eher der Autonomieästhetik der Goethezeit und ihre Abgrenzung von einem religiösen oder moralischen Zweck der Literatur eine historische Legitimation verschaffen – um den Preis freilich, dass auch hier die Bibel zum Gegentext der Literatur schlechthin wird, insofern diese eben ‚nicht mehr Bibel' ist. Diese starre Gegenüberstellung muss heute, wo jene Ästhetik autonomer Kunst schon lange nicht mehr bestimmend für das Literaturverständnis ist, überwunden werden. Um die Bibel selbst nicht nur als Quelle von Stoffen und Motiven zu begreifen, muss man ihre literarische Struktur untersuchen können; die literarische Lektüre der Bibel wird ihrerseits die literarischen Texte über die Bibel leichter verständlich machen. Wenn die Bibel für die deutsche Literaturwissenschaft so etwas wie ein blinder Fleck war, hat es systematische Bedeutung für die ganze Disziplin, wenn man sie ein wenig genauer ins Auge fasst.

4. Wege der Lektüre – Geschichte der literarischen Analyse

Unmittelbar nach dem ersten Auftritt Abrahams in der biblischen Geschichte findet sich eine eigenartige und beinahe anstößige Geschichte, die die Interpreten schon immer vor Probleme gestellt hat und an der sich das Besondere der literarischen Lektüre besonders deutlich machen lässt. „Als er sich Ägypten näherte, sagte er zu seiner Frau Sarai: Ich weiß, du bist eine schöne Frau. Wenn dich die Ägypter sehen, werden sie sagen: Das ist seine Frau!, und sie werden mich erschlagen, dich aber am Leben lassen. Sag doch, du seiest meine Schwester, damit es mir deinetwegen gut geht und ich um deinetwillen am Leben bleibe." (Gen 12,12 f.) Genau das geschieht: Der Pharao holt die Frau in seinen Palast und beschenkt Abraham reich:

> Als aber der Herr wegen Sarai, der Frau Abrams, den Pharao und sein Haus mit schweren Plagen schlug, ließ der Pharao Abram rufen und sagte: Was hast du mir da angetan? Warum hast du mir nicht gesagt, daß sie deine Frau ist? Warum hast du behauptet, sie sei deine Schwester, so daß ich sie mir zur Frau nahm? Nun, da hast du deine Frau wieder, nimm sie, und geh! Dann ordnete der Pharao seinetwegen Leute ab, die ihn, seine Frau und alles, was ihm gehörte, fortgeleiten sollten. (Gen 12,17-20)

Abraham zieht also bereichert von dannen, der Pharao bleibt zurück und scheint auch weiter Opfer jener ‚Plagen‘ zu sein. Einiges an dieser Geschichte ist unverständlich oder jedenfalls unausgeführt: Worin bestehen diese Plagen, wie hat der Pharao sie eigentlich mit Sarai und Abram in Verbindung gebracht, und woher weiß er jetzt plötzlich, dass Sarai dessen Frau ist? Wie hat Abram auf die nur allzu berechtigten Vorwürfe des Pharaos reagiert – sollen wir das Schweigen des Erzählers als betretenes Schweigen des Patriarchen deuten? –, und natürlich: Wie ist das Erzählte zu bewerten? Wenn man ein wenig weiter blättert, stößt man auf eine andere Geschichte, die hier Aufschluss verspricht. In Genesis 20 ist Abraham erneut im Negev, diesmal in Gerar.

Abraham behauptete von Sara, seiner Frau: Sie ist meine Schwester. Da schickte Abimelech, der König von Gerar, hin und ließ Sara holen. Nachts kam Gott zu Abimelech und sprach zu ihm im Traum: Du mußt sterben wegen der Frau, die du dir genommen hast; sie ist verheiratet. Abimelech aber war ihr noch nicht nahegekommen. Mein Herr, sagte er, willst du denn auch unschuldige Leute umbringen? Hat er mir nicht gesagt, sie sei seine Schwester? Auch sie selbst hat behauptet, er sei ihr Bruder. Mit arglosem Herzen und mit reinen Händen habe ich das getan. Da sprach Gott zu ihm im Traum: Auch ich weiß, daß du es mit arglosem Herzen getan hast. Ich habe dich ja auch daran gehindert, dich gegen mich zu verfehlen. Darum habe ich nicht zugelassen, daß du sie anrührst. Jetzt aber gib die Frau dem Mann zurück; denn er ist ein Prophet. Er wird für dich eintreten, daß du am Leben bleibst. Gibst du sie aber nicht zurück, dann sollst du wissen: Du mußt sterben, du und alles, was dir gehört. (Gen 20,2-7)

In diesem Fall ist sehr klar, wie der fremde König von seinem Fehler erfuhr: durch eine Traumerscheinung Gottes. Es ist dabei nicht nur eine besondere Ehre, dass sie ihm als Heide widerfährt, sie entschuldigt ihn auch weitgehend: Während in Genesis 12 der Pharao kommentarlos vom Unheil getroffen wird, erklärt Gott hier Abimelech lange das Geschehen und erörtert mit ihm die Schuldfrage. Aber auch eine andere dort fehlende Diskussion wird hier nachgetragen: Abraham antwortet hier auch auf den Vorwurf Abimelechs, warum er das getan habe, und zwar erneut mit einer wortreichen Rede:

Ich sagte mir: Vielleicht gibt es keine Gottesfurcht an diesem Ort, und man wird mich wegen meiner Frau umbringen. Übrigens ist sie wirklich meine Schwester, eine Tochter meines Vaters, nur nicht eine Tochter meiner Mutter; so konnte sie meine Frau werden. Als mich aber Gott aus dem Haus meines Vaters ins Ungewisse ziehen hieß, schlug ich ihr vor: Tu mir den Gefallen und sag von mir überall, wohin wir kommen: Er ist mein Bruder. Darauf nahm Abimelech Schafe, Ziegen und Rinder, Knechte und Mägde und schenkte sie Abraham. Auch gab er ihm seine Frau Sara zurück. (Gen 20,11-14)

Scheinbar sind damit alle Fragen gelöst, wir haben jetzt das erfahren, was die erste Geschichte ausließ: wie der fremde König von seiner Sünde erfuhr, in welchem Maße sie überhaupt als Sünde bewertet wird und was Abraham auf die Vorwürfe antwortete; wenige Verse weiter scheint sogar noch das Rätsel der Plage gelöst:

Zum Abschied tritt Abraham vor Gott für Abimelech ein: „da heilte Gott Abimelech, auch seine Frau und seine Dienerinnen, so daß sie wieder gebären konnten.
Denn der Herr hatte im Haus Abimelech jeden Mutterschoß verschlossen wegen
Sara, der Frau Abrahams." (Gen 20,17 f.) Aber diese Auflösung ist gewissermaßen
zu perfekt: Von dieser Plage der Unfruchtbarkeit war im Vorhergehenden gar nicht
die Rede gewesen, sie ist in der Ökonomie dieser Erzählung geradezu überflüssig
durch die göttliche Botschaft und deren Drohung, Abimelech zu töten, wenn er
nicht gehorche. Wir erfahren hier also gewissermaßen zuviel, und die Episode der
Plage scheint besser zur ersten Geschichte zu passen. Umgekehrt erfahren wir aber
auch zu wenig, denn genau dort, wo Genesis 12 ausführlich war, ist Genesis 20
lakonisch: Warum Abraham eigentlich so handelt, erfahren wir hier nicht vom
Erzähler und nicht am Anfang der Geschichte, sondern von Abraham, der im
Nachhinein behauptet, er habe aus Furcht gehandelt und nicht einmal im Widerspruch zu den Tatsachen. Vom Eigennutz ist keine Rede – und trotzdem zieht er
auch hier beschenkt von dannen.

Die beiden Geschichten sind also auf eigenartige Weise miteinander verschränkt.
Sollen wir daraus schließen, dass beide Geschichten zusammengehören, so dass die
Plage in der ersten die Unfruchtbarkeit war und dass Abrahams Verhalten auch in
der zweiten durchaus egoistisch war? Oder haben wir es mit zwei je in ihrer Weise
lückenhaften bzw. inkohärenten Geschichten zu tun? Ganz zu schweigen davon,
dass die zweite Geschichte nicht nur Probleme löst, sondern auch neue aufwirft,
etwa das hohe Alter der vom fremden König begehrten Sara – sie war bereits in
Genesis 17,17 neunzig Jahre alt. Ganz zu schweigen auch davon, dass es noch eine
dritte Episode gibt, die eine offensichtlich ‚ähnliche' Geschichte nun wieder ‚anders'
erzählt: Diesmal ist es nicht mehr Abraham, sondern sein Sohn Isaak, der nun seine
Frau Rebekka in Gerar als seine Schwester ausgibt – was sich aber als vollkommen
übertrieben erweist, denn niemand nimmt sie zur Frau und es bliebt nur der Vorwurf: „Was hast Du uns angetan? Beinahe hätte einer der Leute mit deiner Frau
geschlafen, dann hättest Du über uns Schuld gebracht" (26,10). Ganz zu schweigen schließlich davon, dass diese drei Geschichten von der ‚Gefährdung der Ahn-
frau' die Geschichte jeweils vollkommen unbefangen erzählen, ohne irgendeinen
Hinweis darauf, dass nur wenige Seiten vorher schon einmal fast ‚dasselbe' erzählt
worden ist.

Diese Wiederholung ist oft als problematisch empfunden worden und hat dazu
geführt, sie auf verschiedene ‚Quellen' zu verteilen: Weil in Genesis 12 Gott mit
dem Tetragramm ‚YHWH' bezeichnet wurde gehöre die Geschichte zum Jahwis-
ten, Genesis 20 dagegen zum Elohisten, bei Genesis 26 ist man sich schon weniger
einig. Dabei habe der Redaktor bei der Zusammenfügung dieser Geschichten
Genesis 20 an die falsche Stelle der Erzählung gestellt – daher das hohe Alter Saras
– und Genesis 12 ebenfalls unvermittelt in eine andere Erzählung eingebaut, unterbricht sie doch den Fluss der Erzählung, die Abraham in 12,9 im Negev herumzie-
hen lässt und diesen Zug in 13,3 fortsetzt, als sei nichts geschehen. Trenne man
diesen künstlichen Zusammenhang auf und betrachte jede Geschichte für sich, so
sei jede logisch und für sich verständlich, ja Symptom einer ganz verschiedenen

Denkweise, Genesis 12 etwa sei älter und primitiver, Genesis 20 dagegen Produkt einer moralischen Reflexion etc. Aber abgesehen von den auffälligen Lücken dieser so rekonstruierten Geschichten und der Unwahrscheinlichkeit der Rekonstruktion selbst – wie soll man sich die Arbeit des Redaktors vorstellen? – bleibt die Frage, ob die Klarheit, Glätte und Kohärenz einer Geschichte überhaupt ein notwendiges Kriterium ist, oder anders gewendet: ob die Lückenhaftigkeit, Wiederholung und Inkohärenz nicht auch ein Mittel der Darstellung sein kann.

Denn was an der Bibel verstört – Brüche und Wiederholungen, Inkohärenzen und Lücken, abrupte Wechsel von Genres und Unzuverlässigkeit des Erzählens –, gehört zu den genuinen Mitteln moderner Literatur. Es ist daher auch nicht verwunderlich, dass die Debatte über *Bible as Literature* gerade von an moderner Literatur und Literaturtheorie geschulten Literaturwissenschaftlern ausging. Oft handelte es sich um relative Außenseiter in der akademischen Disziplin der Bibelwissenschaft, in der die literarische Untersuchung der Bibel gewissermaßen zwischen den Stühlen entstanden ist: zwischen der historisch-kritischen und der theologischen Bibelexegese. An jener störte die Atomisierung der Texte und das einseitig historische Interesse am Kontext, an dieser die Fixierung auf den Inhalt oder die Aussage der Texte. Beide Bewegungen, so argumentierten die ersten literarischen Untersuchungen, verdeckten den literarischen Charakter der Texte oder machten ihn sogar unsichtbar durch die verbreitete Methode der Stellenexegese.

Aber wie kann eine solche Untersuchung eigentlich methodisch vorgehen? Eine ,literarische' Exegese oder literaturwissenschaftliche Analyse biblischer Texte markiert ja zunächst nur eine Leerstelle, die ganz verschieden gefüllt wird, je nachdem, was man unter Literatur versteht und welche Literaturwissenschaft man betreibt. Daher hat die Debatte über *Bible as Literature* auch ihre eigene Geschichte, die teils den verschiedenen theoretischen und methodischen Wellen des allgemeinen literaturwissenschaftlichen und -theoretischen Diskurses folgt, teilweise aber auch einer Eigendynamik der Debatte über die Bibel, die sich nach einer ersten Phase des Enthusiasmus zunehmend normalisierte, ausdifferenzierte und sich schließlich auch selbstkritisch infrage stellte.

Dabei gibt es eine Phase idiosynkratischer Vorgänger: Herbert N. Schneidau sah im Anschluss an Auerbach in der biblischen Erzählweise den Ursprung eines ,demythologisierenden Bewusstseins'. Meir Weiss untersuchte biblische Texte mit den Mitteln der Werkinterpretation, Luis Alonso-Schökel bediente sich der Kategorien der klassischen Rhetorik und Poetik. Der eigentliche Beginn der Debatte wird aber durch einen doppelten Impuls markiert: Einerseits ruft der Strukturalismus und die durch ihn angestoßene Methodendiskussion in den Humanwissenschaften eine neue Besinnung auf die Möglichkeit der Lektüre und Textanalyse hervor. Strukturalistische Theorien und Analyseverfahren erlauben eine streng methodische Untersuchung biblischer Texte in synchroner Perspektive, d.h. unter Absehung ihrer historischen Gewordenheit oder ihrer ,Autoren'. Sie erreichen bald ein erhebliches Maß an Komplexität und werden bald zu einem eigenen, oft ein wenig esoterischen Diskurs, der eine eigene Auseinandersetzung verdienen würde. Andererseits – und oft vom Strukturalismus abgeleitet – erweist sich der Formalismus in der Poetik als entscheidend, insbesondere in der angloamerikanischen Tradition des *New Criticism*. Solche Poetik betont das Eigenrecht des poetischen Textes gegenüber seinem historischen Kontext: Poetische Texte bestehen in einer besonderen Verdichtung von Bedeutung, die sich niemals vollständig in ihre einzelnen Komponenten (die ‚Absicht' des Autors, das verwendete ‚Material', die einzelnen ‚Bilder', die historischen ‚Umstände') zerlegen lasse, sondern nur in einem ‚close reading' einer minutiösen Bewegung der Arbeit des Textes, nachvollzogen werden könne. ‚Paradox' und ‚Ambiguität', die im Zentrum jedes literarischen Textes stehen, erlauben es eben nicht, diesen auf einen einfach zu paraphrasierenden ‚Inhalt' festzulegen, weil das, was hier gesagt wird, nicht einfach anders gesagt werden kann, ohne dass dem Text etwas Wesentliches genommen wird.

Beide Richtungen, Strukturalismus und Formalismus, flossen zusammen in die Narratologie, die auch in anderen Humanwissenschaften in den 80er Jahren des 20. Jahrhunderts zum wichtigen Paradigma wurde, mit dessen Hilfe alle möglichen Arten von (politischen, wissenschaftlichen, autobiographischen etc.) Texten als ‚Erzählungen' lesbar wurde, unabhängig von der Frage, ob es sich bei ihnen um ‚Kunst' handele oder nicht. Dieser weite Begriff von Literatur, der historische und fiktionale, ‚primitive' wie hochgradig komponierte Texte umfasste, prägte bald die Analyse der Bibel, die sich zunehmend auf die Erzählungen der hebräischen Bibel, insbesondere der Bücher der Königszeit konzentrierte. Denn nicht nur fanden sich gerade hier eine Fülle von literarisch höchst komplex gestalteten Erzählungen, die aber bisher fast ausschließlich als historische Quellen gelesen worden waren, die literarische Analyse griff hier auch auf die rabbinische Tradition zurück, die sich ebenfalls für die Details der Texte interessierte, ohne damit ein historisches Interesse zu verbinden. Demgegenüber spielte der literarische Ansatz bei vielen anderen Teilen der hebräischen Bibel, wie etwa den Psalmen und Propheten, zunächst eine geringere Rolle, ebenso wie beim Neuen Testament, das weiter mit überwiegend hermeneutischen, mehr an der Verkündigung als an ihrer literarischen Form interessierten Methoden behandelt wurde.

Im Laufe der folgenden Jahrzehnte wurden auch andere Methoden und Paradigmen der Literaturwissenschaft übernommen, insbesondere die Genderforschung, die zu einem breiten Diskurs literarisch-feministischer Exegese führte, und die Rezeptionsästhetik, die ein neueres, offeneres Textmodell entwickelte und damit schon eine implizite Kritik der formalistischen Ansätze formulierte: Texte seien zwar geschlossene Sinngebilde, aber sie verlangen auch eine Mitarbeit des Lesers, der etwa Lücken in der Erzählung schließen muss; Bedeutung ist daher eigentlich als Wechselspiel von Text und Leser zu fassen, das vom Text zwar angeregt, aber niemals vollkommen kontrolliert wird. Daran anschließend gingen einige Interpreten mit der Dekonstruktion bis zu der Behauptung, dass Texte grundsätzlich dazu neigen, ihre eigene Aussage zu untergraben und die Hierarchien, auf denen sie zu beruhen scheinen, immer auch infrage zu stellen (‚gut und böse', ‚Gott und Mensch'). Gerade diese letzte Wendung macht deutlich, dass der Begriff der ‚Literatur', der der ganzen Debatte zugrunde liegt, zwar weit und grundsätzlich offen,

aber nicht unprofiliert ist: Wenn die ‚Literatizität‘ literarischer Texte in ihrer Überdeterminiertheit und Unparaphrasierbarkeit besteht, dann ist es kein Wunder, dass
diese Lektüren in ganz besonderer Weise an den Paradoxien und Ambiguitäten
interessiert sind. Umgekehrt folgt daraus aber auch, dass diese Form der Untersuchung per se dazu neigt, die literarische Fragestellung zu überschreiten, weil die
Offenheit und Dekonstruierbarkeit der Texte auch ihren Charakter als ‚geschlossene‘ Texte oder ‚Kunstwerke‘ infrage stellt und sie für immer neue Kontexte
öffnet.

Heute handelt es sich vor allem im angloamerikanischen Raum um eine breite
Bewegung, mit eigenen Institutionen, Studiengängen, Zeitschriften und Buchrei-
hen. Umso bemerkenswerter ist, dass sie in der deutschen Diskussion bisher noch
wenig wahrgenommen worden ist. Inzwischen gibt es zwar eine ganze Reihe literarischer Analysen der Bibel – eine Auswahl davon findet sich im Anhang aufgeführt –,
aber sie sind nach wie vor deutlich in der Minderheit und scheinen sich auch nicht
immer leicht zu behaupten. Generell hat die Debatte über *Bible as literature* viel
Kraft bei der Auseinandersetzung zwischen dem literarischen Ansatz und der historisch-kritischen Methode einerseits, der theologischen Exegese andererseits ver-
braucht. Diese Abgrenzungen haben uns hier weniger interessiert und sind unseres
Erachtens auch oft übertrieben worden, denn was erstere angeht, so bedient sich
nicht nur die historische Exegese heute oft literarischer Fragen, sondern auch die
literarische Analyse setzt oft historisches Wissen voraus. Den möglichen theologischen Nutzen literarischer Analysen zu erwägen, überschreitet unsere Kompetenz,
wir können uns aber kaum vorstellen, dass ein theologischer Diskurs über Offenbarung nicht auf Kategorien wie Paradoxie und Ambiguität zurückgreifen könnte. Vor
allem ging es uns aber generell weniger um Methodenfragen, sondern um die Frage,
was uns die jeweiligen Lektüreweisen auch über die Grenzen der Disziplin hinaus
nützen können.

5. Zerbrechen der Texte – Aufbau und Perspektiven des Bandes

Im 19. Kapitel des Jeremiabuches erhält der Prophet einen ungewöhnlichen
Auftrag:

> So spricht der Herr: Geh und kauf einen vom Töpfer *gemachten* Krug und nimm mit
> dir *einige* von den Ältesten des Volkes und von den Ältesten der Priester! Und geh
> hinaus in das Tal Ben-Hinnom, das vor dem Eingang des Scherbentores *liegt*, und
> rufe dort die Worte aus, die ich zu dir reden werde, und sage: Hört das Wort des
> Herrn, ihr Könige von Juda und ihr Bewohner von Jerusalem! So spricht der HERR
> der Heerscharen, der Gott Israels: Siehe, ich bringe Unheil über diesen Ort, daß
> jedem, der es hört, die Ohren gellen werden. Darum, weil sie mich verlassen und mir
> diesen Ort entfremdet und an ihm andern Göttern Rauchopfer dargebracht haben,
> Göttern, die sie nicht kennen, weder sie noch ihre Väter, noch die Könige von Juda,
> und weil sie diesen Ort mit dem Blut Unschuldiger angefüllt haben. (Jer 19,1-4)

Wie immer in der Bibel ist der prophetische Auftrag komplex und kann nur mit einer komplizierten Verschachtelung von Sprechakten erteilt werden. Gott kündigt dem Propheten zunächst den Auftrag an, etwas bekannt zu geben, zitiert dann im dritten Vers in wörtlicher Rede die Botschaft, die der Prophet ausrufen soll, um dann im Zitat wiederum sich selbst in erster Person zu zitieren: „Gott sagt: ‚Du sollst sagen: ‚Ich sage, dass er sagt: ‚Ich bringe Unheil […]'‘" Es wird noch komplizierter, weil schon im folgenden Vers der ersten Person der vorweggenommenen Unheilsdrohung nicht mehr die zweite Person entspricht, die ihr doch der Logik der Verkündigung nach entsprechen müsste: Heißt es zunächst noch „Ich bringe Unheil über *diesen* Ort" (Vs. 3), so hieß es nun, dass „sie" mich verlassen haben. Der Text schwankt also beständig zwischen erster, zweiter und dritter Person, zwischen göttlicher und menschlicher Rede, zwischen unpersönlicher Erzählung und persönlichem Diskurs. Die ‚Inspiration', die der prophetische Diskurs beansprucht, besteht daher nicht einfach in einer Übertragung von Autorität oder von Worten, sondern kann nur durch die Ausnutzung der Mehrdeutigkeit literarischen Sprechens dargestellt werden. Aber es geht nicht nur um Worte, auch der Krug erweist sich bei der Durchführung des Auftrags noch als zentral: „Und du sollst den Krug vor den Augen der Männer zerbrechen, die mit dir gegangen sind, und zu ihnen sagen: So spricht der Herr der Heerscharen: Ebenso werde ich dieses Volk und diese Stadt zerbrechen, wie man ein Gefäß des Töpfers zerbricht, das nicht wiederhergestellt werden kann." (Jer 19,10 f.) Dieses Zerbrechen des Kruges ist eine der so genannten prophetischen Zeichenhandlungen wie das Joch, das sich Jeremia später auferlegt (Kap. 27 f.) und das in diesem Fall von einem anderen Propheten zerbrochen wird (28,10). Der Vergleich des Volkes Israel mit einem zerbrechlichen Gefäß, der etwa bei Jesaja noch ein poetisches Bild war (Jes 29,16) und Jeremia kurz vorher, im Haus des Töpfers, einmal anschaulich vorgeführt worden ist (Jer 18,2-10), soll jetzt ‚aufgeführt' werden: Die szenische Darstellung soll das gesprochene Wort unterstützen und bekräftigen. Freilich hat auch dieses multimediale und performative Zeichen keinen Erfolg, im Gegenteil: Im zwanzigsten Kapitel lässt der Priester Paschhur Jeremia einsperren und schlagen.

Vielleicht ist es kein Zufall, dass das Zeichen ausgerechnet im *Zerbrechen* des Kruges besteht, also in der Zerstörung dessen, was gezeigt wird. Denn nicht nur sind die prophetischen Worte bekanntlich meist Drohworte, die eher Unheil als Heil vorhersagen. Sie haben auch an sich etwas Flüchtiges, wie die Wirkungslosigkeit dieser und zahlreicher anderer Prophetien zeigt und im Jeremiabuch auch noch einmal explizit zum Thema wird, wenn sich der König die Mahnworte Jeremias von Jehudi vorlesen lässt:

> Sooft nun Jehudi drei oder vier Spalten gelesen hatte, schnitt sie der König mit dem Schreibermesser ab und warf sie in das Feuer auf dem Kohlenbecken, bis das Feuer auf dem Kohlenbecken die ganze Rolle verzehrt hatte. Niemand erschrak, und niemand zerriß seine Kleider, weder der König noch irgendeiner seiner Diener, die all diese Worte gehört hatten. (Jer 36,23 f.)

Wie der mosaische Diskurs sein Vergessen thematisiert, so thematisiert der prophetische sein Verschwinden im wörtlichsten Sinne, so dass sich die historische Prophetenforschung auch fragen konnte, was denn wohl in dieser verbrannten ‚Urrolle' habe stehen können und wie sie sich zum uns vorliegenden Jeremiabuch verhalte. Nicht nur die Einsetzung des prophetischen Diskurses gestaltet sich also als höchst komplex, er kann auch nur weiter bestehen, indem er sich selbst negiert und in Stücke schlägt. Wenn man Literatur als den Diskurs versteht, der immer schon ein Problem mit sich selbst hat, dann stellen sich auch die biblischen Texte selbst infrage – und gerade in dieser Infragestellung öffnen sie sich auch anderen Fragen, die nichts mehr mit Literatur zu tun haben.

Es gehört zu den interessantesten Zügen der Debatte über *Bible as Literature*, dass sie sich permanent selbst problematisiert hat. Von vornherein wurde der Ansatz nicht nur von außen, seitens der historischen und theologischen Auslegungsmethoden kritisiert. Auch im Kreise der literarischen Interpreten wurde immer wieder die Frage erörtert, was denn eigentlich das ‚Literarische' in der Bibel als Literatur sei und ob die Bibel nicht auch den Begriff der Literatur verschiebe. Kann man etwa den Begriff der ‚Allwissenheit', der in der Erzähltheorie gerne auf den Romancier des 19. Jahrhunderts angewandt wird, genauso auf die Bibel beziehen? Und wenn ja, ist das dieselbe Allwissenheit, wo doch im Text explizit von der Allwissenheit Gottes geredet wird? Es zeichnet die in dem hier vorliegenden Band ausgewählten Texte aus, dass sie nicht nur Fingerübungen von Literaturwissenschaftlern sind, die jeden Text als Literatur lesen können, sondern dass sie immer auch grundsätzlichen Fragen aufwerfen und sich ihnen stellen – gerade das macht sie klassisch und unterscheidet sie vom simplen Betrieb einer schon etablierten Wissenschaft.

Es ist also kein Lehrbuchwissen, was hier präsentiert wird, sondern eine Sammlung von Versuchen, die jeder für sich zugleich grundlegend und pointiert sind. Wir haben uns bei der Auswahl entschieden, sowohl solche Texte aufzunehmen, die einen allgemeinen Zugang zur biblischen Literatur eröffnen, als auch speziellere und weiterführende Ansätze. Manches kann man zu Recht in unserer Auswahl vermissen: Das sind zum einen strukturalistische Untersuchungen, die einen relativ geschlossenen Sonderdiskurs von oft nicht unmittelbar verständlichen technischen Analysen darstellen und eine ganz eigene Darstellung verlangen würden, die uns die Kohärenz der hier präsentierten Texte zu sprengen schien. Ebenfalls ausgelassen haben wir die breite Diskussion über die Exegese der Parabel, da es sich hier ebenfalls um einen Spezialfall handelt, der darüber hinaus an anderer Stelle gut dokumentiert ist.

Der Aufbau des Bandes bewegt sich grob vom Allgemeinen zum Besonderen: Die Sektion *Erzählen und Wissen* kreist um die grundlegenden Techniken, mit denen Erzählungen ihren Lesern Wissen vermitteln und diese Wissensvermittlung kontrollieren und gestalten. *Figuren und Stimmen* macht thematisch, dass Erzählungen immer als Konstellation verschiedener Handelnder auftreten und auch von verschiedenen Stimmen vorgetragen werden: teils von einem Erzähler, teils aber auch von den Figuren selbst, die ja in wörtlicher Rede das Wort ergreifen können.

Formen und Stile beschäftigt sich mit Gattungen und Fragen, die in der auf die Erzählungen fokussierten Debatte zunächst eher am Rand vorkamen, heute aber immer wichtiger werden: Auf poetische, prophetische und Weisheitsbücher und die besonderen Probleme von deren Interpretation. Da die biblischen Texte nicht im leeren Raum stehen, untersucht *Gattungen und Literaturen* die Beziehungen zu anderen Literaturen, sei es zu zeitgenössischen altorientalischen Vorbildern, sei es zur abendländischen literarischen Tradition. *Lektüren und Kulturen* schließlich thematisiert, dass die biblischen Texte nicht nur abstrakt für sich stehen, sondern nach Lektüre verlangen und selbst oft auf einer Lektüre basieren, die immer eine kulturell komplexe Tätigkeit ist.

Alle diese Texte wollen über sich hinaus, und das macht auch die älteren Texte heute noch interessant. Allen geht es nicht nur darum, die Bibel als ‚große Literatur‘ zu verstehen, jedenfalls wenn man darunter ein, in einem mehr oder weniger sicheren Schatzhaus verwahrtes Erbe meint. Dieser Begriff der Literatur ist heute problematisch, er kann allenfalls noch die apologetische Funktion haben, dass etwas ‚auch‘ dazugehört. Die eigentliche Leistung literarischer Lektüren besteht aber darin, die Texte wieder lesbar zu machen, und damit auch für andere Fragestellungen zu öffnen: Fragen nach dem Leser, nach der Konstitution der Kultur, nach den Medien, der Wirkungsgeschichte und der Weltsicht.

ERZÄHLEN UND WISSEN

Von der Kunst, Sinn zu erzeugen

Als Robert Alter 1981 sein Buch *The Art of Biblical Narrative* veröffentlichte, war die Debatte über die literarischen Eigenschaften der Bibel zwar schon mit einigen grundlegenden Büchern und Aufsätzen in Gang gekommen, doch hatte bis dahin noch niemand mit so sicherem Gespür für das Wesen des literarischen Schöpfungsprozesses die Bibel zurück unter die Feder ihrer Autoren geschoben. Seine reiche Erfahrung im Umgang mit literarischen Texten öffnete ihm den Blick in eine biblische Welt, in der jenes menschliche Vermögen, sich dank fiktionaler Erforschung der Wirklichkeit einen würdigen Stand im Dasein zu erschaffen, auf den Mut zum Andersdenken traf. Robert Alters Lektüren der biblischen Texte erschlossen einen Horizont, vor dem sich nicht nur ein neues Verständnis der von der Bibel geprägten abendländischen Kultur, sondern vor allem auch jene biblischen Fähigkeiten abzeichneten, sich das Wesen des Menschen und die undurchschaubare Determiniertheit seines Schicksals so zu erklären, dass die freie Entfaltung in der Wirklichkeit denkbar und der respektvolle Umgang mit dem Landesbruder erstrebenswert wurde.

Auch wenn er die Rabbis der jahrtausendealten Auslegungskunst eher selten zitiert, steht er doch unverkennbar – als einer der vielleicht Letzten – in der großen rabbinischen Tradition, die jedem Wort und jeder Auslassung eines Wortes sowie jeder Wiederholung und Evokation einer Wortwurzel größte Aufmerksamkeit schenkt und scheinbare Widersprüche im Text nicht als Fehler, sondern als Hinweis auf einen versteckten Sinnzusammenhang betrachtet. Unverkennbar lebt in ihm die Energie der Suchenden des Midraschs fort, die sich aus Konventionen nur insofern etwas machten, als sie ihnen als Maske für die Türsteher des Gesetzes und des Sinns dienten. In mitreißendem Schwung erweitert er das exegetische Potential um eine entscheidend neue Dimension, indem er die biblischen Figuren gleich den Romanfiguren eines Cervantes oder Dickens als eigenständige Charaktere ansieht und aus den im Text gestalteten Interaktionen der Figuren eine psychologische Tiefenstruktur aufdeckt, welche die wörtlichen und übertragenen Bedeutungen des Textes in zum Teil blendend neuem Licht erscheinen lassen. Durch das Augenmerk auf die Psychologie der Figuren gewinnt der Text eine Eigendynamik und Lebendigkeit, durch die der interpretative Ansatz selbst den wissenschaftlichen Leser auf eine Art in den Text hineinzieht, die der theologischen oder historischen Bedeutungssuche gar zu sehr abhanden gekommen war.

Mit seinen Büchern über die Bibel hat Robert Alter etwas geschafft, was in der jüdischen wie christlichen Überbetonung der Normierung und Moral schon beinahe untergegangen war, nämlich die Freude am biblischen Text und die Lust an seinen hintergründigen Fragen wieder heraufzubeschwören. Vielleicht musste man wirklich Literaturprofessor oder Literat gewesen sein, um – die Gebetshäuser hinreichend weit im Rücken – behaupten zu können, dass die Bibel auch Vergnügen bereiten, dass die Lektüre zu unbehaglichem Genuss werden kann, und dass sogar die Autoren der Bibel offenbar aus Lust an ihrer eigenen Schöpferkraft nicht etwa bloß in heiligem Ernst den glatten Anschein der Bedeutungen pflegten, sondern untergründig immer auch spielerisch mit den Themen, Motiven, Worten umgingen – auch wenn nur selten so direkt wie Caravaggio, der den abgeschlagenen Kopf Goliaths als sein Selbstporträt malte oder seinen Finger in das Blut des Täufers tauchte, um seine Tat als Maler zu signieren. Man hat immer wieder behauptet, dass Gott und die Bibel eine so ernste Sache seien, dass die alten Hebräer jedem Humor und jeder Leichtigkeit des Seins abgeschworen hätten und sich jede Selbstironie streng untersagten. Doch nicht nur anthropologisch ist es völlig unhaltbar, dass sich außerhalb von Klostermauern ein lebendiges Volk komplett des Humors und Lachens enthalten hätte, um sich nur ja nicht der Lebensfreude schuldig zu machen und sich so der gerechten Strafe Gottes, als die das tägliche Leid verstanden werden sollte, zu entziehen. Auch literarisch lässt sich die These vom ständig bitteren Ernst der biblischen Menschen und Autoren nicht aufrechterhalten. Komik und Ironie, Sarkasmus und Zynismus binden nicht nur in den Psalmen und Sprüchen das Buch an die gelebte Wirklichkeit, sondern dienen auch in herrlich subtil inszenierten Passagen der Erzählungen für Doppelbödigkeit und indirekte Kommentierung. Wenn beispielsweise Saul nicht einmal die Eselinnen seines Vaters zu zähmen weiß und ihnen tagelang durch das ganze Land hinterherläuft, anstatt dass sie ihm dienstwillig hinterherlaufen, wie soll er da als König einem ganzen Volk vorangehen?

Die Bibel sagt oft etwas und meint etwas anders, erzählt eine Story, um eine andere darunter hervorscheinen zu lassen, schickt auf falsche Fährten, damit man neue Wege finde, bringt etwas auf den Punkt, um sich wieder von ihm zu entfernen. Doch sie tut dies nicht, um etwa indirekt zum Ausdruck zu bringen, was sie sich direkt nicht zu sagen wagt, sondern um den Reiz des Textes zu erhöhen und so dauerhaft in die Lektüre hineinzuziehen. Das Vergnügen, natürlich, es ist auch nur Zweck, zumindest im Nachhinein. Auch wenn Robert Alter als einer der ersten ein relativ vollständiges Repertoire der literarischen Gestaltungstechniken für die Bibel herausarbeitete, so hat er nichtsdestotrotz immer wieder betont, dass diese Techniken nur Werkzeuge waren, um die Lebendigkeit künstlerischer Intuition literarisch wirksam werden zu lassen und so das Vergnügen am Text als Abenteuer des Daseins zu ermöglichen.

Seit seinem ersten Buch über *The Art of Biblical Narrative* ist Robert Alter immer wieder von neuer Seite auf die Hebräischen Texte der Bibel zurückgekommen, hat über *The Art of Biblical Poetry* (1985) sowie über den *Canon of Creativity* (2000) geschrieben, hat mit Frank Kermode einen maßgeblichen *Literary Guide to the Bible* (1987) herausgegeben und in den letzten Jahren literarisch orientierte Neuübersetzungen der Torah, der Psalmen sowie der Davidsgeschichte erschaffen. Seine fein vernetzte Argumentationskunst und der begeisternde Elan seines Denkens haben ihn zu einem der einflussreichsten Komparatisten werden lassen, und zwar nicht nur, weil seine textnahen Lektüren den Genuss am biblischen Text bis in die unverfrorenste Aufrichtigkeit des abendländischen Menschen erfahrbar machten, sondern weil seine Untersuchungen der Bibel als literarisches Werk par excellence die literarische Fähigkeit des Menschen und die literarische Verfasstheit des Abendlandes in neuen Blick nahmen und darlegten, wie große Literatur nicht nur Ausdruck, sondern immer auch Mittel zur Welt- und Selbsterkenntnis sowie zu den fiktionalen Auswegen aus eben diesen ist. *hps*

Robert Alter

Erzählen und Wissen

Wenn man die biblischen Erzählungen als Literatur liest, bedeutet dies nicht zuletzt, den biblischen Autoren auch eine Art bewusstes Künstlertum und stilistische Verspieltheit zuzuschreiben, was nach der üblichen, sowohl populären als auch wissenschaftlichen Auffassung von der Bibel, seltsam anmuten mag. Die antiken hebräischen Autoren, oder zumindest jene, deren Werk durch Kanonisierung im biblischen Korpus erhalten blieben, waren offensichtlich durch das Gefühl einer großen theologischen Bestimmung motiviert. Als Bewohner einer winzigen und oft unvollkommenen Insel des Monotheismus inmitten eines riesigen, verlockenden Meeres des Heidentums schrieben sie in dem festen, häufig dringenden Bewusstsein, durch den Akt des Schreibens eine bedeutsame Revolution im Denken zu vollziehen oder fortzuführen. Warum die Propheten sich des Dichterischen mit seinen Resonanzen, Emphasen, bedeutsamen Symmetrien und Bildern bedienten, um ihre Vision mitzuteilen, ist ziemlich offensichtlich: Die prophetische Dichtung ist eine Form direkter Anrede, die durch die Versform als rhetorisches Mittel erhöht, einprägsam und nahezu unausweichlich gemacht wird. Im Gegensatz dazu ist das biblische Erzählen – sofern man es ebenfalls als einen Diskurs über die Absichten Gottes und seine Forderungen an die Menschheit versteht – eine indirekte Rede (mit der großen Ausnahme des Buchs Deuteronomium, das in direkter Rede als Moses' Abschiedsrede an das Volk Israel gestaltet ist). Die Art, wie der göttliche Wille den Menschen vermittelt wird, indem man Figuren zum Reden bringt und von ihren Handlungen und Verstrickungen berichtet, mag moralistischen Theisten wie eine Büchse der Pandora erscheinen. Denn wäre es nicht unseriös für einen namenlosen hebräischen Autor, der die heiligen Traditionen für die Nachwelt schriftlich festhalten soll, wenn er sich in überbordendem Schreibvergnügen ergeht, seine Laut- und Wortspiele einbringt, sich lebendige Figuren mit all ihren Schrullen und Redegewohnheiten ausdenkt und mit sämtlichen Mitteln seines stilistischen Einfallsreichtums die Enttäuschung über eine misslungene Verführung, den schleppenden diplomatischen Fortschritt beim Feilschen um eine Grabstätte, das Gezänk von Brüdern oder die Torheit der Könige schildert?

Es scheint allerdings durchaus plausibel, dass die Schöpfer der biblischen Erzählungen sich diesen vielfältigen Freuden der Erfindung und Stilistik hingaben, da sie, welch Gefühl von göttlichem Auftrag sie auch immer gehabt haben mögen, letzten Endes Schriftsteller waren. Sie waren davon getrieben, ihre Vision des Menschen und der Geschichte in einem bestimmten Medium auszuarbeiten, wobei sie sich eben der Prosa bedienten, die sie technisch beherrschten und deren Handhabung ihnen beständige Freude bereitete. Diese Annahme wird durch die ausgezeichnete Textkomposition der biblischen Autoren reichlich bestätigt, auch wenn es eine geistige Umorientierung erfordert, um zwischen der *Genesis* und *Tom Jones* eine größere gattungsmäßige Nähe als zwischen der *Genesis* und der *Summa theologiae* oder dem kabbalistischen *Buch der Schöpfung* zu erkennen. Die Auffassung, dass die biblischen Autoren eine literarische Berufung hatten, muss freilich näher erläutert werden. Wenn Literatur eine Form von Spiel ist, so ist sie, selbst in Extremfällen von betonter Verspieltheit wie *Gargantua und Pantagruel, Tristram Shandy* und *Ulysses*, zugleich eine Form von Spiel, die eine bestimmte Art des Wissens einschließt.

Wir lernen durch Fiktionen, da wir in ihnen auf Bilder stoßen, die ein Autor geschickt aus seinem intuitiv verwendeten Erfahrungsschatz heraus projiziert hat, sie sind unseren eigenen Erfahrungsbildern nicht unähnlich, doch sind sie auf eine Weise geformt, bestimmt, geordnet und sondiert, wie es uns bei den verwirrten und diffusen Bewegungen unseres eigenen Lebens niemals gelingen würde. Figuren der Prosa brauchen, um solche Wahrheiten zu verkörpern, nicht unbedingt plausibel zu sein, denn Übertreibung oder Stilisierung können dazu dienen, etwas herauszustellen, das normalerweise verborgen ist, und die Phantasie kann innere oder unterdrückte Realitäten wahrheitsgetreu darstellen: Onkel Toby und Mr. Micawber, Panurge und Gregor Samsa sind ebenso Vehikel für fiktionales Wissen wie Anna Karenina und Dorothea Brooke. Dabei möchte ich betonen, dass fiktionale Prosa nicht nur deshalb eine Wissensform darstellt, weil sie Figuren und Ereignisse in ihren veränderlichen, flüchtigen und enthüllenden Verbindungen zeigt, sondern auch, weil sie über ein bestimmtes Repertoire an Erzähltechniken verfügt. Der Schriftsteller besitzt zum Beispiel die handwerkliche Flexibilität, sich für jede Dialogfigur eine Sprache auszudenken, die, mehr noch als es eine Tonaufzeichnung von Alltagssprache vermag, die absolute Individualität der Figur widerspiegelt und ihren genauen Ort an einem gegebenen Schnittpunkt mit anderen Figuren angibt. Noch eindrucksvoller ist seine Freiheit, wenn er zwischen lakonischer Zusammenfassung und gemächlicher szenischer Darstellung oder zwischen panoramatischer Übersicht und detaillierter Nahaufnahme rasch hin- und herwechselt, wenn er die Gefühle seiner Figuren durchdringt, ihre innere Rede imitiert oder verdichtet, ihre Motive analysiert oder sich vom narrativen Präsens zur nahen oder fernen Vergangenheit und wieder zurück bewegt. Durch all diese Mittel bestimmt er, was wir über die Figuren und die Bedeutung der Geschichte erfahren und was uns selbst zu ergründen überlassen bleibt.

An anderer Stelle habe ich behauptet, dass die biblischen Autoren zu den Pionieren der fiktionalen Prosa in der abendländischen Tradition gehörten.[1] Ich möchte dem Folgendes hinzufügen: Was die biblischen Autoren antrieb, dieses neue, geschmeidige, narrative Medium zu erschaffen, war zumindest teilweise jene Art von Wissen, die erst durch dieses Medium möglich wurde. Die Erzähler der biblischen Geschichten sind natürlich ‚allwissend‘, und dieser auf die Erzähltechnik übertragene theologische Ausdruck ist in ihrem Fall besonders gerechtfertigt, denn

---

1 Vgl. Robert Alter: *The Art of Biblical Narrative*, New York (Basic Books) 1983, Kapitel 2: „Sacred History and the Beginnings of Prose Fiction", S. 23–46.

dem biblischen Erzähler wird unterstellt, dass er ganz buchstäblich weiß, was Gott weiß, wie er uns gelegentlich in Erinnerung ruft, indem er Gottes Urteile und Absichten mitteilt oder davon berichtet, was Gott zu sich selber sagt. Die biblischen Propheten sprechen im Namen Gottes („so spricht der Herr") als ein deutlich sichtbares, menschliches Instrument der göttlichen Botschaft, die sie oft gegen ihren eigenen Willen zu ergreifen scheint. Anders als die Propheten entledigt sich der biblische Erzähler seiner persönlichen Geschichte und seiner individuellen Kennzeichen, um im Rahmen seiner Erzählung einen quasi göttlichen Umfang an Wissen zu erlangen, in den sogar Gott selbst eingeschlossen ist. Es ist ein verwirrender epistemologischer Trick der narrativen Spiegelungen: Trotz des Anthropomorphismus setzt das gesamte Spektrum des biblischen Denkens eine absolute Spaltung zwischen Mensch und Gott voraus; der Mensch kann nicht Gott werden, und Gott wird (im Gegensatz zu späteren christlichen Entwicklungen) nicht Mensch; und dennoch können die ihre eigene Identität verbergenden Erzähler der biblischen Geschichten dank der stillschweigenden Übereinkunft, ihrem begrenzten menschlichen Status keinerlei Beachtung zu schenken, Gottes allwissende, unfehlbare Perspektive einnehmen.

Die biblische Erzählung ließe sich sinnvollerweise als ein narratives Experiment über die Möglichkeiten moralischen, spirituellen und historischen Wissens betrachten. Durchgeführt wird dieses Experiment durch eine Reihe von gezielten Kontrastierungen zwischen dem vielfältig begrenzten Wissen der menschlichen Figuren und der göttlichen Allwissenheit, die still, aber nachdrücklich vom Erzähler verkörpert wird. Hin und wieder wird einer menschlichen Figur besonderes Wissen oder Vorherwissen verliehen, doch geschieht dies allein durch Gottes willkürliche Hilfe: Josef kann, wie er wiederholt beteuert, Träume nur deshalb so genau deuten, weil die Deutung vom Herrn kommt. Verschiedene Protagonisten der Bibel erhalten Verheißungen oder rätselhafte Prophezeiungen, aber die Zukunft bleibt ihnen meist genauso verborgen wie die moralische Wirklichkeit ihrer Zeitgenossen. Dies gilt selbst für Abraham oder auch für Moses, die durch die unmittelbarste persönliche Offenbarung von Gottes Gegenwart und Wille privilegiert sind. Dass jemand eine von Gott beglaubigte Karriere als visionärer Führer einschlägt, bedeutet an sich noch keinen Ausbruch aus den Beschränkungen menschlichen Wissens: Samuel, der Seher, verwechselt sowohl in der Geschichte von Saul als auch in der von Eliab körperliche mit königlicher Statur, weshalb ihm eine höchst anschauliche Lektion darüber erteilt wird, wie Gott sieht, nämlich nicht mit den Augen, sondern mit dem Herzen, welches nach der biblischen Physiologie eher der Sitz des Verstandes als des Gefühls ist. Die menschliche Wirklichkeit ist ein Labyrinth von Feindseligkeiten, Umkehrungen, Täuschungen, zwielichtigen Geschäften, unverblümten Lügen, Verstellungen, trügerischen Erscheinungen und mehrdeutigen Omen, wie es vermutlich am einprägsamsten im Geschichtenzyklus von Jakobs Geburt bis zu seinem Tod in Ägypten erzählt wird. Während der Erzähler das sich vor ihm entfaltende Labyrinth in seinem exakten verschlungenen Aufbau sieht, bekommen die Figuren auf der Suche nach ihrem Weg gewöhnlich nur zerrissene Fäden zu greifen.

Wir zweifeln nie ernsthaft daran, dass der biblische Erzähler alles über die Motive und Gefühle seiner Figuren, ihre moralische Beschaffenheit und ihren spirituellen Charakter weiß, doch ist er höchst wählerisch, wenn es gilt, den Leser an seiner Allwissenheit teilhaben zu lassen. Würde er uns über all sein umfassendes Wissen in Kenntnis zu setzen, wie es bei einem weitschweifigen viktorianischen Romanautor der Fall ist, so würden unsere Augen geöffnet und wir würden „sein wie Gott und wissen, was gut und böse ist". Seine typisch monotheistische Entscheidung besteht darin, uns wissen zu lassen, wie Fleisch und Blut weiß: Figuren zeigen sich hauptsächlich in Rede, Handlung oder Geste, mit all den Uneindeutigkeiten, die dies mit sich bringt; Motive werden oft im Halbschatten des Zweifels gelassen; häufig sind wir in der Lage, einleuchtende Schlüsse über die Personen und ihre Schicksale zu ziehen, allerdings bleibt vieles eine Sache von Vermutungen oder des Ausreizens mehrerer Möglichkeiten.

Mit dieser Auflistung soll freilich nicht behauptet werden, die Bibel kenne den epistemologischen Skeptizismus solcher Erzählungen wie James' *The Turn of the Screw*, Kafkas *Das Schloss* und Robbe-Grillets *Eifersucht*. Es gibt in der biblischen Erzählung den Horizont eines perfekten Wissens, aber wir dürfen ihn nur kurzzeitig und bruchstückhaft erblicken. Der Erzähler lässt durch eine Vielzahl technischer Verfahren, wobei es sich meist um die Kunst des Umweges handelt, eine sinnvolle Struktur der Ereignisse erkennen. In der absichtsvollen Verschwiegenheit dieser Erzählart bewahren die Figuren ihre rätselhafte Aura und ihre letztendliche Undurchdringlichkeit zumindest für jene menschlichen Augen, mit denen wir sie notgedrungen betrachten. Der allwissende Erzähler vermittelt indes das Gefühl, dass die Figuren und Ereignisse eine bestimmte feste Bedeutung erzeugen, die sich teilweise durch den variierenden Abstand der Figuren vom göttlichen Wissen bestimmen lässt. Erkenntlich wird dieser variierende Abstand durch die Art, wie im Verlauf der Erzählung einige Figuren von gefährlicher Unwissenheit zu dem nötigen Wissen über sich selbst, über andere und über Gottes Wege gelangen.

Das herausragende Beispiel für die biblische Erzählung als fiktionales Experiment über das Wissen ist die Geschichte von Josef und seinen Brüdern. Die zentrale Handlung dieser sich von den Herrschaftsträumen des siebzehnjährigen Josefs bis hin zur Wiederbegegnung mit seinen Brüdern zweiundzwanzig Jahre später erstreckenden Geschichte kreist um die Frage von wahrem und falschem Wissen. Formal wird dieses Thema durch die gepaarten Schlüsselwörter *haker*, „kennen", und *yada*, „wissen" ausgedrückt. Josef ist selbstverständlich der maßgebliche Wissende in dieser Geschichte, doch am Anfang hat selbst er eine Menge zu lernen – auf schmerzhafte Weise, wie so oft bei moralischer Bildung. In seinen frühen Träumen weiß er noch nicht, was er über sein eigenes Schicksal weiß, und diese Träume, die sich als prophetisch erweisen werden, erscheinen zunächst als eitler Abglanz eines verwöhnten Heranwachsenden, was nur zu gut zu seiner hässlichen Angewohnheit passen würde, seine Brüder zu verleumden und ihre Gefühle zu missachten, was durch die offensichtliche Nachgiebigkeit seines Vaters noch gefördert wird. Dieser Vater, der vordem so kluge Jakob, ist ebenso blind – und wird es auch zwei Jahrzehnte später noch bleiben – wie sein Vater Isaak. Gedankenlos provoziert er zunächst die Eifersucht der anderen zehn Söhne, die er von seiner ungeliebten Frau Lea und den Konkubinen hat. Dann lässt er sich, nicht zuletzt wegen seiner maßlosen Liebe für den Jungen und seiner recht melodramatischen Neigung über das tatsächliche Schicksal Josefs täuschen. Und schließlich sind die zehn Brüder in Unkenntnis sowohl über Josefs wahres Wesen und sein Schicksal, als auch über die Folgen ihres eigenen Verhaltens, über die unvermeidlichen Schuldgefühle, unter denen sie wegen ihres Verbrechens leiden werden, und, als Höhepunkt, über die Identität Josefs, wenn er als Vizekönig Ägyptens vor ihnen steht. Die Brüder werden von Ereignissen, die durch Josef maßgeblich beeinflusst wurden, zu Wissen und Selbstwissen genötigt, und dieser jähe Wechsel liefert die endgültige Auflösung der ganzen Geschichte.

Es wäre ausgesprochen hilfreich, genauer auf diese große Klimax der Josefgeschichte einzugehen, und zwar nicht nur, weil sie so eindringlich die Verbindungen zwischen Fiktion und Wissen veranschaulicht, sondern auch weil diese Episoden aufgrund der außergewöhnlichen technischen Virtuosität des Autors eine ausgezeichnete Synthese der verschiedenen künstlerischen Verfahren der biblischen Erzählung bilden. Der Handlungsbogen reicht von Jakobs Entsendung der zehn Brüder nach Ägypten, um Nahrung zu kaufen, bis zu ihrer zweiten Rückkehr nach Kanaan, bei der sie ihrem Vater mitteilen, dass der lang beweinte Josef lebt und Herrscher über Ägypten ist. Die ganze Geschichte stellt ein eng verwobenes Ganzes dar, ist aber leider zu lang, um sie hier Vers für Vers untersuchen zu können. Eine genaue Lektüre von Genesis 42, wo von der ersten Begegnung der Brüder mit Josef in Ägypten und ihrer Rückkehr zu Jakob in Kanaan erzählt wird, vermittelt jedoch bereits eine angemessene Vorstellung von dem komplexen Zusammenspiel, durch das der Schriftsteller Themen, Motive und Charakter gestaltet. Da dieses Kapitel keine für sich abgeschlossene Einheit ist, sondern vielmehr der erste Schritt zur Klimax der viel umfangreicheren Josefgeschichte, soll anschließend darauf eingegangen werden, wie das, was hier kunstvoll artikuliert ist, fortgesetzt, entwickelt und in den nächsten drei Kapiteln zur Auflösung gebracht wird.

Es sei daran erinnert, dass Jakob seit dem Ende von Genesis 37, als ihm seine Söhne Josefs blutgetränkten Rock brachten und er die voraussichtlichen schrecklichen Schlussfolgerungen daraus zog, keinen Auftritt mehr hatte. Damals hatten ihn seine Söhne lediglich gefragt, ob er das Kleidungsstück wieder erkenne, worauf er in einem Anfall von Kummer zu einsamer Rede ansetzte. Nun, zweiundzwanzig Jahre später und nach zwei aufeinander folgenden Jahren schwerer Hungersnot, redet wieder Jakob allein:

> 1 Als Jakob erfuhr, dass es in Ägypten Getreide zu kaufen gab, sagte er zu seinen Söhnen: Warum schaut ihr einander so an? 2 Und er sagte: Ich habe gehört, dass es in Ägypten Getreide zu kaufen gibt. Zieht hin und kauft dort für uns Getreide, damit wir am Leben bleiben und nicht sterben müssen. 3 Zehn Brüder Josefs zogen also hinunter, um in Ägypten Getreide zu kaufen. 4 Benjamin, den Bruder Josefs, ließ Jakob nicht mit seinen Brüdern ziehen, denn er dachte, es könnte ihm ein Unglück zustoßen. 5 Die Söhne Israels kamen also mitten unter anderen, die auch gekommen waren, um Getreide zu kaufen; denn Hungersnot herrschte in Kanaan. (Gen 42,1-5)

Jakob sieht, dass es in Ägypten Getreide zu kaufen gibt, während seine Söhne sich
in diesem Augenblick nur gegenseitig anzuschauen scheinen. Es ist eine passende
Einleitung für die Geschichte, in deren Verlauf sie gezwungen sein werden, sich mit
ihren früheren Handlungen auseinanderzusetzen. Noch bedeutsamer ist allerdings
die Tatsache, dass dieser Abschnitt mit der getadelten Untätigkeit der Brüder
beginnt. Es gibt einen Hiatus des Schweigens zwischen Vers 1 und Vers 2, zwischen
„da sagte Jakob" und seinem erneuten Sprechen, eine Stille, die Jakobs Vorwurf
untermauert, dass seine Söhne einfach tatenlos herumstehen, während dringende
Maßnahmen ergriffen werden müssen. Die Stelle bestätigt einmal mehr die Faust-
regel, dass wir, immer wenn der biblische Dialog gänzlich einseitig ist oder eine
erwartete Antwort ausbleibt, dazu aufgefordert sind, Schlüsse über die Figuren und
ihre gegenseitigen Beziehungen zu ziehen. Die vorliegende Passage ist dabei die
genaue Umkehrung der Rollen von Jakob und seinen Söhnen am Ende der
Geschichte von Dinas Schändung in Genesis 34, als Jakob seine Söhne Simeon
und Levi rügte, dass sie die männliche Bevölkerung von Sichem massakriert haben,
worauf sie antworten: „Durfte er unsere Schwester wie eine Dirne behandeln?"
(Gen 34,31). Mit diesen trotzigen Worten endet die Geschichte, so dass Jakobs
Schweigen am Schluss auf seine Ohnmacht angesichts seiner gewalttätigen Söhne
verweist.

In Genesis 42 befolgen die Söhne virtuell oder tatsächlich schweigend den
Befehl ihres Vaters. Der Erzähler ist so umsichtig, uns davon in Kenntnis zu setzen, dass sie zu zehnt nach Ägypten ziehen, denn die genaue Zahl der Brüder, die
angibt, wer anwesend und wer abwesend ist, wird im Folgenden noch sehr wichtig sein. Auch wenn die zehn, als sie in Ägypten ankommen, ganz selbstverständlich als „die Söhne Israels" bezeichnet werden, mithin als Abgesandte ihres patri-
archalischen Vaters gelten, werden sie bei ihrem Aufbruch „Brüder Josefs"
genannt. Tatsächlich steuern sie auf die entscheidende Prüfung ihrer Bruderschaft
mit Josef zu, die sie verleugneten, als sie ihn in die Sklaverei verkauften, und die
anzuerkennen sie nun auf neue Weise gezwungen sein werden. Wenn allerdings
Benjamin als „Josefs Bruder" bezeichnet wird, bedeutet dies genealogisch und
emotional etwas vollkommen anderes, denn er ist Josefs Vollbruder, der einzige
weitere Sohn Rahels. Es findet in den Versen 3 und 4 also ein heikles Spiel mit
mehrdeutigen Implikationen statt, wo wir uns von den „Brüdern Josefs" zu „Josefs
Bruder" und „seine [Benjamins] Brüder" bewegen. Dieses Zusammenspiel rückt
die ganze strittige Frage der Brüderlichkeit, die sehr bald auf dramatische Weise
geklärt wird, in den Vordergrund. Wir erfahren nicht, wie die zehn Brüder darauf
reagieren, dass Benjamin von ihrem Vater zurückgehalten wird, was ja eine Wiederholung der einstigen Bevorzugung Josefs darstellt. Die Auflösung der
Geschichte wird in der Tat von ihrer Fähigkeit abhängen, die besondere Sorge des
Vaters für seinen letzten Sohn von Rahel mit voller brüderlicher Empathie zu
akzeptieren.

Im folgenden Vers versetzt der Erzähler mit dem für die biblische Erzählung
so charakteristischen Drängen zum entscheidenden Moment die Brüder von
Kanaan nach Ägypten und in die Gegenwart Josefs. Das zentrale Ereignis der

Erzählung wird nun, wie bei hebräischen Autoren üblich, im Dialog wiedergegeben. Jede kurze Unterbrechung des Erzählers ist gleichwohl taktisch wirksam und thematisch aufschlussreich, was mit der augenscheinlich überflüssigen Bemerkung zu Josefs Status gleich am Anfang des Abschnitts beginnt. Darauf folgt dann der vollständige Bericht der ersten Reise der Brüder nach Ägypten, was damit endet, dass Josef den Befehl gibt, ihnen ihr Geld in die Kornsäcke zu stecken.

> 6 Josef verwaltete das Land. Er war es, der allen Leuten im Lande Getreide verkaufte. So kamen Josefs Brüder und warfen sich vor ihm mit dem Gesicht zur Erde nieder. 7 Als Josef seine Brüder sah, erkannte er sie. Aber er gab sich ihnen nicht zu erkennen, sondern fuhr sie barsch an. Er fragte sie: Wo kommt ihr her? Aus Kanaan, um Brotgetreide zu kaufen, sagten sie. 8 Josef hatte seine Brüder erkannt, sie aber hatten ihn nicht erkannt. 9 Josef erinnerte sich an das, was er von ihnen geträumt hatte, und sagte: Spione seid ihr. Um nachzusehen, wo das Land eine schwache Stelle hat, seid ihr gekommen. 10 Sie antworteten ihm: Nein, Herr. Um Brotgetreide zu kaufen, sind deine Knechte gekommen. 11 Wir alle sind Söhne ein und desselben Vaters. Ehrliche Leute sind wir, deine Knechte sind keine Spione. 12 Er aber entgegnete ihnen: Nichts da, ihr seid nur gekommen, um nachzusehen, wo das Land eine schwache Stelle hat. 13 Da sagten sie: Wir, deine Knechte, waren zwölf Brüder, Söhne ein und desselben Mannes in Kanaan. Der Jüngste ist bei unserem Vater geblieben und einer ist nicht mehr. 14 Josef aber sagte zu ihnen: Es bleibt dabei, wie ich euch gesagt habe: Spione seid ihr. 15 So wird man euch auf die Probe stellen: Beim Leben des Pharao! Ihr sollt von hier nicht eher loskommen, bis auch euer jüngster Bruder da ist. 16 Schickt einen von euch hin! Er soll euren Bruder holen; ihr anderen aber werdet in Haft genommen. So wird man euer Gerede überprüfen und feststellen können, ob ihr die Wahrheit gesagt habt oder nicht. Beim Leben des Pharao, ja, Spione seid ihr. 17 Dann ließ er sie für drei Tage in Haft nehmen. 18 Am dritten Tag sagte Josef zu ihnen: Tut Folgendes und ihr werdet am Leben bleiben, denn ich fürchte Gott: 19 Wenn ihr ehrliche Leute seid, soll einer von euch Brüdern in dem Gefängnis zurückgehalten werden, in dem ihr in Haft gewesen seid. Ihr anderen aber geht und bringt das gekaufte Getreide heim, um den Hunger eurer Familien zu stillen. 20 Euren jüngsten Bruder aber schafft mir herbei, damit sich eure Worte als wahr erweisen und ihr nicht sterben müsst. So machten sie es. 21 Sie sagten zueinander: Ach ja, wir sind an unserem Bruder schuldig geworden. Wir haben zugesehen, wie er sich um sein Leben ängstigte. Als er uns um Erbarmen anflehte, haben wir nicht auf ihn gehört. Darum ist nun diese Bedrängnis über uns gekommen. 22 Ruben entgegnete ihnen: Habe ich euch nicht gesagt: Versündigt euch nicht an dem Kind! Ihr aber habt nicht gehört. Nun wird für sein Blut von uns Rechenschaft gefordert. 23 Sie aber ahnten nicht, dass Josef zuhörte, denn er bediente sich im Gespräch mit ihnen eines Dolmetschers. 24 Er wandte sich von ihnen ab und weinte. Als er sich ihnen wieder zuwandte und abermals mit ihnen redete, ließ er aus ihrer Mitte Simeon festnehmen und vor ihren Augen fesseln. (Gen 42,6-24)

Die Auskunft, dass Josef Vizekönig von Ägypten und Hauptversorger war (Vers 6), wäre eigentlich nicht nötig gewesen, denn sowohl von seinen Spitzenämtern als auch von seiner Wirtschaftspolitik wurde im letzten Teil des vorangehenden Kapitels detailliert berichtet. Doch der thematische Nutzen, diese Information in einer Zusammenfassung zu wiederholen, als die Brüder gerade ankommen, ist offensichtlich. Die beiden Jugendträume Josefs werden hier buchstäblich verwirklicht, wobei der Traum, in dem sich die Sonne, der Mond und die Sterne vor ihm verneigten, stärker mit seiner Rolle als Machthaber verbunden ist, während der Traum, in dem sich die Garben vor ihm verneigen, vor allem auf seine Rolle als Versorger hindeutet. Die zehn Brüder vollziehen den lange erträumten Kniefall, eine Geste der absoluten Ehrerbietung, die durch den Zusatz der pathetischen Wendung „warfen sich vor ihm mit dem Gesicht zur Erde nieder" konkretisiert wird. Sie wissen natürlich nichts von dem, woran uns der Erzähler erinnert (der seine Allwissenheit offen zeigt, um ihre Unwissenheit zu unterstreichen), nämlich dass sie „die Brüder Josefs" (Vers 6) sind. Ihre Unkenntnis über die wirkliche Identität Josefs ist eine ironische Ergänzung zu ihrer früheren Unfähigkeit, sein wahres Schicksal zu erkennen.

Der Gegensatz zwischen Josefs Wissen (das zugleich das des Erzählers ist) und dem Unwissen der Brüder wird durch die Benutzung eines *Leitwortes*[2] fokussiert, das bereits zuvor in der Geschichte eine Rolle spielte: Er erkennt sie, sie erkennen ihn nicht. Mit einem für den *Leitwortstil*[3] charakteristischen Wortspiel macht er sich sogar zu einem Fremden oder erscheint ihnen als Fremder, *vayitnaker*, ein Verb mit derselben Wurzel, *nkr*, wie „erkennen", *haker*.

Vers 9, in dem sich Josef an seine Träume von früher erinnert, ist einer jener seltenen Momente in der Bibel, in denen sich der Erzähler dazu entscheidet, uns nicht nur vorübergehend Einsicht in das innere Erleben einer Figur zu gewähren, sondern auch von dem Bewusstsein zu berichten, das diese Figur von ihrer eigenen Vergangenheit hat. Dieser ungewöhnliche Zusatz ist an jener Stelle völlig angemessen, denn einerseits ist Josef selbst davon berührt, wie vergangene Träume zu gegenwärtigen Tatsachen geworden sind, und andererseits wird er seine Brüder zur Auseinandersetzung mit ihrer eigenen Vergangenheit zwingen. Die beiden vorhergehenden Episoden der Josefgeschichte (Gen 40 und 41) waren dem Wissen über die Zukunft gewidmet (Josefs Ausdeutungen der Träume seiner beiden Mitgefangenen und danach der beiden Träume des Pharaos). Genesis 42 hingegen widmet sich dem Wissen über die Vergangenheit, das, anders als das Wissen über die Zukunft, keine Richtschnur für zweckmäßiges Verhalten bietet, sondern eine Weise, mit der eigenen moralischen Geschichte zurechtzukommen und sie psychisch zu verarbeiten.

Der Text zieht keine kausale Verbindung zwischen der Tatsache, dass Josef sich an seine Träume erinnert, und dem sogleich gegen seine Brüder gerichteten Vorwurf der Spionage – eine für die Bibel charakteristische Verschwiegenheit, die verschiedene und sich überlappende Motivierungen denkbar sein lässt. Vermutlich kennt der Erzähler die Art der Verbindung oder Verbindungen, zieht es aber vor, uns raten zu lassen: Löst vielleicht der Gedanke an die Kindheitsträume, verbunden mit dem Anblick der knienden Brüder, bei Josef eine Reihe von Erinnerungen aus – Erinnerungen an den verachtungsvollen Zorn der Brüder, als er

---

2 Im Original Deutsch.
3 Im Original Deutsch.

ihnen seine Träume erzählte, oder an seinen Schrecken in der Grube, als er nicht wusste, ob seine Brüder ihn dort zum Sterben zurückgelassen hatten? Verspürt Josef nun Zorn und den Impuls, seine Brüder zu bestrafen, oder triumphiert er hauptsächlich und versucht, den Inquisitor zu spielen, um die Trauminhalte noch weiter auszuleben, indem er sich wiederholt von seinen Brüdern als „mein Herr" ansprechen lässt und sie sich selbst als „deine Knechte" bezeichnen müssen? Wird er angesichts des früheren Verhaltens seiner Brüder hauptsächlich von Misstrauen angetrieben? Ist der Vorwurf der Spionage lediglich die bequemste Weise, auf die er als Vizekönig diesen Fremden drohen kann, oder hält er die Täuschung durch Spionage und die Täuschung durch Bruderverrat für grundlegend verwandt? Man mag sich sogar fragen, ob die häufig wiederholte Phrase von der „Blöße des Landes" für Josef eine besondere psychologische Resonanz im Hinblick auf die Beziehung seiner Brüder zu sich und seinem Vater besitzt. Alle anderen biblischen Vorkommnisse der gebräuchlichen Wendung „die Blöße von ... sehen" oder „die Blöße von ... enthüllen" sind explizit sexuell und beziehen sich zumeist auf Inzest (genau diese Worte werden für Hams Vergehen gegen seinen Vater Noah verwendet), und vielleicht spürt Josef eine Art inzestuöser Gewalt, die seine Brüder ihm und durch ihn seinem Vater angetan haben. Ruben, der Erstgeborene der zehn, wohnte ja kurz nach dem Tod Rahels, als Josef noch ein Kind war, tatsächlich der Nebenfrau Jakobs und Magd Rahels – Bilha – bei.

Vielleicht ist keiner dieser Schlüsse absolut notwendig, aber alle sind eindeutig möglich, und die Weigerung des Erzählers, für spezifische Verbindungen zwischen Josefs Erinnerung und seinen Aussagen zu sorgen, lässt ein starkes Gefühl für die Überdeterminiertheit der Gegenwart durch die Vergangenheit aufkommen. Denn in dieser für die Bibel sehr typischen Sichtweise kann eine schlichte lineare Kausalaussage die Dichte und Vielzahl der Motive und Gefühle aller Figuren niemals adäquat wiedergeben. Josef ist weder für Gott noch für den Erzähler unerkennbar, aber er muss in gewissen Hinsichten undurchschaubar bleiben, denn er ist ein Mensch, und wir, die Leser der Geschichte, sehen ihn mit menschlichen Augen.

Der gesamte Dialog zwischen Josef und seinen Brüdern ist bemerkenswert, allein schon wegen der Art, wie die Worte auf der fragilen Oberfläche der Sprache wiederholt die Tiefen der moralischen Beziehung ausloten, von der die Brüder nahezu nichts ahnen und die selbst Josef nur zum Teil begreift. Vordergründig ein politisches Verhör ist der Text in Wirklichkeit der erste von drei sich steigernden Dialogen zwischen Josef und seinen Brüdern über ihre gemeinsame Vergangenheit und das Wesen ihres brüderlichen Bandes. Die zehn Brüder sind natürlich durchgehend Gegenstand dramatischer Ironie, da sie nicht wissen, was sowohl Josef als auch wir wissen, wenn sie etwa verkünden: „Wir alle sind Söhne *ein und desselben* Vaters" (Vers 11). Die Zweischneidigkeit dieser Aussage ist auch früheren Kommentatoren nicht entgangen. Raschi, der große mittelalterliche Exeget, merkte an: „Sie hatten einen plötzlichen Geistesblitz göttlicher Eingebung und rechneten ihn zu ihren." Aber es handelt sich natürlich um eine dramaturgische Ironie, die sich durch eine Reihe von psychologisch aufgeladenen Mehrdeutigkeiten selbst übertrifft, um die Hauptlinien des gestörten Bruderverhältnisses nachzuzeichnen. Wir sind zwölf, sagen die Brüder zu Josef (anders als die logischere Übersetzung „wir waren", legt der Hebräische Text von Vers 13 es nahe, den Satz im Präsens zu hören). Nur die zwei Söhne Rahels werden von den zwölfen unterschieden: Der Jüngste ist bei seinem Vater und ein anderer, ebenfalls namenlos, ist nicht mehr. Dieser mehrdeutige Euphemismus für den Tod – der Ausdruck könnte ja auch schlicht „ist nicht da" oder „ist abwesend" bedeuten – spiegelt in passender Weise die Ambiguität der Absichten der Brüder gegenüber Josef und ihr unsicheres Wissens über dessen Schicksal wider. Damals hatten sie sogar überlegt, ihn zu töten, und Ruben, der ihn zu retten versuchte und die Grube leer fand, vermutete anscheinend immer noch (Vers 22), dass er getötet worden war. Auf jeden Fall mussten die Brüder, da sie ihn nach Süden an einen fern gelegenen Sklavenmarkt verschickten, durchaus denken, dass er für immer verloren sei, so gut wie tot oder, nach all den Jahren harter Sklaverei, wirklich tot.

Josefs scharfe Antwort (Verse 14-16) auf den Bericht der Brüder erscheint an der Oberfläche des Dialogs als ein offensichtlicher Trugschluss, doch sie folgt getreu der Logik des unterschwelligen Gesprächs über ihre brüderliche Verbindung. Denn warum sollte das Zugeständnis der zehn, dass sie zwei weitere Brüder haben, einer zuhause und einer verloren, als Beweis dafür gelten, dass sie – „wie ich euch gesagt habe" – Spione sind? Man könnte vermuten, dass die verschleierte Aussage der Brüder über Josefs Schicksal ihn an ihren Verrat erinnert und ihn so zornig macht, dass er seinen Vorwurf der Spionage wiederholt. Wenn er daraufhin fordert, dass Benjamin zu ihm gebracht werden soll, so verlangt er dies nicht nur, weil er darauf erpicht wäre, seinen Vollbruder zu sehen, sondern auch, weil er angesichts des erinnerten Verrats den zehn Brüdern, diesen Söhnen Leas und der Nebenfrau, kaum trauen kann: Möglicherweise befürchtete er, dass sie auch dem anderen Sohn Rahels etwas angetan haben. Die von Josef vorgeschlagene „Probe" folgt der fadenscheinigen Logik des Verhörs der Spione und basiert auf einer Unterstellung: Wenn ein Teil ihrer Aussage über ihre Familie sich als falsch herausstellt, so wären auch ihre Worte insgesamt falsch und folglich sind sie Spione. Als wirkliche Prüfung von Spionen würde dies freilich kaum taugen, denn die Umkehrung gilt nicht: Sie könnten über ihren Bruder zuhause die Wahrheit sagen und dennoch in Ägypten für irgendwelche kanaanitische Mächte spionieren. Trotzdem hat die Probe eine grundlegende logische Funktion im indirekten Verhör der Brüder: Wenn sie Benjamin tatsächlich all die Jahre unverletzt gelassen haben, wird die Wahrheit ihrer Worte bestätigt, dass sie, der früheren Entzweiung zum Trotz, „zwölf Brüder, Söhne *ein und desselben* Mannes" sind.

Der Erzähler hat, wie schon angemerkt, die Episode damit begonnen, dass er ausdrücklich und symmetrisch Josefs Wissen dem Unwissen der Brüder gegenüberstellt. Durch den ganzen Dialog hindurch enthält er sich allerdings geflissentlich jeglichen Kommentars, so dass die Beziehung zwischen Josef und seinen Brüdern einzig durch ihre Worte verdeutlicht wird, und es uns überlassen bleibt, nach Josefs genauen Motiven zu fragen. Unabhängig von der Art der Motive erkennt man die Analogie: Josef verübt an seinen Brüdern zunächst eine Umkehrung und dann eine

Wiederholung dessen, was sie ihm angetan haben. Sie warfen ihn einst in eine Grube, in der er ohne Gewissheit über sein Schicksal lag; jetzt wirft er alle zehn von ihnen ins Wachhaus und lässt sie dort drei Tage lang schmoren; dann sondert er, wie sie es getan haben, einen Bruder ab – „einen" von euch Brüdern wie den „einen", von dem sie sagten, er sei nicht mehr – und beraubt ihn seiner Freiheit für eine Dauer, die sich als unbegrenzt erweisen könnte. Als Jakob später von Simeons Abwesenheit erfährt, stellt er prompt die Gleichung auf: „Ihr bringt mich um meine Kinder. Josef ist nicht mehr, Simeon ist nicht mehr" (Gen 42,36).

Als Leser nehmen wir die Analogie zwischen Josefs früherer Notlage und der gegenwärtigen Notlage seiner Brüder bewusst wahr. Die Brüder scheinen diese Verbindung wenigstens intuitiv zu verstehen, denn sie sehen ein Vergeltungsprinzip am Werk, durch das „Not" für „Not" vergolten wird. Das hat zur Folge, dass in ihrem Dialog (Verse 21-22) die unterschwellige Befragung zur Bruderschaft, die im Verhör mit Josef gegenwärtig war, an die Oberfläche dringt: Durch ihre Verhaftung als Spione werden sie dazu gedrängt, sich gegenseitig ihre Schuld zu gestehen, sich einst des Bruders entledigt zu haben. Es ist ein geschickter Zug verzögerter Exposition, dass wir erst jetzt davon erfahren, wie Josef, als er von seinen Brüdern ergriffen wurde, sie angefleht hatte und diese sich taub stellten. Genesis 37, worin von dem eigentlichen Ereignis der Entführung berichtet wird, schweigt über Josefs Worte und seine Gefühle in diesem schrecklichen Moment. Mit dieser neuen Enthüllung, die einen flehenden Josef umringt von teilnahmslosen Brüdern zeigt, wird die Schuld der Brüder noch vergrößert.

Glauben die Brüder aber wirklich, dass sie des Mordes oder der Entführung schuldig sind? Die herkömmliche Exegese geht am Wesentlichen vorbei, wenn sie annimmt, die gesamte Erzählung sei eine etwas verworrene Verknüpfung zweier verschiedener Versionen der Josefgeschichte, E und J: In Version E ist Ruben Josefs Fürsprecher, der Josef für tot hält, weil er ihn vergeblich gesucht hat, nachdem die Midianiter den rein zufällig in der Grube gefundenen Jungen mitgenommen hatten; in Version J rettet Juda Josefs Leben, indem er vorschlägt, ihn in die Sklaverei zu verkaufen, wobei die Sklavenhändler hier Ismaeliter sind. Auch wenn nicht alle Details der zwei Versionen so verknüpft sein mögen, wie es den modernen Konventionen der Konsistenz entspricht, so scheint es doch klar, dass der Schriftsteller aus einer Vielzahl von Gründen beide Versionen benötigt. Der Hauptgrund dafür ist offenbar der Wunsch, eine moralische Entsprechung von Entführung und Mord anzudeuten. In beiden Versionen beabsichtigten die Brüder zunächst gemeinsam, Josef zu töten. Als Ruben entdeckt, dass Josef aus der Grube verschwunden ist, aus der er den Jungen heimlich hatte retten wollen, ist der wohlmeinende Erstgeborene davon überzeugt, dass sein Bruder tot sei. Die Überlappung von Josefs vermeintlich tödlichem Verschwinden mit dem absichtlichen Verkauf Josefs legt die Vermutung nahe, dass sein Verkauf in die Sklaverei ein virtueller Mord ist, und untergräbt somit Judas Behauptung, dass die Brüder durch den Verkauf des Jungen der entsetzlichen Blutschuld entkommen könnten (Gen 37,26). Jetzt, da die Brüder zwanzig Jahre nach der Tat endlich ihrer Schuld ins Gesicht sehen, ist die Stimme Rubens zu hören, der sie des Brudermords bezichtigt. Keiner von ihnen versucht, den Vorwurf zurückzuweisen, denn soviel sie wissen, ist es ja möglich, dass sie ihn getötet haben, als sie ihn als Sklaven verkauften.

Genau an dieser Stelle (Verse 23-24) tritt der Erzähler hervor, der, abgesehen von der knappen Mitteilung, dass Josef seine Brüder verhaften ließ (Vers 17), seit der ersten Hälfte von Vers 9 stumm geblieben war. Er erzählt etwas über Josef, das die gesamte bisher beschriebene emotionale Konstellation durcheinander bringt. Zunächst gibt es ein weiteres Kunststück von verzögerter Exposition. Geschickt wurde bis zum perfekten Moment die Information zurückgehalten, in welcher Sprache Josef und seine Brüder miteinander sprachen. Man hätte vermuten können, dass das ägyptische Politgenie seine Vertrautheit mit kanaanitischen Dialekten zur Schau stellte und seine durch und durch ägyptische Identität lediglich dadurch unterstrich, dass er regelmäßig beim Pharao schwor. Jedenfalls hätte die Erwähnung eines Dolmetschers zu Beginn seines ersten Dialogs mit den Brüdern den Eindruck der unmittelbaren Konfrontation abgeschwächt, was, wie wir gesehen haben, für die Entwicklung dieser Szene psychologisch und thematisch ja unentbehrlich war. Nun aber erfahren wir, dass sie die ganze Zeit über mit einem Dolmetscher als Mittler gesprochen haben, und stellen fest, dass der Raum zwischen dem Wissen Josefs und der Unwissenheit der Brüder eine zusätzliche technische Dimension hat: Während der gesamten Begegnung hat er ihnen ohne ihr Wissen „zugehört" und sie „verstanden". Das heißt auch, dass er bis dahin zweimal gehört hat, wie sie ihr früheres Versäumnis, ihm zuzuhören oder ihn zu verstehen, eingestanden haben (Gen 42,21). „Er wandte sich von ihnen ab und weinte. Als er sich ihnen wieder zuwandte und abermals mit ihnen redete, ließ er aus ihrer Mitte Simeon festnehmen und vor ihren Augen fesseln" (Gen 42,24). Bis zu diesem Augenblick könnten wir angenommen haben, dass zwischen Josefs barscher Rede und seinen Gefühlen ein vollständiger Zusammenhang herrscht. Womöglich könnten wir uns sogar fragen, ob seine Tränen nicht Tränen des Selbstmitleids oder Zorns sind und ob seine Härte sich damit nicht fortsetzt. Aber es ist wahrscheinlicher, dass die Reue der Brüder, die Josef unbemerkt hört, bei ihm einen ersten starken Impuls zur Versöhnung auslöst, auch wenn er den Brüdern noch nicht vertrauen kann und mit der Prüfung fortfahren muss. Mit den wissenden Augen des allwissenden Erzählers sehen wir ihn insgeheim weinen und anschließend wieder seine strenge ägyptische Maske aufsetzen, als er zurückkehrt, um mit seinen Brüdern zu sprechen und Simeon zu verhaften.

Josefs Weinen am Ende seiner ersten Begegnung mit seinen Brüdern steht am Anfang einer wohlgeordneten Crescendo-Struktur der Geschichte. Zweimal noch wird er weinen. Das zweite Mal (Gen. 43,30 f.), wenn er zum ersten Mal seinen Bruder Benjamin zu Gesicht bekommt, ist stilistisch eine ausführliche Erweiterung der ersten Beschreibung seines Weinens: „Dann ging Josef schnell weg, denn er konnte sich vor Rührung über seinen Bruder nicht mehr halten; er war dem Weinen nahe. Er zog sich in die Kammer zurück, um sich dort auszuweinen. Dann wusch er sein Gesicht, kam zurück, nahm sich zusammen und ordnete an: „Tragt das Essen auf!" (Gen 43,30-31). Anders als im Kapitel 42 wird das Motiv für sein Weinen hier ausdrücklich erwähnt, und die Beschreibung exakter Handlungen (weinen wollen, in ein anderes Gemach gehen, weinen, sein Gesicht waschen, sich bezwingen) geht weit über die lakonische Norm der Bibel hinaus, wodurch besonderes Augenmerk auf das Ereignis gelegt und eine dramatische Verzögerung im Erzähltempo bewirkt wird. Wir bewegen uns offenkundig auf einen Höhepunkt zu, der schließlich beim dritten Weinen Josefs erreicht wird, als er sich endlich seinen Brüdern zu erkennen gibt. Dort wird uns erzählt, er „vermochte sich vor all den Leuten, die um ihn standen, nicht mehr zu halten" (Gen 45,1), so dass das zuvor verborgene Weinen nun in Gegenwart seiner Brüder geschieht und sich zu einem enormen Schluchzen steigert, so dass selbst die Ägypter, die draußen stehen, es hören können. Die Steigerung in den drei Wiederholungen, die mit dem lauschenden Josef in Genesis 42,24 begann, stellt nicht nur eine formale Symmetrie dar, durch die der Autor seiner Geschichte Form und Ordnung verleiht, sondern zeichnet auch einen emotionalen Prozess im Helden nach. Dieser reicht von dem Moment, als die zweiundzwanzig Jahre Zorn sich aufzulösen beginnen, bis zu jenem Moment, wo Josef sich endlich durchringt zu sagen: „Ich bin Josef, euer Bruder" (Gen 45,4).

Nach Josefs Weinen und der Gefangennahme Simeons in Genesis 42 wird die Geschichte damit fortgesetzt, dass den Brüdern Geld in ihre Getreidesäcke gelegt wird, und sie dies auf dem Heimweg auch bemerken (Gen 42,25-28), was ihren Eindruck eines seltsamen Schicksals hervorhebt und erneut die Unwissenheit der Brüder dem Wissen Josefs gegenüberstellt. Unmittelbar vom Lager, wo sie die Säcke geöffnet hatten, werden die Brüder zurück nach Kanaan in die Gegenwart ihres Vaters versetzt. Genau wie wir es nach der biblischen Konvention der wortwörtlichen Wiederholung erwarten würden, erzählen sie dann, was ihnen in Ägypten widerfahren ist, indem sie umfangreiche Sätze und Satzteile aus ihrem früheren Dialog mit Josef nahezu exakt wiederholen. Begreiflicherweise wird in der Rekapitulation (Gen 42,29-34) der vorangegangenen Szene in Ägypten diese abgekürzt, doch abgesehen von den Streichungen, die das Erzähltempo in angemessener Weise beschleunigen, spiegeln kleine, subtile Änderungen in Satzbildung und Wortstellung der ursprünglichen Dialoge sehr schön den Umstand wider, dass sich die Brüder jetzt an ihren Vater wenden. Josef wird darin zweimal als „der Mann, der Herr des Landes" bezeichnet, wodurch erneut unwissentlich sein Traum bestätigt wird, dass die Sonne, der Mond und elf Sterne sich vor ihm verneigen. In ihrer Nacherzählung für Jakob beteuern die Brüder gegenüber Josef als erstes, dass sie ehrlich und keine Spione seien, und erst danach, dass sie die zwölf Söhne eines Mannes sind, wohingegen sie, als sie mit Josef sprachen, zuerst verkündeten, dass sie die zwölf Söhne eines Mannes seien, als sei dies irgendwie eine notwendige Präambel für die Erklärung ihrer Ehrlichkeit. „Zwölf Brüder sind wir", zitieren sie für Jakob ihre früheren Worte an Josef, „Söhne unseres Vaters; der eine ist nicht mehr, und der jüngste ist heute bei unserem Vater im Land Kanaan" (Gen 42,32). Selbstverständlich bezeichnen sie jetzt Jakob, mit dem sie ja sprechen, als „unseren Vater" und nicht als „einen Mann im Land Kanaan". Aber sie kehren auch die Reihenfolge der Informationen um, indem sie den Bruder, der nicht mehr ist, an die erste Stelle setzen, und den Bruder, der zuhause ist, an die zweite. Vielleicht wollen sie ihren

Vater glauben lassen, dass sie die wertvolle Tatsache der Existenz Benjamins nur
widerwillig und am Ende ihrer Rede an den ägyptischen Oberherrn preisgegeben
haben. Jedenfalls ist „der eine ist nicht mehr" für Josef die kulminative Aussage,
wohingegen „der jüngste ist heute bei unserem Vater" für Jakob der entscheidende Satz ist – in beiden Fällen wird also dasjenige, was die angesprochene Person am meisten bewegt, bis zum Schluss zurückgehalten. Als Josef den Brüdern
seine Absicht mitteilte, eine Geisel zu nehmen, sagte er, einer von ihnen werde im
Gefängnis „zurückgehalten" (Gen 42,19) (das hebräische Wort *ye'aser* könnte
auch schlicht „gefesselt" bedeuten). Als sie Josefs Worte Jakob gegenüber wiederholen, schwächen sie dies diplomatisch ab: „Lasst einen von euch Brüdern bei mir
zurück" (Gen 42,33). Diese Substitution des konkreten Bildes der Einkerkerung
durch einen taktvollen Euphemismus zeigt aufs Schönste, wie die geringfügigen
Variationen bei der wortwörtlichen Wiederholung in der Bibel Teil einer wohl-
überlegten Struktur sind, es sich also keinesfalls um eine ungenaue Synonymie
handelt. Als letzte Bedingung der Prüfung hatte Josef gefordert, dass Benjamin zu
ihm gebracht werde, wenn die Brüder dem Tod entgehen wollen. In ihrem
Gespräch mit Jakob achten die Brüder darauf, dies bedrohliche Reden vom Tod
wegzulassen und der Rede des Machthabers einen positiven Ausklang zu geben,
denn in den tatsächlich verwendeten Worten Josefs war dies höchstens implizit
der Fall: „So werde ich erfahren, dass ihr keine Spione, sondern ehrliche Leute
seid. Ich gebe euch dann euren Bruder heraus und ihr dürft euch frei im Land
bewegen." (Gen 42,34).

Diesem Versuch, einen wahrheitsgetreuen, aber zugleich taktvollen Bericht von
den Ereignissen in Ägypten abzuliefern, folgt sogleich die Wiederholung der Entdeckung des Geldes in den Getreidetaschen, wodurch die Angst der Brüder und –
indirekt – ihr Schuldgefühl hervorgehoben wird. Jakob reagiert auf dieses Ereignis
und auf den gesamten vorangegangenen Bericht, indem er seinen Söhnen vorwirft,
ihn beraubt zu haben, und indem er sein eigenes Leid rhetorisch aufbauschend zur
Schau stellt. An dieser Stelle tritt sein Erstgeborener vor:

> Da sagte Ruben zu seinem Vater: Meine beiden Söhne magst du umbringen, wenn
> ich ihn dir nicht zurückbringe. Vertrau ihn meiner Hand an; ich bringe ihn dir wieder
> zurück. Nein, sagte er, mein Sohn wird nicht mit euch hinunterziehen. Denn sein
> Bruder ist schon tot, nur er allein ist noch da. Stößt ihm auf dem Weg, den ihr geht,
> ein Unglück zu, dann bringt ihr mein graues Haar vor Kummer in die Unterwelt.
> (Gen 42,37-38)

Dieser Dialog – der Erzähler hält sich erneut bescheiden zurück und unterlässt
jeglichen ‚redaktionellen' Kommentar – liefert eine wunderbare Definition für
fatale Missverständnisse, die so häufig konstitutiv für das Familienleben sind und
in dieser Gründungsfamilie Israels schon katastrophale Konsequenzen hatten.
Ruben, der impulsive Mann, der einst die Nebenfrau seines Vaters geschändet und
der überdies einen ungeschickten Versuch unternommen hatte, Josef vor seinen
anderen Brüdern zu retten, fordert Jakob dazu auf, seine beiden Söhne zu töten,
sollte Benjamin irgendetwas zustoßen. Sein Vater hatte soeben geklagt, zweifach

beraubt worden zu sein, und nun macht Ruben alles noch schlimmer, indem er vorschlägt, dass Jakob zwei seiner Enkelkinder aus dem Weg räumen solle, wenn Benjamin verloren gehen sollte! Abermals begreift man, warum Ruben, der Erstgeborene, in der Erbfolge übergangen wird, und warum die Reihe der Könige von Juda abstammen wird, Josefs zweitem Fürsprecher, der im nächsten Kapitel (Gen 43,8-9) auf vernünftigere Weise seine Bereitschaft erklären wird, für Benjamin zu bürgen.

Jakob würdigt Rubens unbedachten, aber gut gemeinten Vorschlag nicht einmal einer Antwort, sondern bekräftigt seine Entschlossenheit, Benjamin die Reise nach Ägypten zu untersagen. Zuvor hatte er vorsichtig und ein wenig doppeldeutig gesagt, dass Josef nicht mehr sei; nun behauptet er rundweg, dass Josef tot ist. Erstaunlicherweise ist er weiterhin so blind für die Gefühle der zehn Brüder, wie er es schon während der Kindheit Josefs gewesen war. „Er allein ist übrig geblieben", sagt er ihnen ins Gesicht, wobei er die notwendige Ergänzung „von seiner Mutter" weglässt, so als wären nur die Söhne Rahels – und nicht sie – seine Söhne. Vor zweiundzwanzig Jahren hatte er verkündet, dass er in Trauer um seinen Sohn in die Unterwelt hinab gehen würde, jetzt beschließt er die Szene damit, dass er sich noch einmal vor Augen führt, wie sein weißes Haupt in untröstlichem Leid in die Unterwelt hinabsteigt. Jakob ist stets der Rhetoriker des Kummers und liebt in seinen Klagen die Wortsymmetrien. So beginnt seine Rede mit den Worten *lo'yered*, „er wird nicht hinunterziehen", und schließt mit dem „Hinabbringen" (*vehoradtem*) seines Greisenkopfes in die Unterwelt, wodurch eine klare Klammerstruktur entsteht. Zudem könnte es sich bei der Unterwelt und Ägypten, dem fremden Land unten im Süden, das für seinen monumentalen Totenkult berühmt ist, um ein ironisches Wortspiel handeln. Tatsächlich wird Benjamin ja letztlich nach Ägypten hinabziehen und auch Jakob wird von seinen Söhnen nicht in die Unterwelt, sondern nach Ägypten hinabgebracht, wo Josef am Leben ist und in seiner vizeköniglichen Macht strahlt.

Wir sind der minutiösen Entwicklung der thematischen Opposition von Wissen und Nichtwissen durch Genesis 42 gefolgt, wobei das Nichtwissen Jakobs und seiner Söhne nicht nur Josefs tatsächliches Schicksal betrifft, sondern auch die zugrunde liegende moralische Konstellation ihrer Familie. Jetzt können wir uns der Auflösung zuwenden, wobei wir die Passagen, die dorthin führen, nur flüchtig kommentieren werden (Gen 43,1-34). Schon nach kurzer Zeit wird Jakob durch die andauernde, ja sich verschlimmernde Hungersnot dazu gezwungen, seinen Beschluss Benjamin betreffend aufzugeben. Zunächst fordert er seine Söhne mit einem simplen Satz auf: „Geht noch einmal hin, kauft uns etwas Brotgetreide!" (Gen 43,2), so als ginge es um einen Abstecher zu einem nahe gelegenen Markt. Juda, der nun nachdrücklich die Rolle des Wortführers übernimmt, stellt unmissverständlich klar, dass sie die Nahrung nur dann erhalten werden, wenn Benjamin mit ihnen kommt. „[D]enn der Mann hat uns gesagt:", zitiert er Josef, „Kommt mir ja nicht mehr unter die Augen, wenn ihr nicht euren Bruder mitbringt" (Gen 43,5). Eigentlich waren diese Worte im Dialog zwischen Josef und seinen Brüdern nicht aufgetaucht, doch Juda versucht natürlich, seinem widerstrebenden Vater

den Gedanken klar zu machen, dass der Mann, der den Schlüssel zum lebenserhal-
tenden Korn in den Händen hält, ohne Benjamin vollkommen unzugänglich bleiben wird. Juda schreibt Josef zudem noch eine weitere Äußerung zu, die im tatsächlichen Dialog in Ägypten nicht vorkam. Es ist die Frage: „Lebt euer Vater
noch?" Insofern die Bibel wortgetreue Wiederholungen öfters mit Ergänzungen
versieht, lässt sich allerdings vorstellen, dass Josef solch eine Frage wirklich gestellt
hat, dass sie aber nicht in dem wiedergegebenen Dialog enthalten war, weshalb es
nicht zwingend ist, dies als eine Erfindung Judas auszulegen. Trotzdem ist der entscheidende Grund dafür, die Frage an dieser Stelle einzuflechten, proleptischer
Natur; sie weist voraus auf Josefs besorgte Frage an die Brüder (Gen 43,27), ob ihr
Vater noch am Leben sei, sowie auf seine noch dringlichere Frage: „ist mein Vater
noch am Leben?" (Gen 45,3). Letztere Frage wird er stellen, nachdem er sich den
Brüdern zu erkennen gegeben hat – was soviel bedeutet wie: Nun, da ihr wisst, dass
ich Josef bin, könnt ihr mir die tatsächliche Wahrheit über unseren Vater sagen.

Jakob hatte in Genesis 43 die Unvorsichtigkeit seiner Söhne beklagt, gegenüber
dem Ägypter Benjamins Existenz überhaupt erwähnt zu haben, doch Juda weist
nun thematisch völlig angemessen darauf hin, dass sie sich in einem Netz von Konsequenzen verfangen hatten, von dem sie im Voraus nichts ahnten. „Konnten wir
denn wissen, dass er sagen würde: Bringt euren Bruder herab?" (Gen 43,7) Am
Ende gestattet Jakob grimmig und widerwillig, Benjamin doch mitziehen zu lassen, wobei seine letzten Worte zu seinen Söhnen einen Klang von väterlicher Klage
haben, der mit demjenigen seiner vorangegangenen Reden völlig übereinstimmt:
„Ich aber, ich verliere noch alle Kinder" (Gen 43,14).

Vor dieser Klage hat Jakob seine Söhne jedoch angewiesen, doppelt so viel Geld,
wie sie in ihren Getreidesäcken gefunden hatten, mit nach Ägypten zu nehmen,
und zudem Balsam, Honig, Tragakant, Ladanum, Pistazien und Mandeln (Gen
43,11-12). Damit folgt er unwissentlich dem Muster der Entschädigung, das den
gesamten Schluss der Geschichte kennzeichnet. Geld – ausdrücklich Silberstücke
– wechselte die Hände, als Josef von den Brüdern an die ismaelitischen Händler
verkauft und nach Ägypten hinabgeführt wurde. Versteckt in den Kornsäcken
schickte Josef dann wieder Geld nordwärts nach Kanaan. Nun ordnet Jakob an,
dass doppelt so viel Geld nach Ägypten zurückgebracht werden soll. (Das Geld-/
Silbermotiv wird, wie wir sehen werden, noch eine weitere kulminierende Wendung erfahren.) Die ironische Verbindung zu den ismaelitischen Händlern wird
durch die zweite Hälfte von Jakobs Anweisungen raffiniert verstärkt: Die Karawane, die Josef vor langer Zeit als Sklave mitgenommen hatte, trug „Tragakant,
Mastix und Ladanum [...] Sie waren unterwegs nach Ägypten" (Gen 37,25). Nun
werden die Brüder eine weitere Karawane dieser Art bilden und die gleichen Waren
und noch einige mehr hinab bringen, doch sie führen nicht Josef als Sklaven mit,
sondern steuern unversehens auf die Entdeckung seiner Identität als oberster Herrscher zu.

Mit der typischen Schnelligkeit, mit der die biblische Erzählung unwichtige
Übergänge auslässt, werden die Brüder nun unverzüglich in Josefs Gegenwart versetzt: „Sie machten sich auf, zogen nach Ägypten hinab und traten vor Josef hin."

(Gen 43,15). Sobald sie angekommen sind, werden sie eilig von Josefs Beamten zum vizeköniglichen Palast gebracht, was sie fürchten lässt, dass sie angeklagt werden, das in ihren Getreidesäcken gefundene Geld gestohlen zu haben. An der Schwelle des Palastes beteuern sie ihre Unschuld gegenüber Josefs Hausverwalter. Dieser versichert ihnen, dass alles in Ordnung sei und dass ihr Gott und der Gott ihres Vaters ihnen das Geld wohl zurückgegeben haben müsse, womit nochmals die Verbindung zwischen Josefs Machenschaften und den Werken der Vorsehung bekräftigt wird. Dann sieht Josef endlich „seinen Bruder Benjamin, den Sohn seiner Mutter" (Gen 43,29), und ist, wie wir schon sahen, von Gefühlen überwältigt, so dass er in einen anderen Raum hinausgeht, um zu weinen. Bei dem Festessen, zu dem er die Brüder einlädt, wählt er die Tischordnung nach der genauen Reihenfolge ihrer Geburt, vom jüngsten zum ältesten, was die Brüder verblüfft und den Kontrast zwischen seinem Wissen und ihrem Nichtwissen abermals betont.

Nach dem Festmahl werden die Brüder zurück nach Kanaan geschickt, wobei Josef seinen Hausverwalter nochmals anweist, das Geld, mit dem sie bezahlt haben, wieder in ihren Säcken zu verstecken, doch diesmal fügt er hinzu, dass sein Silberbecher in Benjamins Sack versteckt werden soll (Gen 44,2). Gemäß Josefs Befehl jagt der Hausverwalter kurz darauf den abgereisten Brüdern nach. Als er sie einholt, bezichtigt er sie wütend, den kostbaren Becher gestohlen zu haben. Sie sind natürlich bestürzt über diese neuerliche Beschuldigung, fühlen sich in ihrer Unschuld aber so sicher, dass sie schwören, es solle derjenige hingerichtet werden, bei dem der Becher gefunden würde. Dieses makabre Detail evoziert eine Parallele zu einer wesentlich früheren Episode aus der Geschichte ihres Vaters Jakob. Der wurde vom zornigen Laban verfolgt, weil jemand seine Hausgötter gestohlen hatte, worauf er seinen Schwiegervater selbstbewusst aufforderte, sein Zelt zu durchsuchen und ebenfalls verkündete, dass derjenige sterben solle, der die Hausgötter gestohlen habe (Gen 31,32). Die gestohlenen Kultgegenstände wurden damals nicht entdeckt, aber der Dieb, Jakobs geliebte Frau Rahel, scheint die Folgen seines Satzes erlitten zu haben, als sie bei der Geburt Benjamins starb. Jetzt also, kurz vor der Auflösung des Plots, wird der Schatten eines ähnlichen Verhängnisses auf ebendiesen Sohn geworfen, wobei Josefs Hausverwalter die tödlichen Bedingungen allerdings sofort abschwächt: „Bei wem er sich findet, der sei mein Sklave, doch ihr anderen sollt straffrei bleiben" (Gen 44,10).

Die Wahl eines silbernen Wahrsagekelchs für die falsche Beschuldigung Benjamins verschmilzt auf raffinierte Weise das Silbermotiv (unrechtmäßig erhalten, heimlich zurückgegeben und schließlich mit der Schuld der Brüder gegenüber Josef verknüpft) mit dem zentralen Motiv des Wissens, denn es handelt sich um einen Gegenstand, den Josef vermutlich zur Vorhersage der Zukunft und Ausdeutung von Träumen verwendete. „Was habt ihr getan?" fragt er seine Brüder, als sie verhaftet zum Palast zurückgebracht werden (Gen 44,15), und der allgemeine Wortlaut, mit dem er seine Anklage formuliert, rührt wieder an die vor zwei Jahrzehnten an ihm verübte Tat: „Wusstet ihr denn nicht," – und selbstverständlich gab es nur allzu viel, was sie nicht wussten – „dass ein Mann wie ich [solches] weissagen kann?" (Gen 44,15)

Wir sind nun an der letzten dramatischen Wende dieser außergewöhnlichen Geschichte angelangt. Juda tritt vor, um für alle Brüder zu sprechen: „Was sollen wir unserem Herrn sagen, was sollen wir vorbringen, womit uns rechtfertigen? Gott hat die Schuld deiner Knechte ans Licht gebracht. So sind wir also Sklaven unseres Herrn, wir und der, bei dem sich der Becher gefunden hat." (Gen 44,16) Damit bestätigen die Brüder endgültig die einst im Traum erschienene Vormacht-stellung Josefs und ihre entsprechende Abhängigkeit von ihm. Es ist außerdem ein offenes Eingeständnis ihrer Schuld, das sich zumindest psychologisch auf das wahre Verbrechen bezieht, nämlich den Verkauf Josefs gegen Silber und nicht etwa den Diebstahl des silbernen Bechers, der ihnen aktuell zur Last gelegt wird. Juda mag ahnen, dass er und seine Brüder ihre Unschuld im Hinblick auf das gestohlene Gefäß nicht beweisen können, aber er kann nicht ernsthaft glauben, dass sie diese Tat wissentlich begangen haben. Das Verbrechen, das von Gott selbst entdeckt wurde, ist folglich nicht der Diebstahl, sondern das Beiseite-Schaffen Josefs. Judas Vorschlag, dass alle elf Brüder Sklaven werden, wird von Josef als ungerecht abge-lehnt: Nur der Dieb solle eingesperrt werden. Konfrontiert mit der Aussicht, jetzt auch noch Benjamin zu verlieren, nachdem sie schon Josefs Verlust bewirkt hatten, tritt Juda zu Josef heran und trägt seinen großen leidenschaftlichen Appell vor:

Da trat Juda an ihn heran und sagte: Bitte, mein Herr, dein Knecht darf vielleicht meinem Herrn offen etwas sagen, ohne dass sein Zorn über deinen Knecht entbrennt; denn du bist wie der Pharao. Mein Herr hat seine Knechte gefragt: Habt ihr einen Vater oder Bruder? Wir erwiderten meinem Herrn: Wir haben einen alten Vater und einen kleinen Bruder, der ihm noch in hohem Alter geboren wurde. Dessen Bruder ist gestorben; er ist allein von seiner Mutter noch da und sein Vater liebt ihn beson-ders. Du aber hast von deinen Knechten verlangt: Bringt ihn her zu mir, ich will ihn mit eigenen Augen sehen. Da sagten wir zu unserem Herrn: Der Knabe kann seinen Vater nicht verlassen. Verließe er ihn, so würde der Vater sterben. Du aber sagtest zu deinen Knechten: Wenn euer jüngster Bruder nicht mit euch kommt, dürft ihr mir nicht mehr unter die Augen treten. Als wir zu deinem Knecht, deinem Vater, hinauf-gekommen waren, erzählten wir ihm, was mein Herr gesagt hatte. Als dann unser Vater sagte: Kauft uns noch einmal etwas Brotgetreide!, entgegneten wir: Wir können nicht hinunterziehen; nur wenn unser jüngster Bruder dabei ist, ziehen wir hinunter. Wir können nämlich dem Mann nicht mehr unter die Augen treten, wenn nicht unser jüngster Bruder dabei ist. Darauf antwortete uns dein Knecht, mein Vater: Ihr wisst, dass mir meine Frau zwei Söhne geboren hat. Einer ist von mir gegangen und ich sagte: Er ist gewiss zerrissen worden. Ich habe ihn bis heute nicht mehr gesehen. Nun nehmt ihr mir auch den noch weg. Stößt ihm ein Unglück zu, dann bringt ihr mein graues Haar vor Leid in die Unterwelt. Wenn ich jetzt zu deinem Knecht, meinem Vater, käme und der Knabe wäre nicht bei uns, da doch sein Herz so an ihm hängt, wenn er also sähe, dass der Knabe nicht dabei ist, würde er sterben. Dann brächten deine Sklaven deinen Knecht, unseren greisen Vater, vor Gram in die Unterwelt. Dein Knecht hat sich für den Knaben beim Vater mit den Worten verbürgt: Wenn ich ihn nicht zu dir zurückbringe, will ich alle Tage bei meinem Vater in Schuld stehen. Darum soll jetzt dein Knecht an Stelle des Knaben dableiben als Sklave für meinen Herrn; der Knabe aber soll mit seinen Brüdern ziehen dür-fen. Denn wie könnte ich zu meinem Vater hinaufziehen, ohne dass der Knabe bei mir wäre? Ich könnte das Unglück nicht mit ansehen, das dann meinen Vater träfe. (Gen 44,18-34)

Im Lichte all dessen, was wir über die Geschichte von Josef und seinen Brüdern herausgefunden haben, sollte klar sein, dass diese bemerkenswerte Rede Punkt für Punkt ein moralisches wie psychologisches Gegenstück zu den früheren Verletzungen der Bruderliebe aufbaut. Es ist eine grundlegende biblische Einsicht sowohl über zwischenmenschliche Beziehungen als auch über die Beziehungen zwischen Gott und Mensch, dass Liebe unvorhersehbar, willkürlich und mitunter auch scheinbar ungerecht ist. In seiner Rede gelangt Juda zur Anerkennung dieser Tatsache mit all ihren Konsequenzen. Er erklärt Josef, dass der Vater seinen Sohn Benjamin einer besonderen Liebe wegen auserwählt hat, so wie er auch Rahels anderen Sohn zuvor auserwählt hatte. Im Gegensatz zu seiner früheren Eifersucht auf Josef findet sich Juda jetzt aus Sohnespflicht und sogar Sohnesliebe mit der schmerzhaften Wirklichkeit der Bevorzugung ab. Seine gesamte Rede ist durch tiefes Mitgefühl für seinen Vater motiviert und durch ein echtes Verständnis dafür, was die Verbindung zu dem Knaben für das Leben des alten Mannes bedeutet. Er kann sich sogar dazu durchringen, Jakobs typisch übertriebene Behauptung mitfühlend zu zitieren (Vers 27): „Ihr wisst, dass mir meine Frau zwei Söhne geboren hat." – als wäre Lea nicht ebenso seine Frau und die anderen zehn nicht ebenso seine Söhne. Zweiundzwanzig Jahre zuvor hatte Juda den Verkauf Josefs in die Sklaverei eingefädelt; nun ist er bereit, sich selbst als Sklaven zu opfern, so dass der andere Sohn Rahels freikommen kann. Zweiundzwanzig Jahre zuvor stand er bei seinen Brüdern und schaute stumm zu, als der blutgetränkte Rock, den sie Jakob gebracht hatten, einen Anfall von Verzweiflung bei dem Vater hervorrief; nun ist er willens, alles zu tun, um seinen Vater nicht noch einmal so leiden zu sehen.

Auf bewundernswerte Weise hat Juda als Wortführer der Brüder den schmerzhaften Lernprozess abgeschlossen, den Josef und die Umstände ihm auferlegt haben. Das einzig Grundlegende, das er immer noch nicht weiß, ist Josefs Identität. Josef ist vom tief greifenden Gefühlswandel Judas erschüttert. Er kann nicht länger mit der grausamen Maskerade fortfahren, mit der er seine Brüder geprüft hat, und so bricht er schließlich in ihrem Beisein in Tränen aus und sagt zu ihnen „Ich bin Josef. Ist mein Vater noch am Leben?" (Gen 45,3). Verständlicherweise sind sie sprachlos vor Angst und Erstaunen, und so fordert er sie auf, näher heran zu treten (Vers 4), während er seine Enthüllung wiederholt. (Die Beschränktheit der herkömmlichen Literarkritik wird nirgends besser deutlich als dadurch, dass sie diese höchst wirkungsvolle Wiederholung, die ganz offensichtlich durch die dramatische und psychologische Situation gerechtfertigt ist, einer Verdopplung der Quellen zuschreibt.) „Ich bin Josef, euer Bruder", verkündet er, wobei er diesmal die Verwandtschaftsbezeichnung hinzufügt, „den ihr nach Ägypten verkauft habt." Dies ist der letzte und von Josef womöglich gar nicht beabsichtigte Moment von unheilvoller Mehrdeutigkeit, denn angesichts der Worte des mächtigen Herrschers, dass sie ihn verkauft hätten, könnten die Brüder in schreckliche Furcht verfallen. Josef scheint dies zu bemerken, denn er fährt fort: „Jetzt aber lasst es euch nicht mehr leid sein und grämt euch nicht, weil ihr mich hierher verkauft habt. Denn um Leben zu erhalten, hat mich Gott vor euch hergeschickt." (Gen 45,5) Er eröff-net seinen Brüdern daraufhin das volle Ausmaß seines Wissens und erzählt ihnen von den fünf Jahren der Hungersnot, die noch kommen werden, und betont wie-derholt, dass es Gott ist, der ihn zu der Größe bestimmte und ihn auserwählte als Instrument seiner Vorsehung, den Samen Israels zu erhalten. Josef schickt seine Brüder dann mit zahlreichen Gaben Ägyptens zurück nach Kanaan, und weist sie an, mit Jakob und ihrem gesamten Haushalt zurückzukehren. Am Ende der Geschichte, nachdem Jakob von Gott in nächtlicher Vision die Reise nach Ägypten angeraten wird, sind Vater und Sohn endlich wieder vereint.

All dies ergibt natürlich eine unwiderstehliche Geschichte, eine der besten Geschichten, die, wie viele Leser bescheinigt haben, jemals geschrieben wurde. Aber sie veranschaulicht auch auf unvergessliche Weise, wie in der Bibel das ver-gnügliche Spiel fiktionaler Erzählungen uns in eine innere Zone komplexen Wis-sens über das Wesen des Menschen, über göttliche Absichten und über die starken, manchmal gleichwohl verwirrenden Fäden zwischen Gott und Mensch versetzt.

Zur vollendeten Kunstfertigkeit der Josefgeschichte gehören eine ausgeklügelte und erfindungsreiche Verwendung fast aller Haupttechniken biblischer Erzählung: der Einsatz thematischer Schlüsselwörter; die Wiederholung von Motiven; die sub-tile Bestimmung von Figuren, Beziehungen und Motiven im Dialog; die vor allem im Dialog eingesetzte Nutzung wörtlicher Wiederholung mit winzigen, aber signi-fikanten Veränderungen; der scharfsinnige Wechsel des Erzählers zwischen strate-gisch suggestivem Vorenthalten des Kommentars und gelegentlichem Aufscheinen seines allwissenden Überblicks; die gelegentliche Montage der Quellen, um den facettenreichen Charakter des fiktionalen Themas einzufangen.

All diese formalen Mittel dienen letztlich der Darstellung. Die biblischen Auto-ren suchen durch ihre Kunst nach der Erfahrung, was es wohl heißt, ein Mensch mit geteiltem Bewusstsein zu sein: Gelegentlich den Bruder zu lieben, ihn aber noch stärker zu hassen; nachtragend oder gar verachtungsvoll gegenüber dem Vater zu sein, doch zugleich des tiefsten kindlichen Respekts fähig; zwischen verheeren-der Unkenntnis und unvollständigem Wissen zu schwanken; aufs Schärfste die eigene Unabhängigkeit zu verfechten und zugleich gefangen im Gewebe der von Gott geplanten Ereignisse zu sein; nach außen ein gefestigter Charakter, aber nach innen ein Strudel von Gier, Ehrgeiz, Eifersucht, Lust, Frömmigkeit, Mut, Mitleid und noch vielem mehr.

Die Literatur dient den biblischen Autoren vor allem als Instrument zur ge-naueren Erkenntnis der beständigen Verworrenheit des menschlichen Daseins. Vielleicht ist das der Grund, warum jene alten hebräischen Geschichten auch heute noch so ungeheuer lebendig erscheinen und warum es die Mühe lohnt, sie aufmerk-sam als kunstvolle Geschichten lesen zu lernen. Es war kein Leichtes, der mensch-lichen Wirklichkeit im grundlegend neuen Licht der monotheistischen Offenba-rung einen Sinn zu geben. Die literarische Vorstellungskraft mit ihrem breiten Auf-gebot an komplex zusammenfügenden erzählerischen Mitteln bot ein wertvolles Medium, um der Wirklichkeit diese schwierige Art von Sinn zu verleihen. Durch ihre Nutzung der Fiktion haben die biblischen Autoren unserer kulturellen Tradition eine dauerhafte Quelle hinterlassen, und es liegt an uns, ihrer Sichtweise noch besser gerecht zu werden, indem wir die besonderen Kunstbedingungen, nach denen sie funktioniert, besser verstehen lernen.

Fiktion, Wissen und ‚ganze Wahrheit‘

Läuft die literarische Lektüre nicht darauf hinaus, dass die Bibel ‚nur Fiktion‘ ist? Bevor man das provozierend bejaht oder sich dagegen empört verwehrt, muss man bedenken, dass der Begriff der ‚Fiktion‘ einigermaßen unbestimmt ist, obwohl er oder vielleicht weil er für die Literaturwissenschaft so zentral ist. Er changiert mindestens zwischen zwei Bedeutungen, dem ‚Machen‘ und dem ‚Vortäuschen‘, und diese Zwischenstellung spiegelt den ambivalenten Charakter literarischen Wissens wider. Aber man kann ‚Fiktion‘ auch technischer fassen, denn narratologisch versteht man unter ‚Fiktion‘ weniger die Erfindung einer ‚fiktiven‘ Welt, als die Konstruktion eines ‚fiktionalen‘ Erzählers, der uns seinerseits die Ereignisse einer fiktiven Welt erzählt, die im Rahmen dieser Fiktion dann ‚wirklich‘ sind. Dadurch wird der Erzähler zur zentralen Figur jeder Erzählung, denn er entscheidet, was wir wissen können und wie wir es erfahren. Gerade im biblischen Text, dessen Handlung ja schon im dritten Kapitel der Genesis von der Frage nach dem Wissen angetrieben wird, ist diese Frage zentral, gerade hier werden daher auch die epistemologischen Implikationen des Erzählens besonders deutlich. Meir Sternberg hat daher sogar von einer „epistemologischen Revolution" gesprochen, weil in der Bibel nicht mehr wie in älterer Epik die Taten und Eigenschaften der Handelnden im Zentrum des Interesses stehen. Wie das geschieht, lässt sich freilich nur in genauen Analysen des Wechselspiels zwischen unseren Erwartungen und den Strategien der Texte ermitteln.

Sternberg ist erfahren in solchen Analysen: Als Mitbegründer der Tel Aviver Schule der Poetik, die seit den 1970er Jahren an einer semiotisch begründeten Theorie literarischer Texte arbeitet, und als Herausgeber einer der wichtigsten internationalen Fachzeitschriften *Poetics Today* gehört Sternberg zu den wichtigsten Vertretern der gegenwärtigen Narratologie. Er hat eine ganze Reihe von Untersuchungen veröffentlicht, die immer wieder die Komplexität und Vielfalt – Sternberg spricht vom ‚Proteus-Prinzip‘ – literarischer Texte betonen. Seine Untersuchungen zur Poetik der Bibel sind daher nicht nur durchgängig auf hohem theoretischen Niveau, sondern betonen auch immer wieder, dass die vorhandenen literaturwissenschaftlichen Methoden noch viel zu undifferenziert für die Analyse seien – was mehr als einmal zu beißender Kritik an seinen Kollegen führt, etwa was die Unschärfe von deren Fiktionsbegriff angeht. Sein eigenes großes Werk, *The Poetics of Biblical Narrative*, verbindet diesen hohen theoretischen Anspruch mit sehr detaillierten Textlektüren zu einem komplexen und nicht immer leicht zu verstehenden Ansatz. Dabei geht es nicht um die literarischen Verfahrensweisen als solche, sondern immer auch um deren ideologische und epistemologische Implikationen: um die Sicht der Welt, die sich in der Erzählung manifestiert. In anderer Weise zeigt dann Sternbergs zweites großes Buch zur Bibel, *Hebrews between Cultures*, wozu eine solche zugleich poetologische und ideologische Analyse führen kann: Anhand der wenigen Stellen, wo in der Bibel von ‚Hebräern‘ die Rede ist, entwickelt Sternberg eine Poetik der interkulturellen Beziehungen, die nicht nur zeigt, dass es sich hier um ein Heterostereotyp handelt – es sind Fremde, die von den Israeliten als ‚Hebräer‘ sprechen –, sondern dass der Text auch die Aufnahme dieses Stereotyps durch die Israeliten und schließlich die Haltung des Erzählers zu dieser Aufnahme reflektiert.

Gerade diese Eigenschaft, die Präsenz eines Erzählers mit mehr oder weniger deutlich wahrnehmbaren Eigenschaften macht den biblischen Text zu einer ‚Fiktion‘ im technischen Sinn. Aber sie unterscheidet sich darin auch von anderen Fiktionen, denn der biblische Erzähler ist nicht allein, sondern erzählt wiederum von einem Gott, der zugleich allwissend und allmächtig sein soll. Das führt zu einer Verschränkung: Zwar erfahren wir alles, auch alles über Gott, vom Erzähler und nur durch ihn, aber er selbst ordnet sich wiederum Gott unter. Nur diese scheinbar paradoxe Strategie oder dieser Umweg erlaubt es wohl, Allmacht zu erzählen. Sie gibt den biblischen Texten einen besonderen Status: Auf der einen Seite ist dieser Text tatsächlich voller Unklarheiten, Lücken und Ambiguitäten, die in der Lektüre erst gefüllt werden müssen. Durch den Rückgriff auf die Rezeptionsästhetik gelingt es Sternberg dabei, Erich Auerbachs Metapher von der ‚Hintergründigkeit‘ des biblischen Textes in eine genaue Analyse von dessen Struktur umzusetzen: in die Verteilung von Leerstellen, in die Verschiebung des Sinns, in die latente Ironie der Darstellung und die Distanz des Erzählers zum Erzählten. Aber das führt keineswegs zu vollständiger Ambiguität, denn auf der anderen Seite ist die Bibel so komponiert, dass ihre Hauptaussagen nicht übergangen werden können, sie ist ‚foolproof‘, insofern sie bei allem Spielraum doch eine minimale Übereinstimmung mit ihren Forderungen erzwinge, ohne die man sie nicht lesen könne. Ihre Gesamtstruktur speist sich also aus der Spannung zwischen ‚truth‘ und ‚whole truth‘, zwischen dem auf jeden Fall vermittelten minimalen Verständnis und den hintergründig angedeuteten tieferen Sinnschichten des Textes. Was etwa das Wissen des Erzählers angeht, ist auf der einen Seite gar nicht möglich, den biblischen Text zu lesen, wenn man das Wissensprivileg des Erzählers – das was Sternberg die ‚Konvention der Inspiration‘ nennt – nicht akzeptiert und sich etwa fragt, woher wir wissen können, was Gott bei der Schöpfung gesagt hat. Auf der anderen Seite aber eröffnet der Text alle Möglichkeiten, endlos zu deuten, wie es um das Wissen Gottes oder gar um seine Allmacht denn letztendlich bestellt sein mag. Gerade die scheinbare ‚Schwäche‘ der Unbestimmtheit des fiktionalen Textes wird damit zu dessen unwiderstehlicher ‚Stärke‘. *dw*

MEIR STERNBERG

Ideologie des Erzählens und erzählte Ideologie

> Der Mensch sieht, was vor den Augen ist, der Herr aber sieht das Herz.
> 1 Samuel 16,7

> Ihr seid meine Zeugen – Spruch des Herrn.
> Jesaja 43,10

> Es ist gut, das Geheimnis eines Königs zu wahren;
> die Taten Gottes aber soll man offen rühmen.
> Tobit 12,7

Das Monopol der Allwissenheit: Die epistemologische Revolution

„Warum ist der biblische Erzähler allwissend?" Dieser Satz beinhaltet eigentlich zwei Fragen, je nachdem ob das ‚Warum' nach Anhaltspunkten oder nach einer Erklärung fragt. Im ersten Fall fällt die Antwort leicht: Sein Erzählen ist durch eine Reihe von Privilegien des Wissens gekennzeichnet, die über die menschliche Bedingtheit hinausgehen. Zum einen verfügt der biblische Erzähler über freien Zugang zu den Gedanken (den „Herzen") all seiner Charaktere, einschließlich derer Gottes („Da reute es den Herrn, auf der Erde den Menschen gemacht zu haben, und es tat seinem Herzen weh. / Der Herr sagte: Ich will den Menschen, den ich erschaffen habe, vom Erdboden vertilgen", Gen 6,6-7). Zum anderen kann sich der biblische Erzähler frei in Raum und Zeit (d.h. entlang des gesamten Spektrums erzählter Vergangenheit, Gegenwart und Zukunft) bewegen. Letzteres erlaubt ihm das Belauschen geheimer Unterhaltungen sowie das Hin- und Herpendeln zwischen Himmel und Erde oder gleichzeitigen, aber örtlich von einander getrennten Begebenheiten. Daraus ergibt sich eine schier unendliche Fülle von Informationen, die der Erzählung zur Verfügung stehen, und, aus der Perspektive des Lesers, ein übernatürliches Prinzip der Kohärenz und Verstehbarkeit. Denn die Erzählung bietet uns eine in ihrer Breite normalerweise unzugängliche Palette von Handlungssträngen. Jeder Versuch, diese Breite auf natürliche Weise zu erklären, ist zum Scheitern verurteilt, wie etwa T. H. Huxleys sarkastische Frage in *Science and the Hebrew Tradition* deutlich macht: Wer könne glauben, „dass die Mutter Moses' die Geschichte der Sintflut von Jakob erzählt bekam, der sie direkt von Sem hatte, der wiederum mit Methusalem gut stand, welcher seinerseits recht gut mit

Adam bekannt war?"[1] Und in der Tat ist der biblische Erzähler nicht so dumm, seinen Wahrheitsanspruch durch ein halbherziges Befolgen realistischer Konventionen zu kompromittieren, sondern fordert uns heraus, erzählerische Überschreitung des ‚Natürlichen' im Sinne einer Konvention – der Inspiriertheit der Erzählung – zu begreifen und zu akzeptieren: der biblische Erzähler spricht mit der Autorität der Allwissenheit.

Unser Gefühl der erzählerischen Allwissenheit wird zudem dadurch verstärkt, dass die Bibel die Überschreitung der menschlichen Möglichkeiten nicht nur stillschweigend voraussetzt, sondern sie konkretisiert, am augenfälligsten in Form der dramatischen Ironie, vor der keiner der biblischen Charaktere (und, um die Sache noch zu unterstreichen, auch kein Leser) gefeit ist. Der unerschütterliche Wahrheitsanspruch des biblischen Erzählers steht nämlich im direkten und umgekehrt proportionalen Verhältnis zur Blindheit, zum Straucheln, zum Staunen und zur Verwirrung seiner Figuren und Leser, deren allzumenschliche Menschlichkeit seinen Wahrheitsanspruch im Umkehrschluss noch einmal umso deutlicher untermauert. Die Rabbiner (und in ihrer Folge andere religiöse Exegeten) verwischen häufig genau diesen doch so wesentlichen Kontrast, indem sie den Figuren selbst Gaben wie göttliche Eingebung, Hellsichtigkeit und divinatorische Fähigkeiten zuschreiben. So wird etwa in *Bereschit Rabba* erzählt, Abraham habe den Altar zwischen Bet-El und Ai erbaut (Gen 12,18), da er die Verletzung des Gebots voraussah, die sich dort zu Zeiten Josuas vollziehen würde. Die mörderischen Gedanken, die Esau „in seinem Herzen" bewegt, werden Rebekka durch den Heiligen Geist offenbart (Gen 27,41-42). Als Jakob seine Söhne zurück zum ägyptischen Wesir schickt und ihnen wünscht „Gott, der Allmächtige, lasse euch Erbarmen bei dem Mann finden, sodass er euch den anderen Bruder und Benjamin freigibt" (Gen 43,14), wird die Verwendung des indirekten Bezugs („den anderen Bruder") für „Simeon" dahingehend gedeutet, dass Jakob hier prophetisch bereits Joseph in das künftige Wiedersehen mit einschließt.

Abgesehen von der Intention, die Patriarchen und andere Nationalhelden zu verherrlichen, machen solche Auslegungen vor allem den dringenden Wunsch nach nachträglicher Kohärenz deutlich: den Wunsch, die Erzählung lehrhaft zu straffen, Inkongruenzen auszumerzen (egal, ob diese, wie in Rebekkas Fall, situationsbedingt oder, wie bei Jakob, linguistischer Natur sind), oder einfach eine ergiebigere Lesart zu entwickeln. In all diesen Fällen geht die Erfüllung des Wunsches jedoch auf Kosten der perspektivischen Struktur der Bibel. Sogar dort, wo die perspektivische Kohärenz genau dem entspricht, was die Exegeten zu beweisen suchen – wie ist es Rebekka möglich, Esau ins Herz zu blicken? –, wird durch das Bestreben, ein Stück des Textes zu glätten, dem Ganzen Gewalt angetan. „Inspiration" ist hier zwar durchaus vorhanden, aber sie ist, wie üblich, dem Erzähler, nicht der Figur zuteil geworden. Die improvisiert vollzogene Gleichsetzung der Figuren- mit der Erzählerperspektive missversteht grundsätzlich das von der Bibel entworfene Welt-

---

1 Thomas Henry Huxley: *Science and Hebrew Tradition*, London (Macmillan) 1893, S. 211.

bild und verkehrt seinen Sinn allzu oft in sein genaues Gegenteil. Dies ist zum Beispiel bei Jakob der Fall, der, in noch größerer Unkenntnis über Josephs Schicksal als seine Brüder, unbeabsichtigter Weise eine Formulierung gebraucht, die doch nur jene, die um Josephs Überleben wissen, als glückliche Prophezeiung deuten können. Die ironische Diskrepanz der Wissensstände, die der Erzähler hier zum Einsatz bringt, entfaltet ihre Wirkung durch oder gegen den Patriarchen, nicht aber mit ihm.

Wenden wir uns nun aber den komplexeren funktionalen Aspekten der Frage zu, warum der biblische Erzähler allwissend ist. Bis zu einem gewissen Grad kann seine Allwissenheit durch die allgemeinen Eigenschaften erklärt werden, die Allwissenheit in der Geschichte des Erzählens hat: die enorme Wirkung eines verbindlichen Diskurses, die Freiheit, ins Innerste jedweder Figur zu schlüpfen, die Ausdehnung des raum-zeitlichen Erzählradius sowie der problemlose Zugriff auf Informationen zu jedwedem Zweck – Wahrung der Kontinuität, Inszenierung von Dialogen, Nachvollziehen von Prozessen aller Arten – und schließlich die Möglichkeit, all dies dem Leser mitzuteilen oder ihm vorzuenthalten, um seine Reaktion zu manipulieren. Und doch unterscheiden sich diese universalen Funktionen der Allwissenheit in der Bibel von ihren außerbiblischen Pendants, den westlichen wie den östlichen, den antiken wie den modernen. Denn im biblischen Kontext stellen sie nicht nur Mittel, sondern auch Zweck dar, genauer gesagt: Mittel zu einem ganz bestimmten Zweck, der die erzählerische Allwissenheit in den Dienst ihres göttlichen Analogons in der Welt stellt, was uns zur Ideologie des Erzählens und zur erzählten Ideologie bringt.

Erzählmodelle und Wirklichkeitsmodelle, seien es heilige oder profane, sind auf mannigfache Weise miteinander verknüpft. Umso mehr nimmt es Wunder, wenn Literaturwissenschaftler die übermenschliche Erzählperspektive als die eines „olympischen Erzählers" bezeichnen, denn das Konzept des allwissenden Erzählers gründet weniger auf dem homerischen als vielmehr auf dem hebräischen Gottesmodell. Homers Götter, ebenso wie die entsprechenden Pantheons des vordern Orients, haben zwar durchaus Zugang zu einer breiteren Palette an Informationen als wir Normalsterbliche, aber ihr Wissen bleibt doch weit hinter der Allwissenheit zurück, sowohl in Bezug auf Vergangenes als auch in Bezug auf Gegenwart und Zukunft. In der Eingangsszene der *Odyssee* beschließen die Götter beispielsweise, Odysseus von der Insel der Kalypso nach Hause zurückkehren zu lassen. Die Nymphe selbst weiß allerdings nichts von diesem Plan, und so muss Hermes sich eigens auf die Reise zu ihr machen, um sie darüber in Kenntnis zu setzen. Poseidon, ein durchaus ranghoher Gott, weiß ebenso wenig davon, haben seine Götterkollegen doch gerade seine zeitweilige Abwesenheit vom Olymp genutzt, um hinter seinem Rücken jenen Plan zu fassen. Umgekehrt gibt es in der homerischen Welt aber auch Seher wie Tiresias, der mit übernatürlichen und von den Göttern unabhängigen hellseherischen Kräften ausgestattet ist und diese wirkungsvoll gerade an jenem Punkt einzusetzen vermag, an dem die göttliche Circe an ihre Grenzen stößt. Eine Parallele aus dem näheren Umfeld der Bibel bietet der ägyptische Gottkönig: „Seine Majestät weiß alles, was sich ereignet", so ein Höfling. „Es gibt schlichtweg nichts,

was er nicht weiß. Er ist in allem wie Thoth", also wie der Gott der Weisheit.[2] Ganz
ähnlich verhält es sich mit dem nur allzumenschlichen Gilgamesch: „Der, der die
Tiefe sah, die Grundfeste des Landes, der das Verborgene kannte, der, dem alles
bewusst".[3] In all diesen Fällen verschwimmt die Grenze zwischen göttlichem und
menschlichem Wissen, sei es aus Gründen der Zweckmäßigkeit, aus Gleichgültigkeit oder (wie in Ägypten) aufgrund übergeordneter doktrinärer Interessen.

Dazu kommt, dass sowohl Homer als auch der östliche Paganismus gut mit
dieser Unschärfe leben können, denn es ist in erster Linie die Sterblichkeit, die die
Grenze zwischen den beiden Existenzebenen markiert. Auch die relativen Unterschiede des Wissens liegen letztendlich in der Sterblichkeit bzw. Unsterblichkeit
der Figuren begründet – die Götter weilen schlicht schon länger in der Welt als die
Normalsterblichen – und haben an sich keine theologische oder normative Bedeutung. Die Handelnden lassen sich daher durchgängig durch die existentielle Differenz zwischen unsterblichen Göttern und sterblichen Menschen (zu denen auch
Figuren mit teilweise göttlicher Abstammung wie Achilles oder Gilgamesch gehören) klassifizieren. Demgegenüber lässt die epistemoloische Differenz Anomalien
zu, etwa mit übermenschlichem Wissen ausgestatte Menschen oder – schlimmer,
weil unlogischer – Götter, die in einem bestimmten Kontext Wissensprivilegien
genießen, in einem anderen aber nur eingeschränkten Zugriff auf Informationen
haben. Ein Künstler wie Homer hat keine Probleme mit solchen Inkongruenzen,
sondern nutzt sie bewusst zur Entwicklung von Handlung und Thema sowie zur
Erzeugung von Ironie und Spannung. Die einzig wahre Allwissenheit ist denn auch
Homer selbst vorbehalten, und ihre Perfektion erreicht sie gerade dadurch, dass er
eben nicht den Beschränkungen unterliegt, die für die Olympier gelten.

Innerhalb derselben Erzählsituation des allwissenden Erzählers sind Wirklichkeitsmodell und Kompositionsform der Bibel dem homerischen oder vorderorien-
talischen Modell diametral entgegengesetzt. Der Grund hierfür ist eine epistemologische Revolution, ein grundlegender Paradigmenwechsel, in dessen Folge sich der
Schwerpunkt des Denkens vom Sein auf das Wissen verlagerte. Diese Schwerpunkt-
verlagerung findet in allen Aspekten der Bibel ihren Niederschlag: in Lehren, Wer-
ten, Interessen, Handlungsschemata, Erzählmodi und Leseprozessen.[4] Diese Verschiebung, die nirgends in philosophisch kohärenter Weise ausgedrückt wird, regu-
liert trotzdem auf vielfältige Weise den gesamten biblischen Diskurs auf ebenso
systematische wie originelle Weise. Das regulierende Prinzip ist dabei das Wechselspiel von ‚Wahrheit' und ‚ganzer Wahrheit'. Wenn wir diese übergeordnete Strategie

---

2 Zit. in: Henri Frankfort et. al. (Hg.): *The Intellectual Adventure of Ancient Man*, Chicago (Uni-
versity of Chicago Press) 1977), S. 76. Vgl. auch: „The Loyalist Instruction", in: *The Literature of
Ancient Egypt*, hg. von William Kelly Simpson, New Haven – London (Yale University Press) 1973,
S. 199.

3 Stefan M. Maul: *Das Gilgamesch-Epos*, München (C. H. Beck) 2005, Tafel 1, S. 46. Dass sich
Gilgamesch letztendlich nicht als allwissend erweist, zeigt ebenfalls, dass die antike Literatur einen
ausgesprochen unbekümmerten Umgang mit dem Konzept der Allwissenheit pflegt.

4 Vgl. auch Meir Sternberg: *The Poetics of Biblical Narrative: Ideological Literature and the Drama of
Reading*, Bloomington (Indiana University Press) 1985, Kap. 1, S. 1–57.

in ihren unterschiedlichen Erscheinungsweisen untersuchen, können wir immer wieder sehen, wie sich die poetischen und epistemologischen Innovationen der Bibel gegenseitig befruchten.[5]

Es ist daher sehr aufschlussreich, dass der Garten Eden nicht nur den Baum des Lebens beherbergte, sondern auch den Baum der Erkenntnis, für den es keinen Vorläufer in der heidnischen Mythologie gibt. Mag die Koexistenz der beiden Bäume zunächst ein Gleichgewicht zwischen Alt und Neu nahe legen, so wird auf der Handlungsebene sogleich eine Hierarchie etabliert, die den Bruch mit bestehenden Weltbildern endgültig besiegelt. Der Halbgott Gilgamesch, allsehend und allwissend, ging auf die Suche nach Unsterblichkeit; Adam und Eva streben nach Wissen – im buchstäblichen wie im symbolischen Sinn – und müssen sich daher der Zeit unterwerfen.[6] Vom Eingangskapitel des Buches Genesis abgesehen, schenken die biblischen Erzählungen – im Gegensatz zu den Propheten und Lehrbüchern – der Unsterblichkeit wenig Aufmerksamkeit, die göttliche Allwissenheit hingegen gewinnt an unschätzbarer Bedeutung, sowohl als Glaubensgrundsatz als auch als Begleiterscheinung der absoluten Handlungs- und Urteilsmacht Gottes. Wissen ist also das Kriterium, mittels dessen die Bibel den Trennstrich zwischen Gott und Mensch zieht.

Wie aber soll man sich nun einen allwissenden Gott vorstellen? Das Problem ist nicht nur, dass das schwierig ist, sondern dass man fast überall auf diese Vorstellung stößt: Die Menschen – Juden wie Nichtjuden – neigen dazu, Gott als Übermenschen zu betrachten. So mancher Prophet unterstützte, allzumenschlich, solche Vorstellungen. Also schwingt sich die Bibel auf, diese Bilder gründlich zu zerstören, und zwar vorzugsweise, indem sie das allgegenwärtige Schauspiel der Irrungen auf die Spitze treibt und die Propheten zum Gegenstand der Satire macht. Bileam, der berühmte Seher, der neben seinem Esel als Depp dasteht, bis es Gott gefällt, ihm „die Augen zu öffnen", ist mittlerweile sprichwörtlich geworden. Aber er ist letztlich nur ein Sonderfall der ironischen Entwertung, ihr Hauptopfer ist Samuel, der gleich an zwei entscheidenden Stellen beim Aufstieg des Königshauses zum Narren gehalten wird. Während die Suche nach den Eseln ihrem dramatischen Höhepunkt entgegensteuert, Saul kurz davor steht aufzugeben und sein Knecht ihm einen Rat erteilt, wechselt der Erzähler plötzlich den Fokus und unterbricht die

---

5 Vgl. dazu auch Meir Sternberg: „Between Truth and the Whole Truth in Biblical Narrative: The Rendering of Inner Life by Telescoped Inside View and Interior Monologue", in: *Hasifrut* 29 (1979), S. 110–146.

6 Ebenso erhellend ist der Unterschied der Eden-Geschichte von der des Adapa, der als erster der akkadischen Weisen gilt und dessen Name möglicherweise den gleichen Wortstamm mit dem Namen Adams teilt (*Ancient Near Eastern Texts*, S. 101–103). Adapa wurde göttliche Nahrung angeboten, durch deren Verzehr er Unsterblichkeit hätte erlangen können. Gottes hinterlistigem Rat folgend lehnte er das Angebot jedoch ab, worauf ihn Gott mit der Gabe der Weisheit entschädigte. „Ihm gab er Weisheit; ewiges Leben jedoch gab er ihm nicht": Adapa wurde also sozusagen mit einem Trostpreis abgespeist.

Kontinuität der Erzählung, indem er unser Augenmerk auf sprachliche Feinheiten lenkt:

> (6) [Der Knecht an Saul gewandt:] In dieser Stadt wohnt doch ein Gottesmann. Er ist sehr angesehen, alles, was er sagt, trifft mit Sicherheit ein. Lasst uns jetzt zu ihm gehen, vielleicht wird er uns sagen, welchen Weg wir hätten gehen sollen. (7) Saul antwortete dem Knecht: Was sollen wir dem Mann [*nabi*] mitbringen, wenn wir hingehen? Das Brot in unseren Taschen ist zu Ende. Wir haben nichts, was wir dem Gottesmann als Geschenk bringen [*le'habi*] könnten. Oder haben wir sonst etwas? (8) Darauf antwortete ihm der Knecht: Sieh her, ich habe noch einen Viertel-Silberschekel bei mir. Den will ich dem Gottesmann geben, damit er uns Auskunft über den Weg gibt. (9) Früher sagte man in Israel, wenn man hinging, um Gott zu befragen: Wir wollen zum Seher gehen. Denn wer heute Prophet [*nabi*] genannt wird, hieß früher Seher. (10) Saul sagte zu seinem Knecht: Dein Vorschlag ist gut. Komm, wir wollen hingehen. (1 Sam 9,6-10)

Aus welchem Grund vervielfacht und vertauscht der Erzähler an diesem Punkt plötzlich Wörter, die sich auf das Prophezeien beziehen, unterbricht den Dialog der beiden Figuren, um ein Wort einzufügen und zu kommentieren, auf das die Sprecher auch weiterhin hätten verzichten können und das auf seine Leserschaft archaisch wirken muss? All diese Inkongruenzen können nur einen Zweck haben: sie erschüttern das Ansehen Samuels und richten sich gegen die überhöhte Figur des Propheten, die sowohl in der israelitischen als auch (wie im Falle Bileams oder Elischas) in der heidnischen Kultur bekannt ist. „Alles, was er sagt, trifft mit Sicherheit ein", so der Knecht, und die Frage („vielleicht") besteht allein darin, ob er „sagen wird", welcher Weg der richtige ist, nicht aber, ob er es sagen kann. Schon der Begriff „Gottesmann" hat hier seine ursprüngliche Bedeutung eingebüßt, wie an dem vollständig säkularen Kontext, der Nichtigkeit des Anliegens, und der wiederholt anzutreffenden Verkürzung zu „Mann" abzulesen ist. Diese Stereotypisierung löst die Verbindung zwischen Mann und Gott und führt zu einer Überhöhung des Mannes auf Kosten Gottes. Um den Propheten nun auf den ihm gebührenden Platz zu verweisen, wendet der Erzähler drei unterschiedliche Begriffe auf ihn an, von denen jeder einzelne eine spezifische und von den anderen zu unterscheidende Sicht auf das Amt des Propheten eröffnet, wobei der Erzähler umso offensiver wird, je mehr die Begrifflichkeiten ideologischem Missbrauch Tür und Tor öffnen.

Zunächst wäre die Bezeichnung „Gottesmann" in Vers 6 zu nennen, die noch relativ unproblematisch erscheint, da sie, einmal von stereotyper Starrheit befreit, immerhin dem Aspekt der Allwissenheit gebührenden Respekt zollt. Darauf folgt die zeitgenössisch landläufige Bezeichnung „Prophet", die jedoch erst um einiges später mit der dazugehörigen antiquarischen Glosse versehen wird. Denn der spätere Halbsatz des Erzählers – „wer heute Prophet [*nabi*] genannt wird" – ist durch ein Wortspiel mit Sauls Frage „was sollen wir […] mitbringen [*habi*]" verknüpft, und die Homonymie impliziert eine abwertende Etymologie: „ein Mann, dem Geschenke gebracht werden." Während der kontextuelle Druck, der auf dem Term „Gottesmann" lastet, noch schlicht volkstümlichen Irrglauben widerspiegelt, entlarvt der Umgang mit dem Wort „Prophet" den anzuprangernden Amtsmissbrauch des Propheten auf deutliche Weise.

Am schärfsten wird aber schließlich der Ausdruck ‚Seher' kritisiert, offenkundig ein Archaismus und eine tote Metapher und am ehesten dazu zu angetan, die seherische Kraft völlig losgelöst von ihrem göttlichen Ursprung zu betrachten. Auch hier besteht die Strategie darin, den Ausdruck durch seinen Kontext wiederzubeleben und zu entwerten, wobei das Wort so lange wie möglich hinausgezögert wird, fast bis zum Erscheinen Samuels, um so die Inkongruenz zwischen Anspruch und Wirklichkeit umso wirkungsvoller in Szene zu setzen.

Als sich der Suchtrupp dem Haus nähert, schaltet sich der Erzähler mit einer privilegierten Rückblende ein: „Der Herr aber hatte Samuel, einen Tag bevor Saul kam, *das Ohr* für eine Offenbarung *geöffnet* und gesagt: Morgen um diese Zeit schicke ich einen Mann aus dem Gebiet Benjamins zu dir. Ihn sollst du zum Fürsten meines Volkes Israel salben" (1 Sam 9,15-16; Hvh. M.St.). Anstelle der erwarteten visuellen Metapher wird hier (zum ersten Mal in der Heiligen Schrift) ein Bild aus dem semantischen Feld des Hörens für das Prophetenamt gebraucht, wodurch impliziert wird, dass es sich bei Samuel weniger um einen „Seher" (Kraft eigener Gabe) als vielmehr um einen „Hörer" (von Gottes Gnaden) handelt. Als nächstes trifft Saul ein, und durch einen weiteren privilegierten Erzählerkommentar erfahren wir: „Als Samuel Saul *sah*, sagte der Herr zu ihm: Das ist der Mann, von dem ich dir gesagt habe: Der wird über mein Volk herrschen" (1 Sam 9,17; Hvh. M.St.). Selbst bei dieser Begegnung von Angesicht zu Angesicht ist Samuel offenbar nicht in der Lage, den angekündigten Gast zu erkennen, sondern ist auf die Hilfe des göttlichen Souffleurs angewiesen. Auf sich allein gestellt „sieht" Samuel (im physischen Sinn), ohne jedoch (im prophetischen Sinn) zu „sehen", ganz so, wie es Eli in Hannas Gegenwart (1 Sam 1,12-13) oder Saul im darauf folgenden Vers ergeht. Samuels Antwort auf Sauls Frage mutet in ihrer Selbstherrlichkeit geradezu grotesk an: „Saul trat mitten im Tor zu Samuel und fragte: Sag mir doch, wo das Haus des Sehers ist. Samuel antwortete Saul: Ich bin der Seher" (1 Sam 9,18-19). Samuel, nicht gerade frei von Eitelkeit, brüstet sich („Ich werde dir Auskunft über alles geben, was du auf dem Herzen hast") mit eben jenen okkulten Fähigkeiten, die man von ihm erwartet („Vielleicht wird er uns sagen, welchen Weg wir hätten gehen sollen").

Drei Begriffe, drei Kritiken, die auf unterschiedliche Weise die kulturellen und sprachlichen Klischees der Prophetie untergraben, was schließlich in der umfassenden Entlarvung prophetischer Anmaßung gipfelt. An der Schwelle zur Monarchie erscheint der scheidende Richter-Prophet in einem nicht eben attraktiven Licht. Abgesehen von dem zeitlosen ideologischen Argument bringt der Erzähler seine Kritik zu einem Zeitpunkt vor, an dem sie die antimonarchische Richtung des vorangegangenen Kapitels kompensiert: Die Monarchie ist nicht die einzige Institution, die das göttliche Vorrecht zu unterlaufen droht. Außerdem ist die Kritik des ‚Sehens' hier nichts isoliert Zufälliges, sondern sie wird nach einer Reihe von ereignisreichen Jahren und Kapiteln in der Szene von Davids Salbung (1 Sam 16) erneut aufgenommen. [...] Dabei sind die Ereignisse für den Propheten noch

entwürdigender, und die Inszenierung des „Sehens" erweist sich als umso wirkungs-
vollere Warnung für uns, die in den Worten Gottes gipfelt: „Der Mensch sieht, was
vor den Augen ist, der Herr aber sieht das Herz." (1 Sam 16,7) und verdeutlicht,
dass auch den „Sehern" von Amts wegen dieser Einblick allein nach Gutdünken
Gottes gewährt wird. Oder, um die epistemologische Lehre in Begriffe der Perspek-
tivenstruktur zu übersetzen: Sogar die Rede des Propheten funktioniert als eine von
vielen Stimmen – die, bis auf zwei, sämtlich unzuverlässig sein können –, mit denen
und durch die die Bibel zu uns spricht.

Bemerkenswerterweise ist es vor allem der Leser, der mit dem Gegensatz zwischen Gott und Mensch konfrontiert wird. Die einzige Möglichkeit, uns die diversen Wissens- bzw. Unwissenheitsqualen der Figuren zu ersparen, bestünde darin,
dass der Erzähler uns an seiner Allwissenheit teilhaben ließe. Doch wäre solches
Wissen aus zweiter Hand nur begrenzt wirkungsvoll und liefe darüber hinaus
Gefahr, monoton zu wirken. Sofern man sich den Blickwinkel Gottes nicht selbst
erarbeitet hat, führt er zu einer ironischen, wenn nicht gar komischen Geisteshal-
tung und könnte, zumal, wenn er durchgängig aufrechterhalten würde, den Eindruck vermitteln, man sei von den irdischen Leiden und Prüfungen ausgenommen.
Daher variiert der Erzähler seine Darstellungsformen, indem er manchmal etwas
enthüllt, manchmal etwas vorenthält, zumeist aber einen Mittelweg wählt, um so
den Leser sowohl in die Rolle des Mitwirkenden als auch in die des Zuschauers zu
versetzen. Indem wir so in die menschlichen Dramen des Wissens verwickelt werden, erleben wir die Undurchsichtigkeit des Lebens, das für Gott so durchschaubar
ist, und erkennen, wie begrenzt unser eigenes Wissen bleibt, solange und sofern es
dem Erzähler nicht beliebt, uns die Augen zu öffnen. Gerade dies macht die Bibel
zu einer so spannenden, wenn auch schwierigen, Lektüre, und hierin liegt auch ihr
Anspruch sowohl auf dichterische Originalität als auch auf unser theoretisches
Interesse begründet: Wir haben es mit der Verwandlung eines ideologischen Diskurses in hohe Kunst zu tun, in deren Verlauf weder Ideologie noch Kunst kom-
promittiert werden, sondern sich vielmehr gegenseitig bereichern.

Der Allmachtseffekt: Kontrollanspruch und Kontrollableugnung

Die Literaturwissenschaft schenkt der Allmacht des biblischen Erzählers für
gewöhnlich noch weniger Beachtung als seiner Allwissenheit, was vermutlich daran
liegt, dass das Moment der Allmacht in Bezug auf die Erzählperspektive als irrelevant empfunden wird. Dies ist ein zutiefst beklagenswertes Versäumnis, beschreibt
doch gerade die Ausübung oder Ableugnung der Allmacht die Trennlinie zwischen
den beiden übergeordneten Gattungen des Erzählens: zwischen der Fiktion einerseits, bei der der Autor rein nach eigener Maßgabe und mit dichterischer Freiheit
seine eigene Welt erschafft, und der Geschichtsschreibung andererseits, bei der der
Autor eine bereits bestehende Welt nachbildet (untersucht, vorführt, interpretiert).
Genau die gleiche Variable sorgt auch innerhalb der Fiktion für eine wiederum
deutliche Trennlinie zwischen dem Autor, der *per definitionem* allmächtig ist, und

dem Erzähler, der entweder (wie etwa in *Tom Jones*) mit der gesamten Schöpfer-kraft eines Autors ausgestattet ist, oder aber nach dem Vorbild des Geschichts-schreibers operiert, wie es beispielsweise bei allen fiktiven Autobiographien von *Der goldene Esel* bis *Lolita* der Fall ist.

Ob eine erzählte Welt als Neuschöpfung oder Nachbildung erscheint, ist daher durchaus folgenreich für die Erzählperspektive, wobei es keineswegs allein um die Frage nach dem Wahrheitswert des jeweiligen Diskurses geht. In Bezug auf die legitime Freiheit, eine Wirklichkeit aus (künstlerischer oder ideologischer) Indiv-idualperspektive zu organisieren, unterscheidet sich der freimütige Schöpfer in jed-weder Hinsicht vom gewissenhaften Berichterstatter (und damit auch von jener Figur, der er innerhalb der Fiktion möglicherweise die Aufgabe des Erzählens über-trägt). Noch augenfälliger ist der kategorische Unterschied zwischen Schöpfer und Berichterstatter, wenn man den privilegierten Zugriff auf Informationen bedenkt, den der Schöpfer genießt: Er weiß alles, da er alles selbst erfindet. Daraus ergibt sich zwangsläufig, dass die auktoriale Erzählperspektive in einer frei erschaffenen Welt zum Ausdruck kommt, während sie von einer nachgebildeten Welt gleichsam im Zaum gehalten oder gar aufgehoben wird. Für den Leser bedeutet dies, dass jeder der beiden Erzählmodi nach einem eigenen Interpretationsprozess verlangt, der entweder auf innere oder auf äußere Vorgaben, Normen und Wahrscheinlich-keiten ausgerichtet ist.

So zumindest scheint es – bis wir auf die Komplikationen und Feinheiten in einem Text wie der Bibel stoßen. Zwar beruht auch hier die Einordnung des Textes als Fiktion oder als Geschichtsschreibung auf der Freiheit, die der Erzähler, still-schweigend oder explizit, entweder beansprucht oder ableugnet, doch variieren – und dies ist die erste Anomalie – die Kriterien beträchtlich. Allmacht ist keineswegs mit Allwissenheit gleichzusetzen (schon gar nicht notwendigerweise): So kann, ja muss der Erzähler unter den Bedingungen einer Konvention wie der inspirierten Rede mit der Autorität des Allwissenden sprechen, auch wenn er ein *historisches* Panorama entwirft. Da die beiden Privilegien von Allmacht und Allwissenheit, die in der Romantradition so selbstverständlich miteinander verschmolzen sind, in den antiken Konventionen des Erzählens voneinander getrennt werden können, lässt die Allwissenheit des biblischen Erzählers seine Erzählung im Ungewissen zwischen Fiktion und Realität changieren. Die Kraft seines Wahrheitsanspruches steht im genau umgekehrten Verhältnis zu seinem Allmachtsanspruch.

An dieser Stelle stoßen wir auf eine weitere Komplikation. Welche Haltung der Erzähler gegenüber seiner Welt auch einnehmen mag, diese Welt weist jedenfalls offenkundig *einen* allmächtigen Akteur auf: Gott regiert als Schöpfer, Wundertäter und Herrscher ebenso die Natur und Gesellschaft wie die Welt und das Wissen. Nicht umsonst begegnen wir gleich zu Beginn der Bibel dem unumstößlichen Beweis für seine Überlegenheit. Im weiteren Verlauf werden göttliche Allmacht und göttliche Allwissenheit sowohl aufeinander folgend als auch gemeinsam ausge-übt, sodass es zunehmend schwer fällt, sie auseinander zu halten. Daher verstehen manche Exegeten und Übersetzer auch die rhetorische Frage, mit der Gott Sara dafür rügt, über seine Verheißung der Mutterschaft gelacht zu haben (Gen 18,14), als „Bleibt dem Herrn denn etwas verborgen?", andere hingegen als „Ist beim Herrn etwas unmöglich?". Hin und her gerissen zwischen einer allmächtigen und einer allwissenden Lesart versuchen manche, beides unter einen Hut zu bringen, sogar der große Raschi zitiert eingangs zustimmend die aramäische Version als „verborgen", um dann jedoch etwa so zu paraphrasieren: „Bleibt mir denn, der doch waltet, wie es ihm beliebt, etwas verborgen?". Im Falle von Saras Verheißung laufen all diese Lesarten ohnehin auf ein und dasselbe hinaus, denn Gottes Wissen um die Zukunft ist mit seiner Macht, diese Zukunft zu bewirken, verknüpft bzw. leitet sich aus ihr ab. Andernorts rückt der Text mal den einen, mal den anderen Aspekt in den Vordergrund: dort, wo es darum geht, dem Eindruck von Gottes Manipulation der menschlichen Seele vorzubeugen oder diesen wenigstens abzumildern, wird die Allwissenheit unterstrichen; dort, wo dagegen Häresien abgewehrt werden sollen, die die Zufälligkeit des Geschehens oder die Ohnmacht des Vorherwissens behaupten, wird die Allmacht des göttlichen Herrschers betont. Grundsätzlich gehen im Monotheismus jedoch beide Aspekte als wesentliche Merkmale Gottes Hand in Hand.

Bedeutet dies nun aber, dass aus der Koexistenz von Allmacht und Allwissenheit im Gottesbild zu folgern wäre, auch der Erzähler müsse oder könne diesem Muster folgen? Dies hängt davon ab, inwiefern der Erzähler beansprucht, in seiner Erzählung die Welt darzustellen. Laut antiker Konventionen hielt die Allwissenheit des Erzählers den Anspruch des Textes in der Schwebe. Doch während Gottes Allmacht Geschichte *macht*, schreibt ein allmächtiger Erzähler *eine* Geschichte, eine fiktive zudem, und dort, wo er Gott in seine Geschichte einbezieht, wird Gott Teil dieser Fiktion. Ironischerweise ist nur der Schöpfer einer fiktiven Welt wirklich in der Lage, Gott zu spielen, und nur er kann dies tun, ohne dabei die Autorität seines „wirklichen" Vorbilds zu untergraben. Sobald dieses himmlische Vorbild jedoch höchstpersönlich auf der Bühne erscheint, fordert das Kräfteverhältnis eine klare Entweder-oder-Entscheidung, die den Kern der doktrinären und gattungsmäßigen Prämissen der Geschichte widerspiegeln wird: Fiktion oder Geschichtsschreibung? Künstlerische oder göttliche Regieführung? Von der Antwort auf diese Fragen hängt der gesamte ontologische Status der Erzählung ab, sowohl in Bezug auf das durch sie entworfene Weltbild als auch in Bezug auf die Erzählung als Diskurs. Daher ist es so wichtig zu bestimmen, wer letztendlich die Kontrolle über die biblische Welt in Händen hält.

Wie stellt man absolute Macht dar? Die *conditio sine qua non* in diesem Zusammenhang ist natürlich der Bruch mit – oder, besser noch, die Aufhebung von – Naturgesetzen und Regeln der Wahrscheinlichkeit. „Wenn diese Leute sterben, wie jeder Mensch stirbt," so Moses über Korach und seine Sippschaft, „dann hat der Herr mich nicht gesandt. Wenn aber der Herr etwas ganz Ungewöhnliches tut, wenn die Erde ihren Rachen aufreißt und sie verschlingt [...], dann werdet ihr erkennen, dass diese Leute den Herrn beleidigt haben" (Num 16,29-30). Das rhetorische Verlangen nach „etwas ganz Ungewöhnliche[m]" erklärt denn auch den Anfang der Bibel und dessen Betonung des Neuen, sprich: die Schöpfungsgeschichte. Die Macht des ersten Eindrucks, die bereits eine Schlüsselrolle in der

Etablierung der göttlichen Allwissenheit spielte (Baum der Erkenntnis, der Fall Kain), wird auch zur Einführung der ebenso neuartigen Idee der Allmacht genutzt. Es versteht sich von selbst, dass die allererste Begebenheit in der Chronologie des Textes einen so natürlichen Ausgangspunkt für eine Universalgeschichte liefert, wie es die Geburt für eine Biografie darstellt. Natürliche Ordnung zählt letztendlich jedoch weniger als übernatürliches Wirken, sodass uns Gott nicht beim Brechen von Naturgesetzen, sondern vielmehr im Akt der Erschaffung der Natur und ihrer Gesetze gezeigt wird. Das Buch Genesis entlarvt somit gleich zu Beginn eben jene Konzepte von ‚Natur' und ‚Natürlichkeit' als menschliche Fiktionen – Fiktionen, die als gegeben ansehen, was für Gott lediglich eine von vielen möglichen Welten darstellt, und die vergöttern, was Gott doch jeden Moment außer Kraft setzen oder gänzlich verwerfen kann. Dieser erste Eindruck erweist sich als ebenso ausschlaggebend, wenn es darum geht, das Wertesystem der Bibel (der Schöpfer schreibt die Gesetze und kann über seine Schöpfung richten) und das von ihm entworfene Wirklichkeitsmodell (der Schöpfer behält die Kontrolle über seine Schöpfung, die er jederzeit wieder zunichte machen kann) zu etablieren: da Normen und Wahrscheinlichkeiten, Werte und Wirklichkeit, derselben Quelle entspringen, kostet es auch einige Mühe, sie von einander zu unterscheiden. „Er ist der Herr", sagt Eli, als er erfährt, dass sein Geschlecht abgewiesen wurde, „[e]r tue, was ihm gefällt." (1 Sam 3,18) So viel steht auf dem Spiel, dass die Erzählung sich nicht mit der bereits erheblichen Wirkung der Geschichte allein begnügen mag, sondern diese vielmehr noch durch eine ganze Palette von Kunstgriffen zu verstärken sucht, die in unterschiedlichen Variationen auch in späteren Zusammenhängen immer wieder auftauchen werden.

Nirgends überzeugt diese Kunst mehr als am Anfang des Anfangs: „Gott sprach: Es werde Licht. Und es wurde Licht." Interessant ist hier, wie das „Es werde Licht" als explizite und vorbeugende Vorankündigung fungiert, um jedwede naturalistische Erklärung schon im Vorfeld auszuschließen und dem Ehre zu erweisen, dem Ehre gebührt. Ohne diese Vorankündigung könnte der Leser (und damit, gemäß des symmetrischen Schemas, auch die Charaktere) Zweifel hegen. Solche Zweifel sind oft mit Wunschdenken verbunden: „[E]s [könnte] ein Zufall gewesen" sein, mutmaßen die Philister (1 Sam 6,9), obwohl sie doch auf ganzer Linie mit Heimsuchungen zu kämpfen haben (Mäuse, Pestbeulen, die Verstümmelung Dagons) und sich durchaus der Möglichkeit bewusst sind, dass all dies das Werk des israelitischen Gottes sein könnte. Umgekehrt könnten, noch schlimmer, glückliche Fügungen und Heldentaten den Menschen anstatt Gott zugeschrieben werden: Verkleinere deine Armee, befiehlt Gott Gideon, „[s]onst könnte sich Israel mir gegenüber rühmen und sagen: Meine eigene Hand hat mich gerettet" (Ri 7,2). Schlimmstenfalls könnte der Beobachter sogar auf die Idee kommen, göttliche Macht mit Machtlosigkeit zu verwechseln. Wenn Gott z.B. seine Absicht, das Herz des Pharaos zu verhärten, nicht schon vorab bekannt gegeben hätte (bzw. der Erzähler darauf verzichtet hätte, uns dies mitzuteilen), könnte das schleppende Tempo, in dem sich der Exodus vollzieht, allzu leicht als Diskrepanz zwischen Willen und Weg ausgelegt werden. Durch die erfolgte Vorankündigung verwandelt sich diese potenzielle Schwäche jedoch in einen Quell rhetorischer Stärke, denn gerade die Vorankündigung bereitet einen doppelten Beweis für Gottes Allmacht vor – den Beweis für seine Allmacht über die Herzen wie über die Natur. Und im Fall von Katastrophen wie der Sintflut, der Teilung des Königreiches oder der Zerstörung Jerusalems bewirkt diese prophylaktische Maßnahme sogar eine besondere Form der invertierten Apologetik: Der Erzähler schützt das Ansehen Gottes gerade dadurch, dass er ihn die Katastrophe voraussagen und veranlassen lässt.

Aus dieser Perspektive betrachtet, erweist sich die serielle Abfolge von Vorankündigung und Erfüllung zu Beginn des Buches Genesis als Muster, das sich nachhaltig auf die Ausbildung unserer Wahrnehmung auswirkt, denn gleich der erste Eindruck ist der einer Welt, die von einer zentralen Macht gelenkt wird und die in sich so kohärent ist, dass Zufälle auszuschließen sind. Dieser Eindruck wird an späteren, strategisch kritischen Punkten durch weitere Paradigma und Varianten noch verstärkt, sodass der Erzähler im weiteren Verlauf darauf verzichten kann, die göttliche Intervention wieder und wieder in Szene zu setzen, was die Spannung stören und den Handlungsablauf im Ganzen nur übermäßig schematisieren würde.

Diese Interpretation eröffnet auch eine poetische Alternative zu von Rads These einer Transformation der israelitischen Sichtweise auf Gottes Wirken. In den frühen Traditionen, so von Rad, offenbart sich Gott vor allem durch Wundertaten und sein direktes Eingreifen in das Geschehen; von der Zeit der Könige an lenkt er hingegen im Verborgenen auch die alltäglicher anmutenden Geschicke der Menschen.[7] Eine solche Zweiteilung erweist sich nicht als sonderlich hilfreich. Unter den Geschichtsbüchern verzichtet allein das Buch Ester darauf, ein direktes Eingreifen Gottes in Szene zu setzen oder zumindest zu erflehen. Und gerade darin lag schließlich auch einer der Gründe, dass dieses Buch im Altertum nicht immer auf einhellige Akzeptanz stieß; zudem liefern die apokryphen Zusätze diese fehlende Dimension in Form von Gebetsszenen, die sozusagen den Anstoß für die kanonische Dynamik von Vorankündigung und Erfüllung geben. Die übrigen Bücher hingegen mischen allesamt offene mit impliziter Lenkung. So erklärt sich die Diversität also durch eine poetische Konstante und nicht durch eine generische Variable. Vor allem aber spiegelt sie keine historische Transformation des Denkens, sondern eine kompositorisch motivierte Wechselfolge von Darstellungsmodi wieder, die der Handlungsentwicklung und der erzählerischen Vielfalt dient. Der künstlerische Gewinn, der durch die hinter den Kulissen wirkende Allmacht erreicht wird, geht, wenn man bedenkt, wie deutlich die biblischen Beispiele Gottes Herrschaft ausbuchstabieren, mit relativ geringen ideologischen Verlusten einher. Zudem legitimiert sich dieses Schema auch mit Gottes Fähigkeit, seinem Volk Glaubensprüfungen aufzuerlegen, während er sich selbst im Verborgenen hält. Sein Volk (und damit indirekt auch der Leser) missachtet Gottes Herrschaft auf eigene Gefahr, woraus sich zuweilen dann auch die ironische Wendung ergibt, dass Gott

---

7 Gerhard von Rad: *Theologie des Alten Testaments*, Bd. 1: *Die Theologie der geschichtlichen Überlieferung Israels*, München (Kaiser) 1987, S. 62ff.

sich offenbart, um die zu bestrafen, die seinen der Welt eingeschriebenen verborgenen Text nicht entziffern können.

Aber selbst wenn wir die Notwendigkeit von Vorgriffen in der Erzählung als gegeben ansehen, bleibt ihre Form dennoch weiterhin unerklärt. Die Verwendung der direkten Rede ist sicherlich sinnvoll, um die Erzählung dramatisch und lebendig zu machen. Vergleichen wir etwa „Gott sprach: Es werde Licht" mit der entsprechenden Szene im *Enuma Elisch*, in der die Götter das Gewand vor Marduk ausbreiten, um die Macht seiner Worte auf die Probe zu stellen:

> Er gab den Befehl, und das Sternbild verschwand
> mit seinem zweiten Befehl kam das Sternbild wieder ins Sein.[8]

Der Wechsel zu wiedergegebener Rede würde die Wirkung der biblischen Erzählung zweifellos abschwächen, weswegen seine Verwendung in dieser Anfangsphase, in der es, wie gesagt, um den ersten Eindruck geht, auch sorgsam vermieden wird. Aber warum muss ausgerechnet wortwörtlich zitiert werden? Warum genügt es nicht, von Gottes Vorhaben, Licht werden zu lassen, zu berichten? Die Antwort liegt darin, dass die zitierten Worte, dank ihres göttlichen Ursprungs, eine Doppelfunktion erfüllen, nämlich sowohl eine performative als auch eine antizipatorische. Während die direkte Rede innerhalb des Diskurses eine Intention anzeigt, realisiert sie diese Intention gleichzeitig in der Welt: Gottes Rede stellt bereits selbst einen Schöpfungsakt dar.

Diese weltschöpferische Macht des Wortes ist und bleibt allein der göttlichen Allmacht vorbehalten, trotz der Behauptung der Sprechakttheorie, Sprache würde Sachverhalte und Zustände nicht nur beschreiben, sondern sie auch herbeiführen können. J. L. Austin selbst beginnt *Zur Theorie der Sprechakte* mit einer Untersuchung jener Äußerungen, die er „performativ" nennt und die der grammatischen Form einer Aussage entsprechen, aber weder wahr noch falsch sind: Indem man eine solche Äußerung tätigt, *tut* man etwas, anstatt einfach nur etwas zu sagen. Beispiele performativer Äußerungen wären z.B. „Ich taufe dieses Schiff auf den namen *Queen Elizabeth*' als Äußerung beim Wurf der Flasche gegen den Schiffsrumpf." oder „Ich vermache meine Uhr meinem Bruder' als Teil eines Testaments".[9] Sobald das Sagen selbst als Form des Handelns etabliert ist, gerät Austin jedoch in beträchtliche Schwierigkeiten, und seine Thesen werden bis heute kontrovers diskutiert, was uns im Folgenden nicht weiter kümmern soll, da uns die Sprechakttheorie allein als kontrastiver Hintergrund für die einzigartige Schlichtheit des göttlichen *fiat* dient. Nur um den Kontrast noch zu unterstreichen, bezeichne ich jenes göttliche *fiat* im Folgenden als performativ anstatt es, wie es ihm streng genommen gebühren würde, formativ oder schöpferisch zu nennen.

Sprachphilosophen, deren Theorien für gewöhnlich auf „normale" Umstände zugeschnitten sind, neigen dazu, einen – zumindest für die literarische

---

8 *Enuma Elish* in: *Texte aus der Umwelt des Alten Testaments*, Bd. III, Lieferung 4, S. 565–602, hier S. 584.

9 John L. Austin: *Zur Theorie der Sprechakte*, Stuttgart (Reclam) 1986, S. 28f.

Kommunikation – überaus wesentlichen Punkt zu übersehen: Der performative Status und die performative Rolle einer Äußerung hängen nämlich von dem sie umgebenden Wirklichkeitsmodell ab und können daher von einem (Kon-)Text zum anderen variieren. Im biblischen Bezugsrahmen z.B. weisen die performativen Äußerungen der menschlichen Sprecher all jene Komplikationen auf, mit denen die Sprechakttheorie nach wie vor erfolglos kämpft, aber das hebt eben die Transzendenz der göttlichen Performativität nur noch deutlicher hervor. Zum einen können die biblischen Charaktere, wie ihre modernen Pendants, „eine Handlung genau derselben *ohne* sprachliche [...] Äußerung vollziehen – man macht es anders. In manchen Ländern kann man zum Beispiel die Ehe durch Beiwohnen schließen"[10] In anderen Fällen, wo die Äußerung als „*das* entscheidende Ereignis im Vollzuge der Handlung" fungiert, erfordert die Wirksamkeit, „daß der Sprecher oder andere Personen *zusätzlich* gewisse *weitere* Handlungen vollziehen"[11] – etwa wenn Ehen verbal geschlossen, aber erst durch ihren Vollzug gültig werden. Gott hingegen kann sich jeder Performanz enthalten, die nicht sprachlich ist, und tut denn auch genau dies über die gesamte Schöpfungsgeschichte hinweg. Neben der Unumstößlichkeit und schieren Größenordnung der Folgen seines Wirkens ist es genau dieser *modus operandi*, der ihn von allen anderen Sprechern unterscheidet und ihn vor ihnen auszeichnet. So erklärt sich auch die unmittelbare Kontinuität zwischen dem „Es werde Licht" und dem „es wurde Licht", die unterstreicht, dass Gott keines weiteren Handelns bedarf – kaum hat er befohlen, ist sein Befehl auch schon ausgeführt. Auch das berüchtigte Missverhältnis von Moses' Sünde – den Felsen zweimal mit dem Stab zu schlagen, anstatt wie befohlen zu ihm zu sprechen – und Gottes Strafe – dem Tod in der Wüste – erscheint aus dieser Perspektive um einiges verständlicher. Es geht dabei offensichtlich weniger um die Wahrung der Disziplin, als um eine Schmälerung Gottes: dass die Mittel praktisch zum selben Ziel, dem Wasser, führten, heißt noch lange nicht, dass sie gleichen kommunikativen Wert besäßen. Indem Moses und Aaron den Allmächtigen seines Charakteristikums ebenso beraubt haben wie einer Gelegenheit, seine Erhabenheit zur Schau zu stellen, „habt [ihr] mich inmitten der Israeliten nicht als den Heiligen geehrt" (Dtn 32,51).

Noch bemerkenswerter ist, dass Gottes „Es werde Licht" überhaupt keine Konvention zugrunde zu liegen scheint. Eine menschliche performative Äußerung muss, um reibungslos bzw. überhaupt zu funktionieren, eine ganze Reihe von Bedingungen erfüllen und setzt die Präexistenz allgemein akzeptierter Konventionen zum Ablauf des performativen Prozesses voraus: die Äußerung bestimmter Worte durch bestimme Personen unter bestimmten Umständen, die Angemessenheit dieser Umstände und Personen, die vollständige und korrekte Ausführung des Prozesses sowie unterschiedlichste zusätzliche Regeln, die eingehalten werden müssen, damit die Sache gelingt. Daher weisen auch so viele unserer performativen Akte einen ausgeprägt formelhaften oder zeremoniellen Charakter auf. Gott

---

10 Ebd., S. 30.
11 Ebd., S. 31.

hingegen muss ein Wort lediglich – und ohne die Erfüllung weiterer Bedingungen – aussprechen, um den gewünschten Effekt in der Welt zu erzielen. So ist es denn auch kein Zufall, dass er während der gesamten Schöpfungsgeschichte, d.h. vor dem Erscheinen jedweder Gesellschaft mit all ihren Institutionen und asymmetrischen Kontexten, in grandiosem Alleingang handelt und zu keinem Adressaten spricht. Zu diesem Zeitpunkt gibt es schlicht nichts, was ihn erst befähigen oder auch einschränken könnte. Eine göttliche performative Äußerung kann somit ihre intendierte Wirkung gar nicht verfehlen, es sei denn, Gott selbst überlegt sich die Sache noch einmal anders. Ebenso wenig unterliegt sie der Gefahr, von „Missbrauch", „Fehlausführung", „Unaufrichtigkeit" oder der Fülle anderer Missgeschicke beeinträchtigt zu werden, die die Sprechakttheorie als Verstöße gegen die gelungene Ausführung einer Äußerung wertet. Im Gegenteil: Die biblische Konvention der göttlichen Performativität wirkt dem Konventionsgedanken aktiv entgegen, indem sie die affektive Macht des göttlichen Wortes gerade aus der Transzendenz bzw. aus dem Verstoß gegen all jene Normen ableitet, die normalerweise die menschliche Performativität regeln. Wenn Gott jedoch über den Naturgesetzen steht, wie kann es dann sein, dass er sich dennoch in den Netzen der Kultur verfängt? An diesem Punkt erfährt die Einheit von Wort und Ding – im Hebräischen beide durch ein und dasselbe Term, *davar*, bezeichnet – ihre buchstäbliche Apotheose und legt somit vielleicht auch ihre Wurzeln frei.

Wenn wir uns vom Sprechakt („Es werde Licht", *yehi or*) abwenden und zum tatsächlichen Wirken („Und es wurde Licht", *va'yehi or*) übergehen, fällt besonders die wortwörtliche Wiederholung ins Auge, die auf den ersten Blick in höchstem Maße überflüssig scheint. Insofern wir das performative *fiat* als gegeben ansehen, bestünde eigentlich keinerlei Notwendigkeit mehr, das ohnehin unausweichliche Ergebnis noch gesondert zu erwähnen. Und selbst wenn diese erste göttliche Äußerung noch einen Sonderfall darstellt, erklärt sich dadurch noch nicht, warum ihre Form im weiteren Verlauf zur Standardformel wird. Warum muss Wort für Wort (und zumeist handelt es sich um weit mehr Worte als hier) wiederholt werden, was ebenso gut auch durch eine kürzere Formel wie „und so geschah es" ausgedrückt werden könnte?

Diese (immer redundanter werdenden) Eigenschaften des göttlichen Performativs in der Bibel lassen sich nicht durch Ideologie (im Unterschied zur Rhetorik der Ideologie) erklären. Die Wiederholung ist notwendig, um jeden noch so leisen Zweifel am kausalen Zusammenhang zwischen Performativität und Performanz auszuschließen. Ihre Kraft hängt von der Äquivalenz zweier an sich grundlegend verschiedener Ausdrücke ab – unterschiedlich in Bezug auf Beschaffenheit (verbales versus nonverbales Ereignis), Chronologie (erzählte Zukunft versus erzählte Gegenwart) und perspektivischen Ursprung (Gott versus Erzähler). Die Überbrückung der ersten beiden Differenzen führen uns Gottes Macht gerade dadurch so deutlich vor Augen, dass sie das Problem als außerhalb der menschlichen Sphäre völlig irrelevant zeigen (oder, anders formuliert, dadurch, dass eben jene menschlichen Unterscheidungen – wie etwa bei der Homonymie des Imperativs *yehi* und des Präteritums *va'yehi* – dem sie transzendierenden Gott zunutze gemacht

werden). Die Wirkung des dritten Brückenschlages zwischen Gott und Erzähler
geht jedoch ganz allein auf das Konto des Erzählers, der die Äquivalenz durch Wiederholung erzeugt und mit der Autorität seiner Allwissenheit untermauert: die
Dinge haben sich genau wie angewiesen ereignet. Daher ist in symmetrischen Kontexten (wie z.B. bei den sieben Plagen) der Eindruck der Allmacht für den Leser
sogar noch größer als er für einen direkten Augenzeugen von Gottes Handlung
wäre, denn während dieser nur ein Stück (göttlicher) Rede mit deren wirklicher
Rede vergleichen könnte, ist der Leser von vornherein mit zwei zueinander passenden sprachlichen Aussagen konfrontiert. Hierin mag ein weiterer Grund dafür liegen, dass die Bibel bei göttlichen Geboten die direkte der indirekten Rede vorzieht,
denn eine Zusammenfassung à la Marduk könnte schlecht wiederholt werden.
Daher repräsentiert die Dreifachstruktur (Abfolge, Äquivalenz, Perspektivwechsel),
die die Bibel diesen Gliedern der Wiederholung auferlegt, denn auch die denkbar
wirkungsvollste Strategie: Zuerst erscheint Gott als Stimme des Perfomativen, dann
wiederholt der Erzähler seine Rede, um für die Performanz zu bürgen.

Alle diese Mittel werden noch wirksamer, indem sie entlang einer anderen Achse
seriell wiederholt werden. Der Schöpfer, der doch eigentlich die Freiheit genießt,
sein Werk in einem einzigen Augenblick vollbringen zu können, agiert nichtsdestotrotz quasi in Raten über einen Zeitraum von sechs Tagen. Ein anderes Beispiel
wäre, wie Gott den Willen des Pharaos verhärtet, um „meine Zeichen und Wunder
in Ägypten [zu] häufen" (Ex 7,3). Ebenfalls zu nennen wären die lange Liste göttlicher Interventionen in der Wüste, Gideons Prüfungen oder auch Elischas Wunder. Dabei begründet der Erzähler die Serialisierung ebenso wenig wie irgendeinen
anderen Aspekt des Übermaßes oder der Redundanz der Erzählung. Er nutzt
jedoch die symmetrischen Kommunikationsstrukturen, um Gott für ihn – und zu
uns – sprechen zu lassen, während er, der Erzähler, vordergründig das Wort an sein
implizites Publikum richtet. In der oben zitierten Stelle aus dem Buch Exodus
heißt es beispielsweise weiter, dass die „Zeichen und Wunder" in einem solchen
Übermaß ersichtlich sein werden, dass die Ägypter „erkennen, dass ich der Herr
bin". An früherer Stelle und als Reaktion auf Moses' Befürchtungen, dass die Israeliten „mir nicht glauben und nicht auf mich hören" könnten (Ex 4,1), beweist
Gott bemerkenswerten psychologischen Scharfsinn und gibt seinem Botschafter,
sozusagen als Beglaubigungsschreiben, gleich eine ganze Fülle von Wundern an die
Hand: „Wenn sie dir nicht glauben und sich durch das erste Zeichen nicht überzeugen lassen, werden sie auf das zweite Zeichen hin glauben. Glauben sie aber
selbst nach diesen beiden Zeichen nicht und lassen sie sich nicht überzeugen, dann
nimm etwas Nilwasser" (Ex 4,8-9) und zeige ihnen noch ein drittes. Wie überzeugend ein einzelnes Wunder aus logischer Perspektive auch sein mag, die Psychologie des Glaubens rechnet anders und quantifiziert die Qualität. In der Hand des
Erzählers kündigt Gott daher zunächst sein Werk an, vollbringt es, kommentiert
als nächstes (zumindest häufig) seine Performanz, und wiederholt sodann die
gesamte Sequenz. Nichtsdestotrotz zeigt die Geschichte des Volkes Israel, das der
Erfolg nicht immer garantiert und Gott zuweilen der Verzweiflung nahe ist. Als er
z.B. hört, wie die Israeliten das gelobte Land verhöhnen, tobt er förmlich: „wie

lange noch wollen sie nicht an mich glauben trotz all der Zeichen, die ich mitten unter ihnen vollbracht habe? Ich will sie mit der Pest schlagen" (Num 14,11-12). Nur unter großen Mühen (und mit begrenztem Erfolg) gelingt es Moses, die Katastrophe abzuwenden. Für den Leser, dem die historische Abfolge der Ereignisse derart plastisch vor Augen geführt wird, dürfte die Botschaft klar sein: Sogar der psychologisch bewanderte Allmächtige kann seiner Sache zuweilen überdrüssig werden, wenn er vor derart unempfänglichem Publikum spielen muss.

Der biblische Text entwirft und komponiert also immer wieder Serien von Zeichen, durch die Gottes Allmacht dem biblischen Publikum nachdrücklich erlebbar wird. Das kolossalste „Zeichen" ist jedoch die biblische Erzählung selbst. Mehrere Schriften, die innerhalb der Erzählungen erwähnt werden, übernehmen diesen Part auf offene und dramatische Weise. Dies reicht von den Zehn Geboten, die Gott mit seinem eigenen Finger schrieb (vgl. Ex 31,18; 34,27; Dtn 9,9-10; 1 Kön 8,9) und überträgt sich letztlich auf das gesamte mosaische Gesetz. Weniger augenfällig, aber nicht minder effektiv, nutzt die Erzählung als Ganze jedoch auch die Zeichenmacht gängigerer Zeugnisse. Als fortlaufender Beweis für Gottes Herrschaft über die Geschichte untermauert der Diskurs seine weiteren Autoritätsansprüche durch explizite Referenz auf nonverbale Denkmäler und die implizite Berufung auf eine Tradition, die auf der Augenzeugenschaft eines ganzen Volkes gründet. Als Stimme der kollektiven Erinnerung spricht die Heilige Schrift nicht nur von den Vätern, sondern auch durch die Väter, und sie spricht nicht nur zu den Söhnen, sondern auch für die Söhne; sie setzt damit nicht nur dem israelitischen Erbe, sondern auch der Macht des Schutzherrn dieses Volkes ein lebendiges Denkmal.

Diese Zeichenfunktion der Erzählung ist ein eminent wichtiger Punkt, der zwar nirgends explizit erwähnt wird, aber dennoch der hier untersuchten Kompositionslogik inhärent ist, ganz besonders in der symmetrischen Struktur, die eine geschlossene Line vom Sehen über das Hören bis hin zum Schreiben zieht. Das bezieht sich natürlich weniger auf die faktische Entstehungsgeschichte der Bibel als auf deren Erzählhaltung, und hat daher wenig mit all den wissenschaftlichen Spekulationen über die mündlichen und schriftlichen Vorstufen der Bibel zu tun. Unabhängig von einer Antwort auf die Frage, ob die Israeliten sich tatsächlich an frühere Wundertaten erinnern, sie bezeugen oder dieses Zeugnis weitergegeben und niedergeschrieben haben konnten, stellt der Erzähler sie als Erinnernde dar – und sich selbst implizit als jenen, der diese Erinnerungen teilt und lebendig hält. So etabliert er sich in der denkbar stärksten und in der Literaturgeschichte unübertroffenen Position, die verschiedene Quellen der Autorität, die normalerweise inkompatiblen Erzählmodi zugeordnet sind, auf einzigartige Weise miteinander verbindet. In seiner Figur vereint er die Autorität des übernatürlichen Wissens und des empirischen Beweises, der Inspiration (bzw. der Konvention) und der Tradition, des göttlichen Ausführenden und des menschlichen Beobachters, des Mentors, des „Sohnes" und des Bruders unter Brüdern. Ein Vergleich mit einigen typischen Parallelen aus der angrenzenden Literatur macht die Stärke dieser Erzählerposition besonders deutlich: Das *Enuma Elisch* konzentriert sich auf die Anstrengungen der Götter vor der

Erschaffung der Menschheit, Homer ruft die Muse an, während er den gesamten Olymp karikiert, Lukas entwirft ein weltliche Lebensgeschichte Jesu, Herodot führt die Griechen in die Kultur der Barbaren ein, Thukydides entsagt der dichterischen Freiheit im Namen der Geschichtsschreibung, unzählige andere Erzähler haben im Namen des Fiktionalen genau das Gegenteil getan. Was Glaubwürdigkeit und Überzeugungskraft betrifft, entwirft die Bibel tatsächlich die beste aller (erzählerischen) Welten und ist denn auch besonders darum bemüht, das Wunderbare in den Lauf der Geschichte zu integrieren anstatt es in den Bereich des Fiktionalen zu verbannen.

Durch seine einzigartige Stellung zwischen Gott und Menschheit kann der Erzähler letztendlich beanspruchen, Zugriff auf beide Seiten zu haben, beide Seiten zu repräsentieren, deren Interessen ihm gleichermaßen am Herzen liegen. Vor allem aber ist er derjenige, der die unterschiedlichen Perspektiven beider Parteien zur Deckung bringen kann.

In der Bibel ist oft schwer zu entscheiden, ob der Erzähler mehr Aufmerksamkeit erregt, wenn er mit seiner eigenen Stimme spricht, oder wenn er gerade dort, wo man seine Rede erwarten würde, schweigt. Es hängt vom Kontext und der Situation ab, ob er das Erzählte mit eigener Stimme kommentiert, oder ob er hierbei Zurückhaltung wahrt. Eines aber ist prinzipiell für ihn: Der Erzähler vermeidet jedweden Kommentar, der ihm Züge einer individuellen Person oder Züge eines Schöpfers geben könnte.

Zunächst ist festzuhalten, dass keine Selbstinszenierung seitens des Erzählers die Objektivität und Autorität der auktorialen Stimme, die zwischen Gott und seinem Volk vermittelt, bedrohen darf. Selbst dort, wo an der Erzähloberfläche moderner Texte ein ähnliches Maß an Unpersönlichkeit nachzuweisen ist, findet sich im Zeitalter des Romans doch keine Entsprechung für diese, dem biblischen Prinzip zugrunde liegende, Motivation. Auch ergibt sich die Unterdrückung alles Persönlichen keineswegs aus allgemeinen antiken Erzählkonventionen – so zeigen u.a. die ägyptische Literatur und die griechische Historiografie deutlich, dass die Alternative zu diesem Prinzip mindestens ebenso gangbar ist. Auch aus den Erzählkonventionen der Bibel als Ganzem lässt sich dieses Prinzip nicht schlüssig ableiten. Bedenkt man z.B. die Erzählhaltung im Falle der Propheten oder Weisheitslehrer oder Autobiographen wie Nehemia, so ist schon allein der Umstand bemerkenswert, dass sich der Erzähler hier nicht mit Namen ausweist. Noch bemerkenswerter ist allerdings, dass er sich darüber hinaus noch nicht einmal als Hebräer zu erkennen gibt – weder explizit noch grammatisch durch die Verwendung der ersten Person Plural. Die einzigen Ausnahmen bilden seine Identifizierungen mit Israel in „das Land [...], das er unseren Vätern mit einem Eid zugesichert hatte" (Jos 5,6) und in „Salomo feierte [...] vor dem Herrn, unserem Gott" (1 Kön 8,65). An allen anderen Stellen treten die Vorfahren der Israeliten als „ihre Väter", ihre Widersacher als „ihre Feinde" und Gott als „ihr Gott" auf – allesamt Formen der Distanzierung des Erzählers von seiner Leserschaft, und zwar an Stellen, wo man natürlicherweise Identifikation erwarten dürfte.

Das treibt denn auch den Aspekt der Objektivität auf die Spitze der Inkongruenz, um nicht zu sagen: der Kontraproduktivität. Zumindest scheint das so. Bei genauerem Hinsehen fällt auf, dass diese Distanz mit dem Gebrauch der dritten Person zusammenfällt, durch die der Erzähler Israel sozusagen von Gottes Seite aus bezeichnet (vgl. etwa „Da schrien sie zum Herrn" in Jos 24,7). Der Erzähler will sein Doppelgesicht und seine Mittlerrolle zwischen den Parteien, von und zu denen er spricht, wahren, und dazu entwirft er ein Bezugssystem, das es ihm erlaubt, dieselben Bezugsworte auf beide Seiten und von beiden Seiten aus anzuwenden bzw. die jeweilige Seite vom Standpunkt der anderen aus darzustellen. Sicherheitshalber verzichtet er zusätzlich darauf, sich auf sich selbst oder auch auf sein Publikum durch Pronomen zu beziehen, so dass „ich", „du" oder auch „wir" völlig fehlen, die etwa bei Homer die Unpersönlichkeit an der Erzähloberfläche unterlaufen. Da die sich daraus ergebende Erzählerstimme entweder Gottes oder Israels Stimme sein kann – und nicht anders als durch die erwähnten drastischen Schritte möglich ist – kann sie die Früchte auf beiden Seiten des Zaunes ernten.

Dies heißt jedoch nicht, dass wir nicht trotzdem Rückschlüsse auf den Erzähler ziehen können. Seine Poetik, seine Ideologie, seine Geschichtsphilosophie und sogar seine deiktischen Koordinaten in Bezug auf Handlung und Figuren laden zur Rekonstruktion ein, insbesondere seine zeitliche Nachträglichkeit, die durch die Verwendung des Imperfekts und die gelegentlichen „jetzt" gegenüber dem üblichen „damals" oder „früher" angezeigt werden. Aber auch das zeigt lediglich, dass sich der Erzähler eben auf unpersönliche Weise, nämlich einzig und allein über seine Erzählkunst definiert. Abgesehen von der Aussichtslosigkeit der zahlreichen gelehrten Versuche, jemanden aus seinen Schriften zu rekonstruieren, laufen diese auch dem zentralen Prinzip biblischen Erzählens entgegen, das den Erzähler dazu zwingt, sich hinter der Maske der Anonymität zu verbergen. Mehr noch als Gott selbst agiert er als entkörperlichte Stimme: „Ihr hörtet den Donner der Worte. Eine Gestalt habt ihr nicht gesehen. Ihr habt nur den Donner gehört" (Dtn 4,12) – keine Namensnennung, kein personales Beziehungswort, kaum ein lokalisierbarer Ort zwischen Himmel und Erde.

Genauso, wie der Erzähler als Person seine Identität nicht preisgibt, lässt er sich als Künstler nicht in seine Werkstatt gucken. Im Gegenteil: er vermeidet tunlichst jedweden Eindruck eigenen schöpferischen Tuns. In Wirklichkeit übt er natürlich eine quasigöttliche Macht aus, denn er kann mit einem Wort ein Stück Welt – eine Figur, einen Dialog, eine Situation – erschaffen und nur durch die Verteilung von Entsprechungen zwischen den einzelnen Teilen seiner erzählten Welt Gesetze aufstellen, die diese Welt regieren. Aber auch wenn das praktisch der Fall ist, wird es weder an der Erzähloberfläche anerkannt noch durch die zugrunde liegende Doktrin legitimiert. Daher auch der augenfällige Kontrast zwischen dem Erzähler, der den Eindruck der Allmacht um jeden Preis zu vermeiden sucht, und Gott, der das Bild seiner selbst als Allmächtigem aktiv befördert. Die Scheu des Erzählers vor gottähnlicher Allmacht würde allerdings schlecht zu seiner offen zur Schau gestellten und ja ebenso gottähnlichen Allwissenheit passen, wenn nicht beide Positionen letztendlich den Interessen des gleichen Herrn und Meisters dienten.

Die Geschichte des Erzählens kennt eine Tradition von Petronius und Wolfram von Eschenbach über Cervantes und Diderot bis hin zu André Gide und John Fowles, die sich explizit auf die Fahnen geschrieben hat, die erzählerischen Kunstgriffe offenzulegen, insbesondere die Kontrolle, die der Autor über seine Figuren und die Handlung ausübt. Kaum haben wir uns es mit dem ersten Dialog in *Jacques der Fatalist und sein Herr* gemütlich gemacht, tritt Diderot mit folgendem selbstreflexiven Exkurs auf den Plan:

> Du siehst, lieber Leser, dass ich auf dem besten Weg bin und dass es nur von mir abhängen würde, dich ein Jahr, zwei Jahre, drei Jahre auf den Bericht von Jacques' Liebschaft warten zu lassen, indem ich ihn von seinem Herrn trennte und jeden von ihnen beiden an Zufällen zustoßen ließe, was mir beliebt. Was könnte mich daran hindern, den Herrn zu verheiraten und ihn zum Hahnrei zu machen? Jacques an Bord nach Westindien gehen zu lassen? Seinen Herrn ebenfalls nach dort zu geleiten und sie alle beide auf ein und demselben Schiff nach Frankreich zurückzuführen? Wie leicht ist es doch, Geschichten zu erfinden! Aber die beiden mögen für diesmal mit einer üblen Nacht davonkommen, und du, Leser, mit diesem Aufschub.[12]

„Dass es nur von mir abhängen würde […] alles, was mir beliebt […] was könnte mich hindern […] aber ich lasse sie davonkommen": der Anspruch auf absolute Gestaltungsfreiheit ist im Grunde nichts anderes als ein Anspruch auf absolute Macht. Henry James bezeichnete eine solche Zurschaustellung des Künstlichen einst als „Selbstmord", und nirgends erscheint dieses Urteil treffender als in Bezug auf die Bibel. Die offene Darstellung erzählerischer Allmacht stellt der Fiktion notwendig einen Freibrief aus – „Wie leicht ist es doch, Geschichten zu erfinden!" – und untergräbt somit jeglichen Anspruch auf Historizität. Ebenso ergeben sich aus dieser Form folgenreiche ideologische Implikationen. Bei Diderot und anderen spiegelt der Eigensinn des Erzählens den Eigensinn einer zusammenhangslosen und aus den Fugen geratenen Welt wider: In Abwesenheit eines Allmächtigen ist der Künstler allmächtig. Wo aber, wie in der Bibel, der Allmächtige anwesend ist und an der Handlung teilhat, würde ein allmächtiger Erzähler den Allmächtigen nur verhöhnen. Erzählerische Allmacht würde das gesamte Weltbild umkehren, indem sie das Göttliche der ästhetischen Logik der Ereignisse unterwerfen und den Schöpfer selbst zu einem bloßen Geschöpf, einem Spielzeug, einem Instrument der erzählerischen Phantasie machen würde. Daher brächte der geringste Hinweis auf Erfindungskraft auch das gesamte System ins Wanken. Dort aber, wo Gott zum ersten Mal die literarische Bühne betritt, um gegen die Fiktionen des Polytheismus ins Feld zu ziehen, verschmelzen erzählerischer und göttlicher Status, Kontrolle und Sein, Ontologie und Theologie zu einer Einheit.

Natürlich gehört die Zurschaustellung des Kunstcharakters ohnehin nicht in das Repertoire frühantiker Konventionen, trotzdem wäre sie ohne das hier skizzierte ideologische Projekt in der Bibel durchaus denkbar. Denn die ästhetischen Grundbedingungen für ein solches selbstbezogenes Erzählen sind hier vermutlich zum

---

12 Denis Diderot: *Jacques der Fatalist und sein Herr*, Ditzingen (Reclam) 1972, S. 4.

ersten Mal in der Literaturgeschichte allesamt vorhanden: die Umgestaltung herge-brachter Modi und Modelle und die Entwicklung einer Fülle neuer Formen, das allgegenwärtige Interesse an Ambiguität und Erzählperspektiven, der komplexe und reife Umgang mit dem Stoff, das Bewusstsein um Leserschaft und Kommuni-kationssituation, das Spielerische, dass sich in der Komödie, der Satire und der Wortspielerei zeigt, die Verfügbarkeit der Rhetorik der Allmacht selbst. Gerade vor diesem Hintergrund lässt das völlige Fehlen jedweder noch so kleinen Geste in Richtung eines selbstreflexiven Erzählens in der Tat tief blicken.

Dieses Fehlen unterstreicht denn auch einmal mehr den Unterschied zwischen erzählerischer Allwissenheit und erzählerischer Allmacht. Der biblische Erzähler kann seine Allwissenheit voll ausschöpfen, ohne dabei seinen Anspruch auf Histo-rizität auch nur im Geringsten zu kompromittieren. Seine epistemologische Frei-heit sagt nichts über seinen ontologischen Status aus, wie es in der modernen Lite-ratur der Fall wäre, denn das Privileg der Allwissenheit wird, wenn wir von der Konvention der Inspiration ausgehen, im Namen und Dienst Gottes und nicht der Kunst geltend gemacht. Der Umstand, dass der Erzähler von diesem Privileg Gebrauch macht, heißt daher mitnichten, dass er einen fiktionalen Kontrakt ein-ginge; im Gegenteil: seine Allwissenheit verbürgt gerade durch ihre Übernatürlich-keit die buchstabengetreue Wahrheit seiner Erzählung, die, sozusagen zur Sicher-heit, auf der irdischen Ebene zusätzlich noch durch die Tradition verbürgt wird. Würde er aber seine Allmacht öffentlich zur Schau stellen, so würde er nicht *für* den in der Geschichte wirkenden Gott sprechen, sondern *als* Gott innerhalb einer Fiktion, d.h. nicht als Stimme Gottes sondern als dessen Entsprechung. Denn absolute Macht kann an Akteure – wie etwa die Propheten – delegiert, von Erzäh-lern jedoch lediglich imitiert werden. Ein Erzähler muss also entweder von Gottes tatsächlicher Herrschaftsmacht berichten oder aber seine eigenen Leistungen fiktionalisieren.

Diese Entweder-oder-Entscheidung erklärt denn auch, warum der biblische Erzähler so beflissen den Eindruck zu vermitteln sucht, dass seine Kontrolle über Text und Leser, künstlerischer, aber nicht existentieller Natur ist, dass sie also Kon-trolle über die Darstellung, nicht aber über die dargestellte Welt und ihre Figuren ist. In seiner Rolle als Künstler zögert der Erzähler nicht, uns auf seine organisie-renden und kommentierenden Tätigkeiten hinzuweisen. Daher arbeitet die Erzäh-lung auch mit strikten Prinzipien der Selektion, die sich etwa bei der ungleichen Behandlung unterschiedlicher Figuren und Handlungsstränge (vgl. Jakob gegen-über Esau) zeigen, beim Wechselspiel von Zusammenfassung und szenischer Dar-stellung, oder, besonders interessant, an eingestreuten Hinweisen wie der Erwäh-nung von „Ana, der das Wasser in der Wüste fand, als er die Esel […] weidete" (Gen 36,24), die darauf hindeutet, dass hier eine gute Geschichte dem Diktat der Relevanz zum Opfer gefallen ist und also für immer unerzählt bleiben wird. Dieser Selektion entspricht auch eine bewusste und aktive Kombination: zeitliche Ver-schiebungen, zurückgehaltene Informationen, Szenen- und Perspektivwechsel, analogischer Aufbau, chiastische Auflösungen, Progression anhand bestimmter Schlüsselwörter usw. Solche Signale kunstvoller und geschickter Strukturierung sind unerlässlich, um den Leseprozess innerhalb einer derart zurückhaltenden und oft opaken Erzählung zu kontrollieren. Ihre Implikationen überschreiten jedoch nie die Grenzen der erzählerischen Freiheit eines Berichterstatters, der eine Welt nicht durch den Diskurs erschafft, sondern eine gegebene Welt in einem aussage-kräftigen Diskurs zur Sprache bringen will.

Um den Eindruck einer bereits gegebenen Welt noch zu unterstreichen, zeigt die Bibel ein ausgeprägtes Vertrauen in ihre eigene Faktizität. Sie impliziert, dass jede irgendwie abweichende Version, wenn überhaupt denkbar, schlichtweg absurd wäre. Und wenn man bedenkt, dass der historische Autor vermutlich durchaus mit einer Vielzahl von Versionen gearbeitet hat, sind die Monopolstellung und die Unmittelbarkeit des Zugriffs auf die Wahrheit, mit denen er seinen Erzähler aus-stattet, umso bemerkenswerter. Es scheint, als ob selbst die Zusammenstellung der Versionen – die natürlich ein Eingeständnis von Pluralität und einen Schöpfungs-akt zweiter Ordnung darstellen würde – verdrängt werden muss. Welche Geschichte die königlichen Annalen auch erzählt haben mögen (und es war sicherlich keine allzu fromme Geschichte): der beständige Rückbezug auf sie in den Büchern der Könige lässt keinerlei Konflikt erahnen. Stattdessen fungieren diese Rückbezüge, ähnlich wie die beiläufige Erwähnung Anas, als Spuren unangezapfter, weil irrele-vanter, Quellen. „Die *übrige* Geschichte Jerobeams, welche Kriege er führte und wie er regierte, ist aufgezeichnet in der Chronik der Könige von Israel" (1 Kön 14,19; Hvh. M.St.). Rhetorisch betrachtet neutralisiert diese Stelle nicht nur einen möglicherweise rivalisierenden Text, sondern schlägt auch Kapital aus ihm: durch die beiläufige Erwähnung fungiert er nämlich als weiteres empirisches Zeugnis der Wahrheit der Haupthandlung.

Wiederum beruft sich der Erzähler in der Praxis jedoch nicht explizit auf solch menschliche (mündliche oder schriftliche) Rückendeckung, genauso, wie er sich nicht auf göttliche Hilfestellung beruft. Ausgestattet mit doppelter Legitimation verzichtet er ostentativ darauf, seine Bürgen ins Feld zu führen, denn nur durch den unausgesprochenen Bezug auf diese Bezeugungen seiner Erzählung kann ihre Autorität ohne Verlust oder Reibung in die Erzählung integriert werden. Die Beru-fung auf göttliche Inspiration würde den Leser entfremden, während ein Schulter-schluss mit dem Leser den Erzähler einer Gefahr aussetzen würde, deren Folgen weit über die bloße Schwächung seiner Verbindung zu Gott hinausgingen. Der explizite Bezug auf Dokumente und Traditionen als ‚Quellen' würde unvermeid-lich empirische Lücken im Handlungsschema schlagen und Gegenbeweisen Tür und Tor öffnen, die die Erzählung dem Vorwurf der Fiktion und damit der Unzu-verlässigkeit preisgeben könnten. Allein das Schweigen garantiert, dass sich der Erzähler bei seinem Spagat über Ursprung und Entstehung seiner Erzählung die Balance nicht verliert.

Übersetzt von Alexa Alfer.

Narrative Verfahren

Der Niederländer Jan Fokkelman gehört nicht nur zu den ersten und eigenständigsten Vertretern der literaturwissenschaftlichen Bibelinterpretation, sondern war für lange Zeit auch die nahezu einzige maßgebliche kontinental-europäische Stimme des Diskurses. Bereits seine 1973 erschienene Dissertation zur „Erzählkunst der Genesis" erregte in Holland erhebliches Aufsehen, das umso größer war, als die protestantische Theologie jener Zeit eher darauf bedacht war, ihrem wachsenden Bedeutungsverlust mit Abgrenzung zu den anderen Wissenschaften zu begegnen, anstatt mit neuen Methoden die Bücher der Offenbarung vielseitiger zu lesen und umfassender zu verstehen. Mit profunden Kenntnissen der biblischen Sprachen und dem Mut der Neugier zu unerwarteten Verbindungen und Perspektiven begann Jan Fokkelman eine damals gänzlich neuartige Lektüre der Biblischen Bücher, wobei er dank seiner so seriös wie geistvollen Prosa und Vortragsweise bald internationales Ansehen und vor allem im Ausland Mitstreiter zum fruchtbaren Dialog der Positionen fand.

In den Jahren 1975 bis 1993 entstanden die berühmten vier Bände seiner *Narrative Art and Poetry in the Books of Samuel* und von 1999 bis 2004 die ebenfalls vierbändige Untersuchung *Major Poems of the Hebrew Bible*, welche die theologische Tradition der stupend detaillierten Bibelkommentare aufnahm, um sie vonseiten der literarischen Anschauung fortzusetzen. Gewissermaßen als Zusammenfassung dieser beiden großen Studien erschienen um die Jahrtausendwende die beiden Standardwerke *Reading Biblical Narrative* (2000) sowie *Reading Biblical Poetry* (2001). Aus ersterem stammt das hier vorliegende Kapitel, in dem Jan Fokkelman an mehreren prägnanten Beispielen aus den Samuel Büchern sowie dem Buch der Richter in das kunstvolle Spiel der vielgestaltigen Verschränkungen von Erzählperspektiven einführt. Deutlich macht Fokkelman darin sichtbar, wie die biblische Erzählkunst den Leser im Netz der Perspektiven einfängt, um ihn auf diese Weise zum Mitdenken und Mitfühlen zu drängen und sodann zu veranlassen, die multiplen Perspektiven und ineinander verschränkten Sinnebenen als inhaltlich Ganzes zu erfassen und wiederum durch sein Begreifen zusammenzuhalten.

Damit die Sinnebenen und Perspektivnetze zunächst erahnbar und rekonstruierbar werden, lenkt die Biblische Erzählung den Leser durch höchst geschicktes Haushalten mit Informationen, die mal zurückgehalten, mal verdreht, mal korrigiert, mal nachgereicht, mal vorausgeschickt und fast immer so knapp gehalten werden, dass nicht nur jede Information von höchster Bedeutung erscheint, sondern in ihnen oft auch das Ganze neu in Frage gestellt werden muss. Diese Komposition von Informationsgehalten sind jeweils Spiegel, die sowohl den Text reflektieren als auch in ihn hinaus projizieren, und sie sind zugleich Signale, an denen sich die Vermutungen und Vorahnungen der Leser ebenso wie der erzählten Figuren entzünden, bewahrheiten, verwerfen lassen.

Ohne sich je einer ideologischen Lesart zu verschreiben, die des Lesers Denken in den Funktionsweisen des Textes gefangen glaubt, beschreibt Fokkelman vielmehr die narrativen Verfahren, durch die der Leser in die biblischen Erzählungen verwickelt wird, auf dass er sich im bewussten Akt der Rezeption seiner Position außerhalb des Textes versichert und von da den Text bewahrend immer neu rekonstruiert. *hps*

JAN FOKKELMAN

Wissensebenen und Erzählperspektiven

Eine gute Geschichte besteht aus mehr als nur Informationen, doch ohne Informationen wäre eine Geschichte undenkbar. Jede Geschichte teilt uns etwas mit, jeder Satz bringt uns ein Stück voran und trägt den Informationsfluss weiter. Das weiß auch der Erzähler, der diesen Aspekt geschickt ausnutzt, um Spannung zu erzeugen, um uns auf dem falschen Fuß zu erwischen, um den Fortgang der Geschichte seiner Sichtweise unterzuordnen – normalerweise dient die Art der Informationsübermittlung mehr als einem Zweck.

Der Erzähler manipuliert uns und weiß oft nicht, wann er aufhören muss, und zwar in zweierlei Hinsicht. Innerhalb der Geschichte handhabt er seine Figuren wie ein Marionettenspieler. Er zieht die Fäden, an denen er sie erscheinen und verschwinden lässt: Er entscheidet, wer was sagt oder tut und für wie lange. Mehr als dies interessiert uns hier jedoch die Ebene der Kommunikation zwischen Autor und Leser, zwischen denen eine Sender-Empfänger-Beziehung besteht. Sowohl Autor als auch Leser befinden sich fernab der erzählten Welt, doch auch in diesem Bereich ist der Erzähler ein erfahrener Manipulator. Die Puppen, die von den Fäden hängen, sind diesmal wir, das Publikum. Mit jedem Wort kontrolliert, knetet und manipuliert uns der Autor, so dass uns nur die Wahl zwischen Gehorsam oder vollständigem Rückzug bleibt. Gehorsam bedeutet, der Geschichte zu folgen. Und der Autor weiß, dass er uns helfen muss und dafür zu sorgen hat, dass sein Text und die dort angebotenen Informationen leicht nachvollziehbar sind.

Der Anfang

Der erste heikle Moment für den Fluss der Informationen, der uns bei der Begegnung mit einem Text erwartet, ist der Anfang selbst. Noch ist alles offen, und der Erzähler hat eine Vielzahl von Möglichkeiten zur Hand. Er kann entscheiden, gleich zu Beginn fast alles offen zu legen oder genau das Gegenteil davon zu tun oder auch nur den Anschein zu erwecken, mit etwas Wesentlichem zu beginnen. Der erste Satz der Bibel lässt sich als Beispiel für eine sofortige und beinahe vollständige Offenlegung kaum übertreffen: „Im Anfang schuf Gott Himmel und Erde" – ein monumentaler Satz, der als Schlagzeile dient, und in knappster Form zusammenfasst, was in der ersten Schöpfungsgeschichte passiert. Er beschränkt den Rest der Schöpfungsgeschichte gewissermaßen darauf, diesen Entwurf auszuarbeiten und mit Details auszuschmücken. Es gibt keine Spannung und kaum einen nennenswerten Plot. Die sechs Schöpfungstage werden einer nach dem anderen abgehandelt und enden mit dem Ruhetag, der Sabbat genannt und für heilig erklärt wird. Der gewaltige Eröffnungssatz bekommt mit Genesis 2,4a ein Gegenstück: „Das ist die Entstehungsgeschichte von Himmel und Erde, als sie erschaffen wurden." Der letzte Satz der Schöpfungsgeschichte ist also ein Echo des ersten. Zusammen bilden sie einen festen Rahmen. Das bestimmte Verb „schaffen" kann nur Gott zum Subjekt haben. In der ersten Schöpfungsgeschichte (Gen 1-2,4a) ist es ein Schlüsselwort, in der zweiten (Gen 2,4b-3,24) fehlt es vollständig – streng genommen ist diese Geschichte wohl auch keine zweite Schöpfungsgeschichte, sondern eine genauere Untersuchung des erschaffenen Menschen, seines Ursprungs und seiner grundlegenden Beziehung zu Gott und der Welt.

Genesis 22 ist ein weiteres Beispiel für eine entscheidende Information, die gleich zu Beginn verraten wird. Das Thema ist höchst unmoralisch: Einem Vater wird befohlen, seinen einzigen Sohn als Opfergabe zu töten. Um den Schock etwas abzuschwächen, verrät uns der Erzähler das wahre Wesen des Befehls und die Absicht des Sprechers, noch bevor Gott Abraham überhaupt den Befehl erteilt: Es ist eine Prüfung. „Nach diesen Ereignissen stellte Gott Abraham auf die Probe" (Gen 22,1). Der allwissende Erzähler teilt uns schon vorab mit, was geschehen wird, und gewährt uns gegenüber dem Patriarchen einen Vorsprung. Erst nachdem Abraham die Probe mit Bravour bestanden hat, bekommt er Gelegenheit, einen Seufzer der Erleichterung auszustoßen: Puh, es war *nur* eine Prüfung.

Von Saul zu David

Ein Erzähler führt gewöhnlicherweise den Helden am Anfang eines Geschichtenzyklus ein. Ich denke dabei an die Art, wie Saul eingeführt wird:

> Damals lebte in Benjamin ein Mann namens Kisch, ein Sohn Abiels, des Sohnes Zerors, des Sohnes Bechorats, des Sohnes Afiachs, ein wohlhabender Benjaminiter. Er hatte einen Sohn namens Saul, der jung und schön war; kein anderer unter den Israeliten war so schön wie er. Er war einen Kopf größer als alles Volk. (1 Sam 9,1-2)

Im ersten Vers begegnen wir einem bedeutenden Manne. Er ist nicht nur Gutsherr, sondern kann sich auch einer langen Ahnenliste rühmen, so dass klar ist, dass er ein Bedeutender in seinem Stamme ist. Einen Moment lang glauben wir, er könnte der Held der Geschichte sein. Gleich darauf wird uns jedoch ein zweites Bild gezeigt: Für seinen Sohn Saul scheint alles zum Besten zu sein – Jugend, Aussehen und gute Erziehung. Dies ruft beim Leser Erwartungen hervor – und die Frage: Könnte „ein Kopf größer" als Symbol für sein Schicksal gemeint sein? Diese Erwartung bestätigt sich schnell, als Saul zum Helden der Eselsuche wird. Nach Sauls heimlicher Salbung (10,1 ff.) und seiner Rückkehr beruft der Prophet eine Volksversammlung ein und verkündet das Kommen des Thronanwärters.

> Sie liefen hin und holten ihn von dort. Als er mitten unter das Volk trat, da war er einen Kopf größer als alles Volk. Und Samuel sagte zum ganzen Volk: „Habt ihr gesehen, wen der Herr erwählt hat? Keiner ist ihm gleich im ganzen Volk." Da jubelte das ganze Volk und sagte: „Es lebe der König!" (1 Sam 10,23-24)

Durch die Einberufung der Versammlung und das Werfen der Lose (Verse 20-21), das Saul auf den Thron bringt, spielt der Prophet die Rolle des Regisseurs. Mit dieser Inszenierung manipuliert er das Volk, so dass sie glauben, den König an seiner Statur zu „erkennen". Der Umstand, dass er einen Kopf größer ist als alle anderen, wird als untrügliches Zeichen seiner Bestimmung zum König gedeutet.

Der Autor ist nicht so naiv, als dass er selber glauben würde, dass Größe ein Garant für Güte wäre. Als Saul schließlich zum Untergang verurteilt war, schickt Gott Samuel nach Bethlehem, um einen Sohn Jesses zum zweiten König zu salben, woraus sich die folgende Szene ergab (1 Sam 16,4-10): Der Vater stellt sieben Söhne in einer Reihe auf, wobei Eliab, der Erstgeborene, der größte ist. Samuel ist beeindruckt und vermutet, offensichtlich an die voran gegangene Salbung denkend, dass dieser junge Mann ganz sicher Gottes Auserwählter sein muss. Dies jedoch ist ein *faux pas* des Propheten, der uns gleichzeitig verdeutlichen soll, dass selbst Propheten stets fehlbare Menschen sein werden. Gott weist den sterblichen Samuel mit folgenden klassischen Worten in die Schranken:

> Sieh nicht auf sein Aussehen und seine stattliche Gestalt, denn ich habe ihn verworfen; Gott sieht nämlich nicht auf das, worauf der Mensch sieht. Der Mensch sieht, was vor den Augen ist, der Herr aber sieht das Herz. (1 Sam 16,7)

Samuel glaubt seinen Augen, anstatt zu warten, bis seine Ohren die Stimme vernehmen. Anscheinend hat er vergessen, wie seine Begegnung mit dem ersten König verlaufen war: Als „Seher" hatte er mit seinen Augen wenig bis gar nichts ausrichten können, erst als Gott es ihm in die Ohren flüsterte, erlangte er übernatürliches Wissen (vgl. 1 Sam 9,15-17).

Vorenthaltene Informationen über Gideon

Die Geschichte Gideons (Ri 6-8) ist ein gutes Beispiel dafür, wie kleinere Informationseinheiten über den Text verteilt werden können. Anfang und Ende des kurzen Zyklus zeigen, wie der Erzähler zunächst Auskünfte gibt, die aber später durch die Enthüllung von anderen, anfänglich zurückgehaltenen Informationen konterkariert werden. In Richter 6,1-5 erhalten wir zunächst einige Hintergrundinformationen: Das Land wird seit Jahren von den Midianitern und anderen Kamelnomaden aus dem Osten besetzt gehalten und geplündert. Als das Volk voller Verzweiflung Gott anruft, antwortet dieser durch einen Propheten mit der Feststellung, dass er vom ungehorsamen Israel im Stich gelassen worden sei, obwohl er stets dessen Beschützer und Retter war – womit er zu sagen scheint: Das müsst ihr nun schon selber regeln. Darauf beginnt dann die eigentliche Geschichte mit der Einführung des Helden, einem Mann aus dem zentral gelegenen Dorf Ofra, und bald wird klar, dass Gott durch ihn damit beginnen wird, Israel von den Besatzern zu befreien:

> Der Engel des Herrn kam und setzte sich unter die Eiche bei Ofra, die dem Abiesriter Joasch gehörte; sein Sohn Gideon war gerade dabei, in der Kelter Weizen zu dreschen, um ihn vor Midian in Sicherheit zu bringen. (Ri 6,11)

Zunächst entsteht der Eindruck, dass Joasch der Gastgeber des Besuchers ist. Sein Sohn wird nur im Nachsatz erwähnt und scheint lediglich eine Nebenrolle zu spielen. Auf diese Weise führt uns der Erzähler für einen Moment auf eine falsche Fährte, denn Gideon wird sich bald als der Held erweisen: Er ist von Gott eigens dazu ausersehen, der Befreier zu sein. Auch entsteht der Eindruck, dass Gideon ein junger Mann sei, was wir zwei Kapitel später korrigieren müssen.

Gideon ist eine seltsame Figur. Mal ist er anmaßend (6,13), mal schwankend, mal fürchtet er sich (6,22.27; 7,10-12), vor allem bleibt er ziemlich lange skeptisch. Nachdem seine Beauftragung als Erretter mit dem wundersamen Aufstieg des Engels im Opferfeuer seine Bestätigung fand (6,21-24), erhält er einen Befehl Gottes, durch den er sich als Held erweisen kann und muss: Er soll den Altar des Baal zerstören, der seinem Vater gehört. In seiner Angst tut er es nachts (6,27b), so als würden seine Handlungen dadurch ungesehen bleiben.

Dann lässt der Text eine Lücke: Der Erzähler macht keinerlei Angaben über Gideons Vater! Für uns bleibt folglich die Frage, was Joasch davon hielt, dass sein Altar zertrümmert wurde und dass sein eigener Sohn für dieses Sakrileg verantwortlich war – wir erfahren nicht, wie er reagierte, als er es herausfand. Diese eindrucksvolle Lücke (*ellipsis*) wurde absichtlich gelassen und kann erst zwei Seiten später geschlossen werden. Zunächst erfahren wir nur, dass die Leute aus Ofra den Täter entdecken und verlangen, dass Joasch ihn ausliefert: Gideon muss sterben. Die Reaktion des Vaters ist überraschend, denn er unterstützt standhaft seinen Sohn und verjagt seine Mitbürger durch einen Bluff: Er fordert Baal heraus, als Gott selbst zu kämpfen, anstatt andere das Urteil vollstrecken zu lassen (6,29-32). Woher nimmt Joasch die Stärke, sich der gesamten Gemeinde entgegenzustellen? Die Antwort erfolgt erst viel später. Bis dahin bleibt uns nur die Vermutung, dass Joasch vor dem Dilemma stand, sich entweder auf die Seite der aufgebrachten Gemeinde und Baals zu stellen und ihnen Gideon auszuliefern, oder ihn zu schützen und völlig mit dem Götzenkult zu brechen. Er wählt die zweite Option. Seine Reaktion stellt zugleich die Frage, warum der Vater die ganze Drecksarbeit erledigt und Gideon sich nicht einmal verteidigt. Ist unser Eindruck zutreffend, dass er eine unterwürfige Haltung gegenüber seinem Vater einnimmt?

Kurze Zeit später besitzt Gideon die Unverfrorenheit, Gott vor eine zweifache Probe zu stellen (6,36-40), da ihn nichts von seinem göttlichen Auftrag überzeugen kann. Gott hat alle Hände voll damit zu tun, diese Nervensäge zu überreden und zu beruhigen, aber bleibt voller Geduld, bis Gideon endlich seine Aufgabe annimmt (7,15). Der gesamte mittlere Abschnitt der Erzählung (7,9-22) spielt nachts. Der Feind wird besiegt, ohne dass Gideon und seine 300 Männer ein einziges Mal ihr Schwert schwingen müssen (7,22). Dann mobilisiert er die Nachbarstämme für die Verfolgung. Auch hier ruft der Text große Überraschung hervor. Als der Held die Früchte des Siegs einsammelt, ist er plötzlich äußerst bestimmt und scharf, ja sogar ungewöhnlich grausam (8,5-9; 14-17) gegenüber seinen Landsleuten, den Einwohnern zweier Städte jenseits des Jordan. Warum das? Bis hierhin haben wir nichts erfahren, was dieses Verhalten erklären könnte. Es folgt jedoch ein Absatz (8,18-21), in dem Gideon ein Gespräch mit den beiden Königen der Midianiter führt, die er gefangen genommen hat und hinrichten wird. In Bezug auf die Frage der Informationsvermittlung ist dieser Abschnitt höchst überraschend:

> Dann fragte er Sebach und Zalmunna: „Wie sahen die Männer aus, die ihr auf dem Tabor erschlagen habt?" Sie antworteten: „Sie waren wie du; jeder sah aus wie ein Königssohn."
> Er entgegnete: „Es waren meine Brüder, die Söhne meiner Mutter. So wahr der Herr lebt: Hättet ihr sie am Leben gelassen, würde ich euch nicht töten." (Ri 8,18-19)

Wir erfahren nun aus dem Mund des Helden, dass es vor der Schlacht einen tödlichen Zwischenfall gegeben hat. Der Feind hat einige Israeliten hingerichtet (wahrscheinlich als Vergeltungsmaßname gegen Widerständige oder als Einschüchterungsstrategie), und zwar auf dem Hügel Tabor, einer strategisch wichtigen Stelle, von wo die östliche Hälfte der großen Jesreel-Ebene überschaut werden kann. Außerdem enthüllt Gideon den Königen (und der Erzähler enthüllt es uns) die entscheidende Information, dass diese Hingerichteten seine leiblichen Brüder waren. Mit Schrecken stellen wir fest, dass Gideon während der ganzen Zeit, da er im Namen Gottes als Anführer kämpfte, erschüttert, traurig und wütend über den Verlust seiner Brüder gewesen sein muss. Die Frage, die er den beiden Königen hier stellt (8,18), dient nicht seiner Information – sicher wusste er die ganze Zeit über, dass die Feinde für ihren Tod verantwortlich waren, aber er will die Anführer damit konfrontieren. Wir erfahren schließlich die Reaktion der beiden Könige, die durchaus sensationell ist: Sie geben zu, dass die Opfer etwas Königliches an sich hatten.

Der Ausdruck „Königssohn" ist das erste Zeichen des eigentlichen Themas des Gideon-Zyklus: Königtum. Durch ihn bemerken wir, dass die Familie von Joasch ein besonderes Ansehen genoss. Er ermöglicht uns, bei erneuter Lektüre der Geschichte, nunmehr zu verstehen, wie es Joasch in 6,31 möglich war, sich der gesamten Gemeinde Ofra entgegenzustellen und die Leute mit einer Drohung davonzujagen, um seinen Sohn Gideon zu schützen.

Auch erfahren wir wenig später (8,20), dass Gideon einen Sohn hat, was unsere Einschätzung seines Alters korrigiert: Er ist kein Jugendlicher, sondern ein Mann in den besten Jahren. Dies macht es noch ironischer, dass es im Nachsatz von 6,11 so wirkt, als würde er im Schatten seines Vaters stehen, und dass es der Fürsprache des Vaters bedurfte, damit er der Todesstrafe entging (6,25-32). Kurzum, der Absatz 8,18-21 enthält allerlei *verzögerte Informationen*, die den Leser zwingen, alles Vorangegangene erneut zu beurteilen, zu lesen und vielleicht sogar erneut zu interpretieren.

Die königliche Erscheinung Gideons und seiner Familie wird von ganz unerwarteter Seite festgestellt: von den midianitischen Anführern, zwei Männern, die selbst Könige sind und erkennen müssen, dass sich ihre Überlebenschancen nicht verbesserten, als sie zugaben, dass ihre Opfer königliche Statur hatten. Die

Bestätigung kommt von einer Seite, die über jeden Zweifel erhaben ist: Wenn selbst der Feind beipflichtet, dass die Brüder wie Prinzen aussehen, wer sollte es dann bestreiten?

Unmittelbar nach ihrer Hinrichtung durch die Hand Gideons, kommt dann die Frage des Königtums vollständig zur Entfaltung. Das Volk verlangt, dass der Sieger ihr Herrscher werde, doch Gideon lehnt mit frommen Worten ab (8,23). Dennoch verhält er sich wie ein Tyrann und fällt dem Glanz und den Verlockungen der Kriegsbeute zum Opfer. Er lässt das Beutegold zu einem Götzenbild (einem soge-nannten *Efod*) gießen und fällt damit in eine Form der Religion zurück, die vom Erzähler in Vers 27 entschieden verurteilt wird. Damit schließt sich der Kreis im negativen Sinne: So wie Joasch (dessen Name eine Abkürzung des heiligen Namens Jahwe enthält und der wohl weiterhin Jahwe verehrt) am Anfang aus Synkretismus noch einen Altar für Baal unterhielt, so gründet sein Sohn Gideon nun eigenmäch-tig einen fehlgeleiteten Kult. Kein Wunder, dass nach seinem Tod die Leute „den Baalen nachhurten" (8,33). Und was Gideon tatsächlich von der Monarchie hält, wird durch seinen in der Provinz vergessenen Sohn, Abimelech von Sichem, verra-ten. Nach einem Blutbad an seinen 70 Halbbrüdern, die als rechtmäßige Erben Gideons eine Art Oligarchie gebildet hatten, errichtet er eine diktatorische Monar-chie. Mit Unterstützung der Verwandten seiner Mutter rächt sich der verstoßene Abimelech am Vater und dessen siebzig anerkannten Nachkommen. Richter 9 berichtet von seiner Herrschaft und seinem Sturz, der so verheerend wie gewaltsam ist. Der grenzenlose Ehrgeiz Abimelechs, dessen Name bezeichnenderweise „Mein Vater ist König" bedeutet, offenbart Gideons unbewusstes Begehren nach Herr-schaft und erfüllt es zugleich.

Stufen des Wissens: Davids Unwissen

Die Manipulation von Informationen beinhaltet unter anderem, dass der Autor hin und wieder ein Übermaß an Informationen einstreut oder umgekehrt Informa-tionen auslässt. Manchmal gibt er die Auskünfte an der erwartbaren Stelle des Erzählverlaufs und manchmal erst nachträglich. Für seine Wahl gibt es stets gute Gründe, und es ist unsere nicht immer leichte Arbeit, diese zu erkennen.

Die Manipulation des Informationsflusses bedeutet zugleich die Manipulation des Wissens. So kann der Autor uns genauso viel Einblick gewähren wie der Figur, die er einführt, aber auch mehr oder weniger. In Genesis 22,1 gab er uns einen Vorsprung vor dem Patriarchen, der sein Kind opfern musste. In anderen Fällen weiß die Figur viel mehr als wir und verhält sich entsprechend, ohne dass wir es mitbekommen. Gideon wusste lange vorher, warum er sich seinem eigenen Volk gegenüber unbarmherzig verhielt, wohingegen wir bis zu Gideons Frage in Richter 8,18-20 warten müssen, um den Grund zu kennen.

Es macht den Charme einiger dieser Geschichten aus, dass sie verschiedene Grade an Wissen gegeneinander ausspielen und so einen Wettstreit verschiedener Zugänge und Perspektiven eröffnen. Das geschieht etwa in 2 Samuel 12 und 14: In den vorhergehenden Kapiteln hatte David alles bekommen, was er begehrt, sich jedoch in eine Frau verliebt und ihren Ehemann auf hintertückische Weise töten lassen. Damit begeht er innerhalb kurzer Zeit zwei Kapitalverbrechen, und da niemand in der Lage ist, den absoluten Herrscher zu maßregeln, greift Gott selbst ein und schickt den Propheten Nathan zu ihm. Nathan erzählt David von einem reichen Egoisten im Lande, der seinem armen Nachbarn das einzige Schaf stiehlt, und als der König darüber erzürnt und eine Verurteilung des reichen Mannes verlangt, enthüllt ihm der Prophet, dass es „nur" ein Gleichnis war: „Du bist der Mann!" Anschließend folgt ein Doppelorakel des Unheils, in dem Strafen für Mord und Ehebruch angekündigt werden (12,7-12).

Im letzten Satz von Kapitel 11 nimmt der Autor die Haltung des allwissenden Erzählers ein und sagt uns: „Dem Herrn aber missfiel, was David getan hatte." In 12,1 erfahren wir, dass Jahwe den Propheten zu David schickt. Die nun folgende Parabelerzählung gebraucht drei verschiedene Wissensebenen. Auf der obersten Ebene sind Gott, der Prophet und der Erzähler, die schon wissen, dass David durch ein Gleichnis in die Falle gelockt werden soll. Auf der untersten Ebene ist der König, der von diesen Plänen überhaupt nichts weiß, und ganz naiv glaubt, er erführe durch Nathan von der Straftat eines verwerflichen Materialisten, über den er kraft seines Richteramts ein Urteil sprechen muss. Zwischen beiden befinden sich die Leser in der Mitte: Wir wissen, dass Gott das Verbrechen Davids nicht ungestraft lassen wird, und wir begreifen schnell, dass Nathan eine geschickte Strategie verfolgt, aber wir wissen nicht, wie er vorgehen wird. Die Funktion dieser Zwischenposition besteht darin, uns eine zweifache Perspektive auf die Gegenüberstellung von König und Prophet zu ermöglichen. Der Erzähler hat uns in die Verschwörung eingeweiht, so dass wir gewarnt sind. Dennoch hören wir mit der gleichen Naivität wie David zu; wir können uns also nach wie vor mit ihm identifizieren.

In 2 Samuel 12 wird David durch eine raffinierte List gezwungen, seine Verbrechen zuzugeben. Nachdem er mit dem Gleichnis hereingelegt wurde, hat er keine andere Wahl, als sich seiner Schuld zu stellen und sie zu gestehen.

Kapitel 14 ist eine strukturelle Parallele dazu. Was ist geschehen? Prinzessin Tamar ist von ihrem Halbbruder Amnon vergewaltigt worden. Zwei Jahre später, nachdem der Königshof nicht sonderlich aktiv wurde, übt ihr Bruder Abschalom Selbstjustiz: Er rächt ihre Ehre, indem er Amnon tötet. Unmittelbar danach verschwindet er für drei Jahre ins Exil und entzieht sich so dem Zugriff der Justiz. David ist zwischen seinem Zorn über den Brudermord und seinen Kummer über den Verlust Amnons hin- und hergerissen. Sein Heerführer Joab bemerkt die missliche Lage seines Königs und betrachtet es als eine Angelegenheit von nationaler Bedeutung, den ehrgeizigen Abschalom wieder mit seinem Vater zu versöhnen. Zu diesem Zweck schickt er eine ‚kluge Frau' zu David und weist sie an, eine Witwe in einer Kain-und-Abel-Situation zu spielen. Sie soll versuchen, den Richter David zu einem Eid zu bewegen, damit ihr einziger noch lebender Sohn am Leben bleiben dürfe, statt wegen eines Brudermordes hingerichtet zu werden. Der Plan gelingt, worauf die Frau das Urteil Davids auf den Fall Abschaloms überträgt, so dass David sich gezwungen sieht, den Prinz wieder nach Jerusalem zurückzulassen. Der von der Frau simulierte Prozess ist erneut eine parabolische Konstruktion, die dazu bestimmt ist, David zu höherer Selbsterkenntnis zu führen.

Bevor ich die je verschiedenen Wissensebenen angebe, hier zunächst noch der Übergang zwischen den beiden Kapiteln:

> (13,39) Dann aber hörte der König allmählich auf, gegen Abschalom zu hadern; denn er hatte sich damit abgefunden, dass Amnon tot war. (14,1) Joab, Sohn der Zeruja, merkte, dass des Königs Herz auf Abschalom aus war. Da schickte er nach Tekoa und ließ von dort eine kluge Frau holen. (2) Er sagte zu ihr: „Tu so als ob du trauertest, zieh Trauergewänder an, und salbe dich nicht mit Öl! Stell dich wie eine Frau, die schon lange Zeit um einen Toten trauert. (3) Dann geh zum König, und sprich Folgendes zu ihm" – und Joab sagte ihr, was sie sagen sollte. (2 Sam 13,39-14,3)

Abermals gibt es drei Wissensebenen. Die Position oberhalb des Themas, die des Erzählers, der genau weiß, wohin er uns lenken will, ist die oberste; in der Geschichte wird sie von Joab besetzt. Der General hat einen komplizierten Plan, zu dessen diskreter Ausführung er eine gut ausgebildete Person benötigt. Dies wird die Frau aus Tekoa sein, die er in den Versen 2-3 instruiert. Ich könnte mir vorstellen, dass die beiden ihre Handlungsweise ausführlich erörtert und geprobt haben, bevor die Frau mit ihrer Bitte um rechtlichen Beistand vor dem König erschien. Wieder weiß David zu dem Zeitpunkt, als sie zu ihm kommt (2 Sam 14,4 f.), von nichts. Erneut denkt er, dass er eine Rechtssache zu hören bekommt, wird mit seinem Urteil (14,11) aber wieder selbst mit in den Fall hineingezogen. Der Leser weiß es besser als David, steht aber eine Ebene unter dem kreativen Pläneschmied Joab. Vers 2 erweckt die Hoffnung, dass wir diesmal vorab vollständig unterrichtet werden, doch dies erweist sich bereits in Vers 3 als Illusion: Der Erzähler ärgert uns, weil er den Plan hinter den ausweichenden Worten „sprich Folgendes zu ihm [...] sagte ihr, was sie sagen sollte" verbirgt. In dem Augenblick, in dem sich die Frau an David wendet, haben wir wieder eine zweifache Perspektive: Wir wissen nicht, was kommt, und identifizieren uns mit dem unschuldigen König, der sich hinter die Witwe und gegen die rachsüchtige Sippe stellt, da diese verlangt, dass der Bruder-mörder ausgeliefert werde. Gleichzeitig wissen wir aber auch, dass es sich um eine abgekartete Sache handelt, ein klug inszeniertes Schauspiel, um David mit sich selbst zu konfrontieren und die festgefahrene Situation zu lösen.

Wissen und Spannung: Ahitofels Rat

Ein Erzähler kann noch mehr Aufmerksamkeit für seinen Text erregen, wenn er in seiner Geschichte Spannung erzeugt. Wenn wir den Helden bei seinen Abenteuern begleiten, zittern wir Leser mit ihm mit und fragen uns, ob er es wohl schaffen wird. Auf verschiedenen Wegstrecken des Helden kann der Erzähler die Spannung erhöhen, wenn er uns offene Situationen präsentiert, in denen viel auf dem Spiel steht.

Der entscheidende Moment in Abschaloms Staatsstreich (2 Sam 15-20) ist gleichzeitig der aufregendste: Als David sich eilig mit seinem Haus und dem Fuß-volk nach Osten hinter den Ölberg zurückgezogen hat, zieht Abschalom als Sieger in Jerusalem ein. David hat es beinahe soweit kommen lassen, dass ihm der Flucht-weg aus Jerusalem durch einen Angriff Abschaloms aus südlicher Richtung abge-schnitten wurde. Während David versucht, den Jordan durch raues und unebenes Gelände zu erreichen, lässt unter seinen Gefolgsleuten sowohl die Moral als auch die Ausrüstung und Verpflegung einiges zu wünschen übrig. Wenn Abschalom klug ist, wird er die Situation ausnutzen und ihn sofort verfolgen, so dass er David und sein Gefolge gefangen nehmen kann, bevor sie über die natürliche Grenze des Flusses entkommen können. Dies ist genau die Empfehlung, die Abschalom im Kriegsrat gegeben wird, den er unmittelbar nach seiner Ankunft in der Hauptstadt einberufen lässt. Der eindrucksvolle Ratgeber Ahitofel, der in Davids Regierung das politische Schwergewicht im Hintergrund war, aber nun auf den Prinzen und dessen Putsch gesetzt hat, formuliert es folgendermaßen:

> Lass mich zwölftausend Mann auswählen und mit ihnen noch heute Nacht die Verfol-gung David aufnehmen. Ich will ihn überfallen, wenn er noch müde und ermattet ist, und ihm einen Schrecken einjagen. Und wenn alle Leute, die bei ihm sind, fliehen, werde ich einzig den König töten. Dann werde ich das ganze Volk zu dir zurückführen, wie eine Neuvermählte zu ihrem Mann heimgeführt wird. Der Mann nach dem du trachtest, wiegt die Rückkehr des ganzen Volkes auf; das ganze Volk wird gerettet sein. Der Rat erschien Abschalom und allen Ältesten Israels gut. (2 Sam 17,1-4)

Die Sprache ist einfach und geschäftsmäßig, ohne stilistische Schnörkel und ohne Schmeichelei für den Prinzen. Die Botschaft ist klar: Man muss rasch handeln, sagt Ahitofel, und man sollte vernünftig sein und unnötiges Blutvergießen vermeiden. Es ist besser für Abschalom, nur den abgesetzten König zu beseitigen und seinem Gefolge durch eine allgemeine Begnadigung eine neue Chance zu geben. Für den Beginn eines neuen Regimes ist dies besser, als wenn bei den Untertanen viel schwe-lender Groll über die vielen Gefallenen zurückbleibt. Und zunächst sind sich alle einig, dass dies eine weise Strategie sei.

Doch dann tritt Huschai auf. Er gibt vor, Überläufer zu sein, aber wir wissen, dass David ihn dazu angewiesen hat (15,34) und dass er in erster Linie versuchen soll, Ahitofels Rat zu untergraben. Abschalom selbst ist anscheinend noch nicht ganz mit sich im Einen und will zuerst hören, was Huschai zu sagen hat: „Das und das hat Ahitofel gesagt. Sollen wir seinen Vorschlag ausführen? Wenn nicht, dann rede du!" (17,6). Dann redet Huschai und entfacht dabei ein rhetorisches Feuerwerk:

> Diesmal ist der Rat, den Ahitofel gegeben hat, nicht gut. Und er fuhr fort: Du kennst deinen Vater und seine Männer; sie sind Krieger und von wildem Mut erfüllt, wie eine Bärin im freien Gelände, der man die Jungen geraubt hat. Dein Vater ist ein Krieger, der mit seinen Leuten keine Nachtruhe hält. Sicher hält er sich jetzt in einer Höhle oder an einem anderen Ort versteckt. Wenn nun gleich zu Anfang einige von deinen Leuten fallen und man hört davon, wird man sagen: Die Anhänger

Abschaloms haben eine Niederlage erlitten. Dann wird auch der Tapferste, und habe
er ein Herz wie ein Löwe, völlig den Mut verlieren; denn ganz Israel weiß, dass dein
Vater ein Held ist und tapfere Männer bei sich hat. Darum rate ich: Alle Israeliten
zwischen Dan und Beerscheba sollen sich bei dir versammeln, (ein Heer) so zahlreich
wie der Sand am Ufer des Meeres. Du selbst musst (mit ihnen) in den Kampf ziehen.
Wenn wir ihn dann in einem der Orte, wo er sich aufhält, finden, überfallen wir ihn,
wie der Tau auf die Erde fällt; dann wird von ihm und allen Männern, die bei ihm
sind, auch nicht einer übrig bleiben. Und wenn er sich in eine Stadt zurückzieht, so
wird ganz Israel Seile an (den Mauern) jener Stadt befestigen und wir schleifen sie ins
Tal hinab, sodass dort, wo sie sind, kein Stein mehr zu finden ist. (2 Sam 17,7-13)

Hushais Rat ist grundverschieden vom Rat seines Rivalen! Im ersten Absatz legt er
großes Gewicht auf Davids Erfahrung als Krieger, der, gerade wenn man ihn in die
Ecke treibt, am gefährlichsten ist. Seine Botschaft ist das genaue Gegenteil von der
Ahitofels: Handle nicht überstürzt, denn das Kriegsglück kann sich wenden. Auf
diese Weise gewinnt Huschai Zeit, die bekanntlich von entscheidender Bedeutung
ist, wenn David unverletzt über den Jordan entkommen will.

Im zweiten Absatz (2 Sam 17,11-13) verbindet Huschai Raum und Zeit und
spielt durch Schmeichelei mit der Selbstliebe des Prinzen. Abschalom wird zuerst
eine Volksarmee einberufen müssen, was allein schon mindestens eine Woche
erfordert. Als nächstes setzt er drei oder vier Metaphern ein, um den neuen König
zu überwältigen: Der Sand am Meer ist ein Bild für die große Zahl und zugleich
eine Anspielung auf das den Stammesvätern gegebene Versprechen. Weiter gibt es
den Tau, der am Morgen alles bedeckt, und die großartige Übertreibung, dass die
niedergerissene Stadt ins Flussbett gezogen wird. Mit dem Hinweis, dass der neue
König durch seine prächtige Erscheinung die Truppen begeistern werde, wenn er
sie selbst in die Schlacht führt, kitzelt Huschai schließlich die persönliche Eitelkeit
Abschaloms.

Das klingt durchaus verführerisch, doch fragt sich der neutrale Beobachter
aufgrund seines Vorwissens (Huschai ist ein Spion), ob das meiste davon nicht
bloße Rhetorik ist. Welcher der beiden Ratgeber wird den Wettstreit gewinnen?
Und sind wir außerhalb der erzählten Welt überhaupt in der Lage zu beurteilen,
wer Unrecht hat und weshalb? Der Kriegsrat jedenfalls lässt sich überreden, wie
wir in Vers 14a erfahren: „Da sagten Abschalom und alle Israeliten: Der Rat des
Arkiters Huschais ist besser als der Rat Ahitofels." Doch dann folgt Vers 14b, der
aus nur einem zusammengesetzten Satz besteht und einen radikalen Eingriff des
Erzählers darstellt: Der Herr hatte es nämlich so bestimmt; der gute Rat Ahitofels
sollte durchkreuzt werden, weil der Herr Unheil über Abschalom bringen wollte.
(2 Sam 17,14)

Hier geschieht eine Menge gleichzeitig, trotz (aber auch wegen) des Umstands,
dass dieser Satz nicht zum Fluss der Nebenhandlungen gehört, sondern eine
Auskunft gibt. Wir hören die Stimme des Erzählers, der in seiner Allwissenheit
den Himmel befragte und uns nun das Ergebnis mitteilt. Zudem nimmt seine
Mitteilung den Ausgang der Schlacht vorweg und ist somit eine Prolepsis, d.h. ein
Mittel, das ein guter Erzähler nur sparsam einsetzt. Dadurch, dass er beiläufig das

Wort „gut" einfließen lässt, sorgt der Erzähler dafür, dass kein Zweifel besteht, wie es um die Güte der beiden Ratschläge bestellt war. Ahitofels Rat war einwandfrei, wie wir jetzt wissen, so dass der gegnerische Plan Huschais insofern „schlecht" ist, als er vernichtend für Abschalom und seinen Thron ist. Dass wir uns darüber wirklich im Klaren sind, hält der Autor für so wichtig, dass er es uns ausnahmsweise selbst erklärt. Das kostet ihn einen starken Trumpf, nämlich den der Spannung. Wir teilen nun sein Vorwissen über den Ausgang des gesamten Staatsstreichs und beunruhigen uns nicht übermäßig, als der Spion Huschai die Entscheidung von Abschaloms Kriegsrat an David übermitteln lässt und seine beiden Boten nur knapp der Verhaftung entgehen (17,15-22). Auch in Kapitel 18 ist längst alle Spannung über den Ausgang der militärischen Auseinandersetzung jenseits des Jordans gewichen. Der Autor kann allenfalls noch die Geschichte auf so interessante Weise erzählen, dass durch die Frage, *wie* es passieren wird und wie David den Untergang seines Sohnes hinnehmen wird, ein wenig Spannung erhalten bleibt.

Aus dem Eingriff in 17,14b können wir schlussfolgern, dass es der Autor mitunter vorzieht, den Leser vor Gewissheiten zu stellen, anstatt unbedingt Spannung zu erzeugen und als Mittel einzusetzen. Zugleich widerruft „Jahwes Anordnung" eine weitere Nebenbemerkung des Erzählers, die uns das Schlimmste für David befürchten ließ: „Ein Rat, den Ahitofel gab, galt in jenen Tagen so viel, als hätte man ein Gotteswort erbeten. So viel galt jeder Rat Ahitofels, bei David wie bei Abschalom." (2 Sam 16,23)

Dies ist ein seltener – man könnte fast sagen, ein blasphemischer – Vergleich: Das Wort des Menschen A genießt das Ansehen eines wahren Orakels (Wort Gottes). Der Vers stellt ganz klar heraus, wogegen Huschai ganz allein anzukämpfen hatte! Ich werde weiter unten noch einmal auf Huschais rhetorisches Glanzstück eingehen, wenn ich Charakterisierung und Erzählperspektiven erörtere.

Das Programm des Buchs der Richter

Ich werde noch zwei weitere Beispiele für die Problematik des Vorwissens erörtern, die für die Lektüre von Richter 2 und 2 Samuel 8 von großer Bedeutung ist. Unser gesamtes Verständnis des Buchs der Richter wird weitgehend von zwei zentralen Passagen bestimmt und kontrolliert. Die eine ist programmatisch und stellt ein zyklisches Schema der Epoche der Richter dar, die andere ist die einzige im Buch, die dieses Muster perfekt vor Augen führt.

Im Hebräischen unterschiedet man zwischen verbalen Aspekten: zwischen einer einmaligen Handlung und einer sich wiederholenden Gewohnheit. Als solche Gewohnheit entwirft Richter 2,11-19 ein allgemeines Schema der Richterzeit. Die Geschichte Israels folgte damals im Wesentlichen einem tristen Zyklus von sechs Phasen: Abwendung von Gott durch Götzendienst – Gottes Zorn – Bedrängung eines Teils Israels durch Feinde – Schreien des Volkes nach Gottes Hilfe – Gott schickt einen Retter – Frieden im Land. Abgesehen von der Wiederholung in der

Vergangenheitsform hat dieser Richter-Text eine weitere bemerkenswerte Eigenschaft: Er schaut voraus in die erzählte Zeit, von der die Kapitel 3-21 berichtet werden. Der Abschnitt ist daher ein Vorgriff, eine Prolepse und somit ein eindrucksvoller Fall von Vorwissen, das dem Leser mitgegeben wird.

Dieses Sechs-Phasen-Muster beherrscht das gesamte narrative Material des Richter-Buches bis zum Simson-Zyklus, wird aber besonders in den Geschichten über Ehud, Debora, Gideon und Jeftah kenntlich (Ri 3-8). Im Verlauf des Buchs wird die Regelmäßigkeit des Zyklus mehr und mehr beeinträchtigt, während die Atmosphäre düsterer und gewalttätiger wird. Ohne eine zentrale Autorität – „in jenen Tagen war kein König in Israel" – verfällt das auserwählte Volk in Verbrechen, Anarchie, Bürgerkrieg und völliges Chaos (Ri 17-21).

Ein Abschnitt über einen frühen Richter namens Otniel aus dem Stamme Kalebs zeigt vollständig diesen sechsphasigen Zyklus (3,5-11). Der Text ist so kurz, dass er weitgehend aus den starren Formeln des Musters zusammengesetzt ist. Dafür kommen allerdings auch kaum individuelle Züge darin zum Vorschein. Die Absicht des Autors ist, das Muster von 2,11-19 einmal kompakt und in Idealform am Beispiel des ersten Richters vorzuführen. Auf diese Weise werden wir für das Kommende vorbereitet, unsere Aufgabe besteht daher im Folgenden darin, die späteren Richter in das entwickelte Grundmuster einzuordnen oder ihre Abweichungen von diesem festzustellen.

Wenn wir zum Beispiel den Schluss des Gideon-Zyklus lesen, erkennen wir in 8,28 unschwer die letzte Formel des Schemas (Frieden im Land), wissen aber zugleich aus Vers 27, dass der Held sogar in seinem eigenen Zyklus bereits den Keim für neues Unheil legt, bevor die nächsten Verse zur langen und blutigen Geschichte von Abimelech überleiten:

> (27) Gideon machte ein Efod [aus dem erbeuteten Gold] und stellte es in seiner Stadt Ofra auf. Und ganz Israel trieb dort damit Abgötterei. Das brachte Gideon und sein Haus zu Fall.
> (28) Midian aber war von den Israeliten gedemütigt, so daß es sein Haupt nicht mehr erheben konnte. Das Land hatte dann vierzig Jahre lang Ruhe, solange Gideon lebte.
> (29-32) Jerubbaal, der Sohn des Joasch, ging heim und blieb bei seiner Familie. Gideon hatte siebzig leibliche Söhne, denn er hatte viele Frauen. Auch seine Nebenfrau, die in Sichem war, gebar ihm einen Sohn; dem gab er den Namen Abimelech. Gideon, der Sohn des Joasch, starb in hohem Alter und wurde im Grab seines Vaters Joasch in Ofra, der Stadt der Abiësriter, begraben.
> (33-35) Als Gideon tot war, trieben die Israeliten wieder Abgötterei mit den Baalen und machten den „Baal des Bundes" zu ihrem Gott. Die Israeliten dachten nicht mehr an den Herrn, ihren Gott, der sie aus der Gewalt all ihrer Feinde ringsum befreit hatte. Auch dem Haus Jerubbaal-Gideon erwiesen sie kein Wohlwollen, wie es all dem Guten entsprochen hätte, das es für Israel getan hatte. (Ri 8,27-35)

Man achte auf die AB-B'A'-Sequenz, die die Verse 29-32 bilden: Die äußeren Verse 29 und 32 informieren über Haus und Grab sowie die Bezeichnung „Sohn des Joasch", sie schärfen damit ein, wie sehr Gideon Teil seiner Familie ist. Die beiden inneren Verse kontrastieren die „vielen Frauen" (im Lichte von Dtn 17,17 ist dies nicht gerade ein Kompliment für Gideon!) mit der einen Nebenfrau. Der Unterschied zwischen den 70 anerkannten Söhnen und dem einen verstoßenen Sohn entwickelt sich in Richter 9,2 rasch zu einem dramatischen Gegensatz, der zu einem Gemetzel führen wird. Und hier erkennen wir nun, in welcher Beziehung 8,27 zu Kapitel 9 steht: Gideon sät Wind und erntet Sturm, wenngleich postum. Nach 8,28 (Schlussphase) und 8,33-34 (Beginn eines neuen Zyklus: Apostasie), erwarten wir aufgrund des Sechs-Phasen-Musters eine neue Invasion aus dem Ausland. So dass wir hier mit einer negativen Klimax konfrontiert werden: Die Tyrannei kommt jetzt von innen, aus der Dynastie jenes Mannes, der (tief in seinem Herzen) König sein wollte und es (seinen Worten nach) gar nicht sein wollte, und der in 8,26-27 mit schlechtem Beispiel vorangegangen war. Bis 10,6-8 kommt kein neuer Zyklus in Gang, in dem andere Nationen eine Rolle spielen.

Davids Eroberungen

Auch in 2 Samuel 8 wird Vorwissen eingesetzt, diesmal ist es aber von ganz anderer Art. Das Kapitel enthält eine umfassende Aufzählung der Eroberungen Davids, es steht am Ende eines Abschnitts, der aus zwei Gruppen von Geschichten besteht. Die erste (2 Sam 2-5,16) erzählt, wie David kurz nach dem Tode Sauls zum König seines eigenen Stammes Juda wurde und dank des Pakts mit Abner ein vereintes Königreich gründet, das alle Stämme Israels umfasst. Die zweite Gruppe (5,17-8,18) berichtet über die Festigung von Davids Herrschaft, an sie schließt die Aufzählung der Eroberungen in Kapitel 8 recht passend an.

Durch diese Komposition hat sich der Autor seiner Aufgabe als Historiker entledigt. Und dies passt ihm nur zu gut, da er sich im vierten Teil der Samuel-Bücher (2 Sam 9-20 und 1 Kön 1-2) auf den gefestigten König David und die Geschichten vom Hofe konzentrieren will. Mit der Aufzählung von Kapitel 8, die alle späteren Eroberungen schon vorwegnimmt, bekommt er daher die Hände frei für die Geschichte von Davids moralischem und religiösem Niedergang, bei dem der König seine Entschlusskraft verliert und ständig von den Ereignissen überholt wird: David beginnt unter Realitätsverlust zu leiden, weil andere (vor allem seine Söhne, welche Davids Geschichte von *sex and crime* fortsetzen) ihn unablässig mit Hintertücken und Problemen konfrontieren.

Erzählperspektiven

Unser Wissen über eine erzählte Situation wird größer, wenn wir uns fragen, aus wessen Perspektive wir sie eigentlich betrachten. Ich möchte mit 2 Samuel 15,19-20 ein kleines, aber aussagekräftiges Beispiel untersuchen. Als David sich auf den Marsch nach Osten begibt, setzt sich auch sein General Ittai mit seinen 600 philistäischen Söldnern in Bewegung.

Da sagte der König zu Ittai aus Gat: Warum willst auch du mit uns gehen? Kehr um und bleib beim König! Denn du bist ein Ausländer und aus deiner Heimat verbannt. Erst gestern bist du gekommen – und schon heute sollte ich dich aufjagen, um mit uns zu gehen? Ich gehe, wohin ich eben gehe. Du aber kehr um und nimm deine Landsleute mit! (2 Sam 15,19-20)

Der Erzähler bezeichnet den Sprecher nicht mit seinem Eigennamen David, sondern nennt ihn „der König". Dies steht jedoch in offensichtlichem Widerspruch zu dem zweiten „König" im Satz „bleib beim König". Der Leser mag für einen Augenblick verwirrt sein: Auf wen bezieht sich diese Rede? Doch sobald wir uns fragen, aus wessen Perspektive hier erzählt wird, so wird klar, dass dieser zweite „König" sich auf den Aufrührer Abschalom bezieht, gleichwohl es die Rede Davids ist, der keine Absicht hat, seinen Thron kampflos aufzugeben. Der Sprecher David zeigt, wie sehr er sich mit den Interessen Ittais und seiner Truppe identifiziert hat. Nun, da er seiner Macht beraubt wurde, ist er loyal genug, seinen Söldnern wieder die freie Wahl zu lassen: Für ihr Geschick und ihre Zukunft ist es besser, wenn sie ihre Dienste dem neuen König anbieten. Worauf Ittai seinen Herrscher schließlich an Loyalität übertrifft und darauf besteht, David auf seiner gefahrvollen Reise zu folgen. Anhand des ersten „König" hat uns der Erzähler einen Hinweis auf seine eigene Position in der Konfrontation von David und Abschalom gegeben: Er betrachtet den Flüchtling immer noch als den König und verwendet weiterhin diesen Titel (2 Sam 15, 21a, 23, 25a, 27a; vgl. 16,2a, 3a-5a, 14).

„Siehe"

Der Begriff Erzählperspektive [point of view] umfasst unterschiedliche Formen der Perspektivierung. Eine der einfachsten Formen hat direkt mit „sehen" zu tun. Eine Person schaut auf und bemerkt plötzlich: „Ach, da geht ja X". Die Interjektion signalisiert, dass der Beobachter gerade etwas entdeckt oder über etwas staunt. Was unmittelbar darauf folgt, ist die Beobachtung der Figur selbst, oft in ihren eigenen Worten. Im Hebräischen wird für diese Interjektion das Wort *hinneh*[13] verwendet, das oft mit „siehe" oder „siehe da" übersetzt wird. Dazu einige Beispiele:

[Nachdem Ittai sich auf Davids Seite geschlagen hat und sie das direkt unterhalb der Ostmauer Jerusalems gelegene Kidrontal mit seiner Symbolik von Demütigung und Tod durchquert haben:]
Und siehe, auch Zadok und alle die Leviten um ihn, die die Bundeslade trugen, waren dabei. (2 Sam 15,24)

Als David auf den Gipfel des Berges kam, auf dem man sich vor Gott niederwirft, siehe, da kam ihm der Arkiter Huschai entgegen, mit zerrissenen Kleidern und Erde auf dem Haupt. (2 Sam 15,32)

---

13 Die von uns herangezogene Einheitsübersetzung der Bibel übersetzt *hinneh* nicht einheitlich mit *siehe*, so dass wir die Übersetzung im Sinne der Argumentation angepasst haben. [A.d.Ü.]

In diesen beiden Texten beschreiben die Worte des Erzählers den tatsächlichen Standpunkt Davids, also die *perzeptuelle* Perspektive der Figur. Der König sieht auf und ist überrascht, die Priester und seinen Freund Huschai zu sehen, die ihm durch ihre Anwesenheit ihre Unterstützung beweisen. Die zwei anschließenden Begegnungen auf dem Gipfel des Ölbergs werden ebenfalls überwiegend aus Davids Perspektive erzählt: 16,1-2 und 16,5 ff.

Das Wort „siehe" (*hinneh*) wird oft auch verwendet, um das Augenmerk auf etwas Besonderes zu lenken. In Genesis 27 legt es der Autor viermal in den Mund einer Figur und macht es so zu einer Serie:

Gen 27,2 [Isaak zu Esau] *Siehe*, ich bin alt geworden. Ich weiß nicht, wann ich sterbe. [Anschließend folgt der Befehl, Wild zu jagen und daraus ein Gericht zu bereiten, damit er den Segen erhalte.]
27,6 [Rebekka zu Jakob] *Siehe*, ich habe gehört, wie dein Vater zu deinem Bruder Esau gesagt hat: [danach gibt die Mutter den Auftrag wieder und bespricht mit Jakob ihren Gegenvorschlag].
27,11-12 [Jakobs Antwort an Rebekka] *Siehe*, mein Bruder Esau ist aber behaart und ich habe eine glatte Haut. Vielleicht betastet mich mein Vater. [Jakob fürchtet ein „technisches" Problem und will nicht zu leicht ertappt werden, hat jedoch keine Gewissensskrupel gegen den Betrug selbst …]
27,26-27 [Isaak bemüht all seine Sinne, um herauszufinden, wer vor ihm steht. Er isst von dem Gericht, das Jakob ihm reicht, ist aber immer noch unsicher.] „Komm näher und küss mich, mein Sohn!" Er trat näher und küsste ihn. Isaak roch den Duft seiner Kleider, er segnete ihn und sagte: „*Siehe*, mein Sohn duftet wie das Feld, das der Herr gesegnet hat."

Diese Serie stellt eine Verknüpfungsform dar und ist Aufforderung an den Leser, die Zusammenhänge zwischen diesen Abschnitten herauszuarbeiten. Das Signal *siehe* taucht in regelmäßigen Abständen in den Versen 2, 6, 11 auf und dient als Wegweiser für die Informationen: Der Sprecher gibt ein paar Informationen preis und entfaltet dann seinen Plan. Schließlich kulminiert die Serie: Das vierte Vorkommnis in Vers 27 signalisiert den Höhepunkt, als Isaak, zwischen den widersprüchlichen Informationen seines Hör- und Tastsinns hin- und hergerissen, sich schließlich vom Schmecken und Riechen beeindrucken lässt und eine Entscheidung fällt. Er fügt sich schließlich in seine Aufgabe und segnet den Sohn, von dem wir wissen, dass er (moralisch und kurzfristig gesehen) der Falsche, (langfristig und aus der Perspektive der Vorsehung gesehen) aber dennoch der Richtige ist.

Die Serie allerdings ist noch nicht abgeschlossen. Im Abschnitt der Segnung und in der Warnung Rebekkas wird das Signal „siehe" ebenfalls verwendet:

27,37 [Isaak zu Esau, der zu spät kommt] *Siehe*, ich habe ihn zum Herrn über dich gemacht. [In V. 39-40 folgt dann der entgegengesetzte Segen für Esau.]

27,42-43 [Rebekka warnt Jakob] *Siehe*, dein Bruder Esau will sich an dir rächen und dich töten. Nun aber, mein Sohn, hör auf mich! Mach dich auf und flieh zu meinem Bruder Laban nach Haran!

Dieses Signal für Aufmerksamkeit, Information und Beobachtung entspricht weitgehend der Einteilung in sechs Szenen, in denen immer ein Elternteil zu einem Kind spricht. „Siehe" hat in Genesis 27 also auch eine strukturelle Funktion, da es zur Gliederung der Dialoge beiträgt.

Am Schluss von Richter 4 wird „siehe" zweimal verwendet. Als die Schlacht vorüber ist und die Massenszenen hinter uns sind, folgen zwei Szenen mit einzelnen Figuren: der geflohene General Sisera mit Jael, die ihn tötet (V. 17-21), und schließlich die Ankunft seines Verfolgers Barak bei Jaels Zelt (V. 22-23). Das erste „siehe" ist ein Hinweis des Erzählers, der unsere Aufmerksamkeit auf Baraks Erscheinen lenkt, das zweite ist die genaue Festschreibung des Beobachterstandpunkts der Figur. Das Treffen von Barak und Jael ist ebenso ernüchternd wie aufschlussreich, denn als Barak das Zelt betritt, wird ihm beim Anblick des toten Sisera klar, dass es hier keine Ehre mehr für ihn zu gewinnen gibt. Der Anfang und das Ende des dramatischen Schlusses wurden durch das Signalwort *hinneh* gekennzeichnet. Das zweite „siehe" ist für uns eine ironische Klimax, für Barak jedoch eine Anti-Klimax:

> [in Vers 21 stirbt Sisera, er wird im Schlaf getötet] Und *siehe*, als Barak Sisera nachjagte, da ging Jael hinaus, ihm entgegen, und sagte zu ihm: Komm, ich zeige dir den Mann, den du suchst! Und er ging mit ihr hinein, und *siehe*, Sisera lag tot am Boden mit dem Pflock in seiner Schläfe. (Ri 4,22)

Konzeptuelle und emotionale Erzählperspektiven: Ittai und Huschai

Die perzeptuelle Erzählperspektive lässt sich noch relativ leicht am biblischen Text bestimmen. Um hingegen die emotionale und die konzeptuelle Perspektive herauszuarbeiten, bedarf es weit größerer Aufmerksamkeit. Die Art und Weise, wie echte Menschen aus Fleisch und Blut Dinge betrachten, wird normalerweise durch ihre Interessen ebenso bestimmt wie durch ihre gesellschaftliche und ökonomische Stellung, ihre Herkunft, Veranlagungen und Erziehung, ihre Wünsche und Pläne. Dasselbe gilt für viele literarische Figuren. Auch sie betrachten ihre Situation meist durch eine ganz bestimmte Brille, die selten neutral oder objektiv ist.

Die konzeptuelle und emotionale Perspektive lässt sich recht gut anhand des obigen Beispiels veranschaulichen, als David fliehen musste und bereit war, seinen General Ittai von seinen Pflichten gegenüber dem entmachteten König zu befreien. Durch seinen Vorschlag, Ittai möge „bei dem König" bleiben (d.h. bei Abschalom!), stellt David ungewöhnlicherweise sein Eigeninteresse zurück und identifiziert sich mit der ungewissen Lage des Söldners, der als übergelaufener Philister nirgendwohin kann. Die Fortsetzung ist erfreulich: Gerade dadurch, dass David seinen Kommandanten und dessen Regiment aufgibt, gewinnt er sie zurück und versichert sich ihrer unbedingten Loyalität. Der Autor gibt dem eine bestimmte Form und einen bestimmten Raum, wenn er Ittai sagen lässt:

Doch Ittai erwiderte dem König: So wahr der Herr lebt und so wahr mein Herr, der König, lebt: Nur an dem Ort, wo mein Herr, der König, ist, dort wird auch dein Diener sein, sei es um zu leben oder um zu sterben. (2 Sam 15,21)

Dies ist nichts Geringeres als ein Eid, die stärkste und am meisten bindende Sprachform überhaupt, und er schwört nicht nur beim Leben des Herrn, sondern auch bei dem des Königs – eine schmeichelhafte Parallele. Außer am Anfang des Eids ist sein Inhalt klar durch zwei bzw. drei Paare strukturiert: Durch das allumfassende Paar Leben/Tod (eine *Merismus* genannte Redefigur) deutet der Sprecher an, dass er seinem Herrn in allen erdenklichen Lagen beistehen wird. Er wird das Schicksal des Königs teilen, daher auch die Spiegelung von „an dem Ort … sein wird" und „dort wird … sein". Die durch diese Symmetrien mitgeteilte Botschaft lautet: Einheit und Unzertrennlichkeit. Dies ist die emotionale, zugleich aber auch die militärische und politische Perspektive dieses Berufssoldaten.

Die wichtigste Quelle für die emotionalen und konzeptuellen Perspektiven der literarischen Figuren sind ihre Worte, sofern sie uns bzw. ihre Dialogpartner nicht vorsätzlich hinters Licht damit führen. Wir sollten also wachsam bleiben und stets die Reden gegen die Handlungen der Figuren abwägen, wobei uns das Vorwissen aus der Geschichte behilflich sein kann. Nehmen wir zum Beispiel Huschai, dem von David befohlen wird, nicht mit ihm zu fliehen, sondern in die Höhle des Löwen zurückzukehren, um Abschalom und Ahitofel aufzuhalten (2 Sam 15,32-36). Der Zeitaspekt von Vers 37 ist aufschlussreich: „Da erreichte Huschai, der Freund Davids, die Stadt, gerade als Abschalom in Jerusalem einzog." Die betonte Gleichzeitigkeit stellt das Kommen von Abschalom und Gehen von David in einen gemeinsamen Rahmen: Huschai und David haben sich auf dem Gipfel des Ölbergs getrennt, von wo aus der König hinter dem Hügel aus der Stadt verschwindet. Wenn wir annehmen, dass Huschai realistischerweise eine halbe Stunde benötigt, um vom Ölberg zum Osttor der Stadt zurückzukehren, so ergäbe sich, dass Abschalom, der in diesem Moment das Südtor erreicht, eine halbe Stunde zuvor am südlichen Horizont aufgetaucht ist – eben im Moment des Gesprächs zwischen David und Huschai. Abschalom hat also gerade so verpasst, wie sein Vater über den Ölberg davonzog, und es ist unschwer zu erraten, was er getan hätte, wenn er ihn noch erblickt hätte; Ahitofels Rat wäre überflüssig gewesen.

Ich werde nun nachzeichnen, wie sich Huschai an Abschalom wendet, und dabei in jeder Phase die jeweilige Perspektive im Auge behalten. Ihr Treffen wird in 2 Samuel 16,15-19 beschrieben. Es gibt zwei Ebenen des Wissens, da Abschalom nicht weiß, dass Huschai ihm gegenüber ein Verräter ist, wohingegen wir es wissen. Abschalom weiß aber, dass Huschai „der Freund Davids" ist, was ihn verdächtig macht. Huschais erste Aufgabe besteht mithin darin, diesen Verdacht zu zerstreuen, bevor er seine nächsten subversiven Schritte planen kann.

Als der Arkiter Huschai, der Freund Davids, zu Abschalom kam,
sagte er zu Abschalom: „Es lebe der König, es lebe der König!"
Aber Abschalom sagte zu Huschai:

„Sieht so die Liebe zu deinem Freund aus?
Warum bist du nicht mit deinem Freund gegangen?"
Da sagte Huschai zu Abschalom:
„Nein, ich gehöre vielmehr zu dem, den der Herr und dieses Volk und alle Israeliten
erwählt haben; bei ihm will ich bleiben.
Und außerdem: Wem soll ich denn dienen, wenn nicht Davids Sohn?
Wie ich vor den Augen deines Vaters Dienst getan habe, so will ich auch dir zur Ver-
fügung stehen."
(2 Sam 16,16-19)

Es erscheint zunächst überflüssig, dass der Autor Huschai in Vers 16 erneut einen
„Freund Davids" nennt, gewinnt aber eine gewisse Berechtigung, wenn wir annehmen, dass diese Apposition die Perspektive des Autors ausdrückt. Funktional ist
diese Wiederholung (der „Freund Davids" wurde schon in 15,37 erwähnt) ein
Hinweis an den Leser: Schau, wie diese Freundschaft im Gespräch mit Abschalom
auf die Probe gestellt wird. Der Reiz dieser Szene liegt mithin in ihrer starken
Mehrdeutigkeit. Abschaloms Position ist völlig verständlich und genau das, was
wir erwarten würden. Es ist sein Recht, unangenehme Fragen zu stellen und
Huschais Loyalität zu prüfen. Bis zur Hälfte der Szene hören wir das Wort „Freund"
dreimal. Huschai setzt dem, um seine neue Loyalität zu symbolisieren, eine Trias
entgegen: Gott/Volk/Soldaten. In den Ohren des eingebildeten Abschalom klingt
Huschais Antwort hervorragend. Er scheint Abschaloms Herrschaft anzuerkennen. Sogar zweimal ruft er die Formel „Es lebe der König". Zudem hält sich der
Prinz für das Subjekt von Huschais pathetischem Satz über die Erwähltheit.
Gleichwohl merken wir, dass Huschais Worte nicht wirklich seine wahre Loyalität
gegenüber David aufheben oder ausschließen. Wenn Huschai sagt: „Es lebe der
König!", so bedeutet das für ihn: „Es lebe König David!" Selbst sein letzter Satz
kann in Hinsicht auf David gedeutet werden: So wie ich David gegenüber immer
loyal war, werde ich auch weiterhin in seinem Interesse handeln, selbst wenn du
König bist.
   Huschai hat seinen ersten Test recht gut bestanden, doch erzählt uns der Text
nicht, ob Abschalom der gleichen Meinung ist. In 16,20 wird berichtet, dass
Abschalom den Mann zu Rate zieht, den Huschai überwinden muss: Ahitofel.
Abschaloms Schweigen nach Huschais Rede sollte nicht leichthin abgetan werden.
Es kann bedeuten, dass sich Abschalom noch nicht festlegen will und die Entscheidung, Huschai zu vertrauen, noch ein wenig aufschiebt. Gemeinsam mit Huschai
schreiten wir also zum zweiten und entscheidenden Test.
   Die große Rede von 17,7-13, Huschais Feuerprobe als Redner, wurde bereits
hinsichtlich der Wissensebenen erörtert. Die in ihr konkurrierenden Erzählperspektiven verdienen aber ebenfalls unsere Aufmerksamkeit. Enorm ist die Herausforderung für Huschai, den strategisch richtigen Rat Ahitofels (sofort den Flüchtlingen zu folgen und nur David zu fangen) zu begegnen: Er muss Davids Sache
voranbringen und es zugleich so aussehen lassen, als würde er Abschaloms Interessen fördern. Wie wir gesehen haben, gelingt ihm dies durch fast übertriebene Rhetorik, Schmeichelei und Einschüchterung des Publikums.

Huschais Meisterwerk liegt freilich eine noch schwerere Herausforderung für den Autor der Erzählung zugrunde. Er muss Huschai nicht nur so durch seinen Erzähler sprechen lassen, dass Abschalom vollständig davon überzeugt wird, dass sein Vorschlag der massiven Kriegführung und Aufbietung einer Volksarmee besser ist als Ahitofels stimmige Worte, sondern er muss es vor allem auch so konstruieren, dass Abschaloms Einlenken uns Lesern glaubhaft erscheint, obwohl wir es besser wissen. Die Rede muss also zugleich überzeugend sein und es uns ermöglichen, (außerhalb der inneren Geschichte) die Blase von Huschais Rhetorik platzen zu lassen und festzustellen, dass es Schwulst und Trug ist. Kurzum, der Autor muss das Unvereinbare miteinander vereinbaren. Da dies ein gewagtes Unterfangen ist und wir Gefahr laufen, uns von der rhetorischen Vorstellung fast genauso fesseln zu lassen wie Abschalom, geht der Autor lieber auf Nummer sicher und fügt mit dem allwissenden Hinweis auf den Willen des Herrn ein Signal ein (17,14b), das die gesamte Mehrdeutigkeit aufhebt und uns genau erklärt, was „gut" und was „schlecht" ist – d.h. was im Interesse von Abschaloms Staatsstreich ist und was nicht.

Die Mehrdeutigkeit verlangt auch dem Leser einiges ab. Wir werden unserer Aufgabe von 17,7-13 (Huschai und Abschalom) nur dann gerecht, wenn wir der Rede zwei sich gegenseitig ausschließende Interpretationen zuordnen und gleichzeitig erkennen, dass es nur einen Text gibt. Die eine Lektüre entfaltet sämtliche Bedeutungen, die für Abschalom sprechen, die andere hingegen verfolgt die Spur, die sich gegen Abschalom richtet. Innerhalb der Geschichte sind die Deutung der Rhetorik durch Abschalom und die Deutung, die wir ihr zusammen mit Huschai in seiner geheimen Rolle als Davids Freund geben, zwei geschlossene Kreisläufe, die sich nicht berühren oder stören. Auf der „außerhalb" der Geschichte zu verortenden Kommunikationsebene von Geschichte und Leser befinden wir uns allerdings sowohl innerhalb der getrennten Kreisläufe von Verstehen und Mitfühlen, als auch außerhalb von ihnen, wobei wir das Unvereinbare auf unsere Weise miteinander vereinbaren. Für uns besteht unvermindert die Herausforderung durch den Text, der ein einzelnes Ganzes geblieben ist.

STIMMEN UND FIGUREN

Die Ordnungen der Rede: ‚Dialog' im Deuteronomium

Der erste Schritt einer literarischen Analyse besteht gewöhnlich darin, die verschiedenen ‚Stimmen' eines Textes zu unterscheiden. Der erste Schritt bei einem Erzähltext ist es, den Erzähler zu identifizieren, also jene vom Autor zu unterscheidende Instanz innerhalb des Textes, die uns die Geschichte vorträgt. Der Unterschied von Autor und Erzähler ist dabei von grundlegender Bedeutung und hat eigentlich erst die Narratologie als Disziplin hervorgebracht, die nicht mehr (biographisch oder literaturgeschichtlich) das Verhältnis von Texten zu ihren Autoren untersuchte, sondern dass von Erzählen und Erzähltem innerhalb des Textes. Auch für die Bibel ist diese Verschiebung entscheidend. Denn während die historisch-kritische Exegese dazu neigte, Brüche oder Widersprüche im Text als Symptome verschiedener Autoren zu lesen, kann man sie jetzt als Wechsel des Erzählers oder auch als Modifikation des Erzählens verstehen, denn dass ein Ereignis mehrere Male aus verschiedenen Perspektiven oder auf verschiedene Weise erzählt wird, ist für einen literarischen Text ja nichts Besonderes.

Robert Polzin hat seit langem über das Verhältnis von historisch-kritischer und literarischer Exegese gearbeitet und seine Untersuchungen gerne präzise an der Grenze der beiden Methoden positioniert. *Biblical Structuralism* (1977) versuchte nicht nur, neue narratologische und strukturalistische Methoden zu entwickeln, sondern auch die Ergebnisse der historischen Kritik neu zu interpretieren. Denn es waren ja die historisch-kritischen Exegeten, die die zahlreichen Brüche und Inkohärenzen im Text entdeckt hatten und implizit auch neue, quasistrukturale oder palimpsesthafte Textkonzepte entworfen hatten, wie Polzin in einer Relektüre bibelwissenschaftlicher Klassiker wie Julius Wellhausen und Martin Noth zeigt. Auch der vorliegende Text, der Beginn einer ambitionierten, dreibändigen Relektüre der gesamten ‚deuteronomistischen' Geschichte – also der Bücher Deuteronomium – 2. Buch der Könige in den Bänden *Moses and the Deuteronomist* (1980), *Samuel and the Deuteronomist* (1989) und *David and the Deuteronomist* (1993) –, stützt sich auf eine solche Theorie. Martin Noth und Gerhard von Rad hatten festgestellt, dass die Erzählungen der Landnahme und der Königszeit eine bestimmte Gesamtstruktur haben, die sich theologisch als Zusammenhang von Verheißung und Erfüllung verstehen lässt und formal in den immer wieder in den Zusammenhang eingeschalteten zusammenfassenden Reden manifestiert, die die heilsgeschichtliche Kohärenz der Geschichte Israels betonen. Noth ging daher davon aus, die gesamte Geschichte sei einer ‚deuteronomistischen Redaktion' unterzogen worden. Auch wenn diese Theorie in dieser Form heute umstritten ist, ist doch die Zentralstellung des Deuteronomiums für die Hebräische Bibel ebenso anerkannt wie die Erkenntnis, dass die ‚Redaktion' sich nicht in einer Zusammenfügung von Quellen erschöpfe.

Polzins Analyse setzt hier an. Ihr theoretisches Rüstzeug stammt vor allem aus dem russischen Formalismus: Uspenskijs Theorie der Komposition ermöglicht den Einstieg, die Unterscheidung der verschiedenen ‚Standpunkte‘ eines Textes. Bachtins Theorie der Vielstimmigkeit zeigt, wie die indirekte Wiedergabe solcher Standpunkte einen vielschichtigen und grundsätzlich uneindeutigen Text produziert. Denn der Erzähler muss seine Figuren nicht immer explizit charakterisieren, sondern kann ihnen auch selbst – in direkter oder indirekter Rede – das Wort erteilen. Eine solche Analyse der Stimmen der Erzählung zeigt gleichermaßen, dass man mit einfachen Mitteln und basalen theoretischen Kategorien Ordnung schaffen kann, dass aber auch jede solcher Ordnungen zugleich Zonen der Unordnung, der Verwirrung der Kategorien produziert, wo man eben nicht mehr weiß, wer spricht oder welcher Standpunkt vertreten wird. Weil jeder Text eine Gliederung verschiedener Ebenen ist, können schon kleine Irregularitäten große Effekte haben. Das kontrollierte und punktuelle Verwischen der Ebenen und Unterscheidungen, von dem ein literarischer Text wesentlich bestimmt wird, lässt sich dabei auch als ‚Dialog‘ verschiedener logischer und ideologischer Stimmen in einem Text verstehen, und dieser Dialog lädt den Text mit Bedeutung auf und gibt ihm seinen spezifisch ‚literarischen‘ Charakter.

Diese Art von Dialog liegt in der Bibel freilich selten um seiner selbst willen vor, sondern zielt immer auf die Autorität des Textes, auf dessen Immunisierung gegen Kritik und gegen die Gleichgültigkeit seiner Leser, die mit allen Mitteln in einen Austausch mit dem Text gezwungen werden sollen. Im Falle des Deuteronomiums, um das die hier ausgewählte Analyse kreist, geht es sozusagen um die Gesetzeskraft der Gesetze, die dort verkündet werden: Wie kann eigentlich ein Text mit einem maximalen normativen Anspruch geäußert werden? Scheinbar paradoxerweise wird das biblische Gesetz eben nicht als einfache, kontextlose Setzung verkündet, die, von oben herab kommend, ewige Gültigkeit beansprucht. Gerade die ‚Gesetzbücher‘ der Thorah sind nicht nur voller Geschichten, ja das Gesetz tritt eben als Geschichte der Gesetzgebung auf, sie werden auch – gerade im Deuteronomium – als komplexe Verschachtelung verschiedener ‚Erzähler‘ vorgetragen, indem ein Erzähler berichtet, was Moses berichtet, der seinerseits berichtet, was Gott gesagt hat. Und es ist gerade diese verschachtelte Reihe und die zahlreichen Unschärfen und Störungen, die sie enthält, die es dem Text nach Polzin ermöglicht, seinen einzigartigen Anspruch zu erheben. *dw*

Robert Polzin

Das Buch Deuteronomium

Das deuteronomistische Geschichtswerk

In der hebräischen Bibel wird jenes Korpus, das sich vom Buch Deuteronomium bis zum 2. Buch Könige erstreckt, das deuteronomistische Geschichtswerk genannt. Es besteht aus den sieben Büchern Deuteronomium, Josua, Richter, 1-2 Samuel und 1-2 Könige. Die folgende Analyse zielt darauf ab, das erste Buch dieses Werks, das Deuteronomium, so zu gliedern, dass die verschiedenen Standpunkte und ihre vielfältigen Beziehungen, die seine Kompositionsstruktur ausmachen, deutlich werden. Ich werde von vornherein unterstellen, dass es sich bei dem deuteronomistischen Geschichtswerk um ein einheitliches literarisches Werk handelt; diese Annahme leite ich nicht aus einer vorangegangenen historisch-kritischen Analyse ab. Als „Deuteronomist" bezeichne ich denjenigen (oder diejenigen), der als Autor oder Herausgeber für die endgültige Form des deuteronomistischen Geschichtswerks verantwortlich war. Es kann sein, dass es eine solche Person oder erkennbare Gruppe in Wirklichkeit nie gegeben hat. Ich benutze den Ausdruck daher heuristisch, als Personifizierung jener literarischen Eigenschaften und Verfahren, die die Komposition des deuteronomistischen Geschichtswerks auszumachen scheinen. Für mich stellt der Text ebenso den Charakter des Deuteronomisten dar wie den des Moses. Der Deuteronomist ist der „implizierte Autor" dieses Werks.[1]

Um einen sinnvollen Zugang zur Analyse der Textkomposition des Texts zu finden, muss man sich mit den Bewegungen auf den verschiedenen Ebenen des Texts befassen. Diese weisen häufig auf die Mittel hin, mit denen der implizierte Autor sein Werk gestaltet; sind sie erst einmal identifiziert, erlauben sie zu untersuchen, inwiefern der Autor die Reaktionen seiner Leser beeinflusst und steuert. Die verschiedenen Standpunkte des Texts werden auf verschiedene Weisen im Text repräsentiert; der Versuch, hier eine Ordnung zu finden, ist ein erster Schritt der Analyse, was ein Text oder sein Autor zu sagen scheint. Denn oft schließt sich der „Autor" dem, was er geschrieben hat, nicht an. So kann er zum Beispiel eine Meinung dem Gespött preisgeben. Ein Rahmen (*frame*) hilft uns, eine vom Autor

---

1 Den Ausdruck „implizierter Autor" verwende ich anders als Wayne Booth in: *Die Rhetorik der Erzählkunst*, Heidelberg (Quelle und Meyer) 1974 und identifiziere ihn nicht mit den Intentionen des realen Autors.

vertretene Meinung von solchen Äußerungen zu unterscheiden, die er aus diversen anderen Gründen vertritt.[2]

V. N. Volosinovs Untersuchung der entscheidenden Bedeutung der Redewiedergabe in der Analyse der Sprache[3] ermöglicht es uns, das deuteronomistische Geschichtswerk in zwei Grundeinheiten zu gliedern, die zwar quantitativ verschieden, unter dem Gesichtspunkt der Komposition dafür aber erstaunlich komplementär sind. Charakteristisch für das deuteronomistische Erzählwerk ist bekanntlich das „System von prophetischen Weissagungen und genau vermerkten Erfüllungen, das über das Werk des Deuteronomisten ausgebreitet ist".[4] Unzählige Male wiederholt sich diese Form: Zunächst gibt ein Prophet das Wort Gottes wieder, auf das eine Beschreibung von Ereignissen folgt, mit der ausdrücklichen Behauptung, dass sich diese Ereignisse so begeben haben, „wie Jahwe geredet hat" (oder mit einer sinnverwandten Behauptung). Es lässt sich aber auch auf das Werk des Deuteronomisten *in toto* übertragen, denn es scheint zugleich die Beziehung der beiden größten Textsegmente zu bestimmen. Die einfachste Gliederung des deuteronomistischen Geschichtswerks führt zu einer Trennung des Buchs Deuteronomium von den Büchern Josua bis 2 Könige. Dabei stellen wir fest, dass das nahezu vollständig aus einer Sammlung mosaischer Reden bestehende Deuteronomium das prophetische Wort Gottes enthält, der zweite Teil Josua – 2. Buch der Könige dagegen hauptsächlich von den Ereignissen erzählt, die die „genau vermerkte Erfüllung" der Worte des Deuteronomiums darstellen.

Wie ausgewogen diese erste Einteilung ist, wird deutlich, wenn man Volosinovs Unterscheidung zwischen berichtender und berichteter Rede (*reporting and reported speech*) auf die beiden Hauptabschnitte des deuteronomistischen Geschichtswerks anwendet. Das Buch Deuteronomium enthält vierunddreißig Kapitel, die fast gänzlich berichtete Rede enthalten, überwiegend direkte Rede Moses', wohingegen nur etwa sechsundfünfzig Verse berichtende Rede des deuteronomistischen Erzählers sind, in denen der Kontext für Moses' direkte Äußerungen beschrieben wird. Josua – 2 Könige hingegen steht hauptsächlich in berichtender Rede des Erzählers; eine sehr viel kleinere Menge berichteter Rede verteilt sich über das Buch, wobei allerdings die Disproportion nicht so groß wie im Deuteronomium ist. Dort wird die berichtete Rede des Helden hervorgehoben; in Josua – 2 Könige herrscht die berichtende Rede des Erzählers vor. Es ist beinahe so, als würde uns der Deuteronomist im Deuteronomium sagen: „Dies also hat Gott im Hinblick auf Israel prophezeit", in Josua – 2 Könige hingegen: „So also wurde Gottes Wort in

---

2 Ich beginne mit der Analyse der literarischen Komposition im Sinne Boris Uspenskijs. Vgl. ders.: *Poetik der Komposition. Struktur des künstlerischen Textes und Typologie der Kompositionsform*, Frankfurt a.M. (Suhrkamp) 1975, S. 150ff. *Viewpoint* wird hier daher nicht mit „Perspektive", sondern mit „Standpunkt" wiedergegeben.

3 Valentin N. Volosinov: *Marxismus und Sprachphilosophie. Grundlegende Probleme der soziologischen Methode in der Sprachwissenschaft*, Frankfurt a.M. (Ullstein) 1975.

4 Gerhard von Rad: „Die deuteronomistische Geschichtstheologie in den Königsbüchern", in: ders.: *Gesammelte Studien zum Alten Testament*, München (Chr. Kaiser) 1961, S. 189–204, hier S. 192.

der Geschichte Israels genau erfüllt, von der Besiedlung bis zur Zerstörung Jerusalems und zum Exil".

Auch innerhalb der beiden Teile – also Deuteronomium einerseits und Josua – 2 Könige andererseits – spielt das Verhältnis von berichtender und berichteter Rede eine wichtige Rolle. In Josua – 2 Könige wird nicht nur die Geschichte von Israels beständigem Ungehorsam und den zahllosen daraus folgenden Katastrophen erzählt. Wie von Rad uns an 1–2 Könige ausführlich beschrieben hat, hebt die Erzählung systematisch die berichtete Rede der Propheten hervor, die regelmäßig auftauchen, um verschiedenen Personen das strafende Wort Gottes zu verkünden – insgesamt wird die Erzählung mindestens elfmal unterbrochen.[5] Dies dient offenbar dazu, die Josua – 2 Könige insgesamt beherrschende Perspektive zu bekräftigen: Israels Geschichte ist abhängig vom Wort Gottes, welches da ist das Buch Deuteronomium. Der berichtende Erzähler dieser Bücher wird also durch die immer wieder berichteten Worte verschiedener Propheten bei seiner Erzählung der Geschichte Israels unterstützt. Die überwiegend berichtende Erzählung des Erzählers und die berichtete Rede verschiedener Propheten innerhalb der Erzählung tragen dazu bei, dieselbe bewertende Sichtweise zu formulieren.

Im Buch Deuteronomium ist diese Beziehung dagegen umgekehrt. Die berichtete prophetische Rede ist eindeutig vorherrschend, die berichtende Erzählung ist auf ein Minimum beschränkt – gelegentlich stellt sie sogar eine verwirrende Unterbrechung dar, ein Punkt, auf den wir noch genauer eingehen werden. Hier genügt es, die spiegelbildliche Rolle der jeweiligen Verteilung von Worten des Erzählers und berichteten prophetischen Worten im Deuteronomium und in Josua – 2 Könige zu betonen. Im Deuteronomium verstärkt die unaufdringliche berichtende Rede des zurücktretenden Erzählers stellenweise die vorherrschende berichtete Rede des größten aller Propheten, nämlich Moses'. In Josua – 2 Könige treten hin und wieder geringere Propheten auf, um mit ihrer berichteten Rede die nun überwiegende und unübersehbare berichtende Rede des Erzählers zu bekräftigen.

Moses und der Erzähler des Deuteronomiums als Held und „Autor" des Buchs

1. Das Buch Deuteronomium ist überwiegend eine Folge von direkten Moses-Zitaten. Dabei sprechen in einem Fall Moses und die Stammesältesten Israels wie mit einer Stimme in direkter Rede (27,1-8), an anderer Stelle im selben Kapitel werden Moses und die levitischen Priester in direkter Rede zitiert (27,9-10), in allen übrigen Fällen spricht Moses allein. Daneben ist der Erzähler des Deuteronomiums wie Moses in der Lage, Gott in direkter Rede zu zitieren, und zwar zum Ende des Buches hin fünfmal: in 31,14b, 16-21, 23b, 32,49-52 und 34,4b.

---

5 Vgl. ebd., S. 192–195.

Das Buch ist jedoch mehr als eine bloße Aneinanderreihung von Moses' Äußerungen, die in die Äußerungen des Erzählers eingebettet sind: Moses zitiert in seinen Äußerungen beständig andere Äußerungen in direkter Rede, zum Beispiel
durchgehend in den Kapiteln 2 und 3, bei denen es sich größtenteils um verschiedene Zitate innerhalb eines Zitats handelt: Der Erzähler zitiert Moses, der
wiederum andere zitiert; man kann also von einer Äußerung (der von Moses zitierten Person) innerhalb einer Äußerung (von Moses) innerhalb einer Äußerung (des
Erzählers) sprechen. Einige Fälle sind sogar noch komplizierter: In 1,28 zum Beispiel zitiert der Erzähler Moses, der das Volk Israel zitiert, das seine Kundschafter
in Kadesch-Barnea zitiert. In 2,4-5; 32,26 und 40-42 schließlich zitiert der Erzähler Moses, der Jahwe zitiert, der sich selbst zitiert, und das alles ausnahmslos in
direkter Rede – Beispiele für eine Äußerung innerhalb einer Äußerung innerhalb
einer Äußerung innerhalb einer Äußerung.

Die Komplexität dieser Zitate in Zitaten, die den Großteil des Deuteronomiums ausmachen, wird durch die komplizierten Zeitverhältnisse noch verstärkt.
Zunächst beziehen sich Moses' Worte großteils auf vergangene Ereignisse und
Äußerungen: etwa in seiner ersten Rede in 1,6-4,40. In seiner zweiten Rede, 5,1b-
28,68, beginnt Moses dann, seine Aufmerksamkeit auf die Zukunft zu richten, und
auch die darin zitierten Äußerungen anderer drücken aus, was diese in der Zukunft
sagen werden, sagen sollten oder nicht sagen sollten, z.B. 6,20-25; 7,17; 9,4. In
Moses' dritter Rede (29,2-31,6) sind sodann alle Zitate Moses' Zitate *zukünftiger*
Aussagen anderer, was mit der nahezu vollständigen Ausrichtung der Rede auf die
ferne Zukunft übereinstimmt. In der letzten Gruppe von Moses' Äußerungen
schließlich (31,7-33,29) betonen die Zitate ebenfalls die Zukunft wie etwa 31,17b
und 32,37-42 zeigen. Auch diese Verhältnisse sind manchmal noch komplexer. In
9,26-29 zitiert der Erzähler Moses, der im Tal von Bet-Peor zitiert, was er (Moses)
am Horeb sagte, wo er gebetet hatte, dass die Ägypter später (nach dem Horeb)
nicht sagen mögen, der Herr hätte Israel verlassen.

Dieses außerordentlich komplexe Geflecht von Äußerungen innerhalb anderer
Äußerungen führt zu einer Fülle von sich überschneidenden, mal miteinander
übereinstimmenden, mal sich gegenseitig beeinträchtigenden Aussagen. So entsteht eine Vielzahl von Standpunkten, die insgesamt beim Leser einen Eindruck
von Mehrdimensionalität hervorrufen und genauere Analyse verdienen.

Der klare Held des Buchs ist Moses als Sprecher Gottes. Die einzige andere Person, die der Erzähler zitiert, ist Gott. Wir haben bereits erwähnt, dass Moses in
27,1-8 mit den Stammesältesten Israels und in 27,9-10 mit den levitischen Priestern
spricht. Es gibt somit nur zwei direkte Stimmen,[6] die zu beachten uns der Erzähler

---

6 Ich verwende den Ausdruck „Stimme" hier in Bezug auf die Unterscheidung von berichtender
   und berichteter Rede: Auf der Ausdrucksebene der Erzählung sind die Stimme oder die Worte des
   Erzählers von denen anderer Figuren in der Geschichte unterschieden. Im anderen Sinne spreche
   ich von „Stimme", um die ideologische Position des von mir rekonstruierten impliziten Autors zu
   rekonstruieren. Denn der Standpunkt des impliziten Autors ist komplex genug, um die Rede von
   verschiedenen ideologischen Stimmen zu erlauben. Die Unterscheidung von Stimmen auf der Aus-

auffordert: die von Moses und die Gottes. Das Deuteronomium kann man also als die Rede des deuteronomistischen Erzählers beschreiben, in der er nur zwei Figuren aus der Geschichte direkt zitiert, hauptsächlich Moses und manchmal Gott.

Mit Ausnahme des Dekalogs (5,6-21) erfahren wir bei keinem der von Moses zitierten Worte Gottes, dass auch das Volk sie gehört habe. Tatsächlich bemerkt Moses in Kapitel 5, dass Gott nur dann vom Volk gehört wurde, als er den Dekalog sprach: Das Volk vermied absichtlich, die anderen Worte direkt zu hören, die ihm durch Moses' Bericht übermittelt werden mussten. Der Erzähler wiederum gibt genau wie Moses die Worte Gottes direkt wieder. In 31,14b zitiert er in direkter Rede Gottes Worte zu Moses; er tut dies ebenfalls in 31,16b-21; 32,49-52 und 34,4b, darüber hinaus zitiert er auch Gottes Worte an Josua in 31,23b. Er ist also ein privilegierter Beobachter und Berichterstatter der Worte Gottes, und zwar in genau dem Sinne, in dem er Moses' Kapitel 5 charakterisiert hat. Nur zwei Personen im Deuteronomium hören und erzählen also Gottes Worte direkt (abgesehen vom Dekalog): Moses und der Erzähler des Deuteronomiums.

2. Obwohl Moses wie der Erzähler, das Privileg haben, Gottes Worte zu hören, und obwohl Moses den Großteil dieser Worte berichtet, werden doch nur die vom Erzähler wiedergegebenen *unmittelbar* wiedergegeben. Die überwiegende Mehrheit der Worte Gottes im Deuteronomium ist auf einer anderen Ebene angesiedelt, einer sekundären oder mittelbaren Ebene, indem der Erzähler Moses zitiert, der Gott zitiert. Es liegt daher nahe, die Analyse des Buchs mit der Frage zu beginnen, wie verlässlich dieser Erzähler ist und in welcher Beziehung seine Stimme zur Stimme des implizierten Autors des Buchs steht.

Das Deuteronomium betont die gesetzgebenden und richterlichen Worte Gottes, die von Moses und dem Erzähler wiedergegeben werden. Wollen wir nun Moses' Worte als denen des Erzählers untergeordnet betrachten oder ist umgekehrt das Wort des Erzählers demjenigen Moses' untergeordnet? Zunächst scheint der Erzähler die ideologische Haltung des impliziten Autors zu verkörpern, da allein er uns Moses' Worte übermittelt und indirekt damit auch die von Moses zitierten Worte Gottes: Er ist die letzte semantische Autorität des Buches. Allerdings wird man sogleich feststellen, dass er sich sehr bemüht, dass es Moses und allein Moses war, der die glaubwürdige Autorität besaß, um die Worte Gottes genau und zuverlässig zu übermitteln. Wir geraten in ein Dilemma: Der Erzähler behauptet: „Niemals wieder ist in Israel ein Prophet wie Moses aufgetreten. Ihn hat der Herr Auge in Auge berufen" (Dtn 34,10), doch zugleich ist es allein der Erzähler des Deuteronomiums, der Moses von Angesicht zu Angesicht kennt! Wenn der Weg zu Gott über Moses führt, so führt der Weg zu Moses über den Erzähler des Texts. Deutet der Leser die berichteten Worte von Moses mithilfe des berichtenden Kontexts: „Moses war der größte Prophet Gottes, deshalb glaube *ihm*, wenn er sagt …"? Oder deutet

---

drucksebene ist Werk des Autors; die Unterscheidung von ideologischen Stimmen ist das Werk des Interpreten, deren Resultat wir den „impliziten Autor" nennen.

er die berichtenden Worte des Erzählers mittels der berichteten Worte von Moses: „Moses sagte das und das, deshalb glaubt *mir*, dem Erzähler, wenn ich sage …“?

Es erscheint sinnvoll anzunehmen, dass die endgültige ideologische Haltung des Buchs sowohl in den berichtenden Worten des Erzählers, also dem Sprachrohr seines ‚Autors‘ zu suchen ist, als auch in den berichteten Worten von Moses, seinem Helden. Auffälligerweise benutzen sowohl der Erzähler als auch Moses die deuteronomistische Formel: „Gott sagte …; daher geschah genau dieses, um sein Wort zu erfüllen“. So spricht etwa Moses: „Der Herr hörte euer lautes Murren, wurde unwillig und schwor: Kein einziger von diesen Männern, von dieser verdorbenen Generation, soll das prächtige Land sehen, von dem ihr wisst: Ich habe geschworen, es euren Vätern zu geben“ (1,34-35). Oder an anderer Stelle: „Die Zeit, die wir von Kadesch-Barnea an gewandert waren, bis wir das Tal des Sered überquerten, betrug achtunddreißig Jahre. So lange dauerte es, bis die Generation der waffenfähigen Männer vollständig ausgestorben war, sodass sich keiner von ihnen mehr im Lager befand, *wie es ihnen der Herr geschworen hatte*.“ (2,14, Hvh. R.P.) Dasselbe Kompositionsmittel verwendet der Deuteronomist in den erzählenden Abschnitten, so etwa: „Der Herr sagte zu ihm [Moses]: Das ist das Land, das ich Abraham, Isaak und Jakob versprochen habe mit dem Schwur: Deinen Nachkommen werde ich es geben. Ich habe es dich mit deinen Augen schauen lassen. Hinüberziehen wirst du nicht. Danach starb Mose, der Knecht des Herrn, dort in Moab, *wie es der Herr bestimmt hatte*.“ (34,4-5, Hvh. R.P.)

Diese Stellen machen sehr deutlich, dass sich die Grundformel des deuteronomistischen Geschichtswerkes sowohl in den Äußerungen des Erzählers als auch in den Äußerungen von Moses als dem Helden des Buchs finden lassen.

Es wäre daher zu erwarten, dass wir auch auf anderen Ebenen der Komposition Charakteristika der Rede des Erzählers in der Rede seines Helden finden und umgekehrt: Beider Reden wären „zweistimmig“. Wir könnten daher fragen, ob das Deuteronomium, das zunächst als Monolog erscheint – bei dem der Erzähler deutlich betont, im Grunde mit Moses übereinzustimmen –, nicht doch einen versteckten Dialog oder gar eine versteckte Polemik enthält. Gibt es miteinander konkurrierende Standpunkte von ähnlichem Gewicht, die im Deuteronomium auf verschiedenen Kompositionsebenen repräsentiert werden? Die gerade zitierten Stellen machen deutlich, dass man die Standpunkte der dialogischen Ebene nicht einfach Moses oder dem Erzähler zuschreiben kann. Es ist aber meines Erachtens durch sorgfältige rhetorische Analyse möglich, Elemente des Textes zu bestimmen, von denen sich sagen ließe, dass sie zur eigentlichen ideologischen Haltung des Buchs gehören, so wie man andere Elemente entdecken und beschreiben kann, die diesem Gesichtspunkt eindeutig untergeordnet sind.

Die berichtende Rede des Deuteronomiums:
Die direkten Äußerungen des Erzählers

Der berichtende Kontext des Deuteronomiums umfasst nur ungefähr sechsundfünfzig Verse: 1,1-5; 2,10-12, 20-23; 3,9, 11, 13b-14; 4,41-5,1a; 10,6-7, 9; 27,1a, 9a, 11; 28,69; 29,1a; 31,1, 7a, 9-10a, 14a, 14c-16a, 22-23a, 24-25, 30; 32,44-45, 48; 33,1; 34,1-4a, 5-12. Der Rest des Buchs besteht aus Äußerungen verschiedener Personen, größtenteils von Moses, die in direkter Rede wiedergegeben werden.

1. Welches ist die Position des Erzählers des Deuteronomiums und was für eine Stimme hat er?[7] Die offensichtliche Beziehung zwischen berichtender und berichteter Rede impliziert, dass Moses' Worte denen des Erzählers zum Teil untergeordnet sind, zumindest auf der phraseologischen Ebene.[8] Obwohl der Erzähler sich bewusst im Hintergrund hält und Moses in den Vordergrund rückt, bleibt sein Wort aus spezifischen Gründen an der Oberfläche des Texts deutlich von den Worten Moses' getrennt. Der implizite Autor hätte die Stimme seines Erzählers auch vollständig mit der seines Helden verschmelzen können, wie etwa im Buch Koheleth; doch besteht er im Deuteronomium auf der phraseologischen Trennung zwischen dem Wort Moses' und dem des Erzählers. Was folgt aus einer solchen Komposition?

Die offensichtlichste Funktion der Worte des Erzählers besteht darin, Moses' Worte in Raum und Zeit zu verorten (wann, wo und unter welchen Umständen hat Moses die vom Erzähler berichteten Worte geäußert) und die herausragende Stellung zu bestimmen, die Moses als Führer und Gesetzgeber seines Volkes einnahm. Der Erzähler des Deuteronomiums bemüht sich dagegen kaum, die Worte Moses' zu deuten. Das ist auch nicht anders zu erwarten, da ja, wie immer wieder betont, die andere Hälfte des Geschichtswerks (die Bücher Josua – 2 Könige) zur Interpretation der Worte Moses' aus dem Deuteronomium dient. Die *offenkundige* Funktion der direkten Äußerungen des Erzählers im Deuteronomium besteht also darin, seinen Lesern das Wort Moses' als herausragend und Moses selbst als den größten Propheten in der Geschichte Israels zu präsentieren.

Andererseits gibt es selbst beim knappen Umfang dieser direkten Äußerungen eindeutige Anzeichen dafür, dass ihr Gehalt wie ihre Verteilung dazu dienen, die Bedeutung des Erzählers zu erhöhen, damit er für seine Zeitgenossen ebenso unabdingbar wird wie Moses für die seinen. Diesen selbstgerechten Anspruch legitimieren seine Äußerungen mit offensichtlichen und mit raffinierten Mitteln. Ich möchte nun ausführen, dass es innerhalb der scheinbar monologischen Äußerungen des Erzählers tatsächlich zwei ideologische Standpunkte gibt, die sich gegen-

---

7 In diesem Fall bezieht sich „Stimme" auf die Ausdrucksebene unserer Erzählung; es handelt sich dabei um keine Rekonstruktion, wie es die „Stimme" auf der ideologischen Ebene wäre.

8 Bei Uspenskijs *Poetik der Komposition* (Anm. 2) sind die phraseologischen, raumzeitlichen und psychologischen Ebenen auf der Oberfläche des Texts oder der Ausdrucksebene angesiedelt: Die ideologische Ebene bezieht sich auf die Tiefenstruktur oder Komposition eines Texts.

seitig überlagern und sowohl in der Erzählung wie in Moses' Äußerungen eine Spannung erzeugen.

Die meisten Worte des Erzählers bieten einen passenden Rahmen für die Worte von Moses, sodass sie den Leser weder durch ihre Anzahl noch durch ihre emotionale Kraft davon ablenken, sich den machtvollen Worten des Helden dieses Buchs zu widmen. Beispiele für die respektvolle Zurückhaltung des Erzählers finden sich in der ersten mosaischen Rede in 1,1-5 und 4,41-48, in der zweiten Rede in 5,1a und 28,69 und in der dritten in 29,1a.

Es gibt aber auch Worte des Erzählers, die den „Rahmen aufbrechen",[9] indem sie entweder den Leser durch das Einfügen von scheinbar pedantischen, erläuternden Randbemerkungen von Moses' eigentlicher Botschaft ablenken, oder schlicht Moses' Worte ohne ersichtlichen Grund unterbrechen wie etwa in Moses' kurzer dritter Rede: „Mose trat vor ganz Israel hin und sprach diese Worte" (31,1). Was bedeuten diese narrativen ‚Unterbrechungen' von Moses' Rede?

Eine typische Erklärung dieser Phänomene hält sie für editorische Eingriffe, die dazu dienen, den Text (scheinbar wahllos) zu aktualisieren, entweder durch das Erläutern veralteter Ausdrücke für die zeitgenössischen Leser oder durch Hinzufügung anderer Mosesworte, die dem Redaktor so wichtig waren, dass er sie irgendwo unterbringen wollte. Auch wenn man nicht entscheiden kann, ob diese Verse auf einen Autor oder Redaktor zurückgehen, kann man doch argumentieren, dass es sich nicht um unbedachte oder willkürliche Unterbrechungen des Texts handelt. Historisch-kritische Erklärungen dieser Verse als grobe editorische Ergänzungen können jedenfalls als voreilig betrachtet werden, wenn sich überzeugend darlegen lässt, dass solche Rahmenbrüche eine wesentliche und wichtige Funktion im Text erfüllen. Tatsächlich sind diese Brüche keine Hinweise auf die ungenaue Arbeit des Redaktors, sondern dienen dem so subtilen wie dezidierten Anspruch des Erzählers, der einzig wahrhafte Interpret von Moses' Worten zu sein. Wenden wir uns nun diesen Passagen näher zu.

2. In Moses' erster Rede in 1,6-4,40 wechselt der Text fünfmal unvermittelt von Moses' Äußerung zum Kommentar des Erzählers und wieder zurück. Zum Beispiel erinnert Moses die Israeliten in Kapitel 2 daran, wie sie auf Geheiß des Herrn vermieden hatten, durch Edom zu ziehen, und sich gen Moab wandten. Dann wechselt der Text plötzlich zu einer anderen Stimme:

> Einst saßen dort die Emiter, ein Volk, das groß, zahlreich und hoch gewachsen war wie die Anakiter. Wie die Anakiter galten auch sie als Rafaïter, die Moabiter aber nennen sie Emiter. In Seïr saßen einst die Horiter, aber deren Besitz haben die Nachkommen Esaus übernommen. Als sie vordrangen, vernichteten sie die Horiter und setzten sich an deren Stelle, so wie die Israeliten es mit dem Land taten, das ihnen der Herr zum Besitz bestimmt hatte. (2,10-12)

---

9 Erving Goffman: *Rahmen-Analyse. Ein Versuch über die Organisation von Alltagserfahrungen*, Frankfurt a.M. (Suhrkamp) 1977, S. 378.

In dieser ersten Rede gibt es vier weitere Unterbrechungen, die in ihrem pedantischen Ton und Gehalt ähnlich sind: 2,20-23; 3,9, 11, 13b-14. Es fällt dabei sofort auf, wie nebensächlich die Stellen von Moses' Rede zu sein scheinen, die der Deuteronomist hier mit erläuternden Informationen des Erzählers unterbricht. Das, was Moses hier gerade sagt, muss aus irgendwelchen Gründen wichtig für das Publikum des Deuteronomisten sein, denn die Unterbrechungen beziehen sich immer wieder auf dessen Gegenwart, etwa mit Formulierungen wie „[...] So blieb es bis heute" (2,22) oder „So heißt es noch heute" (3,14). Vorausgesetzt, dass diese Informationen nur unbedeutende Aspekte der Rede von Moses betreffen: Warum stehen sie dann überhaupt da?

Wie Uspenskij und Booth gezeigt haben, sind solche Unterbrechungen oft ein Mittel des Autors, um die Reaktionen seiner Leser zu beeinflussen.[10] Selbst wenn wir auf Grund der historischen Distanz nicht immer die Bedeutung der Informationen verstehen können, mit denen der Erzähler Moses' Rede unterbricht, so bleibt hervorzuheben, dass auch für die Autoren und Redaktoren eines antiken Werkes solche Brechungen des Rahmens (*frame-breaks*) ein Mittel sein können, ihre Leser stärker in seine Botschaft einzubeziehen. Im Deuteronomium pendelt der Leser durch diese Brüche einige Male zwischen dem ‚damals' von Moses und dem ‚heute' des Deuteronomisten, zwischen der erzählten Vergangenheit und der Gegenwart des Erzählers hin und her.

Der Erzähler scheint dabei auch geschickt den *Unterschied* zwischen Moses' Publikum und seinem eigenen Publikum zu verstärken, wodurch Letzteres, obwohl es sich auf Moses' starke Autorität und seine Botschaft konzentriert, zugleich immer wieder auf den Abstand zum früheren Publikum aufmerksam gemacht wird. Die Rahmenbrüche zwingen das deuteronomistische Publikum, sich die Tatsache, Nachfahren jener früheren Israeliten und somit nur entfernte Hörer von Moses' Lehren zu sein, vorübergehend vor Augen zu halten, um erst dann wieder die Aufmerksamkeit auf die erzählte Geschichte zu richten. Nach vier Kapiteln und fünf solchen Brüchen des Rahmens beginnt der Leser auf eine unklare und kaum bewusste Weise zu fühlen, was er am Ende des Buchs bewusst begreifen wird: dass der Autor des Deuteronomiums, vermittelt durch den Erzähler dieses Buches, für den gegenwärtigen Leser ebenso wichtig ist, wie Moses es für die früheren Israeliten war.

Wir können diesen Punkt noch genauer fassen. Für den Erzähler scheint die Funktion dieser Rahmenbrüche nicht zuletzt in dem Hinweis zu bestehen, dass er wirklich der Moses seiner Generation ist. In seiner ersten Rede blickt Moses auf die Vergangenheit zurück und führt sie als Interpret der Gegenwart und Zukunft seines Publikums ins Feld. Die Perspektive wechselt dabei zwischen dem „Tag, an dem du am Horeb vor dem Herrn, deinem Gott, standest" (4,10) und dem „heute", an dem „ich euch [diese Weisung] ... vorlege" (4,8), hin und her. Moses spricht von „dem Tag" am Horeb, um die Auslegung des Gesetzes „heute" zu ermöglichen. Wir behaupten nun, dass der Deuteronomist wiederum Moses' „heute" nimmt

---

10 Vgl. Uspenskij: *Poetik der Komposition* (Anm. 2); Wayne C. Booth: *Die Rhetorik der Erzählkunst* (Anm. 1).

und in jenen „ersten Tag des Monats" (1,3) umbildet, an dem Moses das Gesetz darlegte, um so die „heutige", d.h. die vom Deuteronomist gelieferte Interpretation von Moses' Gesetz zu fixieren, nämlich das Geschichtswerk von Josua bis 2 Könige, wie sie der Erzähler wiedergibt.

Dieser Vergleich zwischen Moses' Lehre und der des deuteronomistischen Erzählers ist umso beeindruckender angesichts der Tatsache, dass er nicht mit direkten und klaren Aussagen gemacht wird, sondern lediglich mit einer subtilen Komposition angedeutet wird. Die weitere Analyse wird zeigen, dass dieser Vergleich in den folgenden Reden noch deutlicher behauptet wird. Der Unterschied an Explizitheit ist dabei durchaus aufschlussreich: Angesichts der offenkundigen Botschaft des gesamten Geschichtswerkes („Moses war der größte Prophet Gottes: Ich, der Erzähler, bin nur sein Interpret'), ist anzunehmen, dass der Erzähler seinen Anspruch auf Gleichrangigkeit mehr oder weniger deutlich durch *Moses'* Äußerungen darstellen wird, während seine eigenen Äußerungen hier sehr viel zurückhaltender und subtiler sein werden.

Berichtete Rede im Deuteronomium:
Die erste Rede von Moses (1,6-4,40)

Eine Untersuchung dieses Umfangs kann nicht alle Äußerungen Moses' systematisch behandeln; wir werden daher punktuell einige von ihnen erörtern, die die Kompositionsbeziehungen innerhalb des Buchs veranschaulichen und für unser Verständnis der nachfolgenden Geschichte wichtig sind.

1. In Moses' erster Rede gibt es eine Reihe von Texten, die im Hinblick auf den Kontext des Berichts hervorstechen. Moses spricht etwa folgende Sätze zu Israel:

> *Auch mir grollte der Herr euretwegen* und sagte: Auch du sollst nicht in das Land hineinkommen. (1,37) Doch *euretwegen zürnte mir* der Herr und erhörte mich nicht. (3,26) Zwar hat der Herr *mir wegen eures Murrens gegrollt* und mir geschworen, ich dürfe nicht über den Jordan ziehen und das prächtige Land betreten, das der Herr, dein Gott, dir als Erbbesitz gibt. Ich muss in diesem Land hier sterben und werde nicht über den Jordan ziehen. Aber ihr werdet hinüberziehen und dieses prächtige Land in Besitz nehmen. (4,21-22, alle Hervorhebungen hinzugefügt)

Wie wir bereits gesehen haben, wird der Erzähler später Gott im selben Sinne zitieren und die Erfüllung dieses Wortes durch Moses' Tod in Moab beschreiben (34, 1-5). Während dort kein Motiv für Gottes zornigen Beschluss genannt wird, leidet Moses nach seinen eigenen Äußerungen „wegen Israel". Für sich genommen, verurteilen die mosaischen Fassungen Moses' Schicksal stärker als die berichtende Erzählung in Kapitel 34. Sind diese Variationen in irgendeiner Weise bedeutsam? Wie wir bereits gesehen haben, dient 34,1-12 als Rahmenerzählung zunächst dazu, Moses als einzigartig darzustellen, als den größten Propheten in der Geschichte

Israels. Diese Stimme steht jedoch in gewisser Spannung zu einer anderen erzählerischen Stimme, die sich besonders in den Brüchen des Rahmens zeigt und die
Moses' Stellung zugunsten des Erzählers abzuschwächen scheint.

Da wir annehmen können, dass sich in der berichteten Rede des Deuteronomiums Entsprechungen dieser beiden berichtenden und einander latent widerstreitenden Stimmen finden, können wir die Arbeitshypothese aufstellen, dass 1,37;
3,26-27 und 4,21-22 jenem Standpunkt entsprechen, der Moses' einzigartigen Status in der Erzählung leugnet. An allen drei Stellen wird Gottes *Zorn* auf Moses
wegen irgendeiner Missetat (seitens Israels, Moses' oder beider) erwähnt; daher
verurteilt Gott ihn, genauso wie Israel zu leiden. Andererseits spricht Kapitel 34
nur von Gottes *Entscheidung*, ohne auf Zorn oder ein Motiv hinzuweisen. Dieser
Unterschied ist entscheidend für unser Verständnis der beiden Standpunkte im
Deuteronomium und der Stimmen, die jene darstellen: Die eine bestätigt die Einzigartigkeit von Moses und erhöht seinen Status so weit wie möglich; die andere
tendiert dazu, ihn abzuschwächen. Wir wollen diese Stimmen innerhalb der mosaischen Äußerungen nun auch in anderen Kontexten untersuchen.

Vieles spricht dafür, dass der Dialog über Moses' einzigartigen Status gegenüber
anderen Propheten in enger Verbindung mit einem Dialog über den einzigartigen
Status Israels gegenüber anderen Nationen steht, etwa an folgender Stelle:

> Forsche doch einmal [...]: Hat sich je etwas so Großes ereignet wie dieses und hat
> man je solche Worte gehört? Hat je ein Volk einen Gott mitten aus dem Feuer im
> Donner sprechen hören, wie du ihn gehört hast, und ist am Leben geblieben? Oder
> hat je ein Gott es ebenso versucht, zu einer Nation zu kommen und sie mitten aus
> einer anderen herauszuholen unter Prüfungen, unter Zeichen, Wundern und Krieg,
> mit starker Hand und hoch erhobenem Arm und unter großen Schrecken, wie es der
> Herr, euer Gott, in Ägypten mit euch getan hat, vor deinen Augen? (4,32-34)

Hier geht es natürlich um die Einzigartigkeit von Israels Gottheit; es gibt keinen
anderen neben ihm. Doch fast ebenso wichtig ist die Frage der göttlichen Erwählung Israels, eine Erwählung, die Israel aufgrund der bevorzugten Behandlung
durch Gott einzigartig unter den Nationen macht. Aber es gibt auch andere mosaische Stimmen, die darauf abzielen, die Einzigartigkeit der Erwählung Israels *abzuschwächen*. Was Gott für Israel getan hat, hat er auch im Namen anderer Nationen
getan:

> [...] beginnt keine Feindseligkeiten gegen [die Söhne Esaus...] denn das Gebirge Seïr
> habe ich für Esau zum Besitz bestimmt. (2,5) Und der Herr sagte zu mir: Begegne
> Moab nicht feindlich, beginn keinen Kampf mit ihnen! Von ihrem Land bestimme
> ich dir kein Stück zum Besitz; denn Ar habe ich für die Nachkommen Lots zum
> Besitz bestimmt. (2,9) [...] kommst du nahe an den Ammonitern vorbei. Begegne
> ihnen nicht feindlich, beginne keine Feindseligkeiten gegen sie! Vom Land der
> Ammoniter bestimme ich dir kein Stück zum Besitz; denn ich habe es für die Nach-
> kommen Lots zum Besitz bestimmt (2,19).

Anscheinend ist Israel also nicht einzigartiger als die Söhne Esaus und Lots, denen ebenso ein Stück Land geschenkt wurde. Der Streit um Israels Status, der in den mosaischen Zitaten der Worte Gottes deutlich wird, entsteht genau bei den Rahmenbrüchen, die wir schon im Zusammenhang mit der (phraseologischen) Stimme und ihrem Streit über die Einzigartigkeit Moses' untersucht haben. Die Übereinstimmung ist verblüffend: Die Stimme, die darauf abzielt, Moses' Status abzuschwächen, tut dies auch im Falle Israels.

Als wir die Rahmenbrüche in 2,10-12 und 20-23 erörterten, war die inhaltliche Bedeutung der unterbrechenden Informationen noch nicht ersichtlich; mittlerweile ist das anders. So kommentiert der Erzähler in der zweiten Unterbrechung:

> Der Herr vernichtete die Rafaïter, als die Ammoniter eindrangen. Diese übernahmen ihren Besitz und setzten sich an ihre Stelle. Das war das Gleiche, was der Herr für die Nachkommen Esaus getan hat, die in Seïr sitzen. Als sie vordrangen, vernichtete er die Horiter. Die Nachkommen Esaus übernahmen ihren Besitz und setzten sich an ihre Stelle. So blieb es bis heute. (2,21-22)

Ebenso wie der Inhalt dieser berichtenden Äußerung zum Ausdruck bringt, dass Israel nicht einzigartig ist, so untergräbt auch ihre *Platzierung* die Einzigartigkeit von Moses, indem sie den Erzähler als gleichermaßen wichtigen Sprecher Gottes in den Vordergrund treten lässt. Vorläufig scheinen diese Aspekte sowohl in den berichtenden als auch den berichteten Äußerungen des Deuteronomiums übereinzustimmen: Einerseits hebt die Stimme, die den einzigartigen Status von Moses unter den Propheten betont, auch den einzigartigen Status Israels gegenüber anderen Nationen hervor; andererseits schwächt die Stimme, die den einzigartigen Status von Moses relativiert, auch den einzigartigen Status Israels ab.

Es gibt noch einen weiteren Aspekt dieses deuteronomistischen Dialogs, der sich bereits an Moses' erster Rede zeigt. Wie erwähnt gibt es zwei Stimmen, die über Moses' Nicht-Eintritt nach Israel berichten: Auf der einen Seite wird sein Status relativiert, Gottes Zorn und seine Strafe berichtet (1,37; 3,26-27 und 4,21-22), auf der anderen Seite enthält 34,1-5 als Teil des abschließenden narrativen Rahmens keinen Hinweis auf göttlichen Zorn oder göttliche Motive. Nach der einen Stimme scheint es sich also um eine Art Strafe zu handeln („Der Herr grollte mir euretwegen."), nach der anderen ist sie ohne Bezug zur ausgleichenden Gerechtigkeit: „Ich habe es dich […] schauen lassen. Hinüberziehen wirst du nicht" (34,4). Es dürfte offensichtlich sein, wie wichtig diese beiden Standpunkte für die Bedeutung des Exils Israels sind. Wenn wir diese Beobachtungen verallgemeinern, können wir vermuten, dass diejenigen Äußerungen, die die Einzigartigkeit von Moses oder Israel hervorheben, auch die Hoffnung auf Gottes Erbarmen betonen, während die anderen, die Moses' oder Israels Status relativieren, eher das Gesetz und die ausgleichende Gerechtigkeit Gottes hervorheben.

Bisher haben wir die Komposition von Moses' erster Rede nur auf der ideologischen Ebene behandelt, also auf der Ebene der letzten semantischen Autorität. Jetzt soll auch die sprachliche Oberflächenform dieser Rede untersucht werden, um auch diese auf den Dialog der Stimmen zu beziehen.

2. Zu Beginn haben wir Beispiele für das komplizierte phraseologische und temporale Schema der mosaischen Reden angeführt. Mehr als die Hälfte der ersten Rede besteht aus seinem Bericht von vergangenen Reden in direkter Rede; er berichtet gewöhnlich davon, was er, Jahwe oder Israel in der Vergangenheit gesagt haben. Moses' Erzählung von vergangenen, gegenwärtigen oder zukünftigen *Ereignissen* bildet weniger als die Hälfte seiner ersten Rede, die beinahe gleichmäßig zwischen den Kapiteln 1 bis 3 auf der einen und Kapitel 4 auf der anderen Seite aufgeteilt sind. Das vierte Kapitel unterscheidet sich von den vorhergehenden dabei nicht nur dadurch, dass es von zukünftigen statt von vergangenen Ereignissen spricht, sondern auch durch den Umstand, dass seine berichtete Rede überwiegend *indirekte Rede* ist, während es in den drei vorhergehenden überwiegend *direkte* Rede war. Den Unterschied zwischen diesen Weisen der Redewiedergabe kann man gerade durch die Wiedergabe der Worte Gottes veranschaulichen, mit denen Moses der Zutritt zum Land verwehrt wird: In den ersten drei Kapiteln lesen wir: „Der Herr […] sagte: Auch du sollst nicht in das Land hineinkommen." (1,37) und „Der Herr sagte zu mir: […] Doch hinüberziehen über den Jordan hier wirst du nicht" (3,26-27), im vierten Kapitel dagegen: „Zwar hat der Herr […] mir geschworen, ich dürfe nicht über den Jordan ziehen und das prächtige Land betreten, das der Herr, dein Gott, dir als Erbbesitz gibt." (4,21)

Dieser Wechsel von direkter zu indirekter Rede ist nicht zufällig. Er hat grundlegende kompositorische Implikationen, wie Volosinovs bahnbrechende Analyse der berichteten Rede gezeigt hat: „Die Analyse ist die Seele der indirekten Rede".[11] Ohne auf die Begründungen dieser Überlegungen eingehen zu können, können wir mit ihrer Hilfe die Kompositionsstruktur von Moses' erster Rede auf phraseologischer und temporaler Ebene entwerfen: In den Kapiteln 1 bis 3 *berichtet* Moses hauptsächlich von der Vergangenheit, so dass er sie in Kapitel 4 mit Blick auf Gegenwart und Zukunft *analysieren* kann. Zunächst gibt Moses einen Bericht der Vergangenheit, der so ‚sachlich' wie möglich ist, damit er sie im Kapitel 4 als Schlüssel zur Analyse des gegenwärtigen und zukünftigen Handelns benutzen kann.[12] Weil Moses beständig die Vergangenheit kommentiert und auf sie reagiert, wechselt sein dritter Bericht in Kapitel 4 ganz natürlich und keinesfalls zufällig in die indirekte Rede. Das ganze vierte Kapitel enthält nur anderthalb Verse in direkter Rede (4,6b, 10). Moses verwendet hier also selbst die temporalen und phraseologischen Standpunkte, um die ideologischen Positionen der ersten Rede zu äußern.

---

11 Volosinov: *Marxismus und Sprachphilosophie* (Anm. 3), S. 195. Es sei darauf hingewiesen, dass dieses Werk vermutlich von Volosinovs Lehrer, M. Bachtin, geschrieben wurde.

12 Vgl.: „Unabhängig von der Zielrichtung des gegebenen Kontextes – mag es sich um eine künstlerische Erzählung, einen polemischen Artikel, die Verteidigungsrede eines Rechtsanwalts usw. handeln – können wir in ihm klar und deutlich zwei Tendenzen unterscheiden: *die real-kommentierende und die replizierende* Rede, wobei meistens eine von ihnen die Oberhand gewinnt. Zwischen der fremden Rede und dem sie wiedergebenden Kontext herrscht eine komplizierte und gespannte Dynamik. Berücksichtigt man sie nicht, kann man die Formen der Wiedergabe der fremden Rede nicht verstehen" (Voloshinov: *Marxismus und Sprachphilosophie* [Anm. 3], S. 183).

Moses' erste Rede besteht also aus zwei Sektionen: einem ‚sachlichen' Blick in die Vergangenheit in direkter Rede (Dtn 1-3) und einer bewertenden Stellungnahme zur Vergangenheit, die deren Bedeutung für sein Publikum im Land und (schließlich) im Exil betont (Dtn 4,1-40). Dabei wird unmittelbar ersichtlich, dass diese Beschreibung sehr gut zur elementaren Kompositionsstruktur des deuteronomistischen Geschichtswerks passt, wie wir sie anfangs eingeteilt haben: zum einen der ‚sachliche' Blick des Deuteronomisten zurück in die Vergangenheit, die vorwiegend von Moses' (in direkter Rede) berichteter Rede eingerahmt wird (das Buch Deuteronomium), und zum anderen die analytische, bewertende Stellungnahme zu dieser Vergangenheit durch Hinweise auf ihre vollständige Bedeutung für die nachfolgende Geschichte *seines* Publikums im Land und (schließlich) im Exil (Jos – 2 Kön).

Die Kompositionsanalyse hat also bisher gezeigt, dass auf jeder Ebene des Buchs Spuren eines Dialogs vorkommen. Wir sollten daher nicht überrascht sein, wenn wir im weiteren Verlauf feststellen, dass das Wechselspiel der beiden Stimmen dieses Dialogs kein nebensächlicher Zusatz zur höchsten semantischen Autorität ist, sondern ein wesentlicher Bestandteil, der nicht nur das Deuteronomium, sondern das gesamte deuteronomistische Geschichtswerk durchzieht. Es wird allerdings noch zu fragen sein, ob es sich wirklich um einen ‚Dialog' handelt oder ob dieser bloß ein Mittel eines monologischen Autors ist.

Die zweite Rede von Moses (5,1b-28,68)

1. Bei der ersten Lektüre scheint Moses' zweite Rede der vorläufigen Schlussfolgerung zu widersprechen. Nach der ersten Rede stellte ich die Hypothese auf, dass jene Stimme, die die Einzigartigkeit von Moses und Israel betont, zugleich auch das Erbarmen Gottes und damit die Hoffnung betont, während die andere Stimme die Einzigartigkeit relativiert und das Gesetz und die ausgleichende Gerechtigkeit hervorhebt. Nun ist die zweite Rede voller Äußerungen, die Moses' und Israels einzigartigen Status betonen: Es wird nie wieder einen Propheten wie Moses geben und keine Nation wird sich beim Herrn eines solch besonderen Status erfreuen wie Israel. Aber all das wird jetzt im beständigen Zusammenhang mit der ausgleichenden Gerechtigkeit und dem Bund Gottes mit Israel entwickelt. Dieser Zusammenhang scheint also gegenüber der bisherigen Analyse einen Widerspruch darzustellen.

Es überrascht dabei nicht, dass diese Rede, die ein umfangreiches Gesetzbuch mit fünfzehn Kapiteln enthält, von einer ideologischen Stimme dominiert wird, der es mehr um ausgleichende Gerechtigkeit und den Bund des Gesetztes geht als um Erbarmen und den Bund der Gnade. Das eigentlich Überraschende ist, dass es dem Text trotz dieser klaren Orientierung zugleich gelingt, Moses' und Israels Status in Frage zu stellen und unaufhörlich Äußerungen zu verwenden, die ihre jeweilige Einzigartigkeit betonen. Dieses Paradox soll im Folgenden aus kompositorischer Perspektive untersucht werden, indem ich zunächst beschreibe, wie die

Einzigartigkeit Moses' und Israels hervorgehoben wird. Dabei ist die Rede von der ausgleichenden Gerechtigkeit Gottes in diesem Abschnitt so stark, dass sie in der folgenden Diskussion vorausgesetzt wird.

Moses' Bericht über seinen Auftrag Gottes in Kapitel 5 ist ein deutliches Beispiel dafür, wie sein einzigartiger Status gegenüber anderen Propheten in der zweiten Rede nicht nur unterstrichen, sondern sogar noch gesteigert wird. Während Moses in der ersten Rede nur sagt, dass ihn der Herr beauftragt habe, die Israeliten Gebote und Ordnungen zu lehren (z.B. 4,5), beschreibt er am Anfang seiner zweiten Rede die Umstände, die zu diesem Auftrag führten und gibt die tatsächlichen Gebote in direkter Rede wieder. Nachdem das Volk mit der Bitte zu ihm kommt: „Höre alles, was der Herr, unser Gott, sagt. Berichte uns dann alles, was der Herr, unser Gott, dir gesagt hat" (5,27), sagt Gott zu Moses:

> Ich habe das Geschrei dieses Volkes gehört, mit dem es dich bedrängt hat. Alles, was sie von dir verlangen, ist recht. Möchten sie doch diese Gesinnung behalten, mich fürchten und ihr Leben lang auf alle meine Gebote achten, damit es ihnen und ihren Nachkommen immer gut geht. Geh und sag ihnen: Kehrt zu euren Zelten zurück! Und du, stell dich hierher zu mir! Ich will dir das ganze Gebot mitteilen, die Gesetze und Rechtsvorschriften, die du sie lehren sollst und die sie halten sollen in dem Land, das ich ihnen gebe und das sie in Besitz nehmen sollen. (5,28-31)

Der Fall ist klar: Nachdem das Volk im Dekalog Gottes Stimme selbst gehört hat, fürchtet es nun um sein Leben, wenn es Gottes Stimme noch einmal hören sollte. Gott versteht diese Angst und befiehlt Moses, das Volk all die Gebote, Gesetze und Rechtsvorschriften zu lehren, die er ihm sagen wird. Das Gesetzbuch ist ein Bericht darüber, wie Moses das Volk lehrt, was Gott ihm gesagt hat. Moses nämlich ist nicht gestorben, wie sie geglaubt hatten, ihrerseits zu sterben, hätten sie die Worte Gottes gehört, die *er* gehört hat.

Der Rest der Worte Moses' im Deuteronomium – also jene vor Kapitel 12 und nach Kapitel 26 – soll das Volk auf das Hören von Gottes Wort vorbereiten und ihm anschließend dessen Konsequenzen genau erklären. 5,22-31 ist Moses' Bericht über den göttlichen Auftrag, jene entscheidenden Worte des Buchs zu sprechen, die im „mosaischen" Gesetzbuch der Kapitel 12-26 enthalten sind. Die Verse 5,28-31 sind dabei die Bestätigung Gottes und bilden die Grundlage von Moses' einzigartiger Rolle als Lehrer. Durch sie verstehen wir, warum es heißt: „Niemals wieder ist in Israel ein Prophet wie Moses aufgetreten. Ihn hat der Herr Auge in Auge berufen" (34,10). Diese Stellung wird durch das plausibel, was Moses in seiner zweiten Rede und durch diese sagt und tut. Zudem enthält die zweite Rede mit Kapitel 5 Moses' Beschreibung der Vision, welche seine zentrale Rolle ähnlich bestätigt wie es Jes 6 für das Jesajabuch tut.

Genauso gibt es in der zweiten Rede eine große Zahl von Äußerungen, die Israels Einzigartigkeit betonen, typisch etwa die folgende: „Denn du bist ein Volk, das dem Herrn, deinem Gott, heilig (*kadosch* = „abgesondert") ist. Dich hat der Herr, dein Gott, ausgewählt, damit du unter allen Völkern, die auf der Erde leben, das Volk wirst, das ihm persönlich gehört." (7,6) Neben diesem verbreiteten Insistieren auf der Einzigartigkeit von Israel und seinem Propheten gibt es allerdings auch einige Äußerungen, die diese dominierende Position infrage zu stellen scheinen. Eine direkte Infragestellung von Moses' Einzigartigkeit findet sich unmittelbar an der Quelle für seine zentrale Rolle, in der bestätigenden Äußerung Gottes in 5,28-31. Denn Moses selbst wiederholt seine Darstellung dieser göttlichen Äußerung im Gesetzbuch (18,17-20), wobei Moses' ‚Moses' im Spiel ist, der ebenfalls Gottes Wort verkünden wird: „Damals sagte der Herr zu mir: Was sie von dir verlangen, ist recht. Einen Propheten wie dich will ich ihnen mitten unter ihren Brüdern erstehen lassen. Ich will ihm meine Worte in den Mund legen und er wird ihnen alles sagen, was ich ihm auftrage." (18,17-18) Auch Israels einzigartiger Status wird relativert:

> Wenn der Herr, dein Gott, sie [d.h. die Anakiter – A.d.Ü.] vor dir herjagt, sollst du nicht meinen: Ich bin im Recht, daher lässt mich der Herr in das Land hineinziehen und es in Besitz nehmen; *diese Völker sind im Unrecht, daher vertreibt sie der Herr vor mir*. Denn nicht, weil du im Recht bist und die richtige Gesinnung hast, kannst du in ihr Land hineinziehen und es in Besitz nehmen. *Vielmehr vertreibt der Herr, dein Gott, diese Völker vor dir, weil sie im Unrecht sind* und weil der Herr die Zusage einlösen will, die er deinen Vätern Abraham, Isaak und Jakob mit einem Schwur bekräftigt hat. (9,4-5, Hvh. R.P.)

Auch wenn diese Stelle nicht unmittelbar der Auserwähltheit Israels widerspricht, wie es die vorige in Bezug auf die Einzigartigkeit Moses' tat, wirft sie dennoch ein eigenartiges Licht auf die vielen offenkundigen Aussagen über Gottes bevorzugte Behandlung Israels, vor allem jene in den Kapiteln 9 und 10. Denn hier erscheint diese Behandlung vor dem Hintergrund einer allgemeineren Situation, in der das eigentliche Motiv Gottes ausgleichender Art ist: Er gibt Israel das Land, um andere Völker für ihre Sünden zu bestrafen – und was diesen Nationen geschah, wird daher auch den Israeliten geschehen, wenn sie Gott nicht gehorchen. Im Grunde scheint Israel nicht anders zu sein als die anderen Nationen, die sich in der Vergangenheit des Segens Gottes erfreuten (denn ihnen *gehört* das Land, das Israel einnehmen wird). Israel profitiert bloß von *ihrem* Ungehorsam, wie auch andere Nationen von Israels Ungehorsam profitieren werden. Die das Zitat beschließende Aussage über die Verheißung an die Väter und die von ihr repräsentierte ideologische Position wird praktisch durch die vorangehenden ausgleichenden Aussagen neutralisiert.

2. Die phraseologische Komposition des in der zweiten Rede enthaltenen Gesetzbuchs ist vielleicht das deutlichste Beispiel für die Stimme, die Moses' einzigartige Autorität erhöht. Während Moses die Zehn Gebote des Herrn in direkter Rede zitierte, Gott also unmittelbar zu den Israeliten sprechen durfte, wendet sich *Moses* hier im Gesetzbuch in direkter Rede an die Israeliten, um ihnen die „Gesetze und Rechtsvorschriften" mitzuteilen, „auf die ihr achten und die ihr halten sollt in dem Land, das der Herr, der Gott deiner Väter, dir gegeben hat, damit du es in Besitz nimmst. Sie sollen so lange gelten, wie ihr in dem Land leben werdet" (12,1). Das hat den Effekt, dass die Autorität der mosaischen Stimme von jener der Stimme

Gottes nahezu ununterscheidbar wird. Umgekehrt wird die direkte Stimme Gottes in dieser Rede fast vollständig zum Verstummen gebracht. Die Unterscheidung zwischen Gottes Wort und Moses' Wort verschwindet zwar an dieser Stelle nicht, aber sie verliert ihre praktische Bedeutung. Was hat das für Konsequenzen für die grundlegende ideologische Einstellung des Buches?

Moses berichtet von der Verabschiedung eines Gesetzbuches, wobei ein Höchstmaß von erzählter Reaktion und Kommentar (von Moses oder dem Deuteronomisten?) die berichtete Rede Gottes unterbrechen darf. Der Deuteronomist vermeidet mit voller Absicht, was wir hier erwartet hätten und bis hierhin tatsächlich fanden: Bisher war Moses' Rede – mit Ausnahme von Brüchen des Rahmens wie 10,6-9 – durch Ehrfurcht vor dem Wort Gottes gekennzeichnet, die auf der Oberfläche des Textes stets klar herausstellte, wann er die Rede des Herrn *berichtete* und wann er etwas auf sie erwiderte und sie kommentierte.[13] Der Gegensatz zwischen diesem sich unterordnenden Stil von Moses' erster Rede und der höchst autoritativen Verkündung des Gesetzbuchs in der zweiten Rede bringt uns zu einem zentralen kompositorischen Aspekt der Analyse. Was bewirkt solch ein Wechsel beim Leser für dessen Wahrnehmung von Moses, dem Helden dieses Buchs? Zweifellos will der Deuteronomist damit die Reaktionen seines intendierten Publikums beeinflussen, aber man kann die Art dieser Beeinflussung noch etwas genauer bestimmen. Das ist wichtig, weil sich hier eine verborgene Verbindung zwischen den Rollen des Erzählers und des Helden zeigt, und es zugleich deutlicher wird, wie der Erzähler sein Publikum ständig in Konfrontation mit dem Helden seiner Geschichte bringt.

Wir können die Ergebnisse unserer Analyse der ersten Rede von Moses zu Hilfe nehmen, um das Rätsel des plötzlichen kompositorischen Wechsels im Gesetzbuch zu verstehen. Wie wir oben sahen, spiegelt die elementare Kompositionsstruktur von Moses' erster Rede die des deuteronomistischen Geschichtswerks wider. So wie die erste Rede sich in einen sachlichen Bericht von *Gottes* Worten in direkter Rede (1-3) und in eine darauf folgende Interpretation der Geschichte Israels (4) gliedert, so gliedert sich das deuteronomistische Geschichtswerk gleichermaßen übersichtlich in einen Erzähler, der zunächst *Moses'* Worte sachlich in direkter Rede wiedergibt (Dtn) und dann seinerseits ihre Bedeutung in der nachfolgenden Geschichte seines Volkes analysiert und beurteilt (Jos – 2 Kön).

Diese Strategie des Deuteronomisten endet jedoch nicht mit der ersten Rede. Wenn Moses zuerst Gottes Worte wiedergeben und anschließend ihre Bedeutung für sein Publikum interpretieren kann, so kann der Erzähler des Deuteronomiums das ebenfalls. Um allerdings die Absichten des Autors zu erreichen, muss Moses' Überlegenheit und Autorität hervorgehoben werden. Die Gesamtbotschaft des Deuteronomiums scheint mir demnach auf Folgendem zu beruhen: So wie Moses das Wort Gottes autoritativ übermittelte und interpretierte, so übermittelt und

---

13 Vgl.: „Je stärker das Empfinden für die hierarchische Höhe des fremden Wortes, desto deutlicher auch seine Grenzen, desto weniger kann es nach innen von kommentierenden und replizierenden Tendenzen durchdrungen werden" (ebd., S. 188).

interpretiert der Erzähler autoritativ Moses' Worte; so wie Moses lehrt, lehrt auch der Erzähler. Die erste Stufe dieser Strategie, die erste Rede, soll Moses zeigen, wie er zunächst Gottes Worte wiedergibt und sie dann kommentiert; in der zweiten Stufe, also in der zweiten Rede und vor allem im Gesetzbuch gibt Moses Gottes Wort wieder und interpretiert es gleichzeitig, so dass es unmöglich wird zu unterscheiden, welche Teile der Rede die berichtete Rede Gottes und welche die berichtende Rede von Moses darstellen. In der ersten Rede erreichen „[d]ie Deutlichkeit und Unverletzlichkeit der gemeinsamen Grenzen von Autorenrede und fremder Rede […] ihre höchste Ausprägung", um Volosinovs Worte aus einem anderen Kontext zu zitieren.[14] In der zweiten Rede strebt Moses' berichtende Rede „die Auflösung der Kompaktheit und Geschlossenheit der fremden Rede an, ihr Zurückgehen, die Verwischung ihrer Grenzen".[15] Was der Deuteronomist im Fortlauf des langen Berichtes seines Erzählers über Moses' verschiedene Reden allmählich verwischt, ist die Unterscheidung zwischen der Lehrautorität seines Helden und der seines Erzählers. Die zweite Rede und das für das Deuteronomium so zentrale Gesetzbuch stellen den entscheidenden Schritt im Gesamtplan des Deuteronomisten dar.

Das deuteronomistische Geschichtswerk und das Buch Deuteronomium als seine panoramatische Vorschau beruhen auf dem hermeneutischen Prinzip, dass Gottes Wort für Moses' Wort eben das ist, was das Wort Moses' für das Wort des deuteronomistischen Erzählers ist. Daher hat das Verwischen der Grenze zwischen den Worten Gottes und denen Moses' im Gesetzbuch dieselbe Funktion wie die übrigen Kompositionsmittel, mit denen der Erzähler den Status von Moses erhöht: Es trägt zu einer subtilen, aber nachdrücklichen Erhöhung der Autorität der Worte des Erzählers bei. Wenn der Erzähler schließlich bereit sein wird, mit einer Stimme zu sprechen und die Unterscheidung zwischen seinen und Moses' Worten praktisch irrelevant zu machen, wird der Leser bereits durch die Hypostase der göttlich-mosaischen Worte des Gesetzbuchs darauf vorbereitet worden sein.

Wie der Deuteronomist die prophetische Autorität seines Erzählers begründet – dahingestellt ob er dabei Moses' einzigartige Autorität eifrig erhöht oder sie untergräbt –, kann man besonders deutlich an der Gegenüberstellung zweier scheinbar entgegengesetzter Aussagen des Gesetzbuches sehen, die sich beide mit Prophetie befassen: 13,1-6 einerseits und 18,15-22 andererseits.

Das Gesetzbuch beginnt in Kapitel 12 mit den bekannten Gesetzen über die Kultzentralisierung und erörtert dann im folgenden Kapitel die Strafen für jene, die zum Götzendienst anstiften. Das Kapitel beginnt mit einer Ermahnung: „Ihr sollt auf den vollständigen Wortlaut dessen, worauf ich euch verpflichte, achten und euch daran halten. Ihr sollt nichts hinzufügen und nichts wegnehmen" (13,1). Unmittelbar anschließend erörtert Moses den Fall, dass solche Verführer Propheten oder Träumer sind (*nabi* oder *holem*). Selbst wenn ihre Zeichen oder Wunder ein-

---

14 Ebd., S. 185.
15 Ebd.

treffen, „dann sollst du nicht auf die Worte dieses Propheten oder Traumsehers hören" (13,4); er „soll mit dem Tod bestraft werden" (13,6).

Auch Kapitel 18 befasst sich mit der Frage der Propheten:

> Denn diese Völker, deren Besitz du übernimmst, hören auf Wolkendeuter und Orakelleser. Für dich aber hat der Herr, dein Gott, es anders bestimmt. Einen Propheten wie mich wird dir der Herr, dein Gott, aus deiner Mitte, unter deinen Brüdern, erstehen lassen. Auf ihn sollt ihr hören. Der Herr wird ihn als Erfüllung von allem erstehen lassen, worum du am Horeb, am Tag der Versammlung, den Herrn, deinen Gott, gebeten hast (18,14-16).

Um diese Worte weiter zu bestätigen, gibt Moses im Anschluss Gottes Worte in einer für das Gesetzbuch untypischen Weise, nämlich in direkter Rede, wieder: „Damals sagte der Herr zu mir: Was sie von dir verlangen, ist recht. Einen Propheten wie dich will ich ihnen mitten unter ihren Brüdern erstehen lassen. Ich will ihm meine Worte in den Mund legen und er wird ihnen alles sagen, was ich ihm auftrage" (18,17-18). Woran erkennen die Israeliten nun einen Propheten, der *nicht* von Gott geschickt wurde, so dass sie ihn mit dem Tode bestrafen können? „Wenn ein Prophet im Namen des Herrn spricht und sein Wort sich nicht erfüllt und nicht eintrifft, dann ist es ein Wort, das nicht der Herr gesprochen hat. Der Prophet hat sich nur angemaßt, es zu sprechen. Du sollst dich dadurch nicht aus der Fassung bringen lassen." (18,22)

Der Gegensatz zwischen diesen beiden Stellen über Propheten, die im Namen des Herrn sprechen, könnte nicht größer sein. Beide beziehen sich letztlich auf dasselbe Gesetzbuch, von dem sie ein Teil sind, aber jede von Ihnen scheint dessen Status anders zu erklären. Dabei geht es mir hier nicht um die Frage nach wahrer und falscher Prophetie im Allgemeinen, sondern um ihre Beziehung zu den prophetischen Worten Moses' im Gesetzbuch, zu dem sie gehören. Denn sie scheinen abweichende, ja widersprüchliche Antworten auf die Frage zu geben, ob das Gesetzbuch als schlichtweg einzigartig oder als Grundlage weiterer Worte des Herren anzusehen ist.

Die erste zitierte Stelle mit ihrem Befehl, dem Gesetzbuch nichts hinzuzufügen oder von ihm wegzunehmen (13,1) bedeutet nicht notwendig, dass Moses hier ausschließt, es könne Worte Gottes an Israel nach Abschluss des Gesetzbuches geben. Gott wird erneut sprechen, wie ja auch der Rest des Deuteronomiums (z.B. 31,16-21; 32,49-52) und das folgende deuteronomistische Geschichtswerk immer wieder berichtet. Es scheint sich bei 13,1 (sowie in seiner vorangehenden Variante in 4,2) eher um ein Verbot jeglicher *prophetischer* Rede zu handeln, also einer Rede, die die Grenze zwischen Gottes Wort und der Interpretation des Menschen so gründlich und autoritativ verwischt, wie Moses es der Beschreibung nach im Gesetzbuch selbst tut. Dort nämlich sind der direkte Befehl Gottes und der mosaische Kommentar oder seine Erwiderung so stark miteinander verwoben, dass es unmöglich ist, auf der Textoberfläche des Gesetzbuches zu unterscheiden, was zur berichtenden Rede von Moses und was zur berichteten Rede Gottes gehört. Mit anderen Worten, 13,1 verbietet im vorliegenden Zusammenhang den Nachfolgern

Moses', das Wort Gottes so wiederzugeben, dass berichtete Rede, Erwiderung und
Kommentar so gründlich synthetisiert werden wie im Gesetzbuch. Das Verbot
impliziert daher einen autoritären Dogmatismus,[16] der die Kontrolle über das
mosaische Gesetzbuch zentralisiert, indem er jegliche weitere autoritative Ergänzung oder jeglichen weiteren Kommentar zu ihm verbietet. Die ironische Stoßrich-
tung dieses Verses sollte dabei nicht übersehen werden: Dieser Dogmatismus wird
geäußert und legitimiert durch denselben prophetischen Diskurs, dessen Oberflä-
chenstil in direktem Gegensatz zu seiner eigenen autoritären Herrschaft steht. Der
Text vergisst also seine eigene Synthese von berichtender Rede (Moses') und berichteter Rede (Gottes), wenn er in 13,1 ausdrücklich verneint, das Gesetzbuch könne
entweder einem Kontext untergeordnet werden, der von außen autoritativ über es
berichtet oder es kommentiert, oder es könne einer Revision unterzogen werden,
die es durch Ergänzung oder Wegnahme von innen heraus verändern könne. Was
Moses mit Gottes Wort tun durfte, darf der Mensch nicht mit Moses' Wort tun,
das seinerseits von Gottes Wort ununterscheidbar geworden ist. Und in genau dieser Hinsicht erscheint 18,14-22 gegenüber 13,1-6 so widersprüchlich, denn an der
ersten Stelle scheint es innerhalb eines Gesetzbuches einen Auftrag für eine legitime
Revision dieses Gesetzbuches zu geben.

Wenn wir das Gesetzbuch auf seinen Kontext in der zweiten Rede beziehen,
erkennen wir deutlich, dass die göttliche Äußerung, die Moses in 5,28-31 direkt
zitiert, seine zentrale Lehrrolle im Deuteronomium genauso bestätigt, wie dieselbe
Äußerung, die Moses leicht modifiziert in 18,17-20 noch einmal zitiert, die Lehrrolle des Erzählers des Deuteronomiums bestätigt. Es ist dabei aufschlussreich, einzelne Abschnitte dieser beiden Perikopen Seite an Seite niederzuschreiben. Sie stellen Moses dar, wie er zweimal von demselben Ereignis erzählt, und vermutlich
dieselbe Äußerung Gottes als Antwort auf die Bitte des Volkes nach einem Vermittler gibt, um ihnen Gottes Wort zu übermitteln:

5,23-31	18,16-19
Moses	*Moses*
[…] ihr [seid] zu mir gekommen – eure Stammesführer und Ältesten – und habt gesagt: […] Warum sollen wir noch einmal das Leben aufs Spiel setzen? Denn dieses große Feuer könnte uns verzehren. Wenn wir noch einmal die donnernde Stimme des Herrn, unseres Gottes, hören, werden wir sterben.	du sagtest: Ich kann die donnernde Stimme des Herrn, meines Gottes, nicht noch einmal hören und dieses große Feuer nicht noch einmal sehen, ohne dass ich sterbe.

---

16 Vgl. zu dieser Kompositionskategorie: ebd., S. 189.

Der Herr hörte euer Geschrei, als ihr auf mich einredetet, und sagte zu mir: Ich habe das Geschrei dieses Volkes gehört, mit dem es dich bedrängt hat. Alles, was sie von dir verlangen, ist recht.

Damals sagte der Herr zu mir:

Was sie von dir verlangen, ist recht.

Und du, stell dich hierher zu mir! Ich will dir das ganze Gebot mitteilen, die Gesetze und Rechtsvorschriften, die du sie lehren sollst und die sie halten sollen in dem Land, das ich ihnen gebe und das sie in Besitz nehmen sollen.

Einen Propheten wie dich will ich ihnen mitten unter ihren Brüdern erstehen lassen. Ich will ihm meine Worte in den Mund legen und er wird ihnen alles sagen, was ich ihm auftrage. Einen Mann aber, der nicht auf meine Worte hört, die der Prophet in meinem Namen verkünden wird, ziehe ich selbst zur Rechenschaft.

Moses wird hier so dargestellt, als berufe er sich auf dasselbe Ereignis und auf dieselbe göttliche Äußerung, um sowohl seine eigene prophetische Rolle als auch die „eines Propheten wie ihn" zu bestätigen. Wenn wir uns fragen, welche spezifischen Gesetze, Gebote und Rechtsvorschriften Moses durch den Auftrag in 5,31 darzulegen ermächtigt ist, werden wir gerade durch die Klarheit der phraseologischen Komposition des Buchs dazu gebracht zu antworten: die Gesetze und Ordnungen, die durch die Worte von 12,1 eingeleitet („Das sind die Gesetze und Rechtsvorschriften") und mit 26,16 beschlossen wurden („Heute, an diesem Tag, verpflichtet dich der Herr, dein Gott, diese Gesetze und die Rechtsvorschriften zu halten."). Doch wenn wir fragen, welche Worte genau gemeint sind, wenn Gott in 18,18 sagt: „Ich will ihm meine Worte in den Mund legen und er wird ihnen alles sagen, was ich ihm auftrage", dann ist die Antwort nicht so einfach. Historisch-kritische Exegeten würden typischerweise 18,14-22 als spätere Umdeutung einer älteren Tradition lesen, welche hier noch einmal verwendet wird, um entweder nachfolgende Propheten oder einen „eschatologischen" prophetischen Vermittler zu legitimieren.[17] Angeblich sind daher die „Worte", auf die in 18,18 Bezug genommen wird, diejenigen eines oder mehrer noch unbekannter von Gott beauftragter Propheten, womit die Stelle ein Versuch wäre, das prophetische Amt in Israel zu bestätigen. In meiner Analyse werde ich solche historischen Argumente nicht nur ihrer diachronen Implikationen wegen vermeiden – ich möchte zunächst grundlegendere literarische Fragen stellen –, sondern auch wegen ihrer Allgemeinheit, die es nicht erlaubt, spezifische Beziehungen zwischen 18,14-22 und dem Rest des Deuteronomiums oder dem deuteronomistischen Geschichtswerk zu formulieren.

---

17 So z.B. von Rad: „Verheißenes Land und Jahwes Land im Hexateuch", in: ders.: *Gesammelte Studien* (Anm. 4), S. 87–100, hier S. 99.

Mir scheint, dass es ganz spezifische Worte sind, auf die in 18,18 Bezug genommen wird. Die Worte, die der *Prophet wie Moses* zu den Israeliten sprechen soll, sind von zweierlei Art: Wie nämlich Moses zunächst die Gebote Gottes in direkter Rede verkündet (am häufigsten in der ersten Rede, am stärksten zugespitzt in der zweiten beim Verkünden des Dekalogs) und dann abrupt zu einer weitaus autoritativeren Weise des Berichtens wechselt, die den Unterschied zwischen den berichteten Worten Gottes und den berichtenden Worten Moses' auslöscht (mit wenigen, wichtigen Ausnahmen im Gesetzesbuch 12-26), so erzählt auch der *Prophet wie Moses* zunächst die Worte Gottes in direkter Rede (Deuteronomium) und wechselt dann abrupt zu einer autoritativeren Erzählung, die die Trennung zwischen seinen eigenen Worten und denen Moses' bzw. Gottes auslöscht (Jos – 2 Kön). Der *Prophet wie Moses* ist der Erzähler des deuteronomistischen Geschichtswerks und durch ihn wiederum der Deuteronomist selbst. Der Deuteronomist benutzt Moses, um durch ein mahnendes Gesetzbuch die weitreichenden Implikationen des Dekalogs zu erläutern; ebendieser Autor wird bald darauf den Erzähler des Deuteronomiums benutzen, um in einer exemplarischen Geschichte die weitreichenden Implikationen dieses Gesetzbuchs zu erläutern.

Mit Hilfe dieser Hypothese können wir die Worte Gottes, auf die in 18,14-22 Bezug genommen wird, sehr genau angeben. Gerade die Klarheit der phraseologischen Komposition der Geschichte insgesamt lässt erkennen, dass diese Worte mit dem Bericht des Erzählers in Josua 1,1 beginnen: „Nachdem Moses, der Knecht des Herrn, gestorben war, sagte der Herr zu Josua, dem Sohn Nuns, dem Diener des Moses" und mit den letzten Worten von 2 Könige 25,30 enden.

Ein wichtiger Aspekt der phraseologischen Komposition des deuteronomistischen Geschichtswerks wird also durch folgendes Verhältnis hervorgehoben: Der Dekalog in Deuteronomium 5,6-21 verhält sich zum Gesetzbuch von 12,2-26-15 wie die direkt zitierten Worte Moses' im Deuteronomium zu den Worten des Erzählers in Josua – 2 Könige. Was die Gesetze und Ordnungen betrifft, die von Moses in 5,6-21 *direkt* zitiert werden, so erfahren wir, dass alle Israeliten Gottes Stimme aus der Dunkelheit hörten (5,23). Folglich wird Moses' Zitat dieser Gesetze an dieser Stelle der Erzählung nicht so dargestellt, dass er damit seinem Publikum irgendetwas Neues präsentieren würde. In gleicher Weise erscheint der Großteil der mosaischen Worte im Deuteronomium als Traditionen, die den meisten Israeliten bekannt sind, nicht nur dem privilegierten Propheten Gottes, der nach Moses erstanden ist. Was jedoch die Gesetze und Ordnungen betrifft, die Moses in 12-26 verkündet, erfahren wir in Kapitel 5 ausdrücklich, dass nur Moses hinzugetreten war, um sämtliche dieser Worte des Herrn zu hören. Seine prophetische Funktion besteht hier zur gleichen Zeit darin, Gottes Wort zu verkünden und zu interpretieren (*maggid* und *m'lammed*). Die Israeliten werden so beschrieben, dass sie ohne ihn unwillig und unfähig seien, Gottes weitere Worte zu erfahren oder zu verstehen. Gleichermaßen werden wir am Anfang des Buchs Josua mit einem Erzähler konfrontiert, der die Rollen als *maggid* und *m'lammed* von Moses dergestalt übernommen hat, dass er mit genauso viel Autorität wie Moses spricht. Seine Botschaft ist dabei für das vorangegangene Buch ebenso autoritativ und notwendig, wie es

Moses' Gesetzbuch in Bezug auf den Bundes-Dekalog war, der seiner Verkündung vorausgegangen war.[18]

Die übergeordnete Stimme des Buchs Deuteronomium richtet sich gegen eine unveränderliche Orthodoxie, die das lebendige Wort Gottes versteinern will. Wenn das Wort Gottes, wie Moses es in Moab wiedergibt, nicht absolut unveränderlich ist, so ist es das unseren Vätern gegebene Versprechen auch nicht. Hier können wir die innere Verbindung zwischen der Einzigartigkeit von Moses bzw. Israel und dem Gott der Gnade und des Erbarmens aus einer anderen Perspektive erkennen. Wenn die Bedingungen des Bundes, den Gott mit den Israeliten am Horeb geschlossen hat, einer Revision oder zumindest einer nachfolgenden Interpretation unterzogen werden könne, dann muss dasselbe auch von dem Versprechen gesagt werden, das Gott unseren Vätern gegeben hat. Dieses Versprechen, das den Auserwählten Israels gegeben wurde, darf nicht als so unbedingt verstanden werden, als sei es eine feste Garantie der Gnade ungeachtet des weit verbreiteten Ungehorsams gegenüber dem Gesetz Gottes. Auf der einen Seite wird die Betonung der Auserwähltheit Israels und die damit einhergehende Tendenz zu einer allzu bequemen Sicherheit in der zweiten Rede ständig mit dem Hinweis auf die ausgleichende Gerechtigkeit des am Horeb geschlossenen Bundes neutralisiert. Auf der anderen Seite wird aber jedes Mal, wenn der autoritative Status von Moses die zweite Rede zu erdrücken droht, diese Tendenz durch den kritischen Traditionalismus neutralisiert, der Moses' Wiedergabe des Gesetzbuches innewohnt. Diese beiden Aspekte der Komposition der zweiten Rede helfen uns, deutlicher als in der ersten Rede zu erkennen, wie und warum die Themen von Moses' und Israels einzigartigem Status mit der Frage der höchsten Gerechtigkeit und Gnade Gottes verbunden sind.

---

18 Ich erlaube mir kein Urteil, ob die ‚weiteren' Worte Gottes im Gesetzbuch 12-26 dem Publikum zur Zeit seiner Komposition bekannt waren, ebenso wenig, ob einzelne juristische Formulierungen darin alt oder neu sind. Vom kompositorischen Standpunkt her ist es wichtig, dass diese ‚weiteren' Gesetze' Gottes innerhalb des Buchs als privilegiertes Material dargestellt werden, das nur Moses seinen Hörern mitteilen konnte, da allein ihm in 5,23-31 befohlen worden war, bei dem Herrn zu stehen und sie zu hören. Gleichermaßen behaupte ich, dass die ‚weiteren' Worte Moses' in den Büchern Josua bis 2 Könige im Buch Deuteronomium ebenfalls als privilegiertes Material dargestellt werden, das nur der Erzähler seinen Hörern mitteilen kann, da allein er in 18,16-19 als ein Prophet wie Moses vorausgesagt worden war, in dessen Mund Gottes Worte gelegt werden würden. Der historisch-kritische Nachweis, dass dieses Material wahrscheinlich größtenteils relativ alt ist, gehört auf dieser Vorstufe der Kompositionsanalyse des deuteronomistischen Geschichtswerks nicht zur Sache. Die wichtige Tatsache, dass das Gesetzbuch als besonderer Stoff dargestellt wird, der nur durch einen Propheten wie Moses dem Volk übermittelt werden kann, wirkt sich kompositorisch entscheidend auf das Verständnis von Josua – 2 Könige aus: Indem es erklärt, warum sich Israels Geschichte so ereignet, wie sie es getan hat, stellt es ebenfalls eine privilegierte Information dar, die der Stimme eines Propheten bedarf, um dem Volk seine detaillierte interpretierende Botschaft zu übermitteln.

Spielraum zwischen Leser, Figuren und Text

Mit ihrem Buch *Poetics and Interpretation of Biblical Narrative* gab Adele Berlin 1984 einen entscheidenden Anstoß dafür, dass die in den Anfangsjahren oft mehr inspirierend als fundierend geführte Auseinandersetzung über *Bibel als Literatur* auf wissenschaftliche Füße gestellt und die Literaturwissenschaft zu einer tragenden Säule des exegetischen Gebäudes wurde. Gestützt auf die Forschungen der allgemeinen Erzähltheorie skizzierte Adele Berlin die Grundzüge zu einer *Poetik der biblischen Erzählung*, an deren Ausgangspunkt die mannigfaltigen Spannungsverhältnisse zwischen den Figuren des Textes, den historischen Personen, den Lesern und Autoren sowie zwischen impliziten und idealen, historischen und je aktualen Lesern stehen. Erst in diesen essentiell literarischen Spannungen öffnet sich der Raum für die narrativen Landschaften, die der Leser eben nicht nur als theologische oder ideologische Landkarte vor Augen und unter den Zeigefinger bekommt, sondern in die er sich dank seiner emotionalen, rationalen und imaginativen Rezeptionsaktivität hineinziehen lässt.

Während der implizite Leser als Adressat der Erzählungen dem Autor schon mit vor Augen stand, nimmt der tatsächliche, also je aktuale Leser diesen impliziten, im Text vorausgedachten Leser wie eine weitere Figur des Textes wahr. Im Laufe seiner wiederholten Lektüre beobachtet der aktuale Leser dann immer deutlicher, wie der Autor ihn und seine Reaktionen vorauszudenken meinte, und entwickelt den Stolz des Interpreten, sich als quasi objektiver Betrachter über den Text zu erheben. Da aber auch der Autor diese objektivierende Perspektive des Interpreten zumindest teilweise immer schon mitbedacht hat oder mitbedacht haben könnte, entwickelt sich gewissermaßen ein unendliches Spiel, in dem der interpretierende Leser sich beständig selbst beobachtet und dabei dem unbekannten Autor immer neue mögliche Intentionen unterstellt und deren Wahrscheinlichkeit anhand der Interaktion der Figuren innerhalb der narrativen Landschaft abgleicht.

Bevor die Mittel der Literaturtheorie für die Exegesis nutzbar gemacht wurden, hat man den impliziten Leser oft mit dem historischen Leser gleichgesetzt und ihn somit allzu leichtfertig infantilisiert, ganz so, als ob nicht auch der historische Leser bzw. Hörer in biblischer Zeit die geistige Freiheit besessen hätte, sich gegenüber der im Text vorher gedachten Figur des Lesers zu behaupten. Folgenreicher als diese Verkennung des historischen Lesers war allerdings, dass der Autor, der nicht nur einen allwissenden Erzähler, sondern auch einen impliziten Autor als Maske durch den Text trägt, in dem Wechselspiel zwischen der Selbstbeobachtung des Interpreten und den in den Text hineinprojizierten Intentionen des Autors derart ins Genialische übersteigert wurde, dass niemand anderes als Gott diese Figur hätte

134   ADELE BERLIN

verkörpern können. Womöglich gar aus der Angst des Lesers, in seiner Lektüre
immer schon vom Autor determiniert zu sein, wurde nicht nur der Autor vergött-
licht, sondern es erwuchs auch das theologische Missverständnis, dass der menschlich zwar nie realisierbare, aber doch denkbare ideale Leser nicht nur das Buch,
sondern auch Gott verstehen würde. Die von Adele Berlin vorgelegte Poetik der
biblischen Erzählung macht es sehr deutlich, wie die gewissenhafte Untersuchung
der verschiedenen Perspektiven, die sich im Text zwischen den verschiedenen Spiel-
formen von Figuren, Lesern und Autoren ergeben, sowohl ein neues historisches
Verständnis für den Text und seine Wirkungsgeschichte verschaffen, als auch das
theologische wie literarische Potential des Textes zu weiterer Entfaltung bringen.

Auf originelle Weise nähert sich Adele Berlin in ihren Poetikstudien auch dem alten
Problem von Wirklichkeit und ihrer Darstellung in der Bibel, das immer dann
sowohl theologisch als auch epistemologisch zum Verhängnis wurde, wenn man es
zu einem Antagonismus von Wahrheit und Imagination zuspitzte. Inspiriert von
Ernst Gombrichs Untersuchungen zu „Kunst und Illusion", zeigt sie in einem
schlüssigen Vergleich zur Malerei, wie gefährlich es angesichts aller weltanschauli-
chen Implikationen ist, die biblischen Figuren mit den tatsächlichen Figuren zu
verwechseln. Ebenso wie das Modell für van Goghs Bauernschuh-Gemälde in
Wirklichkeit die abgetragenen Stadtschuhe des Malers waren, die in der Art des
Gemäldes aber die Wesenhaftigkeit des Bauernschuhs zum Ausdruck brachten, so
handelt es sich auch bei den biblischen Figuren nicht etwa um falsch dargestellte
historische Personen, sondern um die Darstellung der für die Geschichte bedeutsamen Wesenhaftigkeit der entsprechenden historischen Personen. Während niemand auf die Idee käme, einen von Lucas Cranach gemalten Apfel zu schälen, fällt
es angesichts von erzählten Bildern und Figuren weitaus schwerer, sich nicht vom
Geschmack des erzählten Apfels verführen zu lassen, denn gerade mit den fein
verwobenen Fäden der Erzählung umgarnt ja der Autor den Leser immer wieder.
Der Leser ist eben nie nur äußerer Betrachter, sondern stets auch Ort des Geschehens, und wer sich dem verschließt, um nur aus der Vogelperspektive den genialen
Plan als Ganzes zu überblicken und zu formelhaften Einheiten zu verkürzen, schält
am Ende die gemalte Zwiebel, ohne zu wissen, worüber er weint. *hps*

ADELE BERLIN

Figuren und ihre Charakterisierung

In ihrem Standardwerk *The Nature of Narrative* konstatieren Scholes und Kellog: „Homer und andere Verfasser primitiver Heldenerzählungen strebten noch nicht zu so komplexen Charakterisierungen, wie wir sie in späteren Erzählungen finden und die wir oft als wesentlich für die Schaffung interessanter Figuren betrachten. In einfachen Geschichten sind die Figuren stets ‚flach‘, ‚statisch‘ und ziemlich ‚undurchsichtig‘."[1] Da die Autoren wenig später die hebräische wie die hellenische Literatur als ‚einfach‘ bezeichnen, nehme ich an, dass sie die biblische Erzählung ebenfalls zu jenen „primitiven Erzählungen" rechnen. Sollte dies der Fall sein, wäre ihre Behauptung höchst ungenau, denn die Bibel enthält Figuren, die alles andere als flach, statisch oder undurchsichtig sind. Es ist schwierig und in der Tat gefährlich, verallgemeinernde Aussagen über die biblischen Figuren zu treffen, denn es gibt in der Bibel eine Vielzahl von Figuren verschiedenster Art und ein breites Repertoire von Techniken der Charakterisierung dieser Figuren. Wir werden im Folgenden drei Hauptkategorien zur Klassifikation von Charaktertypen vorschlagen und dann einige Charakterisierungstechniken genauer untersuchen.

Charaktertypen

In der Literaturwissenschaft unterscheidet man üblicherweise zwischen flachen und runden Figuren: Flache Figuren bzw. Charaktertypen sind im Hinblick auf eine einzige Eigenschaft oder ein bestimmtes Merkmal konstruiert und treten nicht als Individuen hervor, runde Figuren sind dagegen komplexer, sie weisen eine Vielzahl von Merkmalen auf und erscheinen wie ‚echte Menschen‘. Darüber hinaus haben laut M. H. Abrams „nahezu alle Dramen und Erzählungen [...] einige Figuren, die als bloße Funktionsträger dienen und überhaupt nicht charakterisiert werden."[2] Daher sehe ich nicht zwei Arten von Figuren (flache und runde), sondern drei, die ich der Übersicht halber folgendermaßen nennen werde: Die runde Figur nenne ich *eigenständige Figur*, die flache Figur nenne ich *Typ*, und den Funktionsträger einen *Agenten*. Alle drei Typen lassen sich in den biblischen Erzählungen finden, wobei dieselbe Person in der einen Geschichte als eigenständige Figur und in einer anderen als Typ vorkommen kann.

---

1 Robert Scholes/Robert Kellogg: *The Nature of Narrative*, London (Oxford University Press) 1966, S. 164.
2 Meyer Howard Abrams: *A Glossary of Literary Terms*, New York (Holt, Rinehart and Winston) 1981, S. 21.

Diese drei Arten sollen im Folgenden an verschiedenen Geschichten über David und seine Frauen veranschaulicht werden. Diese Geschichten sind schon häufig analysiert worden, zählen sie doch zu den besten Beispielen biblischen Erzählens; ich konzentriere mich auf die verschiedenen Figuren und ihr Zusammenspiel in mehreren miteinander verbundenen Texten.

Michal

Michal ist die erste und in mancher Hinsicht interessanteste von Davids Frauen. Robert Alters anschauliche Beschreibung dieser Figur und ihrer Tragödie braucht hier nicht wiederholt zu werden.[3] Zweifellos ist Michal eine *eigenständige Figur* mit eigenen Meinungen und Gefühlen. Besonders interessant ist dabei ein Aspekt, der im Vergleich mit der Charakterisierung Jonatans deutlich wird. Dieser Vergleich drängt sich förmlich auf: Michal und Jonatan sind Sauls Kinder, zeigen aber gegenüber dem Konkurrenten ihres Vaters mehr Liebe und Treue als gegenüber ihrem Vater. Indem der biblische Autor ihre Geschichten im 1. Buch Samuel 18-20 nebeneinander stellt, legt er diesen Vergleich zudem nahe. Das Ergebnis ist überraschend: Die Charaktereigenschaften, die man normalerweise mit Männern verbindet, werden Michal zugeschrieben, während die als weiblich geltenden Merkmale mit Jonatan in Verbindung gebracht werden.

Michals erstes unweibliches Merkmal findet sich in der wiederholten Bemerkung, dass sie David liebt und dies zu erkennen gibt (1 Sam 18,20). Im Unterschied zum üblichen Muster, nach dem der Mann die Frau erwählt, ist es das einzige Mal in der Bibel, dass eine Frau einen Mann erwählt zu haben scheint, wobei allerdings die Hochzeit erst durch die Zustimmung ihres Vaters Saul ermöglicht wird, der dabei seine eigenen Hintergedanken hat. David jedoch heiratet Michal offenbar nicht aus Liebe, sondern weil es „in den Augen Davids recht war, des Königs Schwiegersohn zu werden" (18,26), und seine Beziehung zu ihr wird stets durch praktische Überlegungen überschattet bleiben. Offenbar widerspricht er nicht (oder konnte es nicht), als sie während seiner Abwesenheit mit jemand anderem verheiratet wird (1 Sam 25,44), und seine spätere Forderung nach ihrer Rückkehr zu ihm ist durch politische Gründe motiviert (2 Sam 3,13-15). Bei diesem letzten Ereignis werden Michals Gefühle nicht erwähnt, ihr zweiter Ehemann jedoch erscheint etwas unmännlich, da er ihr weinend hinterherläuft, bis Abner ihm befiehlt, nach Hause zurückzukehren.

Davids Gefühle von Liebe und Zärtlichkeit richten sich nicht auf Michal, sondern sind sämtlich Jonatan vorbehalten. Wie seine Schwester zeigt auch Jonatan seine warmen Gefühle für David (1 Sam 18,1; 19,1; 20,17), aber in seinem Falle werden sie erwidert. Beim Abschied der Freunde auf dem Feld heißt es: „Und sie küssten einander und weinten miteinander, David aber am allermeisten" (20,41). Bei ihrem letzten Abschied klagt David: „Mir ist weh um dich, mein

---

3 Robert Alter: *The Art of Biblical Narrative*, New York (Basic Books) 1981, S. 116–127.

Bruder Jonatan! Über alles lieb warst du mir. Wunderbar war mir deine Liebe, mehr als Frauenliebe" (2 Sam 1,26).

David scheint sich zu Michal wie zu einem Mann und zu Jonatan wie zu einer Frau zu verhalten. Das hat nichts mit sexueller Perversion zu tun, sondern deutet subtil etwas über den Charakter seiner beiden Partner an. Michal spielt eine aggressive und körperliche Rolle. Sie rettet David, indem sie ihn mit eigenen Händen aus dem Fenster herablässt und das Bett so arrangiert, dass er darin zu liegen scheint. Sie belügt die Boten und sagt ihnen, dass David krank im Bett liege, und als die List entdeckt wird und Saul sie persönlich befragt, erfindet sie dreist die Geschichte, dass David gedroht habe, sie zu töten, falls sie ihm nicht bei der Flucht helfe (1 Sam 19,12-17). Auch Jonatan rettet das Leben seines Freundes, doch niemals mit körperlicher Kraft, sondern mit Worten (als er Saul im 1. Buch Samuel 19,4-5 davon abbringt, David zu töten) und mit verschlüsselten Zeichen: Er schießt Pfeile als ein zuvor vereinbartes Signal (1 Sam 20,20 ff.), was zwar eine körperliche Handlung, aber kaum ein Kraftakt ist. Die „Notlüge", die er seinem Vater erzählte, um Davids Fehlen beim Neumondfest zu erklären (20,28-29) wurde ursprünglich von David ausgeheckt (20,6). Jonatan ist bloß der Botenjunge und seine Worte und Taten sind gewiss weitaus weniger waghalsig als Michals.

Die letzte Information, die wir über Michal erhalten, ist, dass sie nie ein Kind von ihm gebar (2 Sam 6,23). Dies ist der Gipfel ihrer Lebensenttäuschungen und zudem ein Hinweis darauf, dass der Ehemann, der sie nie liebte, nun auch kein eheliches Verhältnis mehr zu ihr hatte. Im Lichte der vorangegangenen Diskussion liegt es nahe, dass Michal niemals eine weibliche Rolle ausfüllte, oder wenigstens keine Rolle, die der Bibel zufolge die primäre Rolle der Frau ist. Es mag auch von Bedeutung sein, dass Michal im Unterschied zu anderen Frauen in der Bibel nie als schön beschrieben wird. Michal ist keine typische Frau und die ihr zugewiesene Rolle ist höchst unweiblich.

Batseba im 2. Buch Samuel 11

Ganz gleich, ob man Michals Figur positiv oder negativ beurteilt, so ist doch ziemlich sicher, dass sie als selbständige Figur existiert und in den Episoden, in denen sie auftritt, eine bedeutsame Figur ist.

Anders hingegen Batseba im 2. Buch Samuel 11-12: Sie taucht in der Geschichte als passives Objekt auf – als jemand, der man vom gegenüberliegenden Hausdach zusieht. Ihre nackte Schönheit sticht David ins Auge und lässt ihn Nachforschungen anstellen. Im weiteren Verlauf der Geschichte weiß der Leser nicht, ob sie Davids Aufforderung bereitwillig folgt oder ob sie sich nur dem königlichen Befehl nicht verweigern kann. Ihre Schwangerschaft wird vollkommen sachlich in zwei Worten bekannt gegeben: *harah anochi* (Ich bin schwanger) (11,5). Damit wird das Problem David überlassen. Der versucht zunächst, ihren Gatten Urija dazu zu bringen, seine Frau zu besuchen, um ihm das Kind als eheliches unterzuschieben. Als dies fehlschlägt, sorgt David dafür, dass Urija in der Schlacht getötet wird.

Als wir das nächste Mal von Batseba hören, ist Davids Plan ausgeführt worden. Ihre Reaktion und die folgenden Ereignisse werden wie folgt erzählt: „Als die Frau Urijas hörte, daß ihr Mann Urija tot war, hielt sie für ihren Gemahl die Totenklage. Sobald die Trauerzeit vorüber war, ließ David sie zu sich in sein Haus holen. Sie wurde seine Frau und gebar ihm einen Sohn." (11,26-27) Anderthalb kalte, knappe Verse genügen, um den Zustand einer Frau zusammenzufassen, die eine ehebrecherische Affäre hatte, schwanger wurde, ihren Gatten verlor, ihren Liebhaber, den König Israels, ehelichte, und sein Kind austrug! Entscheidende Ereignisse im Leben einer Frau, trotzdem erfahren wir nicht, in welcher Weise sie Batseba bewegten. Bezeichnend ist auch das Ende von Vers 27: „Dem Herrn aber missfiel, was David getan hatte." Waren nicht beide Seiten gleichermaßen des Ehebruchs schuldig und hätten sich den Zorn Gottes zuziehen müssen? Dennoch wird kein Wort zu Batsebas Schuld gesagt, sondern nur diejenige Davids erwähnt.

David wird nicht mit dem Tod bestraft (die vorgeschriebene Strafe für Ehebrecher), sondern mit dem Verlust seines unehelichen Sohnes. Während das Kind krank ist, wird David als ein liebender und zutiefst unglücklicher Vater dargestellt. Sein Gefühlszustand ist so extrem, dass seine Diener fürchten, ihm die Nachricht zu überbringen, dass das Kind gestorben war. Und abermals schweigt die Geschichte über Batsebas Gefühle. War sie etwa keine liebende Mutter, die von der Krankheit und dem Tod ihres Kindes schwer gezeichnet war? Nur 12,24 („Und David tröstete seine Frau Batseba") gibt einen Hinweis.

Während der ganzen Geschichte hat der Erzähler absichtlich die Figur Batsebas dem Geschehen untergeordnet. Er hat ihre Gefühle ignoriert und ihren Handlungen kaum Beachtung geschenkt. Der Leser kann den Empfindungen Davids in ihrer ganzen Reichweite nachfühlen: sein sexuelles Begehren, seine Enttäuschung darüber, dass Urija nicht nach Hause zurückkehrt, seine Entrüstung über den reichen Mann in Nathans Gleichnis, seine Scham nach der Erklärung der Parabel (2 Sam 12), sein Kummer während der Krankheit des Kindes und schließlich seine Ergebung in dessen Tod. Die einzigen Gefühlsregungen, die Batseba zugeschrieben werden, sind ihre Klagen über den Tod ihres Gatten und der Kummer über den Tod ihres Kindes. Ersteres wird auf oberflächliche Weise dargestellt, als geschehe es eher aus Rücksicht auf Anstand als aus dem Bedürfnis zu klagen, und das zweite wird nur indirekt erwähnt.

All das bringt uns dazu, Batseba gar nicht als Person zu betrachten. Sie ist nicht einmal eine Nebenfigur, sondern einfach Teil des Plots. Beim Ehebruch ist sie keine ebenbürtige Beteiligte, sondern nur das Mittel, durch das er zustande kam. Dies wird schon dadurch deutlich, wie sie in die Geschichte eingeführt wird: „Batseba, die Tochter Eliams, die Frau Urijas, des Hetiters". Auch wenn sie zweifellos eine historische Gestalt ist, deren Existenz uns auch aus anderen Bibelstellen bekannt ist, erscheint sie doch nicht als solche: Ihr Eigenname wird in der Geschichte kaum verwendet, wenn sie überhaupt erwähnt wird, dann als „die Frau" (11,5) oder „Urijas Frau" (11,26, 12,9, 10, 15), was ihren Status einer verheirateten Frau betont. Nur in 12,24, nachdem ihre Sünde verbüßt ist und die Hochzeit mit David einen Neuanfang markiert, wird sie ‚Batseba' genannt. Batseba ist somit keine *eigenständige Figur.* Sie lässt sich nicht einmal als ein Typ betrachten. Mangels eines besseren Ausdrucks nenne ich sie einen *Agenten* im aristotelischen Sinne: der Ausführende einer für den Plot erforderlichen Handlung. Der Plot vom 2. Buch Samuel 11 verlangt nach Ehebruch, und Ehebruch erfordert eine verheiratete Frau. Batseba erfüllt diese Funktion, ihre übrigen Eigenschaften, die nicht zu dieser Funktion gehören, haben in der Geschichte nichts zu suchen.

Batseba und Abischag im 1. Buch der Könige 1-2

Batsebas Funktion als *Agent* im 2. Buch Samuel 11-12 steht in deutlichem Gegensatz zur Figur Batsebas im 1. Buch der Könige 1-2. Hier erscheint sie als ‚echte' Person, als Mutter, die ihrem Sohn den Thron sichern will. Sie tritt in den Episoden der Thronfolgegeschichte als eine der zentralen Figuren auf, die sowohl in Staats- als auch in Familienangelegenheiten eine bedeutende Rolle spielt (beide lassen sich nicht voneinander trennen).

Einen *Agenten* gibt es in diesen Kapiteln gleichwohl, doch ist es nicht Batseba, sondern Abischag, das schöne Mädchen, das dem greisen David dient, „aber der König erkannte sie nicht" (1 Kön 1,4). Bei ihrem ersten Auftritt bildet sie in ihrer Schönheit und Jugend einen Kontrast zum Alter und der Schwäche Davids; ein Kontrast, der noch einmal wiederholt wird, als Batseba in Vers 15 die Kammer betritt: „Der König aber war sehr alt, und Abischag, die Schunemiterin, bediente den König". Weil es hier unnötig ist, den Leser gleich schon wieder an Abischags Dienste zu erinnern, muss die Wiederholung dieser Information einem anderen Zweck dienen: Abischag steht hier nicht im Kontrast zu David, sondern zu Batseba. Als Batseba den Raum betritt, bemerkt sie die Anwesenheit Abischags. Batseba, die einst so jung und attraktiv wie Abischag war, ist inzwischen gealtert und in gewisser Hinsicht durch Abischag ersetzt worden, so wie sie selbst gerade versucht, David durch Salomo zu ersetzen. Man kann geradezu spüren, wie die Eifersucht Batseba durchfährt, als sie schweigend die Gegenwart einer jüngeren Frau bemerkt. Vielleicht ist es auch eine traurige Ironie, dass der einst so männliche David, der seine Leidenschaft nicht bezähmen konnte, sich nun gleichgültig gegenüber der jungen Frau verhält, die „an seiner Seite liegt", um ihn zu wärmen.

Abischags Nutzen für die Erzählung ist mit diesen Kontrasten jedoch noch nicht beendet. Nachdem David gestorben ist und Salomo den Thron bestiegen hat, wendet sich Adonija, sein älterer, enterbter Halbbruder, an Batseba, damit sie bei Salomo ein Wort für ihn einlege und er Abischag heiraten dürfe. Daran schließt folgender Dialog an:

B: Kommst du in friedlicher Absicht?
A: Ja, ich möchte mit dir reden.
B: Rede nur!
A: Du weißt, dass mir das Königtum zustand und dass ganz Israel mich als König haben wollte. Doch ist mir die Königswürde entgangen; sie ist meinem Bruder zuge-

fallen, weil sie ihm vom Herrn bestimmt war. Jetzt aber möchte ich eine einzige Bitte an dich richten. Weise mich nicht ab!
B: Sprich sie nur aus!
A: Rede doch mit dem König Salomo; dich wird er nicht abweisen. Bitte ihn, daß er mir Abischag aus Schunem zur Frau gibt!
B: Gut, ich werde in deiner Angelegenheit mit dem König reden. (1 Kön 2,13-18)

Die Handlungen der beiden Beteiligten sind schwierig zu verstehen. Üblicherweise wird das Verlangen nach einer ehemaligen Nebenfrau eines Königs als gleichbedeutend mit dem Anspruch auf den Thron betrachtet. In dem Fall wäre Adonijas Bitte ziemlich unbedacht, wenn auch nachvollziehbar angesichts seines verzweifelten Wunsches, König zu werden. Batsebas Zustimmung wäre sogar noch unvorsichtiger, hat sie doch gerade alles getan, um Salomos Nachfolge zu sichern. Allerdings betrachten nicht alle Interpreten Adonijas Bitte als politischen Anspruch, Gunn bezweifelt diese Deutung, weil sie „den Schluss voraussetzt, dass sowohl Adonija als auch Batseba unzurechnungsfähig sein müssen".[4] Aufschlussreicher und für mich überzeugender ist Fokkelmans Erklärung der Stelle, nach der Abischags Position zweideutig ist: Da sie keinen Geschlechtsverkehr mit David hatte, könnte Adonija denken, er habe ein Recht, um ihre Hand anzuhalten. Adonija will sie als Trostpreis – nachdem er das Königtum verloren hat, bettelt er wie ein kleines Kind, um mit etwas anderem ruhig gestellt zu werden. Doch Abischag hatte immerhin im Bett König Davids gelegen, weshalb Salomo allen Grund hat, Adonijas Bitte als eine Bedrohung seiner Position zu deuten (oder fehlzudeuten): Er sieht seine Gelegenheit gekommen, um sich des Gegenspielers zu entledigen, und er verliert keine Zeit, sie zu nutzen.

Ich habe den Dialog zitiert, um die Aufmerksamkeit auf die Erzähltechnik zu lenken. Die Verlangsamung der Handlung bei Adonijas Bitte wie auch bei Batsebas Erscheinen vor Salomo (1 Kön 2,19-21) gewährt Einblick in die Gedanken der Figuren. Adonija leitet vorsichtig und zögernd zu der Bitte über, wegen der er gekommen ist, wobei er Batseba versichert, er habe sich mit dem Verlust des Throns abgefunden. Ihre Erwiderungen „Rede!", „Sprich!" legen nahe, dass sie ihrerseits bei jedem Schritt genau überlegt, was er bedeute und wohin er führen könne. Als sie dann ihr Versprechen gegenüber Adonija einhält und sein Anliegen Salomo vorträgt, sind auch bei ihr Zögern und Ambivalenz nicht zu übersehen. Die Erzählung erfasst jedes Detail ihrer Audienz bei Salomo, so als würden wir uns mit ihr in Zeitlupe durch die Handlung bewegen. Batsebas Worte an den neuen König sind nahezu identisch mit Adonijas Worten an sie, doch gesellen sich einige bedeutsame Veränderungen hinzu. Aus Adonijas Bitte macht sie eine „kleine Bitte" – „Eine einzige kleine Bitte hätte ich an dich" (Vers 20) –, entweder um Salomo von der Bedeutungslosigkeit des Anliegens zu überzeugen oder um es ironisch zu kommentieren. Sie verändert sogar die Syntax von „möge er mir Abischag geben" zu „möge

---

4 David M. Gunn: *The Story of King David. Genre and Interpretation*, Sheffield 1978, S. 137, Anm. 4.

mir Abischag gegeben werden", womit sie Abischag vom Objekt zum Subjekt macht und dadurch ihre Rolle betont, Salomos Beitrag aber bagatellisiert.

Wieder wird dabei das schon an Davids Totenbett entworfene Bild Batsebas von Abischag ausgedrückt. Warum willigte Batseba ein, Adonijas Bitte an Salomo zu überbringen? Um Adonija zu beschwichtigen, damit er keinen Ärger mehr bereite? Oder vielleicht aus Eifersucht auf Abischag, die sie Salomo nicht gönnte? Oder ist sie noch klüger und ahnt Salomos Reaktion voraus – sieht hier also eine Möglichkeit, sich dauerhaft von dem Opponenten ihres Sohns zu befreien? Wie dem auch sei, Batseba hat die Gelegenheit, Abischag in dieser lästigen Angelegenheit ins Zentrum zu rücken, nicht nutzlos vergehen lassen.

Abischag scheint für jede der drei anderen Figuren dieser Episode eine andere Bedeutung zu haben. Für Adonija ist sie ein Trostpreis, um seine aufgebrachten Gefühle zu besänftigen; für Salomo ist sie ein Zeichen des Königtums; und für Batseba ist sie eine jüngere Frau, die, ganz ähnlich wie sie selbst, in die Ereignisse der Thronfolge verwickelt ist.

Batsebas Rolle in der Geschichte endet hier, doch ganz gleich, welche Motive sie hatte, so steht doch fest, dass sie eine *eigenständige Figur* ist, die für den Plot wichtig ist, dessen Gefühle und Reaktionen aber über die Erfordernisse der Handlung hinaus entwickelt werden. Batseba wird im 1. Buch der Könige 1-2 literarisch ganz anders als im 2. Buch Samuel 11 eingesetzt. Dort war sie ein *Agent*, hier ist sie eine *eigenständige Figur*. Abischag ist dagegen eindeutig ein *Agent*. Wir sehen sie mit den Augen anderer Menschen, aber nie mit ihren eigenen. Wir erfahren nie, was sie von den Figuren denkt, mit denen sie zu tun hat, oder von den Angelegenheiten, in die sie verwickelt ist.

Abigajil

Die Geschichte von Abigajil (1 Sam 25) geht der Geschichte von David und Batseba chronologisch voraus und ist in mancher Hinsicht ihr Gegenstück. Batsebas Mann Urija ist gut (zu gut), Abigajils Mann Nabal ist niederträchtig. Batseba unternimmt offenbar nichts (oder kann nichts tun), um ihren Mann zu retten. Abigajil hingegen setzte ausgeklügelte Mittel ein, um ihren Mann zu retten. Die Geschichte von Batseba dreht sich um unerlaubten Sex. Dieser kommt in der Geschichte von Abigajil überhaupt nicht vor. Obwohl sich David offensichtlich zu Abigajil hingezogen fühlte, was durch die Schnelligkeit bezeugt wird, mit der er sie heiratete, als sie Witwe wurde, gibt es, auch wenn es reichlich Gelegenheit dazu gab, keinen Hinweis auf unziemliches Verhalten zwischen den beiden. Schließlich begeht David in der Batseba-Erzählung einen Mord wegen der Frau, während er in der Geschichte von Abigajil, wie er selbst feststellt (1 Sam 25,33), von Abigajil davon abgehalten wird, einen Mord zu begehen.

Es gibt zahlreiche ausgezeichnete Interpretationen vom 1. Buch Samuel 25, von denen mein Verständnis dieses Kapitels in vielerlei Hinsicht abhängt, aber hier interessiert mich weniger die Geschichte selbst als vielmehr ihre Figuren, denn wir finden unter ihnen solche, die weder *Agenten* noch *eigenständige Figuren*, sondern *Typen* sind: Sowohl Abigajil als auch Nabal sind übertriebene Stereotypen.

Nabal, wörtlich „Tor", ist so wie sein Name. Das wird zweimal ausgedrückt: Aus der Perspektive des Erzählers bei der Einführung der Figur (1 Sam 25,3) und aus der Perspektive Abigajils, als diese ihren Mann David gegenüber charakterisiert (Vs. 25). Obwohl sein einziges Vergehen in dem sehr begreiflichen Fehler besteht, die Autorität Davids nicht anzuerkennen, denken seine Frau, seine Diener und der Leser alle schlecht von ihm. Er wird als störrisch, bäuerisch und trunksüchtig dargestellt – und als fassungslos über das, was seine Frau getan hat. Wir haben keine Ahnung, warum er so ist oder wie er so geworden ist, es scheint einfach seine Natur zu sein.

Wenn Nabal ein sprichwörtlicher „Narr" ist, dann verkörpert Abigajil die *isha hajal*, die „tüchtige Frau". Der Text beschreibt sie als intelligent und schön, als einfühlsam, durchsetzungsfähig und bereit, ihren Mann zu schützen, auch wenn er es nicht verdient. Kurz, sie ist eine Mustergattin und eine sittsame Frau. Dies wird am deutlichsten (und am übertriebensten) an den Stellen, an denen sie David als Herrn anspricht und sich selbst als Magd bezeichnet (1 Sam 25,24 f. 41). Dies ließe sich als korrekte Etikette deuten, oder als ein politisches Manöver, um David dazu zu bringen, ihren Mann zu verschonen; aber es steht in überhaupt keinem Verhältnis zum Ende der Geschichte, als David ihr einen Heiratsantrag macht. Die Witwe des reichen Viehzüchters antwortet dem jungen Emporkömmling mit den Worten: „Siehe, deine Magd ist bereit, den Knechten meines Herrn zu dienen und ihnen die Füße zu waschen." (25,41) Im Gegensatz zu Nabal ahnt Abigajil also, dass David der „König über Israel" sein wird und daher Anspruch auf Respekt hat.

Der Plot ist genauso unrealistisch wie die Figuren, er ließe sich wie folgt verkürzen: Die „schöne Magd" Abigajil wird von dem „bösen Ungeheuer" befreit und heiratet den „Märchenprinzen". Das macht deutlich, dass das 1. Buch Samuel 25 nicht nur eine weitere Episode in der Biografie Davids ist, sondern ein moralisches Exempel. Der Text stellt das Grundthema aus den Kapiteln 24 und 26 (Davids Großmut gegenüber Saul) etwas allgemeiner dar: David hat die Macht zu töten, verzichtet aber darauf, sie zu gebrauchen. Er triumphiert über seinen Gegenspieler, ohne dass es nötig wäre, diesen selbst zu töten, denn Gott kümmert sich selbst darum. Die Geschichte von Abigajil ist ebenso wie die Geschichten von Saul eine nachdrückliche Bestätigung von Davids Bestimmung, als Gottes Auserwählter zu regieren. Wie Abigajil sagt:

> Wenn sich aber ein Mensch erhebt, um dich zu verfolgen und dir nach dem Leben zu trachten, dann sei das Leben meines Herrn beim Herrn, deinem Gott, eingebunden in den Beutel des Lebens; das Leben deiner Feinde aber möge der Herr mit einer Schleuder fortschleudern. Wenn dann der Herr meinem Herrn all das Gute erweist, das er dir versprochen hat, und dich zum Fürsten über Israel macht [...]". (1 Sam 25,29-30)

Diese Aussage spielt für die Geschichte von Abigajil keine Rolle, aber sie spricht genau das aus, was diese Geschichte und die an sie angrenzenden Kapitel zu zeigen versuchen.

Vier Frauen – Michal, Batseba, Abischag und Abigajil – wurden vorgestellt, wobei wir gesehen haben, wie unterschiedlich biblische Figuren charakterisiert werden können. Michal und die Figur Batsebas aus dem 1. Buch der Könige 1-2 sind *eigenständige Figuren* im modernen Sinne. Sie werden realistisch dargestellt; ihre Gefühle und Motive werden entweder ausdrücklich genannt oder der Leser kann sie anhand von Anspielungen der Erzählung erkennen. Wir haben das Gefühl, sie zu kennen und zu verstehen und können uns weitgehend mit ihnen identifizieren. Abigajil hingegen ist eher ein *Typ* als ein Individuum; sie repräsentiert die perfekte Ehefrau. Sowohl von der *eigenständigen Figur* als auch vom *Typ* verschieden ist der *Agent*, für den Batseba im 2. Buch Samuel 11-12 und Abischag stehen. Diese beiden Frauen treten in der Erzählung als Funktionen des Plots oder als Teil des Settings auf. Sie sind für sich genommen nicht wichtig und sind nur wegen ihrer Wirkung auf den Plot und dessen Figuren da, und dem Leser wird nichts über sie oder ihre Gefühle verraten. Sie sind für den Plot erforderlich oder dienen dazu, einen Kontrast zu den *eigenständigen Figuren* zu bilden oder Reaktionen von ihnen hervorzurufen.

Man kann diese drei Arten von Figuren nicht scharf voneinander trennen und sie unterscheiden sich mehr durch das Ausmaß als durch die Weise ihrer Charakterisierung. Sie bilden daher eine Art Kontinuum, es erstreckt sich vom *Agent* (1) als Funktion des Plots über den *Typ* (2), der einen begrenzten und stereotypischen Umfang von Merkmalen besitzt und der alle Personen mit diesen Merkmalen repräsentiert, bis hin zur *eigenständigen Figur* (3), die über einen größeren Umfang von Merkmalen verfügt und über die wir mehr wissen, als für den Plot erforderlich ist.

David und seine Frauen

Es ist interessant, dass keine der hier bisher diskutierten Figuren zu den Hauptfiguren der Geschichten vom 1. Buch Samuel bis zum 2. Buch der Könige gehört. Das Hauptinteresse gilt in allen erörterten Episoden dem König und dem Königtum, doch David ist nur im 2. Buch Samuel 11-12 die dominante Figur. In der Geschichte von Michal im 1. Buch Samuel 19 ist seine Rolle gegenüber Michal zweitrangig; er bekommt nicht einmal ein Wort zu sprechen. Auch nach Davids Abgang bleibt die Erzählung auf Michal und die Begegnung mit ihrem Vater fokussiert. Das Gleiche gilt für die Geschichte von Abigajil, in der David als Nebendarsteller für die Hauptdarstellerin fungiert. Der Großteil der Handlung findet in Abigajils Haus in Abwesenheit von David statt, die Szene wechselt erst dann zu Davids Wohnort, als Abigajil auch dort ist. Im 1. Buch der Könige 1-2 schließlich liegt David schon im Sterben. Zwar ist es sein Zustand, der den Kampf um die Thronfolge veranlasst, und es ist sein Wort, das den Sieger bestätigt, doch ist nicht er die Hauptfigur, sondern Batseba, obwohl es in der Geschichte eigentlich nicht um sie geht.

Das Ergebnis dieses narrativen Verfahrens ist stets eine indirekte Darstellung Davids, dank der die verschiedenen Aspekte seines Charakters gleichsam natürlich und fernab des grellen Scheins einer direkten Charakterprüfung hervortreten. Der Leser kombiniert diese Aspekte seines Charakters sodann mit den Episoden, in denen er die Hauptfigur ist. Wie David M. Gunn gezeigt hat, wechselt die David-Geschichte zwischen der Darstellung des Privatmanns und der öffentlichen Figur hin und her, so dass am Ende Familien- und öffentliche Angelegenheiten miteinander vermischt werden und sich gegenseitig beeinflussen.[5] Bisher unbeachtet blieb, dass sich zudem die Erzählungen, in denen David die Hauptfigur ist, mit solchen abwechseln, in denen er nur eine Nebenrolle spielt, und dass diese Wechsel in etwa dem Wechsel von Davids öffentlicher Sphäre und Privatsphäre entsprechen. Darüber hinaus gibt es sogar eine Entsprechung zwischen den öffentlichen und privaten Phasen in Davids Leben und seinem Verhalten gegenüber den verschiedenen Frauen:

Michal	gefühlskalt, nutzt sie zu seinem politischen Vorteil	*kalte, berechnete Erlangung der Macht*
Abigajil	begieriges, aber vornehmes Verhalten ihr gegenüber	*Selbstsicherheit als politischer Führer*
Batseba	Lust, Griff nach etwas, das ihm nicht gehört	*Streben nach Vermehrung des Besitzes, Vergrößerung des Reichs*
Abischag	Impotenz	*Verlust der Kontrolle über das Königtum*

Die Geschichten von David wurden zu einer gebieterischen Erzählung verflochten, in der alle Facetten der komplexen Persönlichkeit des Helden zum Vorschein kommen dürfen. Erreicht wird das auch dadurch, dass manchmal die Aufmerksamkeit vollständig auf ihn gelenkt wird, er manchmal aber auch nur in der Spiegelung mit unbedeutenderen Figuren gezeigt wird. Dieser Wechsel sowohl des Fokus als auch der Tiefenschärfe erzeugt eine Erzählung von besonderer Tiefe, die für den Leser glaubwürdig ist und der es stets gelingt, sein Interesse zu wecken.

Charakterisierung

Die Darstellung der biblischen Figuren wird bei allen drei Arten von Figuren durch eine Vielzahl von Techniken der Charakterisierung geleistet. Im Allgemeinen handelt es sich um dieselben Techniken, die auch in nicht-biblischen Erzählungen zur Anwendung kommen. Der Leser rekonstruiert eine Figur anhand der Informationen der Erzählung. Diese Informationen gewinnt er sowohl aus den Äußerungen und Bewertungen dieser Figur durch den Erzähler oder durch andere Figuren als auch aus den Äußerungen und Handlungen der zu charakterisierenden Figur selbst. Robert Alter hat einige dieser Techniken veranschaulicht, und Shimon Bar-Efrat

---

5 Ebd., S. 87–111, insb. S. 90–93.

hat sie detailliert beschrieben.[6] Ich werde nun einige zusätzliche Betrachtungen dazu anstellen.

Beschreibung

Man hat oft gesagt, dass die Bibel ihre Figuren nur selten beschreibt. Tatsächlich nimmt die Beschreibung im Verhältnis zu Handlung und Dialog nur einen relativ geringen Raum ein und die Figuren sind meist dem Plot untergeordnet. Wenn uns also Einzelheiten über die Erscheinung oder Kleidung einer Figur genannt werden, so geschieht dies üblicherweise, weil diese Informationen für den Plot gebraucht werden. Tamars königliches Gewand wird nicht um seiner selbst willen beschrieben, sondern vermittelt auf besonders dramatische Weise die Erniedrigung, welche die Prinzessin fühlt. Und uns wird nicht umsonst mitgeteilt, dass Batseba schön war oder dass Esau haarig bzw. Eglon fett waren.

Ganz so einfach liegt die Sache allerdings nicht. Die Bibel beschreibt, wie die gerade gegebenen Beispiele zeigen, ihre Figuren nämlich doch, zumindest bis zu einem gewissen Grad. Was auch immer der Grund für die Beschreibung sein mag, der Leser weiß zum Beispiel, dass Mephiboschet ein Krüppel war, dass Eli alt war und seine Sehkraft ihn verließ, dass Saul groß und David rothaarig waren. Auch wenn diese Informationen primär den Zweck haben, den Plot oder die Umstände der Handlung zu erklären, ermöglichen sie dem Leser auch die Rekonstruktion der Figur. Es gibt also sehr wohl Beschreibungen in der Bibel, sogar körperliche Beschreibungen. Was jedoch in der Bibel fehlt, ist jede detaillierte äußerliche oder körperliche Beschreibung von Figuren, die beim Leser ein konkretes Erscheinungsbild erzeugen würde. Wir wissen womöglich, das Batseba schön war, aber wir haben keine Ahnung, wie sie aussah. Der Text ist uns nicht behilflich, seine Figuren konkret zu visualisieren. Der Leser kann die Figur nicht als ein körperlich ausgeprägtes Individuum *sehen*; es bleibt unserer Vorstellungskraft überlassen, uns ein Bild von ihr zu machen (die unterschiedlichen Darstellungen der biblischen Figuren in der Kunst zeigen dies ja nur allzu deutlich). Warum ist dies so? Fehlte es den biblischen Autoren am Vermögen, eine detaillierte körperliche Beschreibung zu geben? Ich denke nicht, denn es gibt detaillierte Beschreibungen von Orten und Gegenständen in der Bibel – z.B. vom Garten Eden, der Arche Noah, dem Tempel Salomos oder Ezechiels Wagen. *Es fehlt nicht an äußerlicher Beschreibung als solcher, sondern an körperlicher Beschreibung von Menschen.* Es ist fast so, als sei das Verbot von Götzenbildern auch auf literarische Bilder ausgeweitet worden. Eine Ausnahme scheint die Beschreibung von Goliath im 1. Buch Samuel 17,4-7, allerdings wird er weniger als Person denn als ein gepanzertes Monstrum oder eine Art Superwaffe geschildert, was nur umso deutlicher wird, wenn ein kleiner Stein den „Panzer" zu Boden

---

6 Alter: *Biblical Narrative* (Anm. 3), S. 114–130; Shimon Bar-Efrat: *Das Erste Buch Samuel. Ein narratologisch-philologischer Kommentar*, Stuttgart (Kohlhammer) 2007.

wirft.[7] Die Bibel würde nie sagen: „Du wirst einem zwei Meter großen Mann mit schwarzem Haar und Schnurrbart sowie einer Narbe über dem linken Auge begegnen". Vielmehr sagt sie:

> Dort werden dich drei Männer treffen, die zu Gott nach Bethel hinaufgehen. Einer trägt drei Böckchen und einer drei Brote, und einer trägt einen Schlauch mit Wein. [...] Danach [...] wirst du einer Schar von Propheten begegnen, die von der Höhe herabkommen, und vor ihnen her Harfe und Tamburin und Flöte und Zither" (1 Sam 10,3-5).

Dies sind ganz gewiss Beschreibungen, sogar physische Beschreibungen, doch sind es die Requisiten, die detailgetreu beschrieben werden, nicht die Menschen.

Wie sehr die Bibel es vermeidet, Menschen konkret zu beschreiben, wird im 1. Buch Samuel 28 besonders deutlich. Saul, der sich kurz zuvor verkleidet hatte, um nicht erkannt werden zu können (wir wissen aber nicht, wie er vor seiner Verkleidung ausgesehen hat), geht zu einer Geisterbeschwörerin, um mit dem toten Samuel zu kommunizieren. Samuel erscheint, kann aber nur von der Geisterbeschwörerin gesehen werden, nicht von Saul, der die Beschwörerin daher fragt: „Was siehst du?" Sie antwortet: „Ich sehe einen Geist" (*'elohim*) aus der Erde heraufsteigen"; auf Sauls Nachfrage „Wie sieht er aus?", präzisiert sie: „Ein alter Mann steigt herauf. Er ist in ein Oberkleid gehüllt" (1 Sam 28,13-14). Aufgrund dieser Minimalbeschreibung kann Saul Samuel eindeutig identifizieren, denn der Text geht sofort mit den Worten weiter: „Da erkannte Saul, daß es Samuel war". Woher wusste Saul das? Zahllose Kommentatoren, die von dieser Frage gequält wurden, haben die Identifikation an dem Oberkleid festgemacht, indem sie behauptet haben, es sei ein unverwechselbares Kleidungsstück und ein Kennzeichen Samuels gewesen. Tatsächlich wird ein Umhang in Zusammenhang mit Samuel in 2,19 sowie in 15,27 erwähnt, doch werden Umhänge auch in Verbindung mit Jonatan in 1 Samuel 18,4 oder mit Saul in 24,5 sowie bei einigen anderen in der Bibel erwähnt. Nichts an der Stelle in 1 Samuel 28 oder anderswo legt nahe, dass Samuels Umhang unverwechselbar gewesen sei. Tatsächlich geht es hier nicht darum, dass Saul Samuel an den Worten der Frau erkennen konnte, sondern dass dies alles ist, was der Verfasser dem Leser über das Aussehen Samuels mitzuteilen bereit ist. „Ein alter Mann, in ein Oberkleid gehüllt" war für den biblischen Autor anscheinend anschaulich genug, auch wenn es das für uns nicht ist.

Obwohl der Leser eine Figur womöglich nicht ‚sieht', nimmt er sie in einem anderen Sinne wahr. Es gibt tatsächlich ein ziemliches Spektrum an Informationen, die durch Beschreibungen gegeben werden. Deskriptive Ausdrücke mögen sich auf den Status stützen (König, Witwe, Weiser, wohlhabend, alt usw.), auf den Beruf (Prophet, Hure, Hirte usw.) oder auf bestimmte körperliche Merkmale (schön, stark, lahm usw.). Jemanden als groß oder ansehnlich zu beschreiben, ist im Grunde dasselbe, wie ihn weise oder wohlhabend bzw. gut oder böse zu nennen, denn all das sind Eigenschaften oder Merkmale einer Figur, deren Erwähnung

---

7 Vgl. Alter: *Biblical Narrative* (Anm. 3), S. 81.

jedoch immer vor konkreter äußerlicher Darstellung haltmachen. Der Zweck von Figurenbeschreibungen in der Bibel besteht somit nicht darin, den Leser in die Lage zu versetzen, sich die Figur bildlich vorzustellen, sondern darin, es dem Leser zu ermöglichen, die Figur im Hinblick auf ihren Platz in der Gesellschaft, auf ihre besondere Lage und ihre heraus stechenden Merkmale einzuordnen – und also mit anderen Worten zu sagen, was für eine Person sie ist.

Dies gelingt nicht nur durch einzelne Ausdrücke wie die soeben erwähnten, sondern gelegentlich auch durch längere deskriptive Passagen. Die Beschreibung Nabals zum Beispiel, die der Erzähler gibt und die sehr schön von J. Levenson erläutert wird,[8] charakterisiert diesen als eine bedeutende Person in der Gegend um Hebron sowie als rohen, bäuerischen Mann, der sich mehr um seinen Besitz als für Menschen interessierte.

> Damals lebte in Maon ein Mann, der sein Gut in Karmel hatte. Der Mann war sehr reich; er besaß dreitausend Schafe und tausend Ziegen. Er war eben dabei, in Karmel seine Schafe zu scheren. Der Mann hieß Nabal und seine Frau Abigajil. Die Frau war klug und von schöner Gestalt, aber der Mann war roh und bösartig; er war ein Kale-biter. (1 Sam 25,2-3)

Im Fall von Jiftach wird die Situation, in der er sich befindet, durch seinen famili-ären Hintergrund erklärt, was wiederum zur Charakterisierung des Mannes dient:

> Jiftach, der Gileaditer, war ein tapferer Held; er war der Sohn einer Dirne und Gilead war sein Vater. Auch Gileads Ehefrau gebar ihm Söhne. Als nun die Söhne der Ehe-frau herangewachsen waren, jagten sie Jiftach fort [...]. Da floh Jiftach vor seinen Brüdern. Er ließ sich im Land Tob nieder, und Männer, die nichts zu verlieren hatten, scharten sich um ihn und zogen mit ihm (zu Streifzügen) aus. (Ri 11,1-3)

Die Beschreibung erfolgt nicht unbedingt dann, wenn die Figur zum ersten Mal eingeführt wird. So findet sich die ausführliche Beschreibung der Weisheit Salomos erst zwei Kapitel, nachdem er um diese Gabe gebeten hat (1 Kön 3,9), sie gewährt bekam (3,12) und sie auch bereits durch das salomonische Urteil über die zwei um einen Säugling streitenden Frauen (3,16 ff.) unter Beweis gestellt hat.

> Gott gab Salomo Weisheit und Einsicht in hohem Maß und Weite des Herzens – wie Sand am Strand des Meeres. Die Weisheit Salomos war größer als die Weisheit aller Söhne des Ostens und alle Weisheit Ägyptens. Er war weiser als alle Menschen, weiser als Etan, der Esrachiter, als Heman, Kalkol und Darda, die Söhne Mahols. Sein Name war bekannt bei allen Völkern ringsum. Er verfasste dreitausend Sprichwörter und die Zahl seiner Lieder betrug tausendundfünf. Er redete über die Bäume, von der Zeder auf dem Libanon bis zum Ysop, der an der Mauer wächst. Er redete über das Vieh, die Vögel, das Gewürm und die Fische. Von allen Völkern kamen Leute, um die Weisheit Salomos zu hören, Abgesandte von allen Königen der Erde, die von sei-ner Weisheit vernommen hatten. (1 Kön 5,9-14)

---

8 Jon D. Levenson: „1 Samuel 25 as Literature and as History", in: *Catholic Biblical Quarterly* 40 (1978), S. 11–28.

Manchmal werden auch Randfiguren wie Isai kurz beschrieben:

> David war der Sohn eines Efratiters namens Isai aus Betlehem in Juda, der acht Söhne
> hatte. Zur Zeit Sauls war Isai bereits alt und betagt. (1 Sam 17,12)

Gelegentlich wird die Beschreibung einer anderen Figur in den Mund gelegt, so
zum Beispiel als ein Diener Sauls David für eine Stellung bei Hofe empfiehlt:

> Einer der jungen Männer antwortete: Ich kenne einen Sohn des Betlehemiters Isai,
> der Zither zu spielen versteht. Und er ist tapfer und ein guter Krieger, wortgewandt,
> von schöner Gestalt, und der Herr ist mit ihm. (1 Sam 16,18)

Diese Beispiele zeigen, dass die Bibel ihre Figuren sehr wohl beschreibt, dass sich
ihre Beschreibungen aber auch von denjenigen in modernen Romanen unterscheiden und eher den Beschreibungen in einfachen Erzählungen wie Märchen oder
Epen gleichen. Dennoch sind die biblischen Figuren vollständiger, naturgetreuer
und weniger undurchsichtig als die jener einfachen Erzählungen, weil die Charakterisierung in der Bibel nicht nur (und nicht einmal vornehmlich) durch Beschreibungen erreicht wird, sondern durch etliche andere Techniken, denen wir uns nun
zuwenden werden.

Innenleben

Noch weiter verbreitet als das Vorurteil, es gebe in der Bibel keine Figurenbeschreibungen, ist die Ansicht, dass die Bibel nichts über das Innenleben ihrer Figuren
mitteile: „In der primitiven erzählenden Literatur, sei sie nun hebräisch oder helle-
nisch, wird das innere Leben unterstellt, aber nicht dargestellt".[9] Erfreulicherweise
haben sowohl Bar-Efrat als auch Sternberg diesen Irrtum durch zahlreiche Beispiele
für solche Darstellungen des Innenlebens berichtigt. So wird uns zum Beispiel ganz
eindeutig von der Liebe und dem Hass Amnons erzählt sowie von der Eifersucht
der Brüder Josephs, von Moses' Zorn oder von Adonijas Furcht. Wir erfahren, was
einzelne Figuren denken: „Da meinte Eli, sie sei betrunken" (1 Sam 1,13); was sie
sahen: „Und er wandte sich hierhin und dorthin, und [...] sah, daß niemand [in
der Nähe] war" (Ex 2,12); was sie begreifen: „Da merkte Eli, daß der Herr den
Jungen rief" (1 Sam 3,8); und was sie nicht wussten: „Jakob aber wußte nicht, daß
Rahel ihn gestohlen hatte" (Gen 31,32). All dies wirkt sich dahingehend aus, dass
es die „Schablonenhaftigkeit" der Figuren vermindert und dass es dem Leser Einblick in ihre Gedanken, Gefühle und Motive gibt. Dabei kommt es sogar zu so
komplexen inneren Konstellationen wie: „Als aber seine Brüder sahen, daß ihr
Vater ihn mehr liebte als alle seine Brüder, da haßten sie ihn" (Gen 37,4). Hier
berichtet uns der Erzähler nicht nur vom Innenleben der Brüder (sie hassten
Joseph), sondern auch von ihrer Wahrnehmung des Innenlebens ihres Vaters (er
liebte Joseph). Um die Gedanken von Figuren noch zu konkretisieren, können sie

---

9 Scholes/Kellogg: *Nature of Narrative* (Anm. 1), S. 166.

auch in Gestalt eines inneren Monologs dargestellt werden: „Esau sagte sich: Es nähern sich die Tage der Trauer um meinen Vater, dann werde ich meinen Bruder Jakob umbringen" (Gen 27,41).

Die Bibel ist ganz eindeutig in der Lage, das Innenleben ihrer Figuren darzustellen. Das Wissen, das sie dem Leser dabei zur Hand gibt, trägt zur Gesamtcharakterisierung einer Person bei.

Rede und Handlung

Meist ist es der Erzähler, der eine Figur beschreibt und ihr Innenleben darstellt, manchmal geschieht dies auch durch andere Figuren. Beides würde in der Tradition der Englischen Literaturkritik als Form des ‚telling‘, des Sagens, bezeichnet, im Unterschied zum ‚showing‘, dem Zeigen, wenn eine Figur durch ihre eigenen Worte und Handlungen dargestellt wird, wobei natürlich ihre Handlungen wiederum durch die Worte des Erzählers vermittelt werden. In der biblischen Erzählung wird von Rede und Handlungen ausführlich Gebrauch gemacht, um den Plot voranzubringen und die Figuren zu charakterisieren. Adams Antwort „Die Frau, die du mir zur Seite gegeben hast, sie gab mir von dem Baum, und ich aß" (Gen 3,12) macht eine Beschreibung seines inneren Zustands durch den Erzähler überflüssig, denn seine eigenen Worte charakterisieren seine Gefühle treffend genug. Auch Moses' Frage „Wer bin ich, daß ich […] gehen […] sollte" (Ex 3,11) spricht Bände über seine Persönlichkeit. Es ist nicht nur der Gehalt der Worte, sondern auch die Art ihrer Formulierung, durch die der Sprecher charakterisiert werden kann: „Segne mich, auch mich, mein Vater" (Gen 27,34) lauten die Worte eines fassungslosen, kindlichen Esau.

Manchmal gibt es auch Handlungen ohne Worte. Als Abraham befohlen wird, seinen Sohn zu opfern, sagt er gar nichts und es heißt bloß: „Da stand Abraham früh am Morgen auf und gürtete seinen Esel und nahm mit sich zwei Knechte und seinen Sohn Isaak und spaltete Holz zum Brandopfer, machte sich auf und ging […]" (Gen 22,3). Diese Folge von Sätzen mit ähnlicher Syntax, in denen das Verb dominiert, macht deutlich, dass Abraham absichtlich und gehorsam einen Befehl ausführt.

Weit häufiger aber verbinden sich Handlung und Worte zu einem lebendigen Porträt, wie z.B. in der folgenden Szene zwischen Jakob und Esau.

Einst hatte Jakob ein Gericht zubereitet, als Esau erschöpft vom Feld kam. Da sagte Esau zu Jakob: Gib mir doch etwas zu essen von dem Roten, von dem Roten da, ich bin ganz erschöpft. Deshalb heißt er Edom (Roter). Jakob gab zur Antwort: Dann verkauf mir jetzt sofort dein Erstgeburtsrecht! Schau, ich sterbe vor Hunger, sagte Esau, was soll mir da das Erstgeburtsrecht? Jakob erwiderte: Schwör mir jetzt sofort! Da schwor er ihm und verkaufte sein Erstgeburtsrecht an Jakob. Darauf gab Jakob dem Esau Brot und Linsengemüse; er aß und trank, stand auf und ging seines Weges. Vom Erstgeburtsrecht aber hielt Esau nichts. (Gen 25,29-34)

Esaus Rede und Handlung kennzeichnen ihn als einfachen Menschen. Er interessiert sich nur für die unmittelbare Befriedigung seiner körperlichen Bedürfnisse und ist nicht in der Lage, sich Gedanken über abstrakte Dinge wie das Erstgeburtsrecht zu machen. Er weiß nicht einmal, was er isst – „das Rote da" –, sondern bloß, dass er rasch etwas essen oder sonst sterben muss. Die Verben stehen in starrer Folge hintereinander und heben so das schlichte Wesen des Mannes hervor. Der arme Esau ist nicht sonderlich helle, was den Leser abstößt, ihn aber zugleich Mitleid empfinden lässt.

Jakob hingegen ist so gewitzt wie Esau begriffsstutzig ist. Er versteht seinen Bruder und kann ihn ohne weiteres manipulieren. Womöglich hat er sein Gericht zeitlich auf Esaus Rückkehr abgestimmt, ganz sicher erkennt er, dass Esau im Nachteil ist und er schnell handeln muss; das Wort „heute" kommt in Jakobs beiden Zeilen vor. Esau ist ein Mann des Augenblicks; in jenem Augenblick braucht er die Mahlzeit mehr als das Erstgeburtsrecht, und so verkauft er es an Jakob.

Das Bild von Esau, das sich aus seinen Worten und Taten ergibt, stimmt nicht vollständig mit dessen Bewertung durch den Erzähler überein: Laut diesem verachtet Esau sein Erstgeburtsrecht, aus Esaus Perspektive handelt es sich aber nicht um Verachtung oder Rebellion, sondern um Unwissen und Kurzsichtigkeit.

Kontrast

Die soeben zitierte Passage über Esau und Jakob zeigt zudem eine weitere Technik der Charakterisierung, den Kontrast. Von ihm gibt es drei Arten: den Kontrast zu einer anderen Figur, den zu einer früheren Handlung derselben Figur und den zur erwarteten Norm.

Auch wenn die Figuren implizit durch ihre Worte und Taten charakterisiert werden, so wird das klarer erkennbar, wenn sie ihrem Gegenteil gegenübergestellt werden, z.B. bei Nabal und Abigajil oder bei Esau und Jakob. In diesen beiden Fällen wird der Kontrast in der Rede ausbuchstabiert: „Sie war eine Frau von klarem Verstand und von schöner Gestalt. Der Mann aber war roh und boshaft in seinem Tun" (1 Sam 25,3). „Esau wurde ein jagdkundiger Mann, ein Mann des freien Feldes; Jakob aber war ein gesitteter Mann, der bei den Zelten blieb" (Gen 25,27). Manchmal wird der Kontrast der Rede zunächst nicht ganz so offensichtlich, sondern ist implizit in der Geschichte enthalten. In der Josephsgeschichte gibt es in mehreren Episoden einen Kontrast zwischen Ruben und Juda (Gen 37,21-29; 42,37-43,11), in denen Ruben, auch wenn er es gut meint, stets weniger erfolgreich ist als Juda.

Noch subtiler ist der Kontrast zwischen Urija und David im 2. Buch Samuel 11,7-14. David, der Oberbefehlshaber, ist unfähig, einem einfachen Soldaten seinen Willen aufzuzwingen. David, der mit Urijas Frau geschlafen hat, kann Urija nicht dazu bringen, mit seiner Frau zu schlafen. David, der zu Hause geblieben ist, während die Truppen im Heereslager sind, kann Urija nicht dazu bringen, nach Hause zu gehen; Urija bleibt im Zeltlager mit den Dienern des Königs. Alles, was

Urija sagt und tut, verdeutlicht die Unsittlichkeit der Worte und Taten Davids. Ironischerweise ist es der unschuldige Urija, der mit seinem Leben zahlt, während das Leben des schuldigen Davids verschont wird. Doch selbst im Tode untergräbt Urija die Kontrolle Davids, denn dessen Plan schlägt ein wenig fehl, so dass unnötigerweise weitere Soldaten getötet werden.

Die Hauptfiguren der Bibel sind, ebenso wie viele Nebenfiguren, keinesfalls statisch. Veränderungen ihres Charakters werden durch Veränderungen in ihren Reaktionen gezeigt. Daher können die späteren Worte und Taten einer Figur mit ihren früheren Worten und Taten kontrastieren. Dies trifft zweifellos auf Jakob zu, insbesondere in seiner Beziehung zu Esau. Auch bei Juda ist dies der Fall, denn er scheint in Genesis 38 eine Wandlung durchzumachen. Das beständig sich verändernde Verhalten Sauls, seine plötzlichen Wenden vor allem in Bezug auf David, macht seine Persönlichkeit höchst komplex oder sogar psychotisch.

Eine häufige angewandte Technik zur Hervorhebung einer Figur besteht darin, sie gegen die Erwartung des Lesers oder außerhalb der erwarteten Norm handeln zu lassen. Viele der heroischen Handlungen fallen in diese Kategorie: David tötet doppelt so viele Philister, wie Saul verlangt; Abigajils Taten stehen sowohl im Gegensatz zu denen ihres Mannes als auch zur erwarteten Norm; Tamars Handlungen (Gen 38) stehen im Gegensatz zu denen Judas sowie zur allgemeinen Erwartungshaltung, mühelos ließen sich weitere Beispiele dieser Art finden.

Die Kombination von Techniken der Charakterisierung

Bis hierhin habe ich die gebräuchlichsten Charakterisierungstechniken vorgestellt und sie zur einfacheren Darstellung jeweils einzeln behandelt. In dieser reinen Form kommen sie allerdings nur selten vor. Die biblische Erzählung erarbeitet ihre Charakterisierungen durch eine kunstvolle Kombination verschiedener Techniken. Am besten lässt sich dies in den ersten beiden Kapiteln des Buches Hiob veranschaulichen, denn anders als in den meisten übrigen Erzählungen ist die Figur hier wichtiger als der Plot. Hiob muss als vollkommener Mensch charakterisiert werden, denn sonst gäbe es keine Geschichte. Der Autor leistet dies, indem er von allen oben erörterten Techniken Gebrauch macht.

> Im Lande Uz lebte ein Mann mit Namen Hiob. Dieser Mann war untadelig und rechtschaffen; er fürchtete Gott und mied das Böse. Sieben Söhne und drei Töchter wurden ihm geboren. Er besaß siebentausend Stück Kleinvieh, dreitausend Kamele, fünfhundert Joch Rinder und fünfhundert Esel, dazu zahlreiches Gesinde. An Ansehen übertraf dieser Mann alle Bewohner des Ostens. (Hi 1,1-3)

Der Erzähler charakterisiert Hiob mit vier deskriptiven Ausdrücken. Darüber hinaus hat der Mann eine perfekte Familie, mit einer idealen Anzahl von Söhnen und Töchtern. Sein Reichtum wird ebenfalls als vollkommen beschrieben, und da Reichtum ein Zeichen für Gottes Segen ist, verstärkt dieser seine redlichen Eigenschaften. Sofern noch irgendwelche Zweifel bestehen sollten, wird die Überlegenheit

Hiobs im Kontrast zu sämtlichen Bewohnern des Ostens dargestellt. Die Bestandteile dieser Beschreibung sind übrigens ganz ähnlich wie bei der oben diskutierten
Beschreibung Nabals.

> Wenn die Tage des Gastmahls vorbei waren, schickte Hiob hin und entsühnte sie.
> Früh am Morgen stand er auf und brachte so viele Brandopfer dar, wie er Kinder
> hatte. Denn Hiob sagte: Vielleicht haben meine Kinder gesündigt und Gott gelästert
> in ihrem Herzen. So tat Hiob jedes Mal. (1,5)

Hiob gibt sich große Mühe, um seine Kinder frei von Sünde zu halten, indem er
nach jedem Gastmahl sofort Opfer darbringt. Dies geht in verschiedener Hinsicht
über seine väterliche Pflicht hinaus: Zum einen sollten erwachsene Kinder für ihre
Sünden selbst verantwortlich sein, zum anderen ist dies bloß eine Vorsichtsmaß-
nahme, denn sie haben ja nur ‚vielleicht‘ gesündigt, schließlich erscheint selbst
diese mögliche Sünde – sie könnten Gott ‚in ihrem Herzen‘ gelästert haben – als
ziemlich harmlos. Der Erzähler fügt hinzu, dass Hiob regelmäßig so gehandelt und
gesprochen hat; seine Worte und Taten veranschaulichen und bestätigen somit, was
der Erzähler zuvor über Hiob sagte:

> Der Herr sprach zum Satan: Hast du auf meinen Knecht Hiob geachtet? Seinesglei-
> chen gibt es nicht auf der Erde, so untadelig und rechtschaffen, er fürchtet Gott und
> meidet das Böse. (1,8)

Hier bestätigt Gott den Erzähler, indem er dieselben vier deskriptiven Ausdrücke
verwendet und noch hinzufügt: „Denn es gibt keinen wie ihn auf Erden". Damit
überbietet er noch den erwähnten Kontrast „größer als alle Söhne des Ostens".

Hiobs Vollkommenheit zeigt sich durch die Beschreibung des Erzählers, durch
die Beschreibung einer weiteren Figur (Gott), durch die Handlungen Hiobs (samt
ihrem Gegensatz zur Norm) und durch seine Worte, die sein Innenleben ausdrücken. Im Fortgang des Hiobbuches wird all dies durch die eintretende Katastrophe
geprüft. Auf sie reagiert Hiob zunächst mit Handlungen: Er zerreißt seine Kleider,
schert seinen Kopf und fällt zur Erde nieder. Dies sind typische Zeichen für Trauer,
sie können aber auch darauf hinweisen, dass Hiob sehr genau spürt, was geschieht,
denn formelhafte Reaktionen müssen keine leeren Gesten sein. Er weint jedoch
nicht aus Angst, sondern antwortet mit Worten, in denen er Gott vollständig
akzeptiert und lobt. Der Erzähler bestätigt dies: „Bei alledem sündigte Hiob nicht
und äußerte nichts Ungehöriges gegen Gott" (Hi 1,22). Die Charakterisierung
nach der ersten Katastrophe stimmt mit der ursprünglichen Charakterisierung
überein, nur dass sie diesmal dramatisiert wird. Die zweite Katastrophe ist im
Wesentlichen eine Wiederholung der ersten; dieses Mal wird zum Kontrast allerdings noch Hiobs Frau einbezogen. Sie verkörpert die normale Reaktion, während
diejenige Hiobs natürlich außergewöhnlich ist, was erneut durch die Zusammenfassung des Erzählers verstärkt wird: „Bei alledem sündigte Hiob nicht mit seinen
Lippen" (Hi 2,10). Selbst der Teufel scheint überzeugt gewesen zu sein.

FORMEN UND STILE

Verdichtung, Struktur und Präsenz in der biblischen Poesie

Die Poesie der Bibel ist keine Neuentdeckung der letzten Jahrzehnte. In der Antike, durch das gesamte Mittelalter hindurch und in der frühen Neuzeit wurde immer wieder die außerordentliche poetische Schönheit des Buchs der Bücher betont. Um 1800 spielt die von der klassizistischen Tradition so verschiedene biblische Poesie eine wichtige Rolle bei der Entstehung eines neuen Konzepts von Dichtung, fanden doch Dichter wie Friedrich Gottlieb Klopstock oder William Wordsworth gerade in der Bibel ein Beispiel einer ganz anderen, erhabeneren und kräftigeren Poesie. Johann Gottfried Herders *Vom Geist der Hebräischen Poesie* (1782/83) bildet den Höhepunkt dieser Bewegung, ist dann allerdings von der historischen Kritik der Bibel bald in den Hintergrund gedrängt worden. Auch die Wiederentdeckung des literarischen Charakters der Bibel ging nicht von deren ‚Poesie‘ aus, sondern vor allem von den biblischen Erzählungen; die eigentlich poetischen Texte der Bibel – also Psalmen, Sprüche, Teile der Propheten, von Hiob – spielten dabei eine untergeordnete Rolle, wohl auch deshalb, weil sie nur schwer in Übersetzung zu präsentieren sind. Erst in den letzten Jahrzehnten hat sich hier eine umfassende Forschung entwickelt, die um so wichtiger ist, als gerade die biblische Poesie von eminenter kultureller Wirkung gewesen ist: Die Psalmen als Gesangbuch, die Propheten als Meditationslektüre, das Hohelied als poetisches Exempel, das zahllose Autoren zu Nachdichtungen inspirierte.

Mit solchen Wirkungsgeschichten in Literatur und Kunst, aber auch in der Populärkultur beschäftigt sich das von Cheryl Exum geleitete *Center for the Study of the Bible in the Modern World* der Universität Sheffield. Exums eigene Arbeiten versuchen, allgemeine Fragen in genaue Textanalysen umzusetzen. Nicht also philosophisch zu entscheiden, ob es etwas ‚Tragisches‘ in der Bibel gäbe, sondern durch genaue Untersuchung der Erzählstruktur (*Tragedy and Biblical Narrative*, 1992). Oft richtet sie dabei ihre besondere Aufmerksamkeit auf die Gender-Fragen: auf die Spuren weiblicher Stimmen und patriarchaler Herrschaft im biblischen Text, der oft deutlicher von den Problemen patriarchalen Systemerhaltes spricht als ihm lieb ist (*Was sagt das Richterbuch den Frauen*, 1997), aber auch auf die Wiederaufnahme und Umschreibung biblischer Weiblichkeit in der modernen Rezeption durch Literatur, Kunst und Film. Zuletzt hat Exum einen großen Kommentar zum Hohelied geschrieben, den der hier vorliegende Text konzis zusammenfasst. Exum liest das Hohelied als Text über kulturelle Konventionen, gerade was Gender angeht: der weibliche Körper ist Objekt des Blicks, die Frau liebt die Worte des Mannes. Aber der biblische Text überschreitet diese Konzeption auch: indem die Frau überhaupt eine Stimme bekommt, und damit die dominante Relation Liebender – Geliebte sich plötzlich umkehren lässt, indem die Ordnung der

Geschlechter als instabil, in ständigem Fortschreiten und Wechsel begriffen, dargestellt wird.

Dass es sich bei dem Hohelied um ein Liebesgedicht handelt, kann heute wohl
niemanden mehr provozieren – aber was ist eigentlich ein Gedicht, was ist das
‚Poetische' am Hohelied? Die hebräische Poesie zeichnet sich nicht durch Reime
aus, sondern durch den sogenannten Parallelismus: die formale oder semantische
Entsprechung zweier Halbverse: „Mein Kopf ist voll Tau / aus meinen Locken
tropft die Nacht." (Hld 5,2) Diese auch als ‚Gedankenreim' bezeichnete Struktur
ist höchst flexibel, denn die ‚Entsprechung' kann wiederholend, kontrastierend,
aufeinander aufbauend sein oder verschiedene Modi und verschiedene ‚Entsprechungen' zu komplexen Gebilden kombinieren. Und sie spielt auch theoretisch
eine so wichtige Rolle, dass man sich wundern kann, warum die biblische Poesie
erst so spät zum Thema der literarischen Analyse wurde. Immerhin sah Roman
Jakobson, der eigentliche Begründer der strukturalistischen Poetik, im Parallelismus das elementare Mittel der Poetisierung der gewöhnlichen Sprache, weil Wiederholung Struktur erzeugt. Indem die beiden Halbverse sich gegenseitig beleuch-
ten, verleihen sie der scheinbar einfachen Botschaft eine zusätzliche Konnotation:
Der nasse Kopf wird in der Wiederholung zum Bild. Die damit erzeugte ‚Poetizität'
der Sprache ist nicht ein zusätzlicher Schmuck von Aussagen oder ein besonders
subjektiver Ausdruck, sondern verändert die Funktion der Sprache auf fundamentale Weise. Poesie ist nicht mehr ein Sprechen ‚über' etwas, sondern ein Handeln
mit der Sprache so wie eben das Hohelied nicht von der Liebe spricht, sondern sie
vorführt, indem es die Sprache der Liebe spricht. Das nennt Exum ‚Heraufbe-
schwören': Indem die einzelnen Stimmen des Textes sich an den Geliebten oder die
Geliebte wenden oder sie beschreiben, erscheinen diese im Text. Die Poesie stiftet
daher auch Dauer, indem es eine eigene, stabile Form der Sprache generiert. Freilich ist diese Beschwörung nie vollständig und die Liebenden klagen daher über die
Entfernung. Was in der Sprache präsent gemacht wird, verschwindet auch wieder,
wenn man weiterspricht. Dieses Auf-und-Ab, das Fort-und-Da der Liebe ist geradezu charakteristisch für das Hohelied, das anders als etwa die sentenzenhafte
Dichtung des Buchs der Sprüche im Fluss ist und Bedeutungen evoziert, aber auch
wieder auflöst, um andere zu evozieren. *dw*

J. Cheryl Exum

Vom Geist der Poesie des Hohelieds

Stark wie der Tod ist die Liebe,
die Leidenschaft ist hart wie die Unterwelt.
Ihre Gluten sind Feuergluten,
gewaltige Flammen.
Mächtige Wasser können die Liebe nicht löschen;
Ströme schwemmen sie nicht weg.
Böte einer für die Liebe den ganzen Reichtum seines Hauses,
nur verachten würde man ihn.
(Hld 8,6-7)[1]

Diese Verse bilden nach Auffassung vieler Interpreten den Höhepunkt des Hohelieds, sozusagen seine ‚Botschaft‘. Für sich genommen, drücken sie ein erhabenes Gefühl aus, aber ich vermute, wir würden sie kaum als besonders ergreifend oder überwältigend tiefsinnig bezeichnen. Wenn wir im Buch der Sprüche auf die Behauptung stießen, die Liebe sei stark wie der Tod, würden wir das als tiefe Einsicht loben, vielleicht würden wir fragen, ob die zweite Hälfte des ersten Verspaars synonym mit der ersten sei. Wir könnten auch anerkennen, wie der Kampf zwischen Liebe und Tod durch Anspielungen auf chontische und kosmische Kräfte gewaltige Ausmaße erhält: Anspielungen auf Tod, Flammen, die Ströme und die in der Unterwelt personifizierten kosmischen Gewässer der Schöpfung, die nur Gott bändigen kann, sowie schließlich die mögliche Anspielung auf den Gottesnamen Jahweh in den ‚gewaltigen Flammen‘ (*shelhebetyah*). Aber vermutlich könnten wir nicht sehr viel mehr über diese Verse sagen, bevor wir uns nicht dem nächsten Spruch zuwenden würden. Vielleicht würden wir abschließend noch anmerken, dass die Aussage des Schlussverses, dass sich Liebe nicht für Geld kaufen lässt, im Vergleich zum großartigen Anfang ziemlich schwach sei.

Diese Verse wären im Buch der Sprüche gar nicht so fehl am Platz; bezeichnenderweise fallen sie im Hohelied eher auf, sind sie doch hier die einzige didaktische Aussage in diesem Liebesgedicht, und auch die einzige Stelle, die uns etwas über das Wesen der Liebe im Allgemeinen sagt. Wie alles, was im Hohelied über die Liebe gesagt wird, hat es der Dichter einem der Charaktere in den Mund gelegt,

---

1 Dieser Text ist eine überarbeitete Version der Ethel M. Wood lecture, die am 11.3.2004 an der Universität London gehalten wurde. Für die Übersetzung wurden die Anmerkungen gekürzt; die Diskussion der Forschung findet sich jetzt umfassend in meinem Kommentar *Song of songs : a commentary*, Louisville, Ky (Westminster John Knox Press) 2005.

denn er ist ein zu guter Dichter, ist zu subtil und raffiniert, als dass er uns direkt über die Liebe predigen würde. In den zitierten Versen, die fast am Ende des Textes stehen, spricht die weibliche Protagonistin zu ihrem Geliebten, aber nicht wie bisher über ihrer beider Liebe, sondern über die Liebe als solche. Die Bedeutung dieser Verse weist weit über ihren unmittelbaren Sinn hinaus, denn sie erschließen den Sinn und Zweck des gesamten Hohelieds, das ja das einzige Liebesgedicht in der Bibel ist. Meiner Meinung nach entsteht das Gedicht aus dem Wunsch des Dichters, eine bestimmte Vision der Liebe unsterblich zu machen. Wobei allein schon die Überlieferung des Gedichts ein Beweis dafür ist, dass die Liebe so stark ist wie der Tod. Das Gedicht selbst ist ein bleibendes Zeugnis für die Vorstellung des Dichters von der Liebe und richtet sich dank seiner Aufnahme in die Bibel über die Zeiten hinweg an den Leser – wie auch immer es zu dieser Aufnahme kam. Solange das Gedicht gelesen wird, lebt die darin gefeierte Liebe weiter.

Es ist daher nicht richtig, dass die Botschaft des Gedichts sich in seinem Höhepunkt, nämlich der Aussage jener wenigen Verse, erschöpft. Wenn sich überhaupt von einer Botschaft sprechen lässt, so ist das Medium die Botschaft. Die Botschaft ist das Gedicht selbst, das Kunstwerk, eine literarische Schöpfung, mit der sich der Dichter bemüht, durch die Sprache gegenwärtig zu machen, was sich nicht auf Papier bannen lässt: die Liebenden, deren vielfältige Identität es ihnen ermöglicht, für alle Liebenden und letztlich für die Liebe selbst zu stehen.

Obwohl das Hohelied üblicherweise für seine poetische Vollendung gelobt wird und viele seiner poetischen Mittel sorgfältig untersucht worden sind, ist der eigentliche Geist des Gedichts meines Erachtens bisher praktisch unbemerkt geblieben. Für mich besteht die poetische Kunst des Hohelieds in zwei Dingen: Erstens in der Art, wie der Dichter zugleich zeigt und sagt, dass die Liebe so stark ist wie der Tod; zweitens, wie er aus der Perspektive einer Frau und der eines Mannes das Verliebtsein darstellt – und gerade dieser zweite Punkt ist angesichts des Androzentrismus der Bibel natürlich auffällig. Beide Aspekte der dichterischen Kunst sind eng miteinander verknüpft, doch werde ich sie im Folgenden aus Gründen der Darstellung nacheinander behandeln.

Wie man zeigt, dass die Liebe so stark ist wie der Tod

Wie verewigt das Gedicht die Liebe, von der es spricht? Zuallererst, indem es die Liebe als etwas darstellt, das stets im Werden begriffen ist. Das Hohelied zeigt Lesern keine abstrakte Vorstellung von der Liebe, sondern eine konkrete Vision, denn es zeigt, was Liebende tun, genauer, es erzählt, was sie sagen. Im Unterschied zu anderen biblischen Texten gibt es keine narrative Beschreibung, sondern nur Dialog. Durch die ausschließliche Verwendung von direkter Rede erzeugt der Dichter die Illusion von Gegenwärtigkeit: Es entsteht der Eindruck, dass die Handlung nicht bloß erzählt wird, sondern präsent ist. Die scheinbar unvermittelten Stimmen geben ihren Worten Wirklichkeit, obwohl sie tatsächlich bloß wiedergegebene Rede sind, ein geschriebener Text, dessen Autor sich bravourös im

Hintergrund hält. Indem das Gedicht die Liebenden dabei zeigt, wie sie einander anreden, gibt uns das Gedicht den Eindruck, dass wir sie belauschen und beobachten, wie sich ihre Liebe entfaltet.

Die Liebe, die sich im Hohelied vor unseren Augen darstellt, während die Liebenden sprechen, findet hier und jetzt statt. Die Liebenden erfreuen sich aneinander oder sind kurz davor. Die erotischen Aufforderungen – der Aufruf zur Liebe durch Imperative, Jussive und Kohortative – verleihen dem Augenblick Eindringlichkeit: „Zieh mich dir nach […], lass uns eilen" (1,4), „Erzähle mir" (1,7), „Steh auf […] und komm" (2,10,13), „Wende dich her" (2,17), „Öffne mir" (5,2), „Lass mich sehen" (2,14), „Lass mich hören" (2,14; 8,13) und so fort. Das Lied beginnt mit einem erotischen Imperativ („Er küsse mich", 1,2) und endet mit: „Enteile […] und tu es der Gazelle gleich oder dem jungen Hirsch" (8,14). Auch die sich steigernde Bejahung der Liebe in den anfangs zitierten Versen 8,6-7 geht aus einem erotischen Imperativ hervor („Leg mich wie ein Siegel auf dein Herz, wie ein Siegel an deinen Arm! Stark wie der Tod ist die Liebe", 8,6). Die mit den Imperativen verbundenen Vokative verstärken den Eindruck, dass die Liebenden im Moment der Äußerung anwesend sind: „den meine Seele liebt", „meine Schwester, Braut", „Schönste unter den Frauen" usw.

Typisch für die Betonung des gegenwärtigen Augenblicks im Hohelied ist die dramatische Beschreibung, die die Frau von ihrem Geliebten gibt, während er sie umwirbt:

Horch, mein Geliebter!
Siehe, da kommt er,
springend über die Berge,
hüpfend über die Hügel.
Der Gazelle gleicht mein Geliebter,
dem jungen Hirsch.
Siehe, draußen steht er an der Wand unsres Hauses;
blickend durch die Fenster,
spähend durch die Gitter.
(Hld 2,8-9)

„Horch!" und „Siehe!" lenken unsere Aufmerksamkeit auf die Handlung, die sich vor unseren Augen abspielt. Die Gegenwart wird lebhaft durch die Partizipien wiedergegeben: der Mann kommt näher, springend, blickend, schauend – so wird seine Aktivität in Raum und Zeit festgehalten.

Eine ähnliche Technik zum Verewigen der Liebe ist das ‚Herbeizaubern'. Das Wort meint die Art, wie die Liebenden durch verführerisch schöne Poesie und durch ein andauerndes Spiel von Suchen und Finden abwechselnd wirklich und dann wieder unwirklich werden, wie in Else Lasker-Schülers Gedicht „Siehst Du Mich": „Dich hinzaubern und vergehen lassen, / Immer spiele ich das eine Spiel." ‚Herbeizaubern' heißt also, etwas Abwesendes – den Geliebten – durch die Sprache gegenwärtig zu machen und vor unseren Augen immer wieder aufs Neue zum Leben zu erwecken. Der Mann beschwört seine Geliebte mehrfach herauf, indem er sie in allen Einzelheiten in einer dichten und bildlichen Sprache beschreibt, so dass vor unseren Augen ihr Bild entsteht – ein in Metaphern gekleideter Körper (4,1-5. 12-15; 6,4-10; 7,1-8). Die Frau ruft ihren Geliebten mit aller poetischen Kraft herbei, nur um ihn wieder verschwinden zu lassen, damit sie ihn anschließend wieder herbeizaubern kann (2,8-17; 3,1-5; 3,6-11; 5,2-6,3). Betrachten wir als Beispiel für diese Technik die bemerkenswerte Stelle von Hohelied 5,2-6,3, auf deren Metaphorik ich später noch zurückkommen werde. Als Erzählerin der Anfangsverse dieses Abschnittes präsentiert die Frau ihren Geliebten als einen Verehrer, der um Einlass in ihr Gemach bittet.

> Ich schlief, aber mein Herz war wach.
> Horch, mein Geliebter klopft:
> „Öffne mir, meine Schwester, meine Freundin,
> meine Taube, meine Vollkommene!
> Denn mein Kopf ist voller Tau,
> meine Locken voll Tropfen der Nacht." (Hld 5,2)

Diese Stelle ist zweideutig: Das Verb „öffnen" hat in diesen Versen kein Objekt; es gibt keine ‚Tür', wie es in manchen Übersetzungen heißt, so dass die Worte „Öffne mir" (Vers 2), „Ich stand auf, um meinem Geliebten zu öffnen" (Vers 5) und „Ich öffnete meinem Geliebten" (Vers 6) eindeutig einen erotischen Beiklang haben.

Die Geliebte antwortet in Vers 3 indem sie behauptet, dass sie sich nicht noch einmal erheben, anziehen und die Füße schmutzig machen will. Ihre Entschuldigung darf man genauso ernst nehmen wie seinen Grund, aus dem er um Einlass bittet: Er ist nass. Dies alles ist Liebesgeplänkel. Plötzlich verschwindet er in die Nacht und verschwindet so schnell, wie er aufgetaucht ist.

> Ich öffnete meinem Geliebten, aber mein Geliebter hatte sich abgewandt, war weiter-
> gegangen. (Vers 6)

Der Rest von Vers 6 sowie Vers 7 erzählt von einem Rückschlag – sie sucht ihn auf der Straße, wobei sie von den Nachtwächtern der Stadt gefunden und geschlagen wird –, doch sie lässt sich nicht abschrecken und nimmt in Vers 8 die Hilfe der Frauen von Jerusalem in Anspruch, von denen sie gefragt wird, was an ihrem Geliebten denn so besonders sei. Sie antwortet, indem sie ihn metaphorisch von Kopf bis Fuß beschreibt, was zugleich dazu dient, ihn erneut vor unseren Augen herbeizuzaubern, eine Technik, die A. Cook passend als „Finden-durch-Lobpreis" beschreibt. Wenn die Frauen sie fragen, wo ihr Geliebter ist, überrascht es daher nicht, dass sie es weiß:

> Mein Geliebter ist in seinen Garten hinabgegangen
> zu den Balsambeeten,
> um in den Gärten zu weiden
> und Lilien zu pflücken.
> Ich gehöre meinem Geliebten, und mein Geliebter gehört mir,
> er, der in den Lilien weidet. (Hld 6,2-3)

Hier gibt es eine weitere Doppeldeutigkeit. Er ist bei ihr. Um diese sexuelle Andeutung zu verstehen, müssen wir uns nur in Erinnerung rufen, dass sie an anderer Stelle im Lied als Lilie beschrieben wird sowie als sein Lustgarten mit erlesenen Kräutern, in dem er grast oder weidet (2,1-2; 2,16; 4,12-5,1).

Damit die Vision des Dichters von der Liebe fortleben kann, muss das Gedicht gelesen werden. Es braucht seine Leser, damit es im Hier und Jetzt der Gegenwart durch unsere Lektüre und Wertschätzung realisiert werden kann. Tatsächlich ist es dem Dichter so wichtig, ein Publikum zu haben, dass er schon innerhalb des Gedichtes für eines sorgt: Neben den Stimmen der Liebenden gibt es eine dritte Stimme, die der Frauen von Jerusalem. Die Anwesenheit dieses Publikums erleichtert es dem Leser, in die scheinbar private Welt der Liebenden mit ihrer erotischen Intimität zu gelangen. Das ist eine wichtige poetische Strategie, denn für die Leser ist immer ein wenig Voyeurismus im Spiel, wenn sie die intimen Mitteilungen von Liebenden belauschen. Indem die Liebenden allerdings so dargestellt werden, dass sie sich des Publikums bewusst und sogar im Gespräch mit diesem sind, scheint ihre Beziehung weniger intim und verschlossen.

Die Liebenden empfinden die Anwesenheit dieser Frauen weder als aufdringlich noch als peinlich. Die Geliebte spricht sie an – etwa, wenn sie sie schwören lässt, die Liebe nicht zu wecken, bevor es ihr gefällt (2,7; 3,5; 8,4), oder wenn sie bittet, ihrem Geliebten zu sagen, dass sie vor Liebe krank sei (5,8). Später fordert sie sie auf, am Glück der Liebenden teilzuhaben, was zugleich eine Aufforderung an den Leser ist. Dass die Frauen auch dann anwesend sind, wenn die Liebenden die intimsten Freuden zu genießen scheinen (2,4-7; 3,4-5; 5,1; 6,1-3; 8,3-4), erinnert stets daran, dass dieser scheinbar geschlossene Dialog zweier Liebenden sich an uns richtet, und zum Vergnügen und womöglich zur Aufklärung der Leser inszeniert wird. Damit legt das Gedicht seinen Lesern auch nahe, sich von der Aufforderung an die Frauen von Jerusalem angesprochen zu fühlen: „Eßt, Freunde, trinkt und berauscht euch an der Liebe!" (5,1) Indem es zeigt, wie wunderbar es ist, verliebt zu sein, fordert uns das Hohelied dazu auf, ebenfalls Liebende zu werden. Die Leser halten die Liebesvision des Dichters am Leben, wenn sie die Entfaltung der Liebe beobachten und der Aufforderung antworten, an den Freunden der Liebe teilzuhaben.

Das Hohelied bezieht seine Leser noch in einer anderen Art ein: Es legt ihnen nahe, sich mit den Liebenden zu identifizieren. Es handelt nicht von bestimmten Liebenden; es sind archetypische Liebende, Typen von Liebenden. Der Dichter macht sie weder durch Namen noch durch die Verbindung mit einer bestimmten Zeit oder einem bestimmten Ort kenntlich, mit Ausnahme einiger höchst vager Bezüge zu Salomo und Jerusalem. Im Verlauf des Gedichts nehmen sie unterschiedliche Gestalt oder Persönlichkeiten an und übernehmen verschiedene Rollen. Der Mann ist ein König und ein Schäfer; die Frau ist ein Mitglied des Königshofes und eine Außenseiterin, die den Weinberg pflegt oder Schafe hütet. Sie ist zugleich schwarz (1,5) und weiß wie der Mond und die strahlende Sonne (6,10), mit einem Hals wie ein Elfenbeinturm (7,5), sie trägt also Eigenschaften, die – wie viele Kommentatoren bemerkt haben – unmöglich in einer Person zu kombinieren sind.

Dadurch, dass der Dichter uns nur die Stimmen der Liebenden zeigt – also nur das, was sie sagen, nicht wer sie sind –, ermöglicht er uns, sie mit den Liebenden schlechthin zu identifizieren. Und das erleichtert es den Lesern, ihre Erfahrungen der Liebe, seien sie real oder phantasiert, mit der Erfahrung der Liebe im Hohelied zu verbinden. Wie erfolgreich diese Strategie ist, lässt die Rezeption des Hoheliedes erkennen, in der ganz verschiedene Leser in ganz verschiedenen Epochen eine allgemeine Darstellung menschlicher oder göttlicher Liebe (oder beider) im Text gefunden haben. Auch die Jahrhunderte lang verbreitete allegorische Interpretation des Hohelieds wäre kaum so einflussreich geworden, wenn es in dem Gedicht um ein ganz bestimmtes Liebespaar aus der Vergangenheit ginge, wie etwa Salomo und die Königin von Scheba oder Salomo und ein Mädchen vom Lande, wie es die im späten neunzehnten und frühen zwanzigsten Jahrhundert so populäre Theorie eines Dramas mit zwei oder drei Figuren behauptete.

Das Hohelied erweckt den Eindruck, dass die Liebenden jung seien, weil sie einander umwerben und sie von der Macht der Liebe überwältigt scheinen. Doch es handelt nicht nur von junger Liebe, denn seine Protagonisten sind auch erfahren in der Kunst des Liebens. Das Lied zeichnet die Erregung des Verliebtseins, als wäre es das erste Mal – so, wie man sich jung fühlt, wenn man verliebt ist –, aber auch die Romantik und Nostalgie, die mit der ersten Liebe verbunden sind. Dabei bedeutet die Jugend der Liebenden weder, dass der Dichter selbst jung ist, noch dass er auch nur von junger Liebe handelt; eigentlich zeigt er die Liebenden sowohl dabei, wie sie die Freuden der Liebe entdecken, als auch als Erfahrene, die schon alles über die Liebe wissen.

Im Hohelied steht das Begehren immer kurz davor, erfüllt zu werden, es hat etwas Dringendes an sich: „Komm!", „Erzähle mir!", „Enteile!". Erfüllung wird gleichzeitig behauptet, aufgeschoben und auf figurativer Ebene genossen. Sie wird beteuert, weil die Liebe gegenseitig ist, jeder begehrt den anderen, und es gibt keinen Zweifel am Begehren und der Hingabe des anderen. Im Hohelied gibt es kein „Er liebt mich, er liebt mich nicht"; nur „Mein Geliebter ist mein, und ich bin sein" (2,16; vgl. 6,3; 7,11). Die Erfüllung kann aufgeschoben werden. Zum Beispiel fordert die Frau ihren Geliebten auf, mit ihr aufs Land zu kommen, wo sie ihm ihre Liebe geben werde (8,11-13), doch dies ist noch nicht geschehen. Er nimmt sie mit zum Weinhaus (2,4); sie bringt ihn zum Gemach ihrer Mutter (3,4). Doch vollziehen sie dort ihre Liebe – oder irgendwo sonst im Gedicht? Ja, aber auf figurativer Ebene. Die geschlechtliche Vereinigung wird im Gedicht über den Umweg der Sprache vollzogen, durch Anspielungen, Doppelsinn und Metaphern. Der Mann ist ein Apfelbaum, dessen Frucht seiner Geliebten süß schmeckt (2,3). Die Frau ist eine Lilie (2,1) und ein Garten (4,12.15), und ihr Geliebter geht hinab in seinen Garten, wo er in den Lilien weidet (6,2-3). Honig und Milch sind unter ihrer Zunge, und ihr Körper ist ein Lustgarten mit ausgesuchten Früchten und Gewürzen (4,11-14). Sie fordert ihn auf, zu seinem Garten zu kommen und seine erlesenen Früchte zu essen (4,16), und er antwortet, indem er Anspruch auf den Garten erhebt, ebenso wie auf Gewürze, Honig und Milch:

Ich komme in meinen Garten, meine Schwester, [meine] Braut.
Ich pflücke meine Myrrhe samt meinem Balsam,
esse meine Wabe samt meinem Honig,
trinke meinen Wein samt meiner Milch. (Hld 5,1)

Das Gedicht gleitet von einem Bild zum anderen und die Unterschiede zwischen der eher wörtlichen Ebene des Wünschens und Begehrens sowie der symbolischen Ebene des Vollzugs lösen sich eben so auf, wie Vergangenheit, Gegenwart und Zukunft ineinander übergehen. Diese Auflösung der Differenzen ist wesentlich für die poetische Kunst und die erotische Verführungskraft des Hohelieds. Durch sie verewigt das Gedicht die Liebe und stellt sie als ständig Werdende dar. Wir erfahren nichts von einer Zeit, in der sich die Liebenden nicht geliebt hätten; sie lieben sich jetzt, und sie sind immerzu kurz davor, das Glück zu erleben. Da die Liebe stets im Werden begriffen ist, schreitet das Gedicht nicht linear voran, sondern mäandert. Es prescht vorwärts und kommt wieder auf sich zurück. Beständig und ohne Mühe zaubert es dabei immer wieder die Liebenden herbei und appelliert an die Leser. So wie die Harmonie der männlichen und der weiblichen Stimme auf poetischer Ebene ihre geschlechtliche Vereinigung repräsentiert, so spiegelt der poetische Rhythmus der Vor- und Rückwärtsbewegung das Muster des Suchens und Findens wider, dem die Liebenden folgen und das dem Grundmuster geschlechtlicher Liebe entspricht: Sehnsucht, Befriedigung, erneute Sehnsucht usw. Die Ausdehnung von Begehren und Erfüllung über das gesamte Gedicht trägt dabei entscheidend für die Kraft und Wirksamkeit des Hohelieds als Liebesgedicht bei.

Bezeichnenderweise findet dieses Gedicht über das Begehren keinen Abschluss. Die Schlussverse des Hohelieds haben die Kommentatoren überrascht und manchmal auch enttäuscht. Man unterschätzt den poetischen Charakter des Textes, wenn man das Ende für abrupt oder jedenfalls für ein Liebesgedicht nicht angemessen hält. Der Widerstand des Liedes gegen einen Abschluss ist womöglich sein wichtigstes Mittel zur Verewigung der Liebe. Ein Schluss würde ein Ende des Begehrens bedeuten, wäre ein Schweigen des Textes und der Tod der Liebe. Die Verweigerung dieses Schlusses ist der Versuch, dem Werden der Liebe wenigstens auf dem Papier Dauer zu verleihen. Das Hohelied hat ja nicht nur keinen Schluss, sondern beginnt auch *in medias res*: „Er küsse mich". Es ist also ein Gedicht ohne Anfang und Ende. Wie die Liebe, die es feiert, strebt das Hohelied nach Endlosigkeit. In seinem vorletzten Vers wendet sich der Mann an seine Geliebte: „Die du wohnst in den Gärten, während die Gefährten deiner Stimme lauschen, lass mich hören!" (8,13) Sie antwortet: „Enteile, mein Geliebter, und tu es der Gazelle gleich oder dem jungen Hirsch auf den Balsambergen!" Damit schickt sie ihn scheinbar fort, ruft ihn aber zugleich zu sich: er als Gazelle und sie als die Balsamberge, wo er grasen wird. Diese Antwort, die sowohl die Trennung als auch die Vereinigung der Liebenden signalisiert, bringt damit das Gedicht an den Ausgangspunkt zurück, wo das Begehren zum ersten Mal formuliert wurde: „Er küsse mich". So wird das Begehren niemals gestillt, weil es sich auf sich selbst zurückfaltet.

Die Erkundung der Liebe aus zwei Perspektiven

Wie bereits erwähnt, ruft die Dialogform einen Eindruck von Gegenwärtigkeit hervor, der zum Bild der Liebe passt. Sie ermöglicht es dem Dichter darüber hinaus, das Wesen der Liebe und der Sehnsucht aus den zwei verschiedenen Blickwinkeln einer Frau und eines Mannes darzustellen. Diese doppelte Darstellung ist wesentlich für den poetischen Charakter des Gedichts. Einerseits harmonieren weibliche und männliche Stimme, denn beide begehren und beide erfreuen sich an den Vergnügungen sexueller Intimität. Andererseits hat der Dichter die Liebenden mit unterschiedlichen Perspektiven versehen, was man von einem guten Schriftsteller auch erwarten kann. Die unterschiedliche Darstellung der Liebenden verrät große Sensibilität für die Unterschiede von Männern und Frauen, die ihrerseits kulturelle Annahmen über Geschlechterunterschiede und -rollen zulassen und zugleich einige dieser Annahmen infrage stellen.

Die Frau und der Mann setzen unterschiedliche Akzente, wenn sie über die Liebe sprechen. Sie betrachten die Liebe oder einander nicht unbedingt auf die gleiche Weise. Die Frau drückt ihr Verlangen und ihre Gefühle ihm gegenüber ebenso wie die Gefühle, die sie bei ihm vermutet, durch Geschichten aus, in denen sie und er als Figuren vorkommen. Sie beide spielen Rollen, entweder als sie selbst (2,8-17; 3,1-5; 5,2-6,3) oder als Gestalten der Phantasie (1,12; 3,6-11). Ihre Geschichten haben eine narrative Entwicklung und eine Art Abschluss, sie rufen Spannung hervor und lösen diese auf. Es sind die einzigen Teile des Hohelieds, die so etwas wie einen Plot haben. Zum Beispiel erzählt die Frau zwei Geschichten, in denen ihr Geliebter kommt, um ihr den Hof zu machen: In der einen fordert er sie auf, mit ihm draußen den Frühling zu genießen (2,8-17), und in der anderen, die nachts spielt, bittet er um Einlass in ihr Gemach (5,2-7). Sie erzählt zweimal, wie sie nach draußen geht, um ihn in den Straßen der Stadt zu suchen: Beim ersten Mal gelingt es ihr sofort, ihn zu finden; beim zweiten Mal erlebt sie zunächst einen bedauerlichen Rückschlag, bevor sie ihr Ziel erreicht (3,1-5; 5,6b-6,3).

Der Mann benutzt keine Geschichten. Er spricht über die Liebe, indem er die Frau anschaut, ihr erzählt, was er sieht und wie es ihn bewegt. Das, was er sieht, beschreibt er metaphorisch (4,1-5; 6,4-10; 7,2-10). Ihre Wirkung auf ihn ist fesselnd („Du hast mir das Herz geraubt, meine Schwester, meine Braut", 4,9 „dein Haupthaar ist wie Purpur. Ein König ist gefesselt durch deine Locken", 7,6). Er findet sie furchterregend („Schön bist du, meine Freundin, wie Tirza, anmutig wie Jerusalem, auffällig wie sie" 6,4), und wenn ihr Blick den seinen trifft, ist er verwirrt („Wende deine Augen von mir ab, denn sie verwirren mich", 6,5).

Die unterschiedliche Art, mit der der Mann und die Frau über die Liebe sprechen, wird auf der poetischen Ebene zum Gegensatz von Sehen und Sprechen. Der Mann konstruiert die Frau, er entwirft für uns ein Bild von ihr durch seinen Blick. Wir folgen diesem Blick, der schrittweise ein metaphorisches Bild von ihr erzeugt, bis sie vor uns auftaucht. Die Frau konstruiert den Mann hauptsächlich durch die Stimme. Sie zitiert ihn, wie er zu ihr spricht (2,10-14; 5,2), während er sie nie zitiert. In Geschichten über seine Werbung legt sie ihm Worte in den Mund, damit kontrolliert sie, wie wir ihn sehen: Als einen Geliebten, der sie Tag und Nacht mit süßen Worten umwirbt, oder als einen, den sie suchen muss und immer leicht findet. Auch sie sieht ihn an, aber wenn sie ihn beschreibt, geschieht das, wie wir noch sehen werden, in anderer Form als bei seinen Beschreibungen.

Die Liebenden beschreiben auch ihre eigenen Gefühle auf unterschiedliche Weise. Der Unterschied ist fein, denn beide fühlen sich auf wundersame Weise vom anderen überwältigt. Die Frau spricht von sich, über das Verliebtsein und wie sie es erlebt: „Ich bin krank vor Liebe" (2,5; 5,8). Die Liebeskrankheit, zu der Verliebte neigen, ist ein Zustand heftigen Verlangens, der sich von der Liebe nährt, der schwächt und bedürftig nach jener Nahrung macht, die nur die Liebe geben kann. Die Frau ist liebeskrank, während ihr Geliebter bei ihr ist (2,5): Er hat sie zum Weinhaus gebracht, das auch das Haus der Liebe ist, wo sie nach Traubenkuchen und Äpfeln verlangt – als würden diese helfen –, weil sie krank ist vor Liebe. Sie ist ebenfalls liebeskrank, wenn sie getrennt sind: Nach einer verpassten Begegnung, sucht sie ihn nachts auf der Straße und fordert die Frauen von Jerusalem auf, ihm von ihrem Zustand zu berichten, für den er sowohl Ursache als auch Heilmittel ist: „Wenn ihr meinen Geliebten findet, was wollt ihr ihm ausrichten? Dass ich krank bin vor Liebe" (5,8).

Die Frau erzählt den anderen, den Frauen von Jerusalem, was die *Liebe* ihr antut; der Mann spricht mit ihr darüber, was *sie* ihm antut. Er denkt in den Begriffen von Eroberung und Machtverhältnissen: „*Du* hast mir das Herz geraubt" (4,9). Anders als die Frau, die ihre Gefühle subjektiv ausdrückt, sagt er nicht „Ich bin verwirrt", sondern beschreibt seine Gefühle als etwas, das *sie* ihm angetan hat: „*Du* hast mir das Herz geraubt", „Wende deine Augen von mir ab, denn sie verwirren mich" (6,5). Scheinbar gehört in der antiken israelitischen Kultur wie in vielen anderen die Autonomie zur Dynamik männlicher Erotik. Der Mann ist daher gewohnt, sich als Herr der Lage zu fühlen. Die Liebe aber gibt ihm das Gefühl, die Kontrolle zu verlieren: Er kann nicht widerstehen, seine Selbstständigkeit ist bedroht. Auch wenn er das will, ist dieses Gefühl beunruhigend, unheimlich, ein Gefühl der Ehrfurcht: „Schön bist du, meine Freundin, wie Tirza, anmutig wie Jerusalem, auffällig wie sie" (6,4).

Er ist überwältigt, sie ist liebeskrank. Als Frau ist sie an eine Welt gewöhnt, in der Männer die Kontrolle haben, und in der sich die Frauen in der Liebe den Männern hingeben. Ihre Autonomie ist nicht bedroht, da sie nicht die gleiche Autonomie hat wie ein Mann, auch wenn sie die selbständigste Frau der Bibel ist. Sie ist nicht überwältigt, sie braucht ihn. Sie sehnt sich leidenschaftlich nach ihm und kann nicht ohne ihn sein.

Es ist eine interessante Feststellung, dass *sie* nicht denkt, dass er vor ihr Ehrfurcht hat. Sie glaubt, dass er sie für schüchtern und zurückhaltend hält, wenn Sie ihm folgende Worte in den Mund legt:

Steh auf, meine Freundin, meine Schöne,
und komm!
Meine Taube in den Schlupfwinkeln der Felsen,

im Versteck an den Felsstufen,
lass mich deine Gestalt sehen,
lass mich deine Stimme hören!
Denn deine Stimme ist süß
und deine Gestalt anmutig. (Hld 2,13b-14)

Das Bild der „Taube in den Schlupfwinkeln der Felsen, im Versteck an den Felsstufen" legt Schüchternheit nahe; wenn hingegen der Mann von ihr spricht, stellt er sich vor, wie sie inmitten von Löwen und Leoparden auf fernen Berggipfeln wohnt:

Mit mir vom Libanon, Braut,
mit mir vom Libanon sollst du kommen,
sollst herabsteigen vom Gipfel des Amana,
vom Gipfel des Senir und Hermon,
von den Lagerstätten der Löwen,
von den Bergen der Leoparden. (Hld 4,8)

Anders als in ihrer Darstellung bringt er sie nicht mit der Sicherheit des Hauses in Verbindung, sondern mit mächtigen, wilden Tieren, mit denen sie zusammen haust. In beiden Darstellungen erscheint sie als unerreichbar, doch in der des Mannes erscheint das erheblich einschüchternder.

Die Fähigkeit, solche subtilen Unterschiede zwischen Männern und Frauen darzustellen, trägt viel zur poetischen Kraft des Hohelieds bei. Unterschiedlich ist dabei auch die Art, wie die Liebenden jeweils den Körper des anderen metaphorisch beschreiben. Es gibt im Hohelied vier solcher Beschreibungen, in denen die Sexualität der Liebenden durch eine Reihe von Metaphern für die verschiedenen Körperteile zum Ausdruck kommt (4,1-5; 5,10-16; 6,4-7; 7,2-6). Diese Beschreibungen sind zum einen intim, suggestiv und sogar explizit sexuell. Zum anderen dienen die Metaphern dazu, den Körper sowohl zu verbergen wie ihn zur Schau zu stellen. Der Mann beschreibt insgesamt dreimal den Körper der Frau, jeweils Stück für Stück, mit markanten Vergleichen oder Metaphern für jedes einzelne Körperteil. Das geschieht zweimal vom Kopf abwärts (obwohl er in der Mitte aufhört) und einmal von den Füßen bis zu ihrem Kopf. Sie beschreibt zwar nur einmal seinen Körper auf ähnliche Art von Kopf bis Fuß, aber dass ihr dieser Blick überhaupt zugestanden wird, ist wichtig für das entworfene Bild der Geschlechterbeziehungen. Denn traditionell werden Frauen angeschaut, während die Männer schauen.

Hohelied 4,1-7 ist die erste Beschreibung, die der Mann von seiner Geliebten gibt, eine Beschreibung, die zu seinem Geständnis in Vers 9 überleitet, was für einen gewaltigen Eindruck sie auf ihn macht.

Sieh dich an, schön bist du, meine Freundin.
Sieh dich an, du bist schön!
Deine Augen sind Tauben
hinter deinem Schleier hervor.
Dein Haar ist wie eine Herde Ziegen,
die vom Gebirge Gilead herabgleiten.

Deine Zähne sind wie eine Herde frisch geschorener [Schafe],
die aus der Schwemme heraufkommen,
jeder hat seinen Zwilling,
keinem von ihnen fehlt er.
Wie eine karmesinrote Schnur sind deine Lippen,
und dein Mund ist lieblich.
Wie eine Granatapfelscheibe deine Wangen
hinter deinem Schleier hervor.
Dein Hals ist wie der Turm Davids,
in Schichten gebaut.
Tausend Schilde hängen daran,
alles Schilde von Helden.
Deine beiden Brüste sind wie zwei Kitze,
Zwillinge der Gazelle,
die in den Lilien weiden. (Hld 4,1-5)

Wie bereits angedeutet, spricht der Mann vornehmlich so über die Liebe, dass er seine Geliebte betrachtet und beschreibt, was er sieht und was es in ihm hervorruft. Entscheidend ist dabei ihr Eindruck auf ihn: Ihr Anblick beunruhigt ihn, die Leidenschaften, die er hervorruft, stören seine Seele und bedrohen seine Gelassenheit, sind berauschend und Furcht erregend. Ihre Gesamtheit überwältigt ihn. Bei den Details ihres Körpers zu verweilen, ermöglicht ihm, mit den gewaltigen Gefühlen, die sie in ihm hervorruft, fertig zu werden. In den oben zitierten Versen mustert er ihren Körper Stück für Stück – Augen, Haare, Zähne, Lippen, Mund, Wangen, Hals und Brüste –, wobei jedes einzelne Teil vorsichtig auf eine Gesamtheit voraus weist. Außerdem vergleicht er die Körperpartien mit bekannten Dingen, wie um sie dadurch weniger bedrohlich zu machen. Jede Partie ist *wie* etwas aus der ihm vertrauten Alltagswelt, wie Dinge, die keine derart starken und beunruhigenden Gefühle in ihm wecken: eine den Berg hinabziehende Herde Ziegen oder Schafe, die vom Waschen heraufkommen. Einer potentiell Ehrfurcht einflößenden Beschreibung am nächsten kommt das Bild mit dem Turm, an dem Schilde hängen, das ihren Hals darstellt – aber das Bild wird abgelöst von dem ruhigen, harmlosen Vergleich ihrer Brüste mit Kitzen, die in den Lilien weiden. Auch erwecken die Schilde, die am Turm hängen und somit nicht in Gebrauch sind, den Eindruck von Frieden und Sicherheit. Sie trägt die Symbole von militärischer Macht wie Schmuck.

Seine zweite Beschreibung (6,4-7) ist praktisch identisch, doch beim dritten Mal beschreibt er seine Geliebte etwas genauer. Hohelied 7,2-7 befasst sich mit Körperteilen, die normalerweise nicht den Blicken ausgesetzt werden: Den Nabel, den manche Exegeten als Euphemismus für die Vulva betrachten, den Bauch und die Brüste, die er wie in 4,5 mit Kitzen und Gazellen vergleicht. Einige Kritiker halten diese Beschreibung für kontrollierter als seine anderen beiden. Die Metaphern sind hier nicht so elaboriert und bestehen, anders als die detaillierteren Umschreibungen in den ersten beiden Beschreibungen, normalerweise aus zwei Sätzen. Sie gleicht der Schilderung, die sie von ihm gibt, da sie beide den Körper von Kopf bis Zeh auf eine Weise betrachten, die vertraut und erotisch suggestiv ist.

Die Inventare der Körperteile werden für den visuellen Genuss der Zuschauer entwickelt, zu denen auch die Leser des Gedichts zählen. Die Objektivierung, der die Geliebten in diesen Beschreibungen unterzogen werden, wird dadurch ausgeglichen, dass die Liebenden betroffen sind. Der Mann schaut nicht bloß, sondern verliert sich selbst angesichts der Vision von Schönheit, die vor ihm erscheint, wenn er den Körper der geliebten Frau genau betrachtet. Er ist überwältigt von ihren Augen und gefesselt von ihren Locken, also genau vom dem, was er anschaut. Zwar distanziert er sich von der beschriebenen Person als Ganzheit, indem er ihren Körper Teil für Teil wahrnimmt, aber diese Distanz ist nicht absolut. Auch setzt er sich immer selbst mit ins Bild. Auf dem Höhepunkt der ersten Beschreibung steht die Metapher der Frau als Lustgarten, den er auf ihre Aufforderung hin betritt, um sich an seinen exotischen Früchten zu weiden (4,10-5,1). Die Beschreibung in 7,2-7 geht schließlich in eine Metapher für sein Begehren über, in der er sie mit einer Palme vergleicht, auf die er klettert, und ihre Brüste mit Trauben, nach denen er greift.

Die Art, wie er sich so selbst mit in das Bild von ihr setzt, ähnelt ihrem Verfahren, Geschichten zu erzählen, in denen sie beide als Figuren auftreten. Keiner der Liebenden konstruiert den anderen, ohne selbst beeinflusst zu sein – d.h. ohne Teil der Geschichte zu werden oder im Bild vorzukommen.

Schließlich sieht auch sie ihn an:

> Mein Geliebter ist hell und rot,
> hervorragend unter Zehntausenden.
> Sein Haupt ist feines, gediegenes Gold,
> seine Locken sind Dattelrispen,
> schwarz wie der Rabe;
> seine Augen wie Tauben
> an Wasserbächen,
> in Milch gebadet,
> sitzend an reicher Flut;
> seine Wangen wie ein Balsambeet,
> das Parfüm ausgießt;
> seine Lippen Lilien,
> triefend von flüssiger Myrrhe.
> Seine Hände sind goldene Rollen,
> mit Türkis besetzt;
> sein Leib ein Kunstwerk aus Elfenbein,
> bedeckt mit Lapislazuli.
> Seine Schenkel sind Säulen aus Alabaster,
> gegründet auf Sockel von gediegenem Gold.
> Seine Gestalt ist wie der Libanon,
> auserlesen wie Zedern.
> Sein Mund ist süß,
> und alles an ihm ist begehrenswert. (Hld 5,10-16)

Einige Exegeten finden ihr Porträt von ihm statischer, künstlicher oder nicht so einfallsreich wie seine Porträts von ihr,[2] aber dieser Unterschied wird häufig übertrieben. Meiner Meinung nach liegen die tatsächlichen Unterschiede anderswo. Wenn seine Metaphorik im Großen und Ganzen auch malerischer sein mag als ihre, dann ist ihre doch beziehungsreicher als seine. Sein statuenhafter Körper aus edlen Materialien ist weniger ein fesselndes Bild als ein Kommentar, wie wertvoll er für sie ist. Sein Kopf, seine Hände und Beine sehen nicht aus wie Gold – in der gleichen Weise wie etwa gewelltes Haar einer Ziegenherde gleicht, die sich einen Berg herabschlängelt –, sondern haben einige Eigenschaften mit diesem gemeinsam: Der Geliebte ist wie Gold, selten und wertvoll – und blendend. Sie beschreibt einige derselben Merkmale, die er in 4,1-7 beschrieben hatte (Augen, Haare, Lippen, Wangen, Mund), aber setzt in ihren Vergleichen andere Akzente: Während er sagt „dein Mund ist lieblich" (4,3), sagt sie „sein Mund ist süß" (5,16). Sein Satz „Alles an dir ist schön" (4,7) entspricht ihrem „alles an ihm ist begehrenswert" (5,16). Er konzentriert sich auf die äußere Erscheinung (lieblich, schön), sie konzentriert sich darauf, was er für sie ist. Sein Mund ist *für sie* süß, und wenn sie sagt, dass er begehrenswert ist, bedeutet dies, dass *sie* ihn begehrt.

Jeder der Liebenden erfreut sich am Körper des anderen. Jeder beschreibt den Geliebten Stück für Stück und gliedert damit dessen Körper, um ihn zu kennen und zu besitzen und jedem Teil durch Vergleiche oder Metaphern eine Bedeutung zu verleihen, deren Sinn sich nicht paraphrasieren lässt. Allerdings ist ihre Beschreibung anders als seine textlich motiviert, sie ist die Antwort auf eine Frage der Frauen von Jerusalem: „Was hat dein Geliebter einem [andern] Geliebten voraus?" (5,9). Dagegen werden seine Beschreibungen vom Dichter als spontane Ausbrüche dargestellt, die von ihrem Anblick inspiriert sind. Wenn sie seinen Körper beschreibt, sieht sie ihn nicht an. Ihre Beschreibung beruht nicht auf einem Schauen, sondern wohl auf einem Geschaut-Haben, was zum Teil erklären mag, warum sie seinen Körper anders behandelt als er ihren. Sie ist von seinem Körper nicht so verstört, wie er von ihrem. Er nimmt sich ihren Körper stückweise vor, um mit ihrer verheerenden Gegenwart zurechtzukommen. Sie betrachtet seinen in Teilen, um mit seiner Abwesenheit zurechtzukommen und ihn durch die evokative Kraft der Sprache herbeizuzaubern.

Dass er ihren Körper häufiger beschreibt als sie seinen, spiegelt wohl eine kulturelle Konvention wider, dass bei der Beschreibung des männlichen Körpers Zurückhaltung geübt werden muss. Wie in unserer Kultur scheint der weibliche Körper eher das Objekt des Blicks. Aber trotzdem stellt der Dichter die Frau ebenfalls als Schauende dar, und das hat weit reichende Konsequenzen für das im Hohelied entworfene Bild der Geschlechterbeziehungen. Denn dass der visuelle Genuss am Körper des Geliebten beidseitig ist, ist ein wichtiger Aspekt der vom Dichter entworfenen Vision von Liebe als gegenseitigem Begehren und gegenseitiger Be-

---

2 Z.B. Richard N. Soulen: „The *Wasfs* of the *Song of Songs* and Hermeneutic," in: *Journal of Biblical Literature*, Vol. LXXXVI (June 1967) No. 11, S. 183–190.

friedigung. Das Geschick, mit dem im Hohelied dieses wechselseitige Begehren und der ständige Fortschritt der Liebe beschrieben werden, macht das Hohelied zu einem der größten Liebesgedichte aller Zeiten.

Literatur und Antiliteratur

Die Propheten der hebräischen Bibel sind große Dichter: Was sie zu sagen haben, tragen sie in wohlgeformter Rede vor, oft in Versen und immer mittels einer reichen und komplexen Bildlichkeit. Aber auch Dichter haben sich als Propheten verstanden: Der Dichter als ‚Seher‘ ist einer der wichtigsten Topoi der europäischen Literatur, und sehr oft ist dieser ‚Seher‘ mit den biblischen Propheten verschmolzen worden. Aber diese Verbindung war nicht immer ohne Spannungen. Denn will der Prophet nicht viel ‚mehr‘ sein als ein Dichter? Er beansprucht ja, dass seine Worte eine höhere göttliche Autorität haben und nicht nur angehört, sondern auch befolgt werden. Aber auch der Dichter, jedenfalls der prophetische, will mehr als Unterhalten, auch er hat eine Wahrheit zu verkünden. Freilich ist das paradox, denn sein Anspruch kann sich ja selbst wiederum nur auf seine Dichtung gründen, auf die schöne Form, die er doch gerade hinter sich lassen möchte. Und diese Paradoxie bedingt ein Scheitern, dass wesentlich ist für die prophetische Literatur: Wie der homerische Seher blind ist, so dass seine höhere Sicht zugleich ein Nicht-Sehen ist, so ist der biblische Prophet ein geschlagener Prophet, dessen Wissen zugleich eine Strafe und ein Ausschluss aus der Gesellschaft bedeutet.

Harold Fisch ist von seiner Herkunft her weder Bibelexeget noch Kritiker der modernen Literatur, sondern trat zunächst als Interpret Shakespeares, Miltons und Blakes hervor und untersuchte dann die literarische Wirkungsgeschichte biblischer Gestalten und den ‚hebraic factor‘, den Einfluss alttestamentlicher Gestalten und Denkfiguren, in der Literatur des 17. Jahrhunderts. Diese Zeit ist in England eine wichtige Epoche der ‚prophetischen‘, aber auch der ‚rhetorischen‘ Dichtung, einer Dichtung, die im permanenten Spiel von Verkleidung und Entkleidung Fiktionalität selber zum Thema macht. Denn Milton und die *metaphysical poets* nutzten in ihrer Dichtung alle Mittel, um ihre Hörer zur Wahrheit zu führen, blieben aber zugleich fundamental skeptisch gegenüber der verführerischen Kraft der Literatur. Von dieser Dichtung also, die sich vom modernen Literaturverständnis deutlich unterscheidet, findet Fisch seinen Zugang auch zur Bibel. Sein wichtigstes Buch *Poetry with a purpose* (1988) betont, dass es sich bei den biblischen Texten nicht um ‚reine‘ oder ‚zweckfreie‘ Dichtung handelt, sondern dass sie eben eine Absicht hat. Das war bereits eine kritische Intervention in der *Bible-as-Literature*-Debatte, aber es war kein Schritt zurück von der Literatur zum Inhalt oder zur Botschaft der Texte, sondern vorwärts zur Meta- oder Antiliteratur. Denn die Rhetorik der biblischen Texte besteht nach Fisch gerade darin, dass sie ihre eigenen rhetorischen Mittel ausstellt und problematisiert. Sie arbeitet mit literarischen Mitteln, nimmt diese aber zugleich zurück und negiert sie. Die erste ‚Absicht‘ der biblischen Texte ist die Zerstörung der ‚ästhetischen Distanz‘, die ihre Leser einnehmen könnten, wie schon Erich Auerbach sagte, versucht sie, sich ihrem Leser ‚aufzudrängen'. Sie ist demnach eine Literatur der Gewalt, aber auch der List, denn diese Gewalt kann sie ja selbst wiederum nur mit literarischen Mitteln ausüben: Sie entwirft daher monumentale Bilder – und demontiert sie im nächsten Schritt wieder, weil ihre Hörer und Leser die Bilder nicht verstehen, aber auch nicht von ihnen lassen können. Für Jeremia ist das Wort des Herrn wie ein Feuer, wie ein Hammer, der Felsen zerschlägt (Jer 23,29): Es ist Sprechhandlung im eminentesten Sinn des Wortes, Handlung mit apokalyptischer Kraft, die aber zugleich darauf angewiesen ist, mit der schwachen Stimme des Propheten vorgetragen zu werden. Schließlich wird sie sogar aufgeschrieben, so dass die Worte über die Zukunft nur noch Texte aus der Vergangenheit sind und die Ansprache und direkte Beziehung nur mehr ‚simulieren' kann. Aber, das zeigen die Analysen Fischs, gerade die Notwendigkeit, auch in dieser Situation ihre Leser noch zu treffen und den historischen und ästhetischen Abstand zu überbrücken, treibt sie die biblischen Texte zu ihren eigentlichen Leistungen an.

Bibel als Literatur zu lesen, bedeutet für Fisch daher niemals, sie als ‚bloße' Literatur zu lesen. Anders gesagt: Von Bibel als Literatur zu sprechen bedeutet, eine Gleichung mit zwei Unbekannten zu benutzen. Denn so wenig von vornherein festzustellen ist, was die Bibel ist, so wenig kann man sich auf einen Vorbegriff von Literatur verlassen, außer vielleicht den, dass es sich hier um verschriftlichtes Sprechen handelt. Ansonsten stellt gerade der biblische Text unsere Anschauungen über Literatur in Frage und er tut das mit voller Absicht, weil er nur dadurch seine Macht über uns als Leser gewinnen kann. *dw*

HAROLD FISCH

Prophet und Publikum

Ein gescheiterter Vertrag

Hesekiel beschreibt in mehreren Passagen die Situation seiner prophetischen Äußerungen, so etwa in 8,1, 14,1, 20,1 und 33,31. Wir sehen die Ältesten des Volkes
um ihn sitzen, vielleicht im Kreis, und darauf warten, dass er beginnt. Hesekiel
braucht ein Publikum, damit es seine symbolischen Handlungen miterlebt und
seine Orakelsprüche hört, tadelt aber gleichzeitig seine Zuhörer für ihre Erwartungshaltung. Was erwarten sie vom Zuhören und warum tadelt der Prophet sie?
Das deutlichste Bild der Szenerie liefert Kapitel 33:

> Du, Menschensohn, die Söhne deines Volkes reden über dich an den Mauern und
> Toren der Häuser. Einer sagt zum andern: Komm doch und höre, was für ein Wort
> vom Herrn ausgeht. Dann kommen sie zu dir wie bei einem Volksauflauf, setzen sich
> vor dich hin als mein Volk und hören deine Worte an, aber sie befolgen sie nicht;
> denn ihr Mund ist voller Lügen und so handeln sie auch und ihr Herz ist nur auf
> Gewinn aus. Du bist für sie wie ein Mann, der mit wohlklingender Stimme von der
> Liebe singt und dazu schön auf der Harfe spielt. Sie hören deine Worte an, aber befol-
> gen sie nicht. Wenn das aber kommt (was du sagst) – und es kommt –, dann werden
> sie erkennen, daß mitten unter ihnen ein Prophet war. (Ez 33,30-32)

In einem ganz ähnlichen Sinne hatte der Prophet Amos ungefähr zweihundert
Jahre zuvor jene verurteilt, die sich müßig mit Harfengesang vergnügten anstatt
nach Gerechtigkeit zu streben (Amos 5,23, 6,5). Doch die Verbannten in Babylon,
an die Hesekiel sich wendet, haben einen anspruchsvolleren Kunstgeschmack: Sie
reagieren auf die Worte des Propheten wie auf eine musikalische Darbietung. Zu
ungefähr derselben Zeit wurde Homers Dichtung vor einem anerkennenden Publikum in Athen oder Sparta gesungen, nicht zur Flöte, aber zur Lyra oder Kythara.
Die Menschen um Hesekiel im Tel-Abib des sechsten Jahrhunderts haben ähnliche
Erwartungen. Sie haben sich in Babylon einigermaßen behaglich niedergelassen
und lieben schöne Worte und Allegorien. „Redet er nicht in Gleichnissen?" (besser:
Metaphern), sagen sie über Hesekiel (21,5). Der Prophet ist ihr Barde und Minne-
sänger, die Schönheit seiner Sprache bestätigt sie darin, von ihm wie von einem
Sänger von Liebesliedern zu sprechen. Da ist die großartige Vision vom Tal der
vertrockneten Gebeine (Kap. 37) oder die vom mächtigen Heer des Gog, das
in epischem Stil aus dem Land des Magog stürmt (Kap. 38). Es gibt eine Liebes-
geschichte, Hesekiels Liebe zum Waisenmädchen, das zur schönen Ehefrau
ihres Pflegevaters wird (Kap. 16). Gewiss nimmt Hesekiel in Anspruch, von wich-
tigeren Dingen zu reden als Homer, weil er die Worte Gottes mitteilt. Wenn jedoch
Gott selbst Hesekiel dazu veranlasst, von einem „mächtigen Adler mit gewaltigen

Flügeln, mit weiten Schwingen, mit dichtem, buntem Gefieder" (17,3) zu erzählen, so macht der Auftrag eine solche Geschichte keineswegs zu einem weniger beeindruckenden literarischen Ereignis.

Es ist wichtig, sich an dieser Stelle klar zu machen, dass das Publikum immer mit entscheidet, zu welcher Art und Gattung etwas Geschriebenes oder Gesprochenes gehört. Romane sind Romane, weil sie es auch für die Leser sind. Ein anderer Vertrag zwischen Leser und Autor würde *Robinson Crusoe* zu etwas anderem machen – sagen wir zu einem Zeitungsbericht über eine bemerkenswerte Reise, zu einer Denkschrift für die Königliche Gesellschaft für die Zustände im Südatlantik oder zu einer Abhandlung zur Unterstützung der evangelischen Mission. Irgendeinen Vertrag dieser Art gibt es immer. Ein Prediger in einer Kirche oder Synagoge weiß, dass er zum Predigen dort ist, und das Publikum willigt ein, sich der Art des Anlasses entsprechend zu verhalten. Losgelöst von dieser Übereinkunft oder unabhängig vom Ereignis könnten seine Worte etwas anderes darstellen – einen Beitrag zur Klatschkolumne eines Wochenblatts oder eine Übung zur Erlangung eines Bachelors der Theologie. Im Fall von Hesekiel haben wir es anscheinend mit einem gescheiterten Vertrag zu tun. Er verweigert mit ziemlicher Heftigkeit die Rolle des Minnesängers, die ihm zugewiesen wird – er wird nicht sein wie einer, der Flötenlieder singt, teilt er seinem Publikum mit. Dieses hingegen akzeptiert seinerseits den Redemodus nicht, den er beansprucht, d.h. das prophetische Wort als Befehl, denn „sie hören deine Worte, doch sie tun sie nicht" (33,31). Oder wie wir in unserem modernen Jargon sagen könnten: „Sie lesen deine Worte, doch sie schreiben einen anderen Text."[1]

Es sind jedoch nicht nur seine Leser, die durch die Faszination kunstvoller Rede verlockt werden. Der Prophet selbst ringt mit etwas. Denn er ist ebenso Poet wie Prophet, und die andere, die ‚künstlerische' Art der Beziehung zwischen Text, Autor und Leser erweist sich als unvermeidbar. Je heftiger nämlich Hesekiel gegen die Rolle des Dichters protestiert, desto reicher wird seine Sprache und desto lebendiger werden seine Bilder. Er möchte sein Publikum verbannen, und doch würden seine Worte ohne dessen Gegenwart in der leeren Luft widerhallen. Er muss sie mit Worten faszinieren, doch entgeht er dabei selbst der Faszination der Worte nicht. Nachdem er angewidert gesagt hat: „Ach, Herr, Gott! Sie sagen von mir: Redet er nicht in Gleichnissen?" (21,5), fährt er fort mit seinem großartigen Orakelspruch über das geschärfte Schwert: „Ein Schwert, ein Schwert, geschärft und poliert. Zum Schlachten, zum Schlachten ist es geschärft; um wie ein Blitz zu leuchten, ist es poliert." (21,14-15)

---

1 Meir Sternberg hat präzise über die Spannung zwischen dem ästhetischen und dem nichtästhetischen Modus, oder Rhetorik und Ideologie in der Bibel geschrieben (*The Poetics of Biblical Narrative*, Bloomington (Indiana University Press) 1985, S. 42 und 483f., aber seine Beispiele sind fast immer Erzählungen entlehnt, etwa der von Sauls Untergang in 1 Samuel 15. Ich hingegen werde mich mit der ähnlichen, wenn nicht gar größeren Spannung in Psalmen, Propheten und Weisheit beschäftigen. Für zutreffende Feststellungen zu Konflikten zwischen Publikum und Sprecher bei Jesaia, vgl. auch Yehoshua Gitai: „Isaiah and His Audience", in: *Prooftexts* 3 (1983), S. 227f.

Doch dann bricht er plötzlich ab und sagt: „Oder sollen wir uns freuen?" Vielleicht hat er bemerkt, dass sich sein Publikum gegenseitig anstupst und vergnügt über sein „Lied vom Schwert" lächelt, wie mancher Kommentar diese Verse bezeichnet. Also tadelt er, dass sie lieber aufhören sollten, sich an der Dichtung zu erfreuen, denn das Schwert ist für sie gedacht! „Schreie um Hilfe und heule, Menschensohn! Denn es richtet sich gegen mein Volk, gegen alle Fürsten Israels" (21,17). In dem Moment, in dem sich das Schwert als gegen Volk und Fürsten gerichtet zeigt, macht es natürlich auch dem ‚Sitz im Leben' der Prophezeiung selbst ein Ende und somit auch jener Situation, in der die Menschen um Hesekiel sitzen und auf ihre Unterhaltung warten. Es wundert also nicht, dass der Prophet schreien und heulen muss – seine Prophezeiung ist eine selbstzerstörerische Prophezeiung. Sie verkündet den Untergang ihrer eigenen Sprache, den Beginn der Stille.

Zuvor schon hatte sich Hesekiel in Kapitel 20 zornig an die Ältesten gewandt: „So spricht Gott, der Herr: Seid ihr gekommen, um mich zu befragen? So wahr ich lebe, ich lasse mich von euch nicht befragen" (20,3). Ihr wollt, so fragt er, Orakelsprüche? Nun, von jetzt an wird es keine Orakelsprüche mehr geben. Ganz der leidenschaftliche und ergreifende Redner, verflucht Hesekiel hier die Kunst der Rede selbst. Er führt ein Drama mit symbolischen Zeichen auf, und erklärt sie dem Publikum. Doch dann lässt er, ein wenig wie der zynische Philosoph Diogenes, kein gutes Haar an ihnen, gerade weil sie als Zuschauer gekommen sind. Wir wollen kurz innehalten, um über das Verb *darash* im letzten Zitat nachzudenken, das hier mit „befragen" übersetzt ist. Das bedeutet zunächst das Erbitten eines Orakelspruchs, das Hesekiel zurückweist, aber es schwingt auch anderes mit. *Darash* und das verwandte Substantiv *midrash* legt auch die Bedeutungen ‚breitere Ausführung' oder ‚interpretierende Erläuterung' nahe, etwa im 2. Buch der Chronik 13,22 und 24,27.[2] Er verweist offenkundig auf den sprachlichen Aspekt der Prophezeiung. Ein Prophet zu sein bedeutet, ein Meister der Worte zu sein, die zur Interpretation anregen. Die Leute kommen zur *liderosh* [Interpretation] und er fügt sich durch die Kraft seiner Worte darein, befragt oder interpretiert zu werden [*lehiddaresh*]. Im Kern dieses Kommunikationsmodus steht das Spiel mit Worten, insbesondere der Gebrauch von Paronomasien, Assonanzen, Erklärungen oder Entgegensetzungen. Es ist diese Interaktion, welcher der Prophet rigoros abschwört. Kein *midrash* mehr, so sagt er. Und dennoch ist ebenjener Vers, der dies besagt, in seiner parataktischen Sequenz der beiden Formen von *darash* („Um mich zu befragen, seid ihr gekommen? So wahr ich lebe, wenn ich mich von euch befragen lasse" [20,31]) ein perfektes Beispiel für dieses verbale Spiel, das hier geächtet wird.

Der folgende Vers setzt eine andere Wortverdoppelung zur Kontrastierung ein: „Willst du nicht über sie Gericht halten, Menschensohn, willst nicht du Gericht halten? Mach ihnen die Greueltaten ihrer Väter bewußt" (20,4). Statt der verbalen Funktion des Propheten, die durch das *darash* bezeichnet wurde, tritt das *shapat*, das Richten. Keine Worte mehr, sagt er, stattdessen bekommt ihr von mir das

---

2 Vgl. Samuel Rolles Driver: *Introduction to the Literature of the Old Testament*, New York (Scribners) 1891, S. 497.

strafende Schwert. Ich werde Moses sein, scheint er zu sagen, aber nicht jener, der
zum Felsen spricht, sondern der den Felsen schlägt. Das Bild, das die darauf folgende eindrucksvolle Rede mit seiner sechsmaligen Wiederholung beherrscht
(20,5-44), ist das der erhobenen Hand. Gott erhebt seine Hand, um Israel aus
Ägypten zu führen und sich dem Volk zu erklären (5,6), und er erhebt seine Hand,
um sie in der Wildnis zu bestrafen und unter die Nationen zu zerstreuen (15,23).
Die Geste suggeriert einen Schwur, aber auch einen Schlag, wodurch sie auf dop-
peldeutige Weise Versprechen und Bestrafung verbindet. Die erhobene Hand wird
schließlich in die bekannte Figur von der starken Hand und dem ausgestreckten
Arm Gottes umgewandelt (15,34), der sowohl sein Volk als auch dessen Feinde
richtet.

Der erhobene Arm Gottes (oder seines prophetischen Boten), der metonymisch
das göttliche Urteil bezeichnete, war also ursprünglich als Zeichen für die nicht-
sprachliche (oder gar anti-sprachliche) Funktion des Propheten eingeführt worden.
Doch nun steht dieser Arm im Mittelpunkt eines komplexen Sprachspiels, das alle
Möglichkeiten dieser Trope erkundet. Statt der Rede, sagt er, bekommt ihr den
Arm, eine rein gestische Bewegung. Aber die Ausführung der Geste wird zu einer
eloquenten Äußerung, die durch die mehrfache Wiederholung der Wendung und
ihrer Varianten noch prächtiger wird. Die Anapher konstituiert die grundsätzliche
Rhetorik dieses Kapitels. In den Versen 35-36, wird das Verb *shapat*, ‚urteilen‘ oder
‚protestieren‘, dreimal wiederholt, und diese Häufung ist das entscheidende Mittel
dieser Prophezeiung. Trotzdem sagt der Prophet – ironisch, denn seine Behauptung
wird aufgehoben, sobald er sie äußert –, dass er keine Worte, sondern Taten und
Urteile bietet. In Vers 37 führt diese Behauptung zu einem weiteren Bild der
Gewalt, das wohl durch das ähnliche Bild des erhobenen Arms nahe gelegt wird. Es
ist das Bild des Stabes: „Ich lasse euch unter dem Hirtenstab an mir vorbeiziehen,
und bringe Euch wieder in die Ordnung des Bundes. Die Abtrünnigen und alle,
die sich gegen mich auflehnten, sondere ich von euch ab." (20,37-38).[3] Die strafende Kraft des „Stabes" wird durch die Fortsetzung verstärkt, in der vom Bund
oder der Ordnung des Bundes die Rede ist, was sich insbesondere durch den Ausdruck *masoret* verdeutlicht, der auf Fesseln oder Einsperren verweist, vielleicht aber
auch auf Züchtigen und vielleicht auch (wie im späteren Hebräisch) auf Weitergeben (*masor*), nämlich auf das Weitergeben einer sprachlichen Tradition.

Das gesamte Paradox, das wir erörtert haben, ist in den drei Wörtern kompri-
miert, die eine Brücke zwischen den Versen 37 und 38 schlagen – *masoret habberit
ubaroti*, wörtlich ‚die Ordnung, der Bund, ich werde absondern (reinigen)‘. Der
Bund, der seinem ursprünglichen Wesen nach ein sprachlicher Austausch oder Vertrag ist, wird hier zu einem körperlichen Binden oder Züchtigen, das mit dem

---

3 Die *Revised Standard Version* (wie auch die meisten deutschen Übersetzungen A.d.Ü.) übersetzt 37b
  mit „Ich werde euch abgezählt hineinbringen" und entspricht damit der Septuaginta. Mit besserem
  Gespür greifen die Übersetzer der *New English Bible* auf das Hebräische zurück und übersetzen „Ich
  werde … euch wieder in die Ordnung des Bundes bringen". Das Hebräische hat nicht nur mehr
  Autorität, sondern diese Lesart wird auch durch das Wortspiel (*habberit ubaroti* [s.o.]) gestützt, das
  ein wesentliches Merkmal der Rede des Propheten ist.

„Stab" in der ersten Hälfte von Vers 37 verknüpft ist. Das Verb *berit* (einen Bund schließen) bildet durch Paronomasie das ihm folgende Wort, *ubaroti*, das hier mit ‚ich werde absondern'[4] übersetzt ist, aber vielleicht auch das Spitzen eines Pfeils bedeutet (wie in Jes 49,2). Ein mit Worten besiegelter Vertrag verwandelt sich in ein Mittel zur Reinigung oder einen gespitzten Pfeil, tut dies aber durch ein Spiel mit Worten – durch ebenjenes Wortspiel, das hier eigentlich verbannt werden soll, damit es nicht die unmittelbar richtende Rolle des Propheten beeinträchtigt. Die Sprache trennt sich dabei im selben Moment auf, in dem sie ihr wunderbares Netz webt. Das Publikum wird bezaubert, zugleich wird dieser Zauber aber mit seiner ganzen Flötenmusik verurteilt, um vom Richtschwert beendet zu werden.

II

Wir können die besondere Beziehung zwischen dem Propheten und seinem Publikum anhand des Ausdrucks „Bund" betrachten. Wie aus der zuvor zitierten Wendung ersichtlich ist, deutet der Bund (*berit*) auf ein Band oder eine Partnerschaft hin, zugleich aber impliziert es ein gewisses Maß von Zwang auf beiden Seiten: „Ich lasse euch unter dem Hirtenstab an mir vorbeiziehen, und bringe Euch wieder in die Ordnung des Bundes" (20,37). Dieser Satz verweist auf das Drama von Gott und Israel, genauso kann und sollte man ihn aber auch metapoetisch verstehen: Er beschreibt das Drama, das der Prophet und sein Publikum gemeinsam aufführen. Sie sind durch ein gemeinsames Schicksal und eine gemeinsame Verpflichtung aneinandergebunden, und doch zwingt der Prophet sein Publikum, zu dem er gleichsam sagt: ‚Ich werde euch dazu bringen, dass ihr meine Worte auf meine Art deutet'. Das Publikum wiederum rebelliert und besteht darauf, dass es andere Worte hört und andere Visionen sieht; es schreibt sozusagen einen anderen Text. ‚Bund' bedeutet Relationalität und sogar eine Art von Verhältnis, das keine der beiden Seiten aufheben kann – da sie aneinander gebunden sind –; dennoch ist es ein unbehagliches, widersprüchliches Verhältnis, dass auf beiden Seiten voller Spannungen, voller Widerstände ist. Das dritte und vierte Kapitel Hesekiels sind voller erschreckender Bilder des Zwangs. In Kapitel 3 heißt es, dass die Menschen den Propheten in Fesseln legen werden. Sie werden gegen ihn rebellieren, aber zugleich wird er selbst sich verweigern und gelähmt sein – es wird ihm die Sprache verschlagen:

---

4 Kommentatoren sind im Allgemeinen unempfänglich für derlei Wortspiele. Walther Eichrodt und Walther Zimmerli halten unseren Text für das Ergebnis von Verwirrung und Dittographie. Mit seinem feineren literarischen Gespür befürwortet dagegen Moshe Greenberg den masoretischen Text unter Verweis auf „das häufige Vorkommen von Wiederholung und Alliteration in den Versen 33-40" (*Esekiel I, The Anchor Bible*, New York [Doubleday] 1983, S. 373).

Und du, Menschensohn – sie werden dich fesseln und mit Stricken binden, so daß du
nicht mehr zum Volk hinausgehen kannst. Deine Zunge lasse ich dir am Gaumen
kleben. Du wirst verstummen und nicht mehr ihr Mahner sein können; denn sie sind
ein widerspenstiges Volk. (3,25-26)

Wenn sie nicht der Stimme des Befehls gehorchen, so werden sie auch keine schönen Worte bekommen – der Prophet wird sprachlos sein. Im Folgenden wird aus
seinen sprachlosen Akten ironischerweise eine eloquente Zeichensprache. Der Prophet führt das Drama des Zwangs auf: Er liegt vierzig Tage an Stricken gefesselt,
„dass du dich nicht von einer Seite auf die andere drehen kannst" (4,8). Doch das
Publikum war von dieser lebhaften Darbietung genauso fasziniert wie von seinen
schönen Reden. Es wird nicht beseitigt, denn es ist ja an ihn gebunden, und er ist
an es gebunden – offenbar mit genau den Stricken, die ihn an seine Aufgabe
binden.

Der biblische Text als Ganzes beruht auf Relationalität. Er verlangt nach einem
Publikum, das nicht bloß am Verstehen, sondern sogar am Konstituieren des Texts
aktiv teilnimmt. Das entspricht natürlich der klassischen jüdischen Lehre: Das
geschriebene Gesetz kann nicht für sich stehen, rechtskräftig wird es erst durch die
mündliche Torah oder die fortlaufende Tradition der Interpretation. Die mündliche Torah ist eine „Interpretationsgemeinschaft", die dem geschriebenen Text seine
Bedeutung und seinen Gattungscharakter verleiht.[5] Möglicherweise ist das auch
mit Hesekiels Ausdruck *masoret habberit* gemeint – das ‚Band (oder ‚Tradition')
des Bundes'. Relationalität ist hier ein lebendes „Band" fortgesetzter Interpretation, in
der der Text von Epoche zu Epoche neu konstituiert wird durch die dialektische
Beziehung zwischen der geschriebenen und der ungeschriebenen Torah, zwischen
Interpretationsgemeinschaft und beständig neu interpretiertem Text. Der „Text"
existiert nirgendwo anders als in dem spannungsgeladenen Raum zwischen dieser
Interpretationsgemeinschaft und den von der Tradition empfangenen Worten.

Eine solches Verhältnis ist keine Erfindung des rabbinischen Judentums, sondern wird schon in zentralen Passagen der Bibel behauptet: „Höre, Israel! Der Herr,
unser Gott, der Herr ist einzig" (Dtn 6,4). Dies ist weder eine einfache Mitteilung,
ein *kerygma*, noch einfach eine Vorschrift, sondern eine Aufforderung, ein Ruf an
„Israel" zu *hören*, zu begreifen, zu interpretieren. Sie sagt uns, dass die Einheit Gottes nur dann verwirklicht wird, wenn es eine Gemeinschaft der Hörer gibt, die
diese Einheit erkennen und diese Aussage bestätigen. Es ist eine Erkenntnis, nach
der man streben muss, die im Akt des Lesens, Hörens und Verstehens hervorgebracht wird. Daher sind die ersten Worte *shma' yisra'el* keine bloße Eröffnung und
keine rhetorische Geste, sondern unterstellen eine echte Partnerschaft, die Anrufung eines hörenden Ohrs und einer erkennenden Intelligenz, die die Bedeutung
mitkonstituieren. Kurzum, es handelt sich hierbei um ein Bundesverhältnis, in
der auch die Art der Äußerung von Kategorien des Bundes bestimmt wird. Die

---

5 Zum Konzept der Interpretationsgemeinschaft vgl. Stanley E. Fish: *Is There a Text in this Class?*,
   Cambridge, Mass. (Harvard University Press), etwa S. 11.

Bereitschaft zu hören, zu verstehen, zu kooperieren wird dabei zu einer Vorbedingung für die Zustimmung zu diesem Satz erklärt. Und es ist diese Bereitschaft, die der Satz erbittet. Das Verhältnis geht, kurz gesagt, der Verkündigung ebenso wie dem Befehl voraus. Und die Relationalität – die Gegenwart des hörendes Ohrs und des erkennenden Geistes innerhalb des Diskurses, den wir Torah nennen – ist das Thema dieses Satzes.

Dabei stellt sich die Frage, wo man diese Worte im dramatischen Muster der Beziehung verorten soll. Wer spricht sie zu wem? Im Kontext des Deuteronomiums scheinen es die Worte Moses' zu sein, die dieser im Namen Gottes zu Israel spricht und die dem vorausgehenden Satz entsprechen: „Höre nun, Israel, und achte darauf, sie (die Gebote) zu halten, damit es dir gut geht" (6,3). Aber so sind sie von der Interpretationsgemeinschaft in der Praxis nicht verstanden worden. Die Worte „Höre, Israel: Der Herr ist unser Gott, der Herr ist einzig" sind vielmehr zu einem leidenschaftlichen Ausruf der Hörer geworden, an die sie augenscheinlich gerichtet sind! Tatsächlich hat sich ihre Richtung also genau umgekehrt. Bei der täglichen Wiederholung dieses Satzes wurde er zum Zeichen des ‚Auf-sich-nehmens des Jochs der Gebote': Die Interpretationsgemeinschaft greift auf die Worte zurück, die sie ins Leben rief, und macht sie zu ihren eigenen. Was in der ursprünglichen Bedeutung, wie schon gesagt, zwischen einer Aufforderung, einem Ruf und einem Befehl changierte, wird nun zu einem Sprechakt ganz anderer Art: zum leidenschaftlichen Akzeptieren der eigenen Rolle im Diskurs durch die Hörer und zum Aufruf an die Gemeinschaft Israels, an dieser Bejahung teilzuhaben. Es erfolgt somit ein Rollentausch im Kommunikationsprozess vom Sprecher zum Leser. Der Leser selbst wird zum Sprecher, der die aktive Rolle eines vollwertigen Bundespartners annimmt, ohne den der Satz nicht die volle Bedeutung erhalten kann.

Wir sollten jedoch die Spannungen und Schwierigkeiten, die mit diesem Prozess einhergehen, nicht unterschätzen, die ich oben als Widerspenstigkeit des Publikums beschrieben habe. Das Verb *shama* kommt auch in der Wendung *na'aseh wenishma* vor („wir wollen … tun und hören", Ex 24,7), mit der das Volk die Gebote am Sinai annimmt. In ihren Kommentaren zu dieser Wendung sagen die Rabbiner, dass das Volk erst bereit war, zu ‚tun' und zu ‚hören' (was wie im „Höre, Israel" auch ‚erkennnen', ‚gehorchen' und ‚verstehen' impliziert), nachdem Gott den Berg Sinai wie ein großes Fass über ihrem Kopf gestülpt und sie also mit Vernichtung bedroht hatte.[6] Die Rolle des ‚Hörers' anzunehmen, wie sie in „Höre, Israel" verstanden wird, heißt eine nahezu überwältigende Verantwortung zu übernehmen. Von uns wird nicht nur ein Beitrag verlangt wie von Romanlesern, die bei der Erzeugung der fiktionalen Illusion mitwirken müssen, sondern wir werden ganz anders in Anspruch genommen und sollen eine Verpflichtung annehmen. Denn *shama* bedeutet nicht nur ‚lesen', sondern auch ‚gehorchen', der Text ergreift uns selbst gegen unseren Willen.

---

6 Vgl. Babylonischer Talmud: *Shabbat*, 88a und ähnliche Stellen.

III

Ein Aspekt des Vertrages, der die Lektüre biblischer Texte bestimmt, sollte noch hervorgehoben werden: Die Worte „Höre, Israel" sagen nicht nur etwas über ein gegenwärtiges Verhältnis, sondern behaupten eine fortdauernde Relationalität, eine Interpretationsgemeinschaft, die Erkenntnisse der Vergangenheit (wie die der göttlichen Einheit) in die Gegenwart und Zukunft weiterträgt. Raschi bringt unseren Satz mit Sacharja 14,9 in Verbindung: „Dann wird der Herr König sein über die ganze Erde. An jenem Tag wird der Herr der einzige sein und sein Name der einzige". Das „Höre, Israel" hat demnach eine Zeitdimension und verweist auf die Zukunft. Der Hörer bestätigt im *shama* eine Kontinuität, für die er selbst der Garant ist. Das Verb *shama* bedeutet mit anderen Worten nicht nur ‚hören', ‚verstehen' und ‚interpretieren', sondern auch ‚*erinnern*'. Vergangene Ereignisse werden durch die Erinnerung mit gegenwärtigen Ereignissen verknüpft – das ist der eigentliche hermeneutische Zirkel der Interpretation. „Höre, Israel" sagt in Wirklichkeit etwas über die Geschichte aus: Das Wort, das gehört wurde, bestätigt sich in der historischen Gegenwart, so wie es dies in der Vergangenheit tat; es ertönt weiterhin. „Höre, Israel" kann somit glossiert werden als: ‚Höre *weiterhin*, Israel. Ein lebendiges Wort wird in die Zukunft weitergetragen durch ein lebendes Volk, dass eine unsterbliche Gemeinschaft der Zuhörer bildet. Ich erkläre mich zum Teil jener Gemeinschaft.'

Eine solche historische Kontinuität muss man von dem Relativismus einiger moderner Theorien unterscheiden, nach denen der im jeweilig eigenen historischen Kontext situierte Hörer oder Leser niemals das gleiche Verständnis des Textes erlangen kann wie sein Vorgänger oder Nachfolger, es also grundsätzlich keine Kontinuität der Bedeutung gibt.[7] Dies ist nicht der Standpunkt des gerade zitierten Satzes und entspricht auch nicht der biblischen Poetik. „Höre, Israel! Der Herr, unser Gott, der Herr ist einzig" lässt sich auch ergänzen durch: „Höre allezeit, Israel, und du wirst hören, dass derselbe Herr immer noch unser Gott ist, derselbe eine Gott". Das Hören selbst wird kurzum zur Bestätigung einer Einheit der Erkenntnis, einem Band des Bundes zwischen den Generationen. Jeder Leser wird zum Zeugen dieser Kontinuität, indem er einen festen Platz in einem Kontext einnimmt, der die ihm vorausgegangenen Zeugen ebenso einschließt wie jene, die nach ihm kommen. Diese einheitliche Erkenntnis ist, wie gesagt, eine Aufgabe, um derentwillen man Widerstände überwinden muss – natürlich wäre es sehr viel einfacher, in einen vollständigen Relativismus abzugleiten und anzunehmen, dass die

---

7 Ein solcher radikaler Relativismus kennzeichnet etwa die hermeneutische Philosophie Hans-Georg Gadamers. Vgl. etwa dessen *Wahrheit und Methode*, Tübingen (Mohr) 1960, S. 159f., nach der es keinen unveränderlichen Kern der Bedeutung gibt, weil wir unausweichlich in der Historizität unseres Seins gefangen sind, die nicht kontinuierlich, sondern fließend ist. Diese Theorie richtet sich gegen die Annahme der historisch-philologischen Methode, man könne an einen absoluten Anknüpfungspunkt gelangen, der die Bedeutung dauerhaft bestimmt – auch diese Position entspricht nicht dem, was ich unter ‚Kontinuität' verstehe. Moses hätte Rabbi Akibas Interpretationen seines Buchs nicht verstanden, trotzdem besteht eine Kontinuität zwischen ihnen.

Generationen von Lesern nicht aneinander gebunden sind. Doch wir werden dazu ermahnt, das nicht zu erlauben.

Die Aufforderung an den Leser, er möge zum Zeugen, zum Garanten der Kontinuität werden, ist zentral für die biblische Bestimmung der Dichtung. Deren Charakterisierung möchte ich nun kurz näher untersuchen. Sie findet sich in Kapitel 31 des Deuteronomiums, wo Moses beauftragt wird, vor seinem Tod ein Gedicht zu schreiben, das unvergessen im Mund und im Geist des Volks leben wird. Das Gedicht selbst, bekannt unter seinem Anfangswort *ha'azinu* („Hört zu"), bildet das folgende 32. Kapitel. Lesen wir zunächst einen Teil der programmatischen Einführung (oder Anweisung) aus Kapitel 31:

> Jetzt schreibt dieses Lied auf! Lehre es die Israeliten! Laß es sie auswendig lernen, damit dieses Lied mein Zeuge gegen die Israeliten werde. Wenn ich dieses Volk in das Land geführt habe, das ich seinen Vätern mit einem Schwur versprochen habe, in das Land, wo Milch und Honig fließen, und wenn es gegessen hat und satt und fett geworden ist und sich anderen Göttern zugewandt hat, wenn sie ihnen gedient und mich verworfen haben und es so meinen Bund gebrochen hat, dann wird, wenn Not und Zwang jeder Art es treffen, dieses Lied vor ihm als Zeuge aussagen; denn seine Nachkommen werden es nicht vergessen, sondern es auswendig wissen. Ich kenne seine Neigung, die sich schon heute regt, noch ehe ich es in das Land gebracht habe, das ich mit einem Schwur versprochen habe. (Dtn 31,19-21)

Hier gibt es ein ziemlich komplexes Zeitschema: Das Gedicht bringt uns zurück in eine Zeit der Ursprünge, zum Aufenthalt in der Wüste „noch ehe ich es in das Land gebracht habe, das ich mit einem Schwur versprochen habe", aber es ist bestimmt für einen zukünftigen Zeitpunkt, nachdem das Land besiedelt sein wird und blühend und fruchtbar geworden ist („das Land, wo Milch und Honig fließen"). Dann wird es als Merkvers dienen, als Gedächtnisstütze, denn während der dazwischen liegenden Phase wird es unvergessen im Mund des Lesers oder Hörers weitergelebt haben, stets bereit, ihm wieder einzufallen, wenn er in Not gerät. Dichtung ist daher eine Art Zeitbombe: Sie wartet ihre Stunde ab, um plötzlich und heftig in der Erinnerung aufzutauchen. Achtet man auf die Abfolge der Sätze im zitierten Abschnitt, so zeigt sich, dass das Gedicht als Warnung dienen wird, sogar als Strafe für ein Volk, das den Bund gebrochen hat. Es wird in ihrem Geist und in ihrem Mund leben und sie, ob sie wollen oder nicht, unsanft an den Aufenthalt in der Wüste erinnern. Einmal auswendig gelernt, wird es nicht so leicht vergessen werden – die Worte werden haften bleiben, aufdringlich sein und uns nicht in Ruhe lassen.

Es lohnt sich, das Wort *'ed*, ‚Zeuge', genauer zu betrachten, ein Schlüsselwort, das zweimal im Zitat und dann noch zwei weitere Male (31,26 u. 28) wiederholt wird. Wie in Klagelieder Jeremias 2,13 („Was soll ich als Zeugen für dich nehmen, womit soll ich dich vergleichen, Tochter Jerusalem?") scheint es auch den Prozess des poetischen Denkens selbst zu bezeichnen. Es ist offenkundig verwandt mit der Wurzel *'ud*, ‚beständig wiederholen', und bezeichnet hier den Teil des Lernprozesses, in dem die Worte des Gedichts im Gedächtnis deponiert werden („Lehre es die Israeliten! Laß es sie auswendig lernen, damit dieses Lied mein Zeuge [*'ed*] werde"), scheint sich aber zugleich auf den Prozess des Hervorrufens des Gedichts in der Zukunft zu beziehen. In der Zukunft wird das Gedicht quälend gegenwärtig sein und mit unheimlicher Beständigkeit, wie ein Wiedergänger, zu denen zurückkehren, die es gelernt haben („dieses Lied wird als Zeuge aussagen; denn seine Nachkommen werden es nicht vergessen").

So eine Konzeption des Gedichts als Wiedergänger hat nicht ohne weiteres Platz in der modernen Poetik. Sie mag dem romantischen Interesse an der Tätigkeit der Erinnerung ähneln, aber für die romantischen Dichter war die Erinnerung im Großen und Ganzen keine schmerzvolle Angelegenheit; und falls doch, hilft das Gedicht gerade, diesen Schmerz zu lindern. Die *'edut* oder Zeugenfunktion des Gedichts, von der wir sprechen, hat nichts mit dem Lindern von Schmerzen zu tun, sondern mit einem beunruhigenden Schock der Wiedererkennung, ausgelöst durch einen Text, der uns, mit neuer historischer Dringlichkeit aufgeladen, wieder bewusst wird. Die Zeugenfunktion drückt aus, dass Texte aus der Vergangenheit nicht einfach widerhallen, sondern uns heimsuchen und gebieterisch nach Aufmerksamkeit verlangen. Wir entdecken daher, dass auch *'edut* ein Wort des Bundes ist, ein Synonym für *berit*, wie in der Wendung *'aron ha'edut* (‚Bundeslade‘, wörtl. ‚Lade des Zeugnisses‘). Es bezeichnet eine Dynamik von Beziehungen, ein andauernd erneuertes Band zwischen Hörer und Sprecher, auch wenn Letzterer manchmal unwillig ist. Das Wort erinnert ihn an frühere Aussagen und Begegnungen, an Verpflichtungen, die er lieber vergessen würde. Wie ein Wiedergänger tritt es ihm entgegen, als würde es sagen: „Du kennst mich, ich komme, um dich an das zu erinnern, was du weißt." In dem Lied von Moses, d.h. im Gedicht des zweiunddreißigsten Kapitels des Deuteronomiums, wird der Hörer explizit aufgefordert, sich zu erinnern:

> Denk an die Tage der Vergangenheit,
> gib acht auf die Jahre der vielen Generationen!
> Frag deinen Vater, er wird es dir erzählen,
> frag die Alten, sie werden es dir sagen. (Dtn 32,7)

Ebenso explizit wird die Vergesslichkeit verurteilt: „Du vergaßest den Gott, der dich geboren hat." (32,18) Die Erinnerung, die dem Leser aufgenötigt wird, ist nicht gerade erfreulich und ruft die unheimliche Umgebung – „Er fand ihn in der Steppe, in der Wüste, wo wildes Getier heult" (32,10) – des grundlegenden Wortwechsels des Bundes herauf. Es ist diese Szene, von der zukünftige Gedichte Zeugnis ablegen werden, oder die vielmehr von deren Lesern bezeugt werden muss.

Aus der Vorstellung des Lesers als Zeuge ergibt sich noch eine weitere Folgerung. Ein auf dem Ausdruck *'ed* oder *'edut* begründetes Verhältnis zwischen Text und Leser, suggeriert die Beziehung zwischen Prozessparteien in einem Rechtsstreit. Der Leser wird abwechselnd in die Rolle des Zeugen und die des Angeklagten versetzt. Er wird aufgefordert, etwas zu ‚erwidern‘, in dem besonderen Sinne, in dem ein Zeuge oder eine Partei vor Gericht etwas auf eine Anklage oder einen Beweis erwidert. Im *Ha'azinu*-Gedicht Deuteronomium 32 gibt es zahlreiche Bilder, die auf das Recht und die Rechtssprechung verweisen. So heißt es von Gott, „alle seine

Wege sind recht" (32,4), er werde seinem Volk „Recht geben" (32,36) und „das
Recht in die Hand nehmen" (32,41), er wird also Urteilssprüche verkünden. Einige
moderne Anhänger der formkritischen Schule haben den Anfangsvers des Gedichts
sogar der literarischen Gattung der Gerichtsrede zugeordnet.[8] In diesem Vers werden Himmel und Erde aufgefordert, Zeugnis gegen das Volk Israel abzulegen:
„Horcht auf, ihr Himmel, ich will reden, und die Erde höre die Worte meines
Mundes" (32,1). Das „höre" in der zweiten Hälfte ist das *shama*, das wir schon
diskutiert haben. Die antithetische Beziehung von Text und Publikum wird erneut
mit der Wurzel *shm'* umrissen, die jetzt eine starke Konnotation von ‚Zeugnis ablegen gegen' trägt. Hören oder lesen bedeutet, mit einem derartigen Zeugnis konfrontiert zu werden. Tatsächlich war ‚aussagen gegen' als Bestandteil der Funktion
des Gedichts schon im programmatischen Kapitel 31 angekündigt worden. Moses
wurde darin aufgefordert, ein Gedicht als Zeuge zu verfassen und das Volk zu sammeln: „Versammelt um mich alle Ältesten eurer Stämme und alle eure Aufseher,
damit ich ihnen diese Worte vortragen und Himmel und Erde gegen sie als Zeugen
anrufen kann" (31,28). Der erste Vers des Gedichts stellt die Erfüllung dieser
Ankündigung dar: Himmel und Erde legen Zeugnis ab gegen Israel. Man ist
gezwungen, etwas darauf zu ‚erwidern'. Das Lesen des Gedichts wird zu einer Auseinandersetzung über das Recht und die Rehabilitation des Lesers. Die Vorstellung
eines Prozesses oder Gerichts ist hier kein angenehmes Bild (wie in Shakespeares
Sonett „Wenn zu dem Rate der Gedanken kehren / So süß und still die Schatten
alter Zeit"), sondern eine ‚Gattung', die es erlaubt, die Beziehung zwischen dem
Text und dem Leser zu strukturieren, oder, genauer gesagt, zwischen dem Leser
und dem Gott, den man hinter den Worten des Textes ahnt. Aus dieser Sicht bringt
das *Ha'azinu*-Gedicht den Leser in Zugzwang, greift ihn an und fordert ihn heraus,
doch gibt es dabei auch wieder einen Rollentausch. Um eine Wendung von Milton
zu übernehmen (die selbst auf den Bundesgott des Alten Testaments verweist): Der
Leser „richtet und wird gerichtet".[9] Er ist ein Angeklagter, wird aber im Verlauf des
Gedichts auch zum Kronzeugen. Er wird nicht bloß getadelt, sondern auch selbst
der erhabenen Anklage unterzogen und sozusagen zu Gottes Zeugen (wie in Jes
43,10), als das Gedicht zu seinem triumphalen Schluss anhebt:

---

8 Vgl. G. Ernest Wright: „The Lawsuit of God: A Form-Critical Study of Deuteronomy 32", in:
Israel's Prophetic Heritage, hg. v. Bernhard W. Anderson/Walter Harrelson, London (SCM Press)
1962, S. 26–67; George E. Mendenhall: *Law and Covenant in Israel and the Ancient Near East*,
Pittsburgh (Biblical Colloquium) 1955, S. 34. Samuel Rolles Driver wendet hingegen ein, dass
in Deuteronomium 32 „Himmel und Erde nicht als Zeugen angerufen werden, sondern um ein
Publikum zu bilden". Vgl. ders.: *A Critical and Exegetical Commentary on Deuteronomy*, Edinburgh
(T. and T. Clark) 1895, S. 34.
9 John Milton: *The Doctrine and Discipline of Divorce*, in: *Works*, New York (Columbia ed.) 1931,
Bd. III, S. 440.

Jetzt seht: Ich bin es, nur ich,
und kein Gott tritt mir entgegen.
Ich bin es, der tötet und der lebendig macht.
Ich habe verwundet; nur ich werde heilen.
Niemand kann retten, wonach meine Hand gegriffen hat.
Ich hebe meine Hand zum Himmel empor
und sage: So wahr ich ewig lebe:
Habe ich erst die Klinge meines Schwertes geschliffen,
um das Recht in meine Hand zu nehmen,
dann zwinge ich meinen Gegnern die Strafe auf
und denen, die mich hassen, die Vergeltung.
(Dtn 32,39-41)

Auch in diesen abschließenden Sätzen haben wir die Gattung der Gerichtsrede nicht hinter uns gelassen. Gott erhebt hier seine Hand und leistet einen Eid, zu dessen Zeuge der Leser wird. Der Eid verspricht „meinen Gegnern" ein Gericht – den Gegnern des Volkes die auch zu Gottes Gegnern geworden sind. Dem Leser wird versprochen, dass (wie bei Hiob) sein Richter zu seinem Verteidiger wird, der in einer Zukunft, die „bei mir verborgen, in meinen Vorratskammern versiegelt" ist (32,34), in seinem Namen Zeugnis ablegen wird. Der Leser seinerseits wird Zeugnis ablegen über den Eid, dessen Zeuge er geworden ist. Das Gedicht ist nun zu einem Zeugnis im Sinne eines rettenden Wortes geworden, zu einer eidesstattlichen Erklärung, deren Zeuge der Leser selbst ist – und das ist die Bedeutung, die das Verb 'ud, ‚bezeugen', nun schließlich erhält. Es kommt zum letzten Mal in dem kurzen Prosaabschnitt vor, der am Ende von Kapitel 32 auf das Gedicht folgt. Darin sagt Moses zum Volk:

> Richtet euer Herz auf all die Worte, die ich euch heute bezeuge (me'id). [...] Das ist kein leeres Wort, das ohne Bedeutung für euch wäre, sondern es ist euer Leben. Wenn ihr diesem Wort folgt, werdet ihr lange in dem Land leben, in das ihr jetzt über den Jordan hinüberzieht, um es in Besitz zu nehmen. (Dtn 32,46-47)

Lesen, Unlesbarkeit und Dekonstruktion

Die Texte der Bibel sind eigentlich immer schon bekannt: Man weiß, worum es in ihnen geht und worauf sie hinauslaufen – oder glaubt das zumindest. Das gilt besonders für den früher als ‚Lehrbücher‘ bezeichneten Teil der Bibel, also für Psalmen, Sprüche und Hiob, denn hier scheint uns der Text eine ‚Lehre‘ vermitteln zu wollen, die wir schlicht aufnehmen müssen. Das Hiobbuch etwa, so heißt es, habe das ‚Hiobproblem‘ in eine Fabel gefasst. Aber nicht nur ist unklar, worin dieses Hiobproblem eigentlich bestehen soll – betrifft es die Frage nach der Herkunft des Bösen oder nach dem Verhalten im Leiden? –, der Text illustriert diese Lehre auch weniger als dass er ihr Widerstand zu leisten scheint. Der Schluss der Hiobgeschichte etwa ist seltsam unangemessen, denn Gottes Rede aus dem Sturm geht auf die durchaus berechtigte Frage Hiobs, warum er leiden müsse, gar nicht ein. Und noch mehr: Gerade als Hiob sich in die erklärungslose Übermacht Gottes fügt und sein Leid mit Geduld erträgt – und damit jetzt zum moralischen Vorbild zu werden scheint –, da werden seine Güter wiederhergestellt, ja „um das Doppelte" vermehrt (Hi 42,10). Wenn das die Lehre sein soll – sollen wir alle im Leiden so ein Wunder erwarten? Oder uns gar, wenn wir leiden, darauf berufen, dass wir zwar unschuldig seien, aber wahrscheinlich gerade eine Wette im Himmel stattfinde? Nimmt man diese Fragen ernst, ist es nicht mehr so leicht, das Buch so selbstverständlich zu finden, wie wir es meistens tun – es braucht eine gewisse Anstrengung der Lektüre.

Über das Lesen und die Leser, die Selbstverständlichkeiten und das Unverständliche hat David Clines oft und lange nachgedacht. Seit den 70er Jahren lehrte Clines am *Institute for Biblical Studies* in Sheffield, einem der wichtigsten Zentren der Debatte über *Bible as Literature,* das übrigens nicht der Theologie, sondern der Faculty of Arts zugeordnet ist. Als bekennender Autodidakt in literaturwissenschaftlicher Theorie hat er über ein breites Spektrum von Themen und Methoden gearbeitet – von der Lexikographie bis zu Genderfragen –, und vom Diskussionsbeitrag bis zur Monographie und zum Kommentar über das Hiobbuch sich vielfältig zu Wort gemeldet. Für ihn ist es denn auch die Vielfalt verfügbarer Methoden, durch die sich heute die Exegese auszeichnet. Es war insbesondere die in den 90er Jahren für Clines und andere immer wichtiger werdende Frage nach dem Leser, die diese Vielfalt schon in sich trug: Sie produzierte formale Analysen der vom Leser zu füllenden Leerstellen im Sinne des Reader-Response Criticism, die etwa der Frage nachgehen, wie sich die Bedeutung des Hiobbuches in der Lektüre auf- und auch wieder abbaut. Sie kann aber auch die im Text vermittelten Ideologien und die Strategien ideologischer Beeinflussung untersuchen oder auch die ganz konkreten Leser, die die Bibel historisch immer wieder anders gelesen haben. Und all das hängt zusammen, weil die biblischen Texte gerade durch ihre Leerstellen wirken, die immer wieder anders gefüllt werden müssen. So wird etwa Hiob gerade wegen der fundamentalen Ambivalenz für Luther zum Exempel des Menschen, der vor Gott immer zugleich Sünder und Gerechter ist, für Calvin zum Inbegriff der menschlichen Unwissenheit. So betrachtet, besteht die Wirkungsgeschichte biblischer Texte nicht in einer Reihe von ‚Umdeutungen‘, sondern präziser in ‚Relektüren‘, die um jene Leerstellen kreisen; und am stärksten ist die Wirkung vielleicht dort, wo eine konsequente Lektüre gar nicht mehr möglich ist, sondern der Text zur Allegorie seiner eigenen Unlesbarkeit wird – wo er das Wissen über sich untergräbt, sich ‚dekonstruiert‘.

Dekonstruktion ist freilich oft ein Schreckgespenst der Exegese, nicht anders als übrigens auch in der Literaturwissenschaft selbst. Nicht selten wird es von Freunden wie Feinden als radikaler Freibrief für jede mögliche Art von Interpretation betrachtet oder auch als radikales Unternehmen der ‚Umwertung‘ von Sinnhierarchien und der Infragestellung von Autoritäten. Dabei handelt es sich zunächst schlicht um ein konsequentes Ernstnehmen der Texte, so konsequent, dass auch scheinbar sekundäre Merkmale von Texten nicht einfach um eines vermeintlichen Sinnes willen übergangen werden. Clines orientiert sich daher auch weniger an der französischen Tradition der Dekonstruktion als Metaphysikkritik, sondern an der amerikanischen Spielart des ‚close reading‘ und der rhetorischen Analyse der Texte wie sie in der einen oder anderen Form von fast allen Vertretern der literarischen Analyse der Bibel vertreten werden. Dekonstruktiv ist daran nur die Konsequenz: der Wille zum Paradox und die Sensibilität für die Inkonsequenzen der Texte, die ja die Leistung der Lektüre erst hervorbringen. Die Untersuchung muss dabei auch die Aporien der Texte aushalten und darf sie nicht durch eine Hierarchie wichtiger und unwichtiger Stellen oder gar durch die kritische Eliminierung von ‚sekundären‘ Hinzufügungen auflösen. Wie ergiebig eine solche Lektüre sein kann, zeigt gerade das Hiob-Buch, das man nicht nur lange als moralische Allegorie oder als Fabel gelesen hatte, sondern dessen Schwierigkeiten auch die neuere Kritik aus dem Weg zu gehen versuchte, indem sie Prolog (die Wette) und Epilog (die Wiederherstellung Hiobs) vom Mittelteil des Buches strikt separierte. Anstatt so klare Verhältnisse zu schaffen, plädiert Clines für die Geduld der Lektüre. Heute nennt man die ‚Lehrbücher‘ meist ‚Weisheitsbücher‘, und Weisheit ist eine ruhige und langsame Tugend. Walter Benjamin hat sie einmal „die epische Seite der Wahrheit" genannt, denn der Weise gebe meistens keine Rezepte, sondern erzähle eine Geschichte, und eine Geschichte ist immer komplex und bedarf gerade kleiner Inkonsequenzen. Daher weiß dann auch das Hiobbuch immer schon viel mehr als die Antwort auf das ‚Hiobproblem‘, und daher ist einige Weisheit nötig, um das Buch zu lesen. *dw*

DAVID CLINES

Das Hiobbuch dekonstruieren

Spätestens seit Gregors des Großen *Moralia in Hiob* wird das Buch Hiob als riesige Fundgrube moralischer Wahrheiten und weiser Sprüche über die menschliche Natur betrachtet. Insbesondere suchte man in ihm Antworten auf die schwierigsten Fragen wie die nach dem Sinn des Lebens, dem Problem des Leidens und der moralischen Ordnung des Universums. In der Bibliographie meines Kommentars zu den Kapiteln 1-20 des Buchs Hiob habe ich mehr als 1000 Bücher und Artikel aufgeführt, die vorgeben, eindeutige Antworten Hiobs auf diese Fragen zu nennen.[1] Daher ist es an der Zeit zu fragen, ob das Buch Hiob wirklich ein nahtloses Ganzes darstellt oder ob es sich wie viele, wenn nicht alle, literarischen Werke womöglich dekonstruieren lässt. Im Folgenden möchte ich zeigen, dass das Buch sich in verschiedenen grundsätzlichen Hinsichten selbst dekonstruiert. Ich werde versuchen, diese Dekonstruktionen von bloßer Inkohärenz zu unterscheiden, und behaupten, dass es gerade die Rhetorik des Buches ist, die es gegen seine Dekonstruierbarkeit immunisiert.

Als Ausgangspunkt wähle ich Jonathan Cullers bekannte Charakterisierung der deskonstruktiven Strategie: „Einen Diskurs dekonstruieren heißt aufzuzeigen, wie er selbst die Philosophie, die er vertritt, bzw. die hierarchischen Gegensätze, auf denen er beruht, unterminiert".[2] Nicht jeder Dekonstruktivist wäre glücklich mit solch einer transparenten Beschreibung dessen, was in den meisten Händen ein weitaus esoterischeres und verwirrenderes Verfahren ist. Zudem eignet sich diese Formulierung auch nicht für den Dekonstruktivismus als Strategie in der Philosophie. Für die Dekonstruktion als Lektüreverfahren erscheint diese Aussage jedoch sowohl verständlich als auch fruchtbar.

Zunächst sind einige Unterscheidungen erforderlich. Einen Diskurs zu dekonstruieren bedeutet nicht bloß, seine Inkohärenz zu zeigen – was einige Autoren für das Buch Hiob tatsächlich versucht haben. Denn wenn ein Diskurs eine Philosophie in derselben Weise und genauso ausdrücklich unterminiert darstellt, wie er sie geltend gemacht hat, so wären wir lediglich verwirrt oder amüsiert über seine Unfähigkeit und würden ihn schlicht für inkohärent halten. Um als Diskurs der Dekonstruktion zu bedürfen oder für sie empfänglich zu sein, muss er seine Aussagen *latent* infrage stellen, wie ja schon die Metapher des Unterminierens ausdrückt. Beim Dekonstruieren unterscheiden wir zwischen der Oberfläche und dem Verborgenen des Textes, zwischen oberflächlicher und tiefer Lektüre. Dabei

---

1 Vgl. David J.A. Clines: *Job 1-20*, Dallas (Word Books Publisher) u.a. 1989.
2 Jonathan D. Culler: *Dekonstruktion: Derrida und die poststrukturalistische Literaturtheorie*, Reinbek (Rororo) 1988, S. 96.

räumen wir ein, dass man einen Text auch lesen kann, ohne zu erkennen, dass er sich selbst unterminiert, und behaupten, dass die dekonstruktivistische Lektüre anspruchsvoller ist und zugleich dem Text besser gerecht wird. Daher ist es auch nicht möglich, die Dekonstruktion eines Textes durch nicht-dekonstruktivistische Lektüre anzufechten, es sei denn, dass man zeigen kann, dass die vermeintlich den Text infrage stellenden Elemente dies in Wirklichkeit nicht tun und der Text auf sämtlichen Ebenen der Lektüre vollständig kohärent ist.

I

Der erste Schauplatz, auf dem sich das Buch Hiob dekonstruiert (oder wie wir besser sagen sollten: auf dem es sich dekonstruieren lässt), ist das Thema der Vergeltung, also die Lehre, dass man der moralischen Eigenschaft der eigenen Taten genau entsprechend belohnt oder bestraft wird. Die Auffassung wird in der hebräischen Bibel häufig vertreten, vor allem im Buch Sprüche, doch ebenso von der Theologie des Deuteronomiums oder der Propheten. „Hoffart kommt vor dem Sturz und Hochmut kommt vor dem Fall" (Spr 16,18), „Der Pfad der Gerechtigkeit führt zum Leben, der Weg der Abtrünnigen führt zum Tod" (12,28). Wenn Israel auf die Stimme des Herrn hört, wird sein Gott es über alle Völker der Erde erheben (Dtn 28,1), achtet es nicht auf die Worte dieser Weisung, dann wird Jahwe ihm gewaltige und hartnäckige Schläge und schlimme und hartnäckige Krankheiten versetzen (28,58-9).

Wenn wir uns fragen, welches die Haltung des Buchs zu diesem zentralen Dogma der alten israelitischen Religion ist – wenn wir also in Cullers Worten die Frage stellen: „Welche Philosophie vertritt dieses Buch?" –, so werden wir wohl zunächst Folgendes sagen: Der Plot des Buchs behauptet, dass das traditionelle Dogma im Falle Hiobs falsch ist, da er ein Rechtschaffener ist, der zu seiner und des Lesers Überraschung das Schicksal der Bösen erleidet. Für diese Lektüre, die sowohl den gewöhnlichen Lesern als auch dem wissenschaftlichen Konsens entspricht, ist das Thema des Buchs, ob die herkömmliche Verknüpfung von Frömmigkeit und Wohlstand oder Sünde und Leid tatsächlich gilt und ob es dementsprechend möglich ist, umgekehrt von Wohlstand auf Frömmigkeit und von Leid auf Sünde zurück zu schließen.

Wenn das der allgemeine Eindruck ist, den wir vom Buch als Ganzes haben, müssen wir allerdings Schwierigkeiten mit seinem Anfangskapitel bekommen, in dem das Gegenteil behauptet zu werden scheint. Denn darin wird eindeutig, wenn auch nur mit wenigen Worten, der Eindruck vermittelt, dass die Geschichte von Hiob nicht die Falschheit, sondern die *Wahrheit* des traditionellen Dogmas veranschaulicht.

Wir begegnen dem mutmaßlichen alten Dogma zunächst in den Anfangsversen des Prologs: „Im Lande Uz lebte ein Mann mit Namen Ijob. Dieser Mann war untadelig und rechtschaffen; er fürchtete Gott und mied das Böse. Und sieben Söhne und drei Töchter wurden ihm geboren, und er besaß siebentausend Stück

Kleinvieh, dreitausend Kamele, fünfhundert Joch Rinder und fünfhundert Esel, dazu zahlreiches Gesinde." (Hi 1,1-3) Das einfache „*und*" ist zugegebenermaßen alles, auf das wir uns stützen können. Grammatisch handelt es sich um ein *waw*-conecutivum, durch das im Hebräischen eine fortlaufende Handlung in der Vergangenheit ausgedrückt wird. Dabei ist nirgends ausdrücklich von *Ursache und Wirkung* die Rede, und nichts hindert uns zu behaupten, dass es sich bloß um eine zeitliche Abfolge handelt oder womöglich gar um eine naive Geschichte, die gleichzeitige Sachverhalte in zeitlicher Folge ordnet, um den Eindruck einer Erzählung zu erwecken, deren einzige Zeitlichkeit also darin liegt, dass sich das Auge des Erzählers von einem Sachverhalt zum anderen bewegt. Trotzdem sehen die meisten Leser darin mehr als eine bloße zeitliche Aufeinanderfolge; zumindest bemerken sie eine Art Angemessenheit, eine Art inneres Band zwischen der Frömmigkeit des Mannes und seinem Wohlstand, oder vielmehr zwischen seiner höchsten Frömmigkeit und seinem höchsten Wohlstand: Es ist also nicht nur eine qualitative, sondern auch eine quantitative Angemessenheit gemeint, die theologisch formuliert nichts anderes ausdrückt als das Dogma der Vergeltung.

Ist dieses Buch nun *für* das Prinzip der Vergeltung oder *dagegen*? Lassen wir die Frage vorerst offen und lesen im Kapitel etwas weiter. Binnen kurzem stellen wir fest, dass im Dialog zwischen Gott und Satan die traditionelle Verknüpfung zwischen Frömmigkeit und Wohlstand als selbstverständlich angenommen wird. Gott sagt: „Hast du auf meinen Knecht Hiob geachtet? Seinesgleichen gibt es nicht auf der Erde, so untadelig und rechtschaffen, er fürchtet Gott und meidet das Böse" (1,8). Satan antwortet: „Geschieht es ohne Grund, dass Hiob Gott fürchtet?" (1,9): Ihm zufolge muss Gott glauben, dass Hiob ihn ohne Grund fürchtet, dass die Frömmigkeit Hiobs Grund seines Wohlstands ist; dagegen hat Satan den Verdacht, dass Hiobs Wohlstand Grund seiner Frömmigkeit ist, dass Hiob allein deshalb so außergewöhnlich fromm ist, um reich zu werden oder zu bleiben. Auf dieses Argument hat Gott keine Antwort und muss zugeben, dass er die Alternative nicht entscheiden kann; bisher hatte er einfach wie die meisten Menschen angenommen, dass das Prinzip der Vergeltung in einer bestimmten Richtung verläuft: von der Tat zum Ergehen. Gott muss zulassen, dass an Hiob ein Experiment durchgeführt wird, um herauszufinden, ob das Dogma stimmt. Wenn also der Erzähler Gott an die Vergeltungslehre glauben lässt, können wir dann nicht vermuten, dass der Erzähler mit diesen Anfangssätzen auch bei uns erreichen wollte, dass wir sie ohne Fragen akzeptieren, wie man Dogmen im Allgemeinen akzeptiert?

Diese Philosophie wird natürlich nicht den ganzen Prolog hindurch aufrechterhalten. Denn sobald über das Leid Hiobs entschieden ist, tritt plötzlich der Fall ein, dass Frömmigkeit nicht zwangsläufig zu Wohlstand führt, und dass es nicht unbedingt Sünde ist, die zum Leid führt, während ja in der ursprünglichen Philosophie nur die Bösen leiden.

Dekonstruiert also die erste Philosophie die zweite, oder dekonstruiert die zweite die erste? Können wir sagen, dass jeweils die eine die andere unterminiert? Nein, von unterminieren kann nicht die Rede sein, nur von konfrontieren. Tatsächlich gibt es hier widerstreitende Philosophien, doch die Auseinandersetzung zwischen

ihnen wird völlig offen geführt. Gegen die Auffassung, dass Frömmigkeit zu Wohlstand führt, bekräftigt die Erzählung sowohl die Schuldlosigkeit Hiobs als auch die
Wirklichkeit seines von Gott verhängten Leids. Und gegen die korrelierende Auffassung, dass Sünde zu Leid führt, beteuert die Erzählung, dass es in Hiobs Fall
ganz im Gegenteil Frömmigkeit ist, die zu Leid führt und dass sogar außergewöhnliche Frömmigkeit zu außergewöhnlichem Leid führen kann. In der Erzählung des
Prologs wird die darin zunächst bejahte Philosophie anschließend von jener Philosophie verneint, die den Ereignissen der sich entfaltenden Erzählung eigen ist. Die
erste Philosophie verhält sich zur zweiten wie in einer Erzählung die Exposition zur
Verwicklung; Keine Erzählung kommt in Gang, wenn sie nicht den *status quo ante*
bestreitet, keine Philosophie ist es wert, bejaht zu werden, wenn sie nicht im Widerspruch zu einer bereits bejahten oder implizierten steht. Alles ist daher, wie es sein
sollte und wie man es von einer Erzählung erwartet – Dekonstruktion ist dabei
nicht im Spiel.

Auf welcher Seite steht die Philosophie, die der Kern des ganzen Buches, das
Gedicht 3,1 – 42,6 vertritt: auf der Seite der ersten oder der zweiten Philosophie?
Sie scheint klar auf der Seite der zweiten Philosophie des Prologs zu stehen, tatsächlich scheint das Gedicht nichts weiter zu tun als diese Philosophie in dramatischer
und definitiver Weise auszuführen. In philosophischer Hinsicht beweist das Gedicht
immer wieder, dass die Vergeltungslehre falsch ist. Jedes Mal, wenn uns die Ankla-
gen von Hiobs Freunden nicht überzeugen, jedes Mal, wenn wir Hiob in seiner
verletzten Unschuld bewundern, bestärkt uns das Gedicht in der Einsicht, dass die
Vergeltungslehre naiv, gefährlich, unmenschlich und vor allem falsch ist. Sollten
wir während des Dialogs auch nur eine Minute zu glauben versucht sein, dass Hiob
im Grunde doch ein wenig verdient, was er erleidet, oder sollte es uns einen Augenblick lang schwer fallen zu glauben, dass jemand wirklich so schuldlos sein kann,
wie Hiob sich darstellt, tauchen in unserem Gedächtnis die Erklärungen wieder
auf, die sowohl der Erzähler wie auch Gott am Anfang gaben: Seinesgleichen gibt
es nicht auf der Erde.

Dabei werden wir stets daran erinnert, dass der Standpunkt des Gedichts sich im
Gegensatz zu dem seiner Umgebung befindet. Die Freunde Hiobs setzen, jeder auf
seine eigene Weise, in all ihren Ausführungen die Wahrheit des traditionellen Dogmas voraus; auch Hiob macht kein Geheimnis daraus, dass er bis zu den jüngsten
Katastrophen stets so dachte. Er räumt als Erster ein, dass seine Leiden zumindest auf
den ersten Blick als Zeugen gegen ihn auftreten (16,8), auch er hatte immer gedacht,
Leid spreche gegen Menschen, nicht für sie. Es ist genau dieser Bruch mit der Konvention, dieser mutige Einsatz für eine unpopuläre Sache, durch den die Philosophie
des Buchs die allgemeine Anerkennung und Bewunderung gewonnen hat.

Bis zu diesem Punkt gab es die Konfrontation von Philosophien und die starke
Beteuerung, dass die Vergeltungslehre falsch ist. Eine Überraschung jedoch wird
für die letzten elf Verse des Buchs (42,7-17) aufgespart, die die zweite Philosophie
in Richtung der ersten dekonstruieren. Weil die zweite Philosophie vom Großteil
des Buchs bejaht wird, heißt das auch, dass der Epilog das Buch als Ganzes dekonstruiert.

Der Epilog hat vielen Lesern Unbehagen bereitet. Vermutlich entsteht dies dadurch, dass wir spüren, wie hier eine Dekonstruktion stattfindet, auch wenn uns dieser Begriff bis vor kurzem nicht zur Verfügung stand und wir den Prozess daher auch vielleicht nicht richtig erfassen konnten.

Dieses Unbehagen wird manchmal ästhetisch ausgedrückt, so als wäre es eine Entgleisung des literarischen Geschmacks, den gequälten Hiob erst zu einer neuen religiösen und intellektuellen Sicht auf die Welt zu bringen, durch die er sein Leid akzeptieren und sich vor dem Schöpfer ehrfurchtsvoll, wenn nicht gar bußfertig verneigen kann – um dann zu erzählen, dass er obendrein wie ein Kandidat einer Spielshow vor aller Augen sein Geld doppelt wieder bekommt.[3]

Manchmal drückt sich das Unbehagen auch in dem historischen Urteil aus, der Epilog habe einen sekundären Status in der Komposition des Buchs.[4] Durch die Versicherung, dass er nicht aus der Hand des Meisterdichters und -denkers stamme, können wir uns damit abfinden, dass er nicht mit dem Gedicht zusammen passt. Dieser Strategie liegt die so geläufige wie unselbstverständliche Annahme zugrunde, dass eine Unstimmigkeit irgendwie *bewältigt* werden könne, indem man ihren Ursprung begreift, und dass man dadurch geradezu einen neuen Sachverhalt schaffen könne, in dem es die Unstimmigkeit nicht zu geben scheint. Tatsächlich ist diese Strategie in unserem Fall insofern besonders seltsam, als für die meisten Interpreten der Epilog keine spätere Hinzufügung zum Gedicht ist, sondern der ältere Rahmen, in den das Gedicht eingepasst wurde; literarisch sekundär wäre also nicht das Werk eines späten Redaktors (typischerweise von beschränkter Intelligenz), sondern der vorgegebene narrative Stoff, den der Dichter von Hiob lediglich nicht entfernt hat. Damit vervielfacht sich aber das Unbehagen.

Eine andere Form, die das Unbehagen annehmen kann, ist die moralische Entscheidung, dass der Epilog eigentlich nicht so wichtig sei: Man behauptet, dass die Geschichte von Hiob ohne den Epilog im Wesentlichen dieselbe wäre. Alles, was Hiob erreichen muss und was für ihn erreicht werden muss, habe bis 42,6 stattgefunden, so dass der Epilog dem Gedicht in religiöser oder philosophischer Hinsicht nichts hinzufügt. Hiobs Wiederherstellung sei für ihn, wie für die Leser, die ein gutes Ende wollen, eine Zugabe, die für die Bedeutung des Buches völlig nebensächlich sei.

---

3 Robert Addison Watson hat dies wie folgt kommentiert (auch wenn er diesen Gedankengang später verworfen hat): „Brauchte Hiob diese Vielzahl von Kamelen und Schafen, um seinen neuen Glauben und seine Versöhnung mit dem Willen des Allmächtigen aufzubessern? Ist die große Belohnung mit weltlichen Gütern nicht etwas unangebracht und die erneuerte Ehre unter Männern nicht etwas überflüssig?" (Robert Addison Watson: *The Book of Job*, s.l. [Hodder and Stoughton] 1892, S. 492).

4 „Als wesentlicher Bestandteil der alten Volkssage konnte [der Epilog] nicht gestrichen werden. Den Helden mit Aussatz sterben zu lassen, hätte einen allzu kühnen Gegensatz zu der womöglich wohlverbürgten Tradition dargestellt" (James Strahan: *The book of Job interpreted*, Edinburgh [T. & T. Clark] 1913, S. 350).

Inmitten dieses Unbehagens ist es besonders unheimlich, dass so gut wie nie behauptet wird, der Epilog unterminiere den Rest des Buchs Hiob. Das wäre mehr als unbehaglich und wird vermutlich auch deshalb kaum vertreten. Denn wer will schon behaupten, dass ein literarisches Werk von Weltrang in so hohem Maße mit sich uneins ist und derart fest entschlossen, nicht mit einer Stimme zu sprechen; oder, was noch schlimmer wäre, dass ein Werk von großem theologischen Scharfsinn am Ende genau dem Dogma zustimmt, das es ursprünglich zunichte machen wollte?

Denn das ist der Standpunkt des Epilogs. Dieser sagt uns, und zwar keinesfalls stillschweigend, dass der rechtschaffenste Mensch auf Erden auch der reichste ist. War er in Kapitel 1 noch der bedeutendste Bewohner des Ostens, so ist er in Kapitel 42 schlichtweg hundertmal so bedeutend. Und wenn es in Kapitel 1 noch irgendwelche Zweifel daran gab, ob seine Frömmigkeit der Grund seines Reichtums war oder ob es sich möglicherweise umgekehrt verhielt, zweifelt in Kapitel 42 niemand mehr, auch nicht im Himmel, daran, dass Hiob seinen Wohlstand seiner Frömmigkeit verdankt, auch wenn er diese auf etwas exzentrische Weise zum Ausdruck gebracht hat. Nachdem das Buch sein Möglichstes getan hat, die Vergeltungslehre zu zertrümmern, wird diese auf seiner letzten Seite triumphierend bestätigt.

Warum nennen wir dies nicht Inkohärenz, warum sollten wir es mit einem glamourösen Titel wie ‚Dekonstruktion' ehren? Beim dem Wechsel von der ersten Philosophie zur zweiten im Prolog des Buchs konnten wir ein bekanntes Verfahren beobachten: Es wird zunächst eine Position wie ein Strohmann aufgebaut, der dann vom Rest des Buches dekonstruiert wird. Wenn jedoch die letzte Seite eines Buchs allem, das im Buch geschehen ist, den Boden unter den Füßen wegzieht, finden wir dies so beunruhigend, dass wir alles an die Behauptung setzen, dies sei überhaupt nicht der Fall. Gerade der Umstand, dass der Schluss des Buches Hiob normalerweise nicht als logisch inkohärent betrachtet wird, ist ein Indiz dafür, dass dieser Widerspruch die Form des *Unterminierens* hat.

Doch bevor wir verwirrt die Hände über dem Kopf zusammenschlagen und laut ‚Dekonstruktion' rufen, sollten wir vielleicht erst einmal versuchen, die beiden Philosophien zu versöhnen. Könnte es nicht sein, dass der Hauptteil des Buchs Hiob lediglich zeigen will, dass die Vergeltungslehre nicht *zwangsläufig* wahr ist, dass es offenkundig Fälle geben kann, in denen sie nicht anwendbar ist? Dann würde das Ende des Buches bestätigen, dass das Dogma trotz seiner Unfähigkeit, sämtliche menschlichen Schicksale zu erklären, im Großen und Ganzen doch völlig zutreffend ist. Es könnte auch betonten, dass Hiobs Fall ein besonderer, außergewöhnlicher, ja vielleicht einzigartiger Fall sei. Schließlich betont die Geschichte ja immer wieder, dass Hiob anders ist als andere Menschen, und dass sein Schicksal ausschließlich durch eine beispiellose Reihe von Umständen im Himmel zu erklären ist. Heißt das nicht, dass alles, was auf Hiob zutreffen mag, bei jedem anderen Menschen höchstwahrscheinlich falsch wäre? Das Buch Hiob würde nicht von Jedermann handeln, sondern nur allein vom höchst bemerkenswerten Individuum Hiob.

Wenn all das zutrifft – und das erscheint zwingend, wenn wir den Schluss, wie man sagt ‚ernst‘ nehmen –, dann trägt das Buch keine Philosophie vor, denn es geht darin nur um den bedauernswerten Menschen Hiob. Dies ist allerdings der einfachste Umgang mit einander widerstreitenden Philosophien: Man zeigt, dass eine von ihnen überhaupt keine Philosophie ist und es folglich gar keinen Widerstreit gibt.

Aber das ist vielleicht zu extrem. Anstatt zu behaupten, dass das Buch Hiob in seinem Hauptabschnitt nur vom Individuum Hiob handelt, könnten wir argumentieren, es vertrete die Ansicht, dass recht häufig die Gerechten das eigentlich dem Bösen zustehende Schicksal erleiden. Ob auch in den anderen Fällen dafür dem Himmel die Schuld zu geben ist oder nicht, ist für diesen Standpunkt wenig relevant, denn es ist die *Tatsache* des Leidens des Gerechten, die die philosophische Position des Gedichts konstituiert. Lässt sich der Epilog des Buchs mit dieser Position in Einklang bringen? Er könnte behaupten, dass das Leiden der Gerechten nur ein vorübergehender Rückschlag sei, und dass die Vergeltungslehre mithin auf den gesamten Lauf der Dinge zu beziehen ist und nicht auf die unbedeutenden Hochs und Tiefs menschlicher Schicksale. Ist das so, dann hätten sämtliche Gesprächspartner betonen müssen, dass Hiob – nach allem, was man hört, ein völlig unschuldiger Mensch, der durch ein grausames Missgeschick in Unheil geraten war – getrost darauf hoffen durfte, dass das Dogma der Vergeltung letzten Endes voll zur Geltung kommen und sein Ende selbstverständlich mindestens so gut sein würde wie sein Anfang. Das Buch Hiob würde nicht speziell von Hiob handeln, sondern von Hiob als einem Stellvertreter der Menschheit, die erleidet, was sie nicht verdient, dabei aber auf dem Weg zu einem glücklichen Ausgang ist. Doch wenn dies die Philosophie des Buches ist, wie sollen wir dies damit in Einklang bringen, dass Hiob uns zu Beginn als ein absolut außergewöhnlicher Mensch vorgestellt wird, dessen Leiden auf einen einzigartigen Vorfall im Himmelreich zurückzuführen ist?

Somit scheitern beide Versuche, die einander widerstreitenden Philosophien zu versöhnen. Wenn wir versuchen, die zweite, vergeltungskritische Philosophie in das Dogma der Vergeltung als eine Art Modifikation oder Mäßigung desselben zu integrieren, machen wir das Drama des Buchs unverständlich. Doch wenn wir andererseits die vergeltungsbejahende Philosophie des Epilogs gegenüber der vergeltungskritischen Haltung des Gedichts in den Vordergrund schieben, radieren wir das Gedicht aus dem Buch aus. Dass das Gedicht zur anfänglichen Naivität des Prologs hinzukommt, hat durchaus Sinn; dass der Epilog indes das großartige Gedicht unterminiert und uns auf die erste Naivität zurückwirft, ist beunruhigend und kommt der Dekonstruktion nahe. Was sollen wir von einem Gedicht halten, das mit einem glücklichen Schluss zu enden vorgibt, uns dann aber wieder dorthin bringt, wo es anfing, mit der Versicherung, dass dieses Unheil dem doppelt unschuldigen Hiob nicht noch einmal widerfahren kann? Ist es wirklich so gewiss, dass ein Blitz nie zweimal an derselben Stelle einschlägt?

In einem Text, der sich selbst dekonstruiert, gibt es für den Leser keinen festen Grund. Jedes Mal, wenn wir versuchen, die Auffassung des Buches von den grundlegenden Fragen der Theologie und Ethik darzulegen, insbesondere von der

Frage der Vergeltung, geraten wir in eine Aporie, die mehr ist als eine Unbestimmtheit. Denn die Unbestimmtheit liegt nicht in den Schwierigkeiten zu erkennen,
was das Buch behauptet, sondern in einer wirklich dekonstruktiven Situation, in
der jede Philosophie, die das Buch vertritt, von einer anderen unterminiert wird.
Was das für uns als Leser bedeutet, möchte ich am Ende dieses Aufsatzes noch
einmal aufgreifen.

II

Der zweite Schauplatz, auf dem sich das Buch dekonstruieren lässt, ist das Problem
des Leidens. Nach unserem allgemeinen Eindruck, also nach unserem Vorverständ-
nis, mit dem wir uns dem Buch nähern, spielt die Frage des Leidens eine zentrale
Rolle. Aber was ist eigentlich die Frage des Leidens? Die meisten ethischen Lehrbücher wie die meisten Kommentare zu Hiob betrachten diese Frage im Einklang mit
dem gesunden Menschenverstand als eine Frage nach der Ursache. Es ist die Frage:
„Warum Leid?", „Warum dieses besondere Leid?" Das Hiobbuch selbst legt diese
Lektüre nahe, beginnt es doch mit einem Bericht, wie im Himmel über das Leid
des Helden entschieden wird, also mit der Erzählung einer Kausalkette. Hiob selbst
hat natürlich keine Ahnung, warum er leidet, doch das Buch verlangt, dass der
Leser es weiß, dass er es im Voraus weiß, und das er alles weiß, was die Sache
betrifft. Die wahren Absichten oder Ursachen werden also keinesfalls verzögert
enthüllt oder bis zum Ende der Geschichte verborgen – alles wird geradeheraus
dargestellt und wir werden nicht mit Halbwahrheiten und falschen Hinweisen
getäuscht.

Sobald wir aber fragen: „Und was genau *war* der Grund für Hiobs Leid?", stoßen wir auf eine Schwierigkeit. Wenn man die Geschichte nacherzählt, kann sich
eine Spur eines hermeneutischen Verdachts in das Erzählen einschleichen: Im
Himmel taucht eine Frage auf, die anscheinend niemals zuvor gestellt wurde, weder
im Allgemeinen noch im Einzelnfall. Die Frage lautet konkret: „Fürchtet Hiob
Gott ohne Grund?", oder allgemein: „Fürchten die Menschen Gott ohne Grund?"
Hiob fürchtet Gott zweifellos, doch tut er dies grundlos oder um der Belohnung
willen? Wie die Erde hatte der Himmel bisher die Vergeltungslehre anerkannt:
Fromme werden reich. Nun aber wird die Frage gestellt: „Angenommen, es gibt
eine kausale Verbindung zwischen beiden, in welcher Richtung verläuft sie dann?"
Könnte es sein, dass Reichtum nicht das Ergebnis der Frömmigkeit ist, sondern
seine *Ursache*?

Die Schwierigkeit besteht darin, dass weder Gott noch Satan wissen, was zuerst
kommt, die Henne oder das Ei, Frömmigkeit oder Reichtum. Das liegt zweifellos
daran, dass, solange das Vergeltungsprinzip richtig funktioniert, die Frommen und
die Wohlhabenden dieselben sind, so dass sich Ursache und Wirkung nie trennen
lassen. Wir als Leser aber wissen, wenn wir bis zum 42ten Kapitel durchgehalten
haben, was wir vom Vergeltungsprinzip halten; aber der Gott des ersten Kapitels
hat sich nie mit Dekonstruktion befasst, wohnt er doch an einem zwanglosen und

etwas ländlichen Hof – anstelle der orientalischen Höflichkeit herrscht hier reichlich unverblümte Rede, anstelle der göttlichen Allwissenheit gibt es die Bereitschaft, Dinge herauszufinden, sei es durch Berichte oder durch Experimente.

Tatschlich handelt es sich um ein Experiment. Hiobs Leid ist keine Wette, denn der Teufel hat durch das Ergebnis nichts zu gewinnen oder zu verlieren; es ist ein Experiment über Kausalität. Um zu untersuchen, ob Frömmigkeit vom Reichtum abhängt, entferne man den Reichtum und sehe nach, ob die Frömmigkeit abnimmt. Der Versuch muss nicht nur um der Wahrheit willen durchgeführt werden, sondern vor allem wegen Gottes Wohlergehen. Wie könnte sich Gott jemals wieder ins Gesicht sehen, wenn sich herausstellen sollte, dass keines seiner Geschöpfe, nicht einmal der gottesfürchtigste Mensch, ihn um seinetwillen liebt, sondern nur für das, was sich aus ihm herausholen lässt?

Der Grund für Hiobs Leid liegt also weder in Hiob, noch darin, wie die Welt funktioniert, weder im Vergeltungsprinzip noch in sonst einem Dogma, sondern tief in Gott selbst und seinem Wunsch, die Wahrheit über die Menschheit und somit über sich selbst zu erfahren, denn wie Bäume erkennt man Schöpfer an ihren Früchten. Hiob leidet, um die Integrität Gottes zu beweisen und um den vom Teufel geweckten Zweifel zu beseitigen, dass womöglich niemand auf der ganzen weiten Welt Gott um seinetwillen verehrt, sondern dass alle bloß versuchen, ihn zu *benutzen*.

Dieser Grund für Hiobs Leiden trifft nun wahrscheinlich für niemand anders zu. Sobald Gott davon überzeugt worden ist, dass grundlose Frömmigkeit möglich ist, muss er kein neues Experiment anstellen, um dies herauszufinden. Wenn die Frömmigkeit dieses überreichlich frommen Mannes in nichts von seinem Wohlstand abhängt, dann kann die geringere Frömmigkeit bei geringeren Sterblichen durchaus ebenso frei von Selbstinteresse sein. Hiob hat die Frage nach der kausalen Verbindung von Frömmigkeit und Wohlstand beispielhaft und endgültig beantwortet.

Das bedeutet eben, dass Hiobs Grund zu leiden nicht der von jemand anders sein kann. Was die Erzählung mit der einen Hand gibt, das nimmt sie mit der anderen. Als wir den Grund für Hiobs Leid erfuhren, dachten wir einen Moment lang, wir hätten verstanden, wie das Buch das menschliche Leiden im Allgemeinen erklärt. Doch das kann nicht sein, denn Hiobs Fall ist einzigartig. Für einen Augenblick glaubten wir, dass am Leid überhaupt nichts rätselhaft ist, dass alles sonnenklar sei: Hiob leidet aus einem Grund, der sich ganz einfach sagen lässt und den er ebenso gut wie wir hätte verstehen können. Sobald wir jedoch erkennen, dass dieser Grund bei Hiob einzigartig ist, tappen wir wieder im Dunkeln, was die Bedeutung des menschlichen Leids im Allgemeinen angeht.

Zum Problem des Leidens – insofern es das Problem der *Ursache* ist – sagt das Buch: Kein Problem. Hier ist die Ursache. Doch sobald wir sie sehen, stellen wir fest, dass diese Antwort uns nichts nützt, denn wir wollten den Grund für das menschliche Leid im Allgemeinen erfahren, und damit hat die Antwort des Buchs nicht das Geringste zu tun.

Wie kommt es dann, dass wir ursprünglich dachten, dass es in dem Buch um den Ursprung des Leids geht? Es könnte daran liegen, dass der Anfang des Buches *vorgibt*, uns etwas von Ursprüngen und Ursachen zu erzählen. Tatsächlich ist das nicht wirklich der Fall, denn er beansprucht lediglich, eine Erzählung zu sein über einen antiken Patriarchen aus jener Zeit, als Reichtum noch in Kamelen gemessen wurde. Aber es ist dem Text lange gelungen, viele Menschen in die Irre zu führen. Kann das daran liegen, dass es wirklich eine dekonstruktive Erzählung ist, die dort erntet, wo sie nicht gesät hat, und vor allem dort gesät hat, wo sie nicht erntete, indem sie in unseren Köpfen große Vorstellungen von allgemeinen Wahrheiten säte, die sie nie erntete, sondern einfach wuchern ließ? Vielleicht ist der Text aber auch in entgegengesetzter Richtung dekonstruktiv, weil er ganz unschuldig behauptet, er habe es gar nicht auf das Universum abgesehen; nicht die großen Fragen, sondern die großen Sympathien der Menschen hätten ihm dann den Platz in der Weltliteratur gesichert.

Dieses dekonstruktive Unbehagen legt uns nahe, in der Frage des Leidens einen anderen Weg zu versuchen: Wir können behaupten, dass die wirkliche Frage des Leids – sowohl für das Buch als auch für uns – nicht die Frage ist: „Warum Leid?", sondern: „Was muss ich tun, wenn ich leide?" oder „Wie soll ich leiden?", also statt der intellektuellen Frage nach den Ursprüngen die existenzielle Frage nach dem Tun stellen. Dabei stoßen wir zunächst nicht auf eine Dekonstruktion, sondern auf einen Konflikt. Der Prolog stellt klar, ein wahrhaft frommer Mann reagiert auf unbegründetes Leid mit einem Lobpreis Gottes, der gegeben und genommen hat Der fromme Hiob sieht Gott ebenso im Raub der Sabäer und Chaldäer am Werk wie im Feuer vom Himmel und im Wirbelsturm, der seine Habe endgültig zerstört; er akzeptiert ohne Einwand, dass Gott mit gleichem Recht das ‚Böse' austeilt wie das ‚Gute' bringt. Sobald wir aber zu dem Gedicht in Kapitel 3 blättern (durch einen glücklichen Zufall muss ich dies in meiner Ausgabe der Revised Standard Edition buchstäblich tun), stoßen wir auf ein anderes Bild, in dem Hiob angesichts des ‚Bösen' dessen Urheber beschimpft und Erklärungen von ihm fordert. Es bringt unsere ganze Lektüre durcheinander, wenn wir schließlich im 42ten Kapitel erfahren, dass Gott den aufsässigen und respektlosen Hiob akzeptiert und verkündet, dieser Hiob habe ‚recht' von ihm geredet, im Gegensatz zu den Freunden, die aus großer Vorsicht vor Gott bloß im Sinne einer orthodoxen Theologie gesprochen hatten.

Obwohl das Buch also zwei Antworten auf die Frage: „Welcher Leidende wird von Gott akzeptiert?" oder „Was soll ich tun, wenn ich leide?" anbietet, lässt es keinen Zweifel daran, welche Antwort es bevorzugt. Es empfiehlt nicht einmal, das Leiden wenigstens so lange zu akzeptieren, wie man seinen Zorn im Zaum halten kann; im Gegenteil scheinen gerade die heftigen und teils hysterischen Ausfälle nahegelegt zu werden. Der Widerstreit dieser beiden Verhaltensweisen an sich führt dabei nicht zu einer Dekonstruktion, denn das Buch löst ihn zumindest vorgeblich auf – ganz gleich, wie schockierend diese Auflösung erscheinen mag.

Ein Ansatzpunkt einer dekonstruktiven Bewegung findet sich allerdings erneut in der Frage, ob das Buch von der Menschheit insgesamt oder nur vom einzelnen

Menschen Hiob handelt. Es scheint wenig Zweifel daran zu bestehen, was für Hiob das Richtige war, doch möchte das Buch, dass wir Hiobs Beispiel folgen? Wir erinnern uns hier zwangsläufig daran, dass Hiob der frommste Mann auf Erden ist, und dass sowohl der Erzähler als auch Gott (wobei ersterer allwissender ist, letzterer aber wohl mehr Respekt einflößt) bezeugen, dass er ohne Schuld ist. Vom Standpunkt der Erzählung aus hat er jedes Recht, gegen seine Behandlung zu protestieren, denn er weiß wie wir alle, dass er sie nicht verdient. Aber was ist mit uns anderen? Das Buch könnte sagen, dass der Protest gegen das eigene Leid ein Weg ist, die eigene Unschuld zu beteuern. Es könnte aber auch eine indirekte Warnung sein, dass nichts Gutes dabei herauskommt, wenn man sich so verhält wie Hiob, wenn man nicht in Hiobs moralischer Position ist. Wir sind also nicht mehr sicher, ob das Buch eine Ermutigung ausspricht oder eine Warnung, ob es sagt: „Verhalte dich wie Hiob" oder „Wage nicht, dich wie Hiob zu verhalten". Was wir über Hiob erfahren, dekonstruiert das Beispiel, das er bietet. Hiob wird damit zu einem Vorbild für niemanden, denn schließlich heißt es: „Seinesgleichen gibt es nicht auf der Erde" (1,8).

Wenn wir also über die Antwort des Hiobbuchs auf die Frage des Leidens nachdenken, scheint uns die Logik des Textes zu der Schlussfolgerung zu zwingen, dass Hiobs Fall für die Menschheit insgesamt bedeutungslos ist, während unser Gefühl für Literatur und das Leben uns vom Gegenteil überzeugen. Dass lässt vermuten, dass auch das Hiobbuch zu den Artefakten gehört, die sich selbst dekonstruieren.

III

Was passiert, nachdem ein Text dekonstruiert worden ist? Diese Frage wird von professionellen Dekonstruktivisten eher selten gestellt, ist aber für viele andere Leser durchaus dringend. Unter anderem wird der Text weiterhin von Lesern gelesen, die noch nie von Dekonstruktion gehört haben. Das heißt, dass er mehr oder weniger die Bedeutung hat, die er immer schon hatte. Saussures Abhandlung hat nicht aufgehört, die Basis der modernen Linguistik zu sein, nur weil Derrida sie dekonstruiert hat. Dekonstruktion bedeutet nicht, dass ein Text sich selbst aufhebt und zu einer bloßen Chiffre wird. Einfache Konflikte und Inkohärenzen mögen dies tun, doch ein dekonstruierter Text verliert nur wenig von seiner Kraft, auch wenn er nicht länger als autoritative Aussage über von ihm unabhängige ‚Tatsachen' gelten mag.

Was ein Buch über seine Dekonstruktion hinaus am Leben erhält, ist seine Rhetorik, das heißt, seine Macht, auch jenseits der Grenzen der reinen Vernunft zu überzeugen und die Zustimmung der Leser auch unabhängig von seiner Argumentation zu gewinnen. Lange bevor das Wort „Dekonstruktion" ausgesprochen wurde, siegte im Hiobbuch die Rhetorik über die Logik. Denn es hat Generationen von Lesern davon überzeugen können, Partei für seinen Helden mit dessen unverständigen Vorwürfen gegen den Himmel zu ergreifen, obwohl sie viel mehr als dieser Held wussten. Sie wussten, dass der ganze Himmel und selbst Satan Hiob für den rechtschaffensten aller Menschen hielten; ihnen war auch klar, dass Hiobs Tiraden all ihrer Kraft beraubt würden, wenn er dies wüsste. Er hätte auch dann noch etwas gegen den Himmel vorzubringen, denn es wäre nach wie vor unvernünftig von Gott, einen unschuldigen Mann leiden zu lassen, um eine theologische Frage zu klären und die himmlischen Disputanten zu befriedigen; doch er könnte nicht dagegen protestieren, dass seine Unschuld unerkannt bliebe, und er könnte Gott nicht dafür zur Rechenschaft ziehen, dass er ihn als Übeltäter brandmarkt. Einen großen Teil seiner bewegendsten Reden könnte er mithin gar nicht halten, etwa:

> Schweigt vor mir, damit ich reden kann.
> Dann komme auf mich, was mag.
> Meinen Leib nehme ich zwischen die Zähne,
> In meine Hand leg' ich mein Leben.
> Er mag mich töten, ich harre auf ihn;
> Doch meine Wege verteidige ich vor ihm.
> [...]
> Zwei Dinge nur tu mir nicht an,
> Dann verberge ich mich nicht vor dir:
> Zieh deine Hand von mir zurück;
> Nicht soll die Angst vor dir mich schrecken
> Dann rufe, und ich will Rede stehen,
> Oder ich rufe, und du antworte mir!
> Wie viel habe ich an Sünden und Vergehen?
> Meine Schuld und mein Vergehen sage mir an!
> Warum verbirgst du dein Angesicht
> Und siehst mich an als deinen Feind?
> Verwehtes Laub willst du noch scheuchen,
> Dürre Spreu noch forttreiben?
> (13,13-15, 20-25)

Wir als Leser halten jedoch die Widersprüche unserer Position erfreulicherweise aus, so dass wir, auch wenn wir in Kenntnisse eingeweiht sind, die Hiobs Position untergraben, gleichwohl auf Hiobs Seite stehen. Die Rhetorik triumphiert über bloße Tatsachen, und wir wollen es auch nicht anders. Während wir Hiob zuhören, scheinen wir es für möglich zu halten, dass der Prolog des Buchs nicht existiert und dass es keine einfache Erklärung für Hiobs Leid gibt, wie sie der Prolog nahe legt. Im unaufgeklärten Hiob erkennen wir die *conditio humana* im Kampf gegen ein ungerechtes Schicksal, und wir wünschen ihm, dass er in diesem Kampf erfolgreich ist, auch wenn wir zugleich wissen, dass dieser Kampf unausgereift und unnötig ist. Wir stimmen mit der Logik der Geschichte überein, nach der Hiob seinen Vorwurf gegen Gott feige widerruft, sobald dieser mit ihm kommuniziert – aber wir bedauern auch keine Sekunde lang, dass Hiob so lange im Dunkeln gelassen wurde. Im Gegenteil, wir waren sogar glücklich, dass ein Mensch die Gelegenheit bekam – und so gut nutzte –, sich Gott „wie ein Fürst" zu nähern und ihm die Zahl seiner Schritte mitzuteilen (31,37). Es spielte dabei überhaupt keine Rolle, dass alles gewissermaßen ein großer Irrtum war.

Keine Dekonstruktion kann die Leser dessen berauben, was sie am Buch Hiob genossen haben. Selbst nachdem es dekonstruiert worden ist, kann uns das Buch weiterhin anregen oder mitreißen, uns auf den Himmel wütend machen oder uns Bewunderung für das Göttliche abnötigen oder uns gar davon überzeugen, dass es Wahrheiten über Gott und das Universum enthält. Wenn wir aber seinem Helden glauben, so tun wir dies, weil wir es wollen, weil es unserem Gefühl dafür entspricht, was angemessen ist, und nicht, weil er die Wahrheit über ein transzendentales Signifikat enthüllt hat, die unumstößlich ist.

Beim Dogma der Vergeltung, wie auch bei jedem anderen Dogma, besteht die Problematik nicht darin, dass es falsch ist, sondern dass es ein Dogma ist. Und ein Dogma kann man nicht durch ein anderes vertreiben. Immer wenn ein Dogma ein anderes ersetzt, überlebt etwas vom ersten und bleibt einem auf den Fersen. Das Herz sehnt sich nach Dogmen, selbst nach Dogmen, die an zu vielen Einschränkungen zu Grunde gehen. Doch die dekonstruktive Strategie eliminiert das Dogma als Dogma, denn die Erkenntnis, dass in dem dekonstruierbaren Text mehrere Philosophien behauptet werden, lockert unsere Bindung an eine bestimmte von ihnen *als Dogma*. Daraus folgt jedoch nicht, dass es ihre Überzeugungs- oder Verführungskraft schwächt. Es kann sogar sein, dass uns ein furchterregendes Dogma, nachdem es überwunden und seiner Autorität beraubt wurde, sympathischer vorkommt, dass wir von seiner Wehrlosigkeit gefesselt sind und anfangen, es reizvoll zu finden – bis wir uns schließlich zu fragen beginnen, ob es nicht doch einen Wert hatte, der aus ihm überhaupt erst ein Dogma gemacht hat.

LITERATUREN UND GATTUNGEN

Poetische Sensibilität – oder vom Hören des Unbegrifflichen

Wäre Joseph, der Sohn Jakob-Israels, zum Wesir über Ägypten und zum Erretter sowohl des auserwählten Volkes als auch Ägyptens geworden, wenn seine bewegte und konflikterfüllte Kindheit ihn nicht gezwungen hätte, frühzeitig für sich selbst zu denken und den Weg zum Herzen anderer zu finden, anstatt auf den ausgetretenen Pfaden der Tradition nur das zu tun, was schon immer für richtig und wahr galt? Joseph jedenfalls beruhigte seine vor schlechtem Gewissen zitternden Brüder damit, dass aus dem scheinbaren Unglück seiner Kindheit der Segen Gottes spräche. Auch wenn Gabriel Josipovici als Einzelkind nicht unter dem gleichen Trauma des Bruderkonfliktes litt, so lässt sich aus drei, vier Zeilen seiner Biographie bereits unschwer ablesen, dass er – ähnlich wie der biblische Joseph – erst durch seine bewegte, außergewöhnliche Kindheit die psychische und geistige Entwicklung nahm, die ihn später in seinen 14 sehr experimentellen Romanen ebenso wie in seinem großen Buch über die Literarizität der Bibel zum kultivierten Rebellen und Innovator des Althergebrachten werden ließ. Geboren wurde er 1940 in Nizza, wo seine Judeo-Ägyptischen Eltern zu einem Studienaufenthalt weilten. Nach Kriegsausbruch flüchtete die kleine Familie, wie einst der andere biblische Joseph, mit dem Neugeborenen auf dem Rücken in die französischen Alpen. Als die deutschen Besatzer das Land wieder freigaben, kehrten die Josipovicis wieder nach Kairo zurück, wo Gabriel den Rest seiner Kindheit verbrachte. Zu Beginn der stark judenfeindlichen Nasserzeit gelang es ihm dank eines Stipendiums für Hochtalentierte nach England auszuwandern, wohin er bald darauf seine Mutter nachholte und in Sicherheit brachte.

Gabriel Josipovicis literarischer Ansatz für die Lektüre der Bibel, den er in seinem 1988 erschienen *The Book of God* entwickelte, ist in vielerlei Hinsicht außergewöhnlich. Während fast alle Autoren, die sich mit *DER* Bibel als Literatur beschäftigen, sich entweder dem Alten Testament oder dem Neuen Testament, entweder den Erzählungen oder der Poesie, entweder den Geboten oder den Gleichnissen zuwenden, untersucht Josipovici „Das Buch Gottes" als ein über alle konfessionellen, historisch-kritischen und gattungstypischen Grenzen hinausreichendes literarisches Ganzes. So beginnt zum Beispiel der vierte Abschnitt „Charakterkonfigurationen" mit einem Kapitel über „David und Tränen", wird mit einem Kapitel „Jesus: Erzählen und Inkarnation" fortgesetzt, um dann mit dem Kapitel „Paulus und Subjektivität" abgeschlossen zu werden. Die Spannbreite seines Buches, das höchst markant mit einer Betrachtung über den Leser beginnt, durch den das Buch über alle Epochen hinweg mit der gelebten Geschichte verflochten wird, reicht von dem „Anfang, als Gott schuf", über die Notwendigkeit des Stotterns bei Moses sowie die literarisch ausdrucksstarken und moralisch zweifelhaften Richter der

Vorkönigszeit bis zu den Briefen an die Hebräer und den Sinn der Geschichte. Sogar die Apokryphen lässt er als Zeugen für die Gestaltung der literarischen Plausibilität der Evangelien auftreten.

Josipovicis Buch sticht jedoch nicht nur durch diese thematische Assemblage und sein besonderes stilistisches Gespür hervor. Die Freiheit, die er sich in seinen eigenen experimentellen Romanen immer wieder erschrieb, erlaubt es ihm auch in dieser wissenschaftlichen Abhandlung, ohne je an fachlicher Akkuratesse zu verlieren, noch einen Schritt weiter hinaus in das essentiell Ungesagte des Textes vorzudringen. So wird beispielsweise der Rhythmus des Textes zu einem sowohl literarischen als auch theologischen Element, das er gleichberechtigt neben den Erwägungen von Textsinn, Nachvollziehbarkeit und Kohärenz als Mittel der Textanalyse etabliert. Der Atem, von dem nicht nur der Klang der Worte und die Stille zwischen ihnen getragen wird, steht in der Bibel als Hintergrundgeräusch des Lebens stets in poetischem Einklang mit dem Atem Gottes, der den Rhythmus von Leben und Tod in die Welt brachte und bewahrt. Mit solchen entschieden über das Sagbare hinausgehenden poetischen Positionen steht Josipovici, auch wenn er es nicht dezidiert erwähnt, dem französischen Literaturbegriff von Mallarmé, Bataille und insbesondere Maurice Blanchot weit näher als der kühler und technischer argumentierenden Komparatistik. Anstatt nur die kompositorische Technik und Funktionsweise des Textes zu untersuchen und sich dabei vor den eigentlichen Fragen des Textes in Sicherheit zu bringen, strebt Josipovici eine von den bloßen Masken der Kommunikation entgrenzte Art poetischer Welterforschung an, die sich aus der, letztlich immer wieder Buch werdenden, quasi unendlichen Lektüre der Sprache ergibt.

Während die Dichter der biblischen Zeit einen geradezu existentiellen Trieb verspürten, die Welt und den Horizont ihrer selbst in der modellierten Reflexion von Gottes Auge zu begreifen, hat sich die Literaturwissenschaft ebenso wie die akademische Theologie schon lange von den so genannten eigentlichen Fragen verabschiedet, um hauptsächlich formell zu klären, woraus sich das Spektrum des Anscheins der Dinge und Ideen zusammensetzt. Josipovici, der ja auch für sich selbst als Dichter die Literatur zum Forschungsmittel erhob, sucht allerdings weit mehr in dem Text. Für ihn lebt der Text, weil in ihm der Atem spürbar wird, der ebenso durch die Städte fegt, wie er immer wieder neu die ewigen Fragen stellt, die durch ihre essentielle Unbeantwortbarkeit in den literarischen Raum drängen, wo das unendliche Gerüst der Fiktionen luftig genug ist, um den Hauch der Wirklichkeit in sich aufzunehmen.

Gerade die Bibel zieht – womöglich mehr als jedes andere Werk – den Leser als Individuum seiner Vorstellungskraft in jenen literarischen Raum hinein, den Blanchot die Unaufhörlichkeit des Denkens jenseits der rationalen und sinnerhellten Wirklichkeit nennt. Wer hier nur auf die offenbarten Bedeutungen setzt, anstatt in der Konfusion von Selbstwahrnehmung und Weltwahrnehmung sich in die Abwesenheit handhabbarer Formeln von Wahrheit und Erkenntnis treiben zu lassen, dem bringt es nichts, noch nicht einmal Beruhigung, die Bibel statt als Gottes Testament als Schöne Literatur zu lesen.

Mit dieser teilweise nah an den Rändern zur Mystik balancierenden Position steht Gabriel Josipovici, so geschickt er den Konsens zur Geschichts-, Sprach- und Literaturforschung auch herstellen mag, recht allein in der akademischen Flur. Doch dass Josipovici die Literatur in ihr Schöpferrecht stellt, bedeutet eben nicht nur, dass sich ohnehin jeder ausdenken kann, was er will, sondern dass die „Welt durch den Umstand gekennzeichnet ist, dass eine Stimme zu sprechen begonnen hat". *hps*

GABRIEL JOSIPOVICI

Die Erschaffung des Rhythmus: *Bereshit Bara*

Als Leser fängt man mit der Lektüre gewöhnlich am Anfang an. Nun ist aber der Anfang der Bibel kein Titel wie ‚Genesis‘ oder ein Untertitel wie ‚Die Urgeschichte‘ oder auch nur eine Kapitelüberschrift wie ‚Die Schöpfung der Welt‘, sondern der Anfang lautet: *Bereshit bara elohim et hashamayim ve'et ha'aretz.* Auf Deutsch ist dies bekanntlich: „Im Anfang schuf Gott Himmel und Erde."

Doch stimmt das wirklich? Die New English Bible [NEB] zum Beispiel hat einen auffallend anderen Anfang: „Am Anfang der Schöpfung, als Gott Himmel und Erde schuf [...]." In einer Anmerkung heißt es zwar ergänzend: „Oder: ‚Im Anfang schuf Gott Himmel und Erde‘." Aber können wir uns mit diesem „Oder" tatsächlich zufrieden geben? Der Unterschied zwischen den beiden Fassungen ist einfach zu groß, um mit einem schlichten „oder" abgetan zu werden. Es handelt sich nicht bloß um verschiedene Übersetzungen, sondern um unterschiedliche Beschreibungen des Ursprungs aller Dinge. Der traditionelle Bericht besagt, dass alles damit anfing, dass Gott Himmel und Erde schuf. Der Schöpfungsbericht der NEB dagegen suggeriert, dass es schon vor der Schöpfung des Universums etwas gab, obwohl wir erst an dem Punkt in die Erzählung einsteigen, als Gott zu erschaffen beginnt. In dem einen Fall ist Gott der Ursprung von allem; in dem anderen wird die Möglichkeit angedeutet, dass Gott selbst womöglich Teil eines ursprünglichen Chaos war, aus dem schließlich auch unsere Welt gemacht wurde, so wie der Mensch später aus Staub gemacht wird.

Grammatisch gesprochen, hängt die Frage davon ab, ob wir die Bestimmung „im Anfang" als übergeordnet oder untergeordnet betrachten. Ein Leser, den das leichtfertige „oder" in der NEB stört, wird selbstverständlich zu einem Kommentar greifen, um herauszufinden, was die richtige Übersetzung ist. Zwei der wichtigsten Kommentare sind E. A. Speisers *Genesis* aus der Anchor Bible und Gerhard von Rads *Das erste Buch Mose: Genesis*. Der Leser sollte jedoch besser beide zu Rate ziehen, denn wie schon die schwankende Argumentation der NEB vermuten lässt, entscheiden sie sich jeweils für eine andere der beiden Alternativen. Dies sollte freilich kein Grund sein, schon an diesem Punkt zu verzweifeln, da solche widerstreitenden Interpretationen sogar helfen können, uns bewusst zu machen, wie die Bibel funktioniert.

Speiser übersetzt:

> Als Gott begann, Himmel und Erde zu erschaffen – die Welt war damals eine form-
> lose Ödnis, mit Dunkelheit über den Meeren und nichts als einem furchterregenden
> Wind, der über die Wasser fegte –, da sagte Gott: „Es werde Licht". Und es ward
> Licht.[1]

Von Rad hingegen übersetzt:

> Am Anfang schuf Gott den Himmel und die Erde. Die Erde aber war wüste und leer
> gewesen, Finsternis lag über dem Urmeer und ein Gottessturm schwebte über der
> Wasserfläche. Das sprach Gott: Es werde Licht, und es ward Licht.[2]

Dies entspricht dem Großteil der gängigen Übersetzungen und geht auf die latei-
nische Übersetzung von Hieronymus zurück:

> In principio creavit Deus caelum et terram. Terra autem erat inanis et vacua, et tene-
> brae erant super faciem abyssi: et Spiritus Die ferebatur super aquas. Dixitque Deus:
> Fiat lux. Et facta est lux. Et vidit Deus lucem quod esset bona.

Woher also hat Speiser seine Interpretation, und warum scheint die NEB sie gegenüber der traditionellen zu bevorzugen? Das Hebräische ist hier mehrdeutig, denn
das hebräische Alphabet besteht bekanntlich nur aus Konsonanten, während die
Vokale durch Akzentpunkte über oder unter den Buchstaben gekennzeichnet werden. Dieses System bringt es mit sich, dass hebräische Wörter, die aus gleichen
Konsonanten bestehen, durch je unterschiedliche Vokalisierungen unterschiedliche Bedeutungen annehmen. Der Text der hebräischen Bibel war ursprünglich
ohne Vokalzeichen („ohne Punktierung" lautet der technische Ausdruck) und
erhielt diese erst von den Masoretern, den Hütern der traditionellen Schriftlektüre.
Der masoretische Text verkörpert daher die Art, wie die jüdische Tradition ihre
Bibel aussprach – das heißt, wie sie gelesen werden sollte (in einigen Fällen steht
die traditionelle Lesart im Widerspruch zur Punktierung, doch in den Zeilen, mit
denen wir uns befassen, finden sich keine Beispiele davon).

Die Vokalisierung der Konsonanten „b", „r", „sh" und „t" im ersten Wort der
Bibel wurde von der Tradition mit *BéRēSHiT* festgelet. Auch wenn *reshit* „Anfang"
bedeutet und mit dem Wort für Kopf, *rosh*, verbunden ist, kann *bereshit* nicht „Im
Anfang" bedeuten. Denn in diesem Fall müsste der Artikel *ha* auftauchen, was die
Form *BaReSHiT* (die Zusammenziehung von *BeHaReSHiT*) ergäbe. In der Konst-
ruktus-Verbindung allerdings, die die hebräische Form des Genitivs darstellt,[3] wer-
den die Vokale elidiert, so dass aus dem *a* ein *e* würde, und wir <u>Be</u>ReSHiT erhielten.
Das uns vorliegende Wort steht folglich im Konstruktus und bedeutet: „Am Anfang

---

1 Ephraim Avigdor Speiser: *Genesis*, New York u.a. (Doubleday) 1964, S. 3.

2 Gerhard von Rad: *Das Alte Testament Deutsch*, Teilbd. 2/4, *Das erste Buch Mose: Genesis*, Göttingen
  1967, S. 34.

3 Das Hebräische bildet den Genitiv gewissermaßen umgekehrt, indem es das Attribut unverändert
  lässt und das Subjekt in den ‚status constructus' versetzt. [A.d.Ü.]

von" und zwar im Sinne der Konjunktion „als". Auf diese Ableitung stützt sich die
Übersetzung Speisers und der NEB. Ersterer erläutert in einer Fußnote: „Die Abso-
lutus- Form mit adverbialer Bestimmung würde *BaReSHiT* ergeben. So jedoch,
wie der Text jetzt vokalisiert ist, beginnt die hebräische Bibel mit einem Nebensatz."[4]

Obwohl diese Auffassung der gesamten christlichen Tradition und einem Großteil der jüdischen Tradition widerspricht, kann Speiser sich auf den mittelalterlichen Kommentator Raschi berufen, der übersetzt: „Am Anfang der Schöpfung von
Himmel und Erde" (wie Speiser hält er das Hauptverb bis zum dritten Vers zurück)
„sprach Gott […]". Speiser betont auch, dass diese Interpretation durch die Bibel
selbst im zweiten Kapitel des Buchs Genesis gestützt werde, das er, um die Parallelen zum Anfang hervorzuheben, ziemlich tendenziös übersetzt:

> Zu der Zeit, als Gott Jahwe Erde und Himmel machte – noch war kein Gesträuch des
> Feldes auf der Erde und noch war das Korn des Feldes nicht gesprosst, denn Gott
> Jahwe hatte noch keinen Regen auf die Erde gesandt, und es gab keinen Menschen,
> den Erdboden zu bebauen; ein Dunst aber stieg von der Erde auf und bewässerte die
> ganze Oberfläche des Erdbodens – da formte Gott Jahwe den Menschen aus Staub
> vom Erdboden und hauchte in seine Nase den Atem des Lebens. (Gen 2,4b-7)

Auch hier beginnen wir, so Speiser, mit einem Nebensatz: „Zu der Zeit, als", gehen
dann zu einem eingeschobenen Abschnitt über, „noch war kein Gesträuch des Feldes […]" und kommen schließlich zu Subjekt und Verb: „formte Gott Jahwe den
Menschen". Dies entspricht exakt Speisers Wiedergabe von Gen 1,1-3: „[Zu der
Zeit] als Gott begann […] die Welt war damals […] sagte Gott".

Um auch die letzten Zweifel zu beseitigen, weist Speiser schließlich darauf hin,
dass ein solcher Anfang, wie wir wissen, typisch für die Schöpfungsgeschichten des
Alten Orients sei. Das berühmteste Beispiel dafür ist das akkadische *Enuma Elisch*.
Der Titel stammt von den ersten beiden Wörtern des Epos, „Als oben", und auch
wenn die Forscher es selbstverständlich unterschiedlich übersetzen, so scheint in
diesem Fall keine Uneinigkeit über die Syntax zu herrschen. Eine bekannte Übersetzung lautet:

> Als oben der Himmel noch nicht existierte
> und unten die Erde noch nicht entstanden war –
> gab es Apsu, den ersten, ihren Erzeuger,
> und Schöpferin Tiamat, die sie alle gebar;
> Sie hatten ihre Wasser miteinander vermischt,
> ehe sich Weideland verband und Röhricht zu finden war –
> als noch keiner der Götter geformt
> oder entstanden war, die Schicksale nicht bestimmt waren,
> da wurden die Götter in ihnen geschaffen.[5]

---

4 Speiser: *Genesis* (Anm. 1), S. 12.
5 Karl Hecker u.a.: *Texte aus der Umwelt des Alten Testaments* 3,4. *Mythen und Epen* II, Gütersloh
   (G. Mohn) 1994, S. 569.

Auch hier finden wir die Folge: Temporalsatz, eingeschobene Sätze, Hauptsatz. Speiser folgert daher triumphierend: „Somit weisen Grammatik, Kontext und Parallelen einheitlich in ein und dieselbe Richtung."[6]

Warum also beharrt die christliche Tradition angesichts all dieser Belege auf einer anderen Deutung, und warum folgt ihr auch von Rad, ein ebenso gelehrter Alttestamentler wie Speiser, wenn auch ohne dessen Akkadisch-Kenntnisse? Die Antwort lautet ganz klar, dass diese Frage nicht lediglich unter grammatikalischen Erwägungen entschieden werden kann. So schreibt von Rad:

> Der alten Vermutung, V. 1 sei nicht als selbständiger Satz, sondern als Vordersatz zu V. 2 oder gar zu V. 3 zu verstehen („Im Anfang davon, daß Gott Himmel und Erde schuf …"), folgen wir nicht. Syntaktisch stehen vielleicht beide Übersetzungs-Möglichkeiten offen, aber nicht ebenso theologisch. … [D]urch die Auffassung von V. 1-2 oder 1-3 als Periode würde aber das Wort vom Chaos logisch und zeitlich vor das von der Schöpfung zu stehen kommen. Allerdings ist der Begriff eines geschaffenen Chaos ein Widerspruch in sich selbst; indessen es ist zu bedenken, daß der Text an Dinge rührt, die in jedem Fall jenseits des menschlichen Vorstellungsvermögens liegen. Das bedeutet aber noch nicht die Notwendigkeit eines Verzichtes auf die Festlegung ganz bestimmter und unaufgebbarer Theologumena. Das eine ist, daß Gott aus der Freiheit seines Willens heraus „Himmel und Erde", d.h. schlechterdings allem schöpferisch einen Anfang seines hinfortigen Daseins gesetzt hat.[7]

Von Rad scheint eine Übersetzung zu favorisieren, die der natürlichen Syntax und Grammatik der Bibel zuwiderläuft, bloß weil sie zu bestimmten religiösen Dogmen passt, die er unabhängig von der Bibel anerkennt. Solch eine Polemik allerdings wäre etwas unfair. Schließlich untermauert er seine Ausführungen nicht nur mit theologischen Gründen, sondern er weist auch darauf hin, wie konsequent sich die Bibel vor allem in ihren Anfangskapiteln gegen die Mythen und Legenden des Alten Orients stemmt und wie unwahrscheinlich es daher ist, dass sie in ihrem ersten und wichtigsten Satz von ihren Grundsätzen abweicht. Während die Götter in den Mythen des Alten Orients eine bunte Schar sind, die auf mannigfaltige Art geboren werden und für unterschiedliche Aspekte der physischen Welt stehen – den Himmel, die Meere oder den Sturmwind –, ist der Gott der hebräischen Bibel allein und allmächtig, er kommt aus dem Nichts und er gebiert keine Kinder. Und wenn die Bibel Gott in dieser Weise sieht, wäre es absurd zu versuchen, die Bedeutung einzelner Phrasen darin unter Berufung auf Parallelen in altorientalischen Texten zu deuten.

Überdies hebt von Rad hervor, dass das Wort *bara* nicht das übliche Wort für „machen" ist, denn dieses lautet *'asah*, sondern „einerseits die vollendete Mühelosigkeit, andererseits […] den Gedanken der *creatio ex nihilo* enthalte".[8] Und er beschließt seine Analyse in einem gleichermaßen überzeugten Ton wie Speiser:

---

6 Speiser: *Genesis* (Anm. 1), S. 12.
7 von Rad: *Das erste Buch Mose: Genesis* (Anm. 2), S. 36f.
8 Ebd., S. 37.

Es ist erstaunlich, wie scharf sich das kleine Israel von einer übermächtig erscheinenden Umwelt kosmogonischer, ja theogonischer Mythen abgegrenzt hat. Hier ist nicht die Rede von einem urweltlichen Zeugungsmysterium, dem die Gottheit entstammt, noch von einem „schöpferischen" Kampf mythisch personifizierter Kräfte, dem der Kosmos entstammt, sondern von dem, der nicht Kämpfer oder Erzeuger ist, dem vielmehr allein das Prädikat des Schöpfers zukommt.[9]

Von Rad spricht nicht nur für christliche Leser. Schon Samson Raphael Hirsch zum Beispiel zeigte in seiner Ausgabe des Pentateuch wenig Verständnis für all jene, die sich für einen Gott entscheiden, der gleichbedeutend mit Chaos ist. Ihm zufolge ist die von Raschi und Speiser bevorzugte Interpretation

> nicht nur eine metaphysische Lüge, die den kosmogonischen Vorstellungen der Menschen die Wahrheit, d.h. die Übereinstimmung mit der Wirklichkeit geraubt: sie ist die noch weit verderblichere, alle Sittlichkeit untergrabende Leugnung aller Freiheit in Gott und im Menschen. War dem Weltbildner der Stoff gegeben, so konnte er aus dem gegebenen Stoff nicht die absolut gute, sondern nur die relativ beste Welt gestalten. Alles physische und sittliche Übel würde unabwendbar in der Mangelhaftigkeit des Stoffes liegen.[10]

So wie von Rad liest Hirsch den Satz auf die eine statt auf die andere Weise, weil er das Gefühl hat, dass sein gesamtes Verständnis der Bibel und sein ganzes Glaubensgebäude in sich zusammenfielen, wenn eine andere Übersetzung zugelassen würde. Gesteht man erst einmal zu, dass Gott von der Materie abhängig sei, wo bleibt da das Judentum, wo das Christentum? Wir würden wieder bei den Mysterienreligionen und der Götzenverehrung und den Naturgottheiten landen, von denen uns die biblische Religion eigentlich befreit haben sollte.

Das schien allerdings für Raschi keine Schwierigkeit darzustellen, und ihm lässt sich nun kaum der Vorwurf machen, eine Mysterienreligion zu billigen. Dadurch, dass er die erste Phrase von der dritten abhängig machte, vermied er eine womöglich ebenso gefährliche Ketzerei (die von Rad erwähnt, um sie allerdings sogleich wieder zu verwerfen): Den Gedanken nämlich, dass Gott der Schöpfer sowohl des Chaos als auch der Welt und des Menschen sei. Für von Rad und Hirsch ist dies eindeutig das kleinere Übel, gegenüber der Annahme, Gott sei nicht der Urschöpfer aller Dinge. Von Rad bringt sogar das kühne Paradox vor: „Ohne vom Chaotischen zu reden, kann offenbar von der Schöpfung überhaupt nicht zureichend gehandelt werden".[11]

All diese theologisch-linguistischen Argumente scheinen umgehend Gegenargumente hervorzubringen. Von Rad legt eine Menge Gewicht auf die besondere Bedeutung des Worts *bara* und betrachtet seine Verwendung als Beweis für den endgültigen Bruch der Bibel mit nahöstlichen Denkweisen. Lesen wir aber weiter

---

9 Ebd.
10 Samson Raphael Hirsch (Hg.): *Der Pentateuch, Erster Teil: Die Genesis*, Frankfurt a.M. (Kauffmann) 1920, I. 1, S. 3.
11 von Rad: *Das erste Buch Mose: Genesis* (Anm. 2), S. 37.

in Genesis 1, so stellen wir fest, dass, obwohl Gott Himmel, Erde, die Seeungeheuer und auch „alle Arten von [...] anderen Lebewesen [...] und alle Arten von gefiederten Vögeln" und auch den Menschen selbst *geschaffen* (*bara*) hat, wurden die Tiere und Reptilien bloß gemacht (*'asah*) bzw. „gemacht". Unterscheidet die Bibel tatsächlich auf diese Art zwischen den Tieren und dem Rest? Als Gott am sechsten Tag zurückblickt auf das, was er vollbracht hat, „sah er alles an, was er gemacht (*'asah*) hatte: Es war sehr gut" (1,31). Legt dies nicht die Vermutung nahe, dass die beiden Wörter *bara* und *'asah* für den Verfasser austauschbar waren?

Dies scheint aus den parallelen Sätzen zu folgen, die die gesamte erste Woche beschließen:

> Und Gott vollendete am siebten Tag sein Werk (*melakhto*), das er gemacht hatte (*'asah*); und er ruhte am siebten Tag von all seinem Werk (*melakhto*), das er gemacht (*'asah*) hatte. Und Gott segnete den siebten Tag und heiligte ihn; denn an ihm ruhte er von all seinem Werk (*melakhto*), das Gott geschaffen hatte, indem er es machte (*asher bara elohim la'assot*). (Gen 2,2-3)

Beide Wörter werden anschließend in dem darauf folgenden, als Übergang dienenden Vers wiederholt: „Das ist die Entstehungsgeschichte von Himmel und Erde, als sie erschaffen (*bara*)wurden, zur Zeit als Gott, der Herr, Erde und Himmel machte (*'asah*)" (2,4).

Von Rad wird allerdings von nahezu der gesamten jüdischen Tradition bestätigt (auch wenn der Kommentator Abarbanel bemerkt, dass *bara* gelegentlich in einem Abschnitt verwendet wird, in dem die Schöpfung aus dem Nichts nicht eindeutig ist, so zum Beispiel in Vers 21, in dem die großen Fische als aus dem Wasser gebildet betrachtet werden könnten). Wenn wir uns das Anfangskapitel genauer ansehen, scheint der Verfasser sehr bemüht, die Wichtigkeit von *bara* hervorzuheben: Gott wird 28-mal – das heißt 4×7 – erwähnt; es gibt 7 Tage; das Wort *bara* kommt 7-mal vor; und in Vers 27, in dem der Mensch der Gegenstand ist, kommt *bara* dreimal vor.

Im Lichte all dessen kann ein heutiger Leser nur Mitleid haben mit jenen modernen Nietzscheanern, die angesichts der Zuversicht von Rads und Hirschs einerseits und derjenigen Raschis und Speisers andererseits listig bemerken, dass Gott „durch die Grammatik" bestimmt zu sein scheint: „Nur wenn sein Handeln den Stellenwert eines unabhängigen Satzes bekommt und also erfinderisch ist, ist er unbegrenzt; ist die Schöpfung jedoch ein Nebensatz, so ist auch Gott der Notwendigkeit unterworfen".[12] Andrew Martin, dessen Bemerkungen ich gerade zitiert habe, versucht all denen den Gnadenstoß zu geben, die sowohl das Universum als auch die Bibel in einem vollkommen freien und gebieterischen Gott verankern wollen,

---

12 Andrew Martin: *The Knowledge of Ignorance*, Cambridge (Cambridge University Press) 1985, S. 3f. Dieses kurze, dichte, zum Nachdenken anregende Buch entwickelt in seinen ersten beiden, Genesis 1-3 gewidmeten, Kapiteln einige der hier erörterten Themen. Seine philologischen Überlegungen beruhen auf André Caquot: „Brève remarques éxégetiques sur Genèse 1,1-2", in: *In Principio* 1973, S. 9–21.

wobei er unsere Aufmerksamkeit auf ein weiteres philologisches Problem lenkt: Es gebe durchaus eine Möglichkeit, *bereshit* als Absolutus zu verstehen. Allerdings müssen wir es dann mit „in *einem* Anfang" übersetzen, um so die Abwesenheit des bestimmten Artikels in dem Wort zu erklären. Es handelt sich demnach nicht wirklich um eine Wahl zwischen einer Absolutus- und einer Konstructus-Form, sondern zwischen einem Anfang, der nur einer unter vielen ist, und einem Anfang, der eigentlich gar keiner ist.

Die Nietzscheaner haben anscheinend gesiegt. Doch ist die Sache wirklich so klar? Ich denke nicht, denn wir sind noch nicht ganz fertig mit den Rätseln, die dieser erste Satz bereitet. Auch wenn das erste Wort tatsächlich eine Konstructus-Form zu sein scheint, so ist das zweite Wort keinesfalls das, was wir nach einem Konstructus erwarten würden. Eigentlich müsste ein Partizip folgen, das ungefähr das Folgende ergäbe: ‚Am Anfang der Schöpfung durch Gott' oder ‚am Anfang von Gottes Schöpfung'. Genau das finden wir zum Beispiel in 2,4b: „Zur Zeit des Machens von Erde und Himmel durch Gott den Herrn". Wäre 1,1 tatsächlich parallel dazu, wie Speiser uns glauben machen möchte, müsste es heißen: *bereshit bero elohim*. Es heißt aber: *bereshit bara elohim*, wobei *bara* die finite Form des Verbs „er schuf" ist. Speiser gibt diese Schwierigkeit zu, doch in diesem Fall ist er es und nicht von Rad, der die Schwierigkeit beiseite wischt und darauf beharrt, dass es sein Argument nicht beeinträchtige: „Der Sprachgebrauch des Hebräischen", sagt er, „erlaubt an dieser Stelle ein finites Verb".[13] Und er verweist auf Hosea 1,2, *techilat diber adonai*, wörtlich: „Anfang des, *sprach* der Herr", wo wir erwarten würden, dass es heißt: ‚Anfang des *Sprechens* des Herrn'. Hier stoßen wir jedoch auf eines jener ständigen Probleme bei der Klärung des Sprachgebrauchs in der Bibel, dass wir nämlich kein anderes Korpus haben, mit dem wir biblische Sätze vergleichen können. Auch wenn wir das Beste daraus machen, überzeugt Speisers isoliertes Beispiel kaum. Das Hebräische mag zwar ein finites Verb nach einem Konstructus gestatten, doch wie wir aus den parallelen Ausdrücken in Genesis 2,4b-7 ersehen können, ist dies nicht wirklich gebräuchlich. Und soweit ich weiß, hat kein Forscher zu einer ähnlichen Eigentümlichkeit am Anfang des *Enuma Elisch* Stellung genommen.

Wohin führen diese Überlegungen? Ich denke, nicht in die ironische Sackgasse, die Andrew Martin anscheinend unterstellt. Denn im Laufe dieses langwierigen philologischen Exkurses ist hoffentlich klar geworden, dass der Anfangssatz höchst seltsam ist. Und sofern wir, statt verzweifelt die eine oder andere Interpretation zu wählen, danach fragen, warum dem so ist, stellen wir womöglich fest, dass es uns hilft, etwas besser zu verstehen, worauf das ganze Buch eigentlich hinaus will.

Niemand kann nach James Barrs *Biblical Words for Time* (1962) noch unbefangen vom ‚Geist der Hebräer' sprechen oder ihn dem ‚Geist der Griechen' gegenüberstellen. Das heißt aber nicht, wie manchmal vermutet wird, dass wir nicht über eine ‚biblische' Wahrnehmungsweise oder eine ‚homerische' Ausdrucksweise

---

13 Speiser: *Genesis* (Anm. 1), S. 12.

sprechen können. Schließlich sagt man damit nur, dass große Werke ihren un-
verkennbaren Stil haben, was sicher niemand bestreiten wird. Auch wird allgemein
akzeptiert, dass man beim Lesen von Werken in anderen Sprachen, insbesondere
solchen, die uns zeitlich und räumlich fern sind, vorsichtig sein muss, diese
nicht allzu schnell in sein eigenes Idiom zu übersetzen. Dass sich dieser Grundsatz
in der Praxis nur schwer befolgen lässt, heißt nicht, dass man es nicht versuchen
sollte.

Betrachtet man das Problem auf diese Weise, so lässt sich vermuten, dass Speisers akribischer Versuch, die exakten Nuancen des Hebräischen nachzubilden, eben
daran krankt, dass er in grammatischen und syntaktischen Begriffen denkt, die aus
dem Lateinischen abgeleitet sind. So legt er dar, dass Vers 1 als „Nebensatz", Vers 2
als „eingeschobenen Satz" und Vers 3 als „Hauptsatz" anzusehen wären. Doch die
Vorstellung von Unterordnung und Abhängigkeit ist dem Hebräischen fremd, was
schon eine unbeholfene buchstäbliche Übersetzung deutlich macht:

> Am Anfang von schuf Gott die Himmel und die Erde und die Erde war *tohu* und
> *bohu* und Finsternis über der Tiefe und der Wind Gottes schwebte über den Wassern
> und Gott sprach es werde Licht und es ward Licht.

Ich habe nicht versucht, Äquivalente für die rätselhaften Wörter *tohu* und *bohu* zu
finden, die oft mit „wüst und leer" übersetzt werden, denn niemand weiß so recht,
was sie bedeuten, und ihr Klang vermittelt die Bedeutung wohl ziemlich gut (die
Franzosen, die vermutlich die am wenigsten angesehene landessprachliche Bibel
unter den westlichen Nationen haben, haben die Ausdrücke in ihre Alltagssprache
übernommen und sprechen unbefangen von „le tohu bohu", wenn sie einen
Zustand der Unordnung meinen.) Außerdem habe ich mich bemüht, den bestimmten Artikel nur dort beizubehalten, wo er im Hebräischen vorkommt.

Es geht daraus erstens hervor, dass der Anfangssatz wahrhaftig den Verstand
verblüfft, und dass zweitens in dem Abschnitt nicht dieses oder jenes einzelne Wort
wichtig ist, sondern der Gesamtrhythmus, der durch die schlichte Konjunktion
„und" (*waw*) gebildet wird. Wenn dem so ist, dann ist die King-James-Bibel (ebenso
wie die Lutherübersetzung, A.d.Ü.) sowohl an dieser Stelle als auch in 2,4b-7 besser als andere Übersetzungen, da sie diesen Rhythmus beibehält. Leser dieser Übersetzung werden ebenso wie im Hebräischen in eine Stimmung von Ergebung und
Erwartung versetzt, in der sie erfassen, ‚was vor sich geht' und ihm zustimmen,
lange, bevor sie genau begriffen haben, was es ist. Die New English Bible dagegen
wählt wie immer die schlechteste aller möglichen Welten, da sie sich für Unterordnung entscheidet und dies dann nicht bis zum Schluss durchhält, indem sie zwar
das Hauptsubjekt verschiebt, dann aber den Satz abbricht und mit „Gott sprach"
neu beginnt:

> Am Anfang der Schöpfung, als Gott Himmel und Erde schuf, war die Erde wüst und
> leer, Finsternis war über der Tiefe, und ein kräftiger Wind wehte über die Oberfläche
> der Wasser. Gott sprach: […]

Mir ist nur ein bedeutendes Werk bekannt, das mit einem grammatisch gleichermaßen verwirrenden Satz beginnt wie die Bibel, nämlich Prousts *À la recherche du
temps perdu*: „Longtemps, je me suis couché de bonne heure." Wie soll man „longtemps" übersetzen? „For a long time" (seit langem) wäre die Übersetzung für „depuis
longtemps", wohingegen „long ago" (vor langer Zeit) die Übersetzung für „il y a
longtemps" wäre; doch „long time" (lange Zeit) funktioniert im Englischen nicht
(wohl aber im Deutschen, „Lange Zeit bin ich früh schlafen gegangen" beginnt die
deutsche Übersetzung, A.d.Ü.). Auf Französisch erscheint es dagegen völlig akzeptabel und ist doch zugleich unmöglich zu deuten. Folglich vermittelt der Satz weniger eine Bedeutung, als den Umstand, dass eine Stimme zu sprechen begonnen hat;
die Äußerung geht der Bedeutung voraus. Das Wort liegt da und trennt das, was
nach ihm kommt, das gesamte Buch, von allem, das ihm vorausging. Und die nachfolgenden Seiten mit ihrem ständigen Schwanken zwischen Schlaf und Wachsein,
Vergangenheit und Gegenwart bringen uns allmählich an den Punkt, wo die meisten Romane beginnen: eine bestimmte Geschichte mit klarer Erinnerung. Diese
Geschichte ist jedoch für immer durch ihren problematischen Anfang gefärbt, und
weil sie sich immer wiederholt, erinnert sie uns immer wieder an diesen.

Proust beginnt dann mit seiner langen Erkundung von Zeit, Gedächtnis, Vorstellung und den Rätseln des Körpers in einer Art Niemandsland, weder Vergangenheit noch Gegenwart, weder hier noch da, sondern in einer Zeit und einem
Raum, die nur die der Äußerung sein können. „Long … temps" – das Wort dehnt
sich aus, es mimt seine Bedeutung, und wie im Laufe der Lektüre zu entdecken sein
wird, streckt es sich nach der „Zeit" aus, mit der der Roman endet. Seine gramma-
tikalische Sonderbarkeit soll uns desorientieren, sie soll verhindern, dass wir zu
rasch in eine „reale" Welt jenseits des Buchs oder hinter ihm hinüberwechseln. Es
hält uns im Buch und beginnt, uns die Lektion zu erteilen, mit der sich der ganze
Roman befasst, dass nämlich Bücher, wie das Leben auch, keine Behälter für
Bedeutung, sondern Erzeuger von Rhythmus sind.

Etwas ganz Ähnliches scheint in den Anfangsworten der Bibel zu geschehen. Sie
desorientieren uns gerade so weit, dass sie uns ihren Rhythmus aufzwingen, aber
nicht so sehr, dass sie uns daran hindern, voranzukommen. Allerdings ist dieser
Vorgang hier noch schwieriger zu begreifen als bei Proust, denn die Welt, die von
diesen Anfangsworten hervorgerufen wird, ist nicht bloß die Welt des Buchs, sondern (so wird behauptet) genau die Welt, in der wir, die das Buch lesen, existieren.
Diese Voraussetzung unterscheidet sich so stark von denen der meisten anderen
Bücher, dass wir sie genauer untersuchen müssen.

Wie beginnt man eine Geschichte? Es scheint zwei Hauptmöglichkeiten zu
geben: am Anfang anfangen oder in der Mitte anfangen. Das Epos beginnt vorzugsweise in der Mitte, teils, weil es bei Homer schon so war, teils aber auch aus
dem gewichtigeren Grund, dass es nicht so sehr eine Geschichte, als vielmehr die
Weltsicht einer Gemeinschaft erzählt, weshalb es nicht sonderlich darauf ankommt,
wo man beginnt, denn jeder Anfang führt irgendwann einmal zum Ganzen.

Bevor dieser Bericht jedoch in Gang kommen kann, muss der Epensänger die
Musen anrufen, dass sie ihm helfen:

Göttin, singe mir nun des Peleussohnes Achilleus
Unheilbringenden Zorn, der tausend Leid den Achäern
Schuf und viele stattliche Seelen zum Hades hinabstieß
[...]
Seit die beiden zuerst sich in Streit und Hader entzweiten,
Atreus' Sohn, der Gebieter im Heer und der edle Achilleus.
Welcher der Götter brachte die beiden im Streit aneinander?

Wer hat jene der Götter empört zu feindlichem Hader?
Letos und Zeus' Sohn [...] [14]

Nenne mir, Muse, den Mann, den vielgewandten, der vielfach
Wurde verschlagen, seit Trojas heilige Burg er zerstörte.
Vieler Menschen Siedlungen sah er und lernte ihr Wesen
Kennen [...]
Davon, Göttin, Tochter des Zeus, berichte auch uns nun.
All die andern, soweit sie dem jähen Verderben entkamen,
Waren bereits zu Hause, entronnen dem Krieg und dem Meere;[15]

Das Muster ist in beiden Fällen das gleiche: Anrufung, ein Vorgeschmack auf die folgende Geschichte, eine Wiederholung der Anrufung und dann das Eintauchen in die Geschichte an einem bestimmten Punkt. Vergil bleibt diesem Muster treu:

Waffen ertönt mein Gesang und den Mann, der vom Troergefild' einst
Kam, durch Schicksal verbannt, nach Italia und der Laviner
Wogendem Strand. Viel hieß ihn in Land' umirren und Meerflut
Göttergewalt, weil dau'rte der Groll der erbitterten Juno;
Viel auch litt er im Kampf, bis die Stadt er gründet' und Trojas
Götter nach Latium führte.

Muse, des Grolls Ursachen verkünde mir, welches Gebotes
Kränkung die Königin reizte, daß, so viel kreisendes Unheil,
Sie den frömmeren Mann, so viel zu erdulden der Mühsal,
Drängte mit Zwang. So groß glüht himmlischen Seelen der Zorn auf?

Uralt blühte die Stadt, [...] Carthago, [...][16]

Milton ebenfalls:

Des Menschen erste Widersetzlichkeit
Und jenes untersagten Baumes Frucht,
Die dieser Welt durch sterblichen Genuß
Den Tod gebracht und unser ganzes Leid
Mit Edens Fall, bis, größer als der Mensch,

---

14 *Ilias*, übers. von: Roland Hampe, Stuttgart (Reclam) 1979, I, Vs. 1ff.
15 *Odyssee*, übers. von: Roland Hampe, Stuttgart (Reclam) 1986, I. Vs. 1ff.
16 *Aeneis*, übers. von: Johann Heinrich Voß, Leipzig (Reclam) 1919, I. Vs. 1ff.

Uns wieder einzusetzen Einer komme
Und uns den Ort des Heils zurückgewinne,
Besinge nun, himmlische Muse[17]

Im Unterschied dazu erzählt der Roman eine persönliche Geschichte, oft in der ersten Person, und in seiner klassischen Phase beginnt er meist am Anfang. *David Copperfield* zum Beispiel beginnt mit einem Kapitel unter dem Titel „Ich werde geboren":

> Ob ich als Hauptperson meines eigenen Lebens hervortreten werde oder ob sonst jemand diesen Rang einnehmen wird, müssen diese Seiten erst erweisen. Ich wurde, um mein Leben von Anfang an zu erzählen, an einem Freitag geboren, und zwar (wie mir glaubwürdig mitgeteilt worden ist) nachts um zwölf. Man erinnert sich, daß ich mit dem Glockenschlag zu schreien angefangen habe.[18]

Der Roman, wie Sterne ahnte und Dickens mit seiner üblichen herrlichen Naivität demonstriert, lebt unter der Ägide der Uhr. Die Uhr beginnt zu ticken, sobald der Roman anfängt, und hört nicht auf damit, bis er schließt.

Mir sind gleichwohl zwei große literarische Werke bekannt, die die Zeitlosigkeit des Epos mit dem Vorwärtsdrängen des Romans verbinden. Das eine, Prousts *Recherche*, haben wir schon kurz betrachtet. Das andere, Dantes *Commedia*, beginnt ebenfalls in einem seltsamen Niemandsland zwischen Schlafen und Wachen:

> Es war in unseres Lebensweges Mitte,
> Als ich mich fand in einem dunklen Walde;
> Denn abgeirrt war ich vom rechten Wege.[19]

Hier hat das „ich fand mich" (*mi ritrova*) ungefähr die gleiche Funktion wie Prousts „je me suis couché". Will der Erzähler sagen, dass er wieder zu sich kam, dass er auf metaphorische Weise „sich fand", oder womöglich, dass er „sich" *wieder* „fand"? Wie in der *Recherche* geht der Ich-Erzähler eigenartig mit uns um und zwingt uns, sich mit ihm zu identifizieren, teils durch den Rhythmus seiner Anfangsworte, teils durch seine Unschärfe, seinen Mangel an klaren Konturen. *David Copperfield* hingegen hätte, obwohl es in der ersten Person geschrieben ist, genauso gut in der dritten geschrieben werden können. Der Held, der zufällig auch der Erzähler ist, nimmt sogleich ein klares Profil, eine bestimmte Identität an. Er beginnt bei seiner Geburt, und schon bald wissen wir genug über ihn und seine Vergangenheit, um seine Geschichte in unseren eigenen Worten nacherzählen zu können. Dagegen hat es bei Dante und Proust keinen Sinn, danach zu fragen, was geschehen ist, bevor

---

17 *Das verlorene Paradies*, zit. nach: John Milton: *Das verlorene Paradies*, übers. von: Hans Heinrich Meier, Stuttgart 2001, S. 6.

18 Charles Dickens: *David Copperfield*, übers. von: Josef Thanner, München (Winkler) 1997, S. 5.

19 Dante Alighieri: *Die göttliche Kommödie*, übers. von: Karl Witte, Berlin (Askanischer Verlag) 1916, I. 1, Vs. 1.

die Stimme zu sprechen begann, denn alles beginnt mit dem „longtemps" oder dem „nel mezzo del cammin".

Bei Homer, Vergil und Milton beginnen wir mit zwei Figuren, dem Dichter und der Muse. Beide sind stark dramatisiert, und aus ihrem Wechselspiel entsteht das dritte Element, die Geschichte. In der epischen Tradition beginnt man entschlossen, und zwar mit dem Objekt: *Menin aeide, thea* (Singe den Zorn, Göttin); *Arma virumque cano* (Waffen und Mann besinge ich); *Of man's first disobedience ... sing, Heavenly Muse* (Des Menschen erste Widersetzlichkeit [...] besinge nun, himmlische Muse). In *David Copperfield* hingegen beginnen wir mit der Geburt des Erzählers, einer Geburt, die er zu einem späteren Zeitpunkt seines Lebens *nacherzählt*, als er im Vollbesitz seiner sprachlichen Kräfte ist. Bei Dante und Proust wiederum gibt es keine zwei Elemente wie Fiktion und Erzählung, Gesang und Dichter, sondern allein ein Ding, die Stimme, die durch die Stille dringt, zögert, in Gang kommt, wieder zögert und allmählich einen Körper findet, der die Stimme beherbergt, und eine Welt, in der dieser Körper existiert. Die Suche nach der Verkörperung einer Stimme ist das zentrale Streben in beiden Werken, die aufhören, sobald dieser Körper gefunden ist. Dieser Körper ist nichts anderes als das Werk selbst, das durch die Stimme erschaffen wurde.

Im Gegensatz zu *Enuma Elisch*, der *Ilias* und *David Copperfield* wohnen wir daher nicht der Nacherzählung einer Geschichte bei, sondern der Entstehung von etwas, das vor dem Werk noch nicht existierte. Die Zeit mag vielleicht die Vergangenheit sein – Ich ging zu Bett, ich fand mich –, doch die Stimme dringt in eine Zukunft vor, die stets offen und nie im Voraus bekannt ist. Und in dieser Lage befindet sich auch der Leser: Er entdeckt sich selbst beim Lesen, statt die Details einer Folge von Anekdoten zu erfahren.

Betrachten wir nun noch einmal den Anfang der Bibel. Man beachte, wie die ‚und' den Grundbass bilden, und wie sich die Stimme über diesem Bass bewegt, voranschreitet, zurücktritt, wiederholt, erneut voranschreitet: „Im Anfang schuf Gott Himmel und Erde; die Erde aber war [...] und Finsternis lag über [...] und Gottes Geist schwebte [...] Und Gott sprach: Es werde Licht. Und es wurde Licht." Diese Stimme mimt das Schweben, *merachephet*, und ihre eigene Hin- und Herbewegung, die Yeats so schön in seinem späten Gedicht „The Long-Legged Fly" eingefangen hat: „Wie ein Wasserläufer auf dem Bach / Bewegt sein Geist auf Stille sich".[20] Aus diesem Schweben entsteht keine Geschichte – vom Kampf zwischen Marduk und Tiamat, vom Zorn des Achills, von den Prüfungen und dem Trübsal des jungen David Copperfield –, sondern eine Welt. Und diese Welt ist eins mit der selbstbewussten Setzung der Rede: „Und Gott sprach". Beim Lesen oder Hören nehmen wir nicht bloß etwas auf, sondern wir sprechen die Worte leise mit, so dass wir aktiv am ersten Akt der Schöpfung beteiligt sind: „Und Gott sprach: Es werde Licht. Und es wurde Licht". Es gibt „da draußen" keinen Referenten für dieses

---

20 William Butler Yeats: *Die Gedichte*, übers. von: Marcel Beyer, München (Luchterhand Literaturverlag) 2005, S. 383.

erste „Licht": Wir sprechen das Wort aus, und bei seinem nächsten Erscheinen hat es tatsächlich eine Referenz.

Der Rhythmus dieser ‚und' trägt uns jedoch weiter, er wiegt uns sanft und führt uns zu einer anderen Aussage, die ebenfalls eine Rückkehr ist, ein Rückblick auf das, was soeben erreicht wurde mit diesem Schöpfungsakt, der sich so einfach und natürlich ereignet hatte: „Und Gott sah, dass das Licht gut war; und Gott trennte das Licht von der Finsternis". Wir sind es, die bestätigen, dass es gut war, und wir hören, dass es so war, und wir sind es auch, die nun akzeptieren, was von der Schöpfung nicht zu trennen ist, nämlich die Trennung. Doch kaum ist das Wort *vayavdel*, „und er trennte", heraus, da verschafft sich der Grundrhythmus schon wieder machtvoll Geltung, mit einem neuen Ruf Gottes (*kara* heißt ‚ausrufen', ‚verkünden', ‚vorlesen' – daher ‚Koran' – und nicht bloß ‚benennen'): „Und Gott rief dem Licht zu: Tag!, und der Finsternis rief er zu: Nacht! Und es wurde Abend, und es wurde Morgen: erster Tag".

So schreitet das erste Kapitel der Genesis in dem am Anfang festgelegten Grundmuster voran: Vollständige Wiederholung, teilweise Wiederholung, Erneuerung – oder irgendeine Kombination zweier dieser drei Elemente. Mit seiner Balance von Symmetrie und Asymmetrie – was Stravinsky einst als das Kennzeichen aller großen Kunst bezeichnete – ist es so komplex, dass allein eine musikalische Analyse ihm gerecht werden könnte. Aber auch ohne auf die technischen Elemente der Phonetik zurückzugreifen, können wir stark vereinfachend ein paar seiner Hauptelemente herausarbeiten.

Wie oft erwähnt wurde, sind die ersten 34 Verse in drei Tage plus drei Tage plus einen Tag aufgeteilt, und Siebenen und Einsen spielen durchgehend eine verbindende Rolle. Tag eins beginnt mit zwei einleitenden Versen: „Gott sprach [...] Gott sah [...] Gott nannte" (3–5). Tag zwei besteht aus drei Versen: „Gott sprach [...] Gott machte [...] Gott nannte" (6–8). Was Gott sagt, hat hier nicht mehr die gleiche schöpferische Kraft wie am ersten Tag, denn jetzt heißt es lediglich: „Gott machte", doch was Gott machte, wird dieses Mal nicht „gut" genannt. Gleichsam zum Ausgleich wird jedoch eine neue Phrase eingeführt: „So geschah es." Diese Phrase wird wiederum am Anfang des dritten Tags aufgegriffen: „Und Gott sprach [...] Und so geschah es" (9). Gleich darauf werden die Verse 5 und 8 aufgenommen und Vers 4 als Klimax hinzugefügt: „Und Gott nannte das Trockene Land, und die Ansammlung der Wasser nannte er Meere. Und Gott sah, dass es gut war" (10).

Der vierte Tag widmet sich der Erschaffung von Sonne, Mond und Sternen. Am Beginn des fünften Tags (21) kommt zum ersten Mal seit Vers 1 das Wort *bara* wieder, gefolgt von der Phrase „Gott sah, dass es gut war", die in den Versen 4 und 10 verwendet wird: „Und Gott schuf die großen Seeungeheuer und alle sich regenden lebenden Wesen [...] Und Gott sah, dass es gut war". Dann wird plötzlich ein neuer Ausdruck eingeführt: „Und Gott segnete sie und sprach" (22). Doch wie zum Ausgleich kommt danach wieder eine Wiederholung der Verse 7, 13 und 19: „Und es wurde Abend, und es wurde Morgen: fünfter Tag" (23). Es folgt die Erschaffung (diesmal *'asah* statt *bara*) der Tiere, und anschließend wird in Vers 26, inmitten eines plötzlichen Durcheinanders von Details, wieder ein neues Element eingeführt: „Und Gott sprach: Laßt uns Menschen machen in unserm Bild, uns ähnlich! Sie sollen herrschen". Hier spricht Gott zum ersten Mal zu sich selbst, anstatt sein Schöpferwort einfach auszusprechen. Die Varianten *tselem* und *demut* („Bild" und „Ähnlichkeit" sind recht passende Übersetzungen) leiten nach der vorangegangenen Knappheit zu einem neuen Wortschwall über, wobei die beiden Ausdrücke kontrastierend und nicht nur synonymisch verwendet werden (die einzige Parallele zu *tselem* und *demut* ist ironischerweise das *tohu* und *bohu* des Anfangsverses). All dies bereitet uns auf den erstaunlichsten Satz des Kapitels vor, in dem das Wort *bara* genau dreimal verwendet wird (von insgesamt sieben Malen): „Und Gott schuf den Menschen nach seinem Bild, nach dem Bild Gottes schuf er ihn; als Mann und Frau schuf er sie" (27). So neu dies auch sein mag, wiederholt es gleichwohl den früheren Vers 21 („Und Gott schuf die großen Seeungeheuer und alle sich regenden lebenden Wesen, von denen die Wasser wimmeln, nach ihrer Art, und alle geflügelten Vögel nach ihrer Art"), und der darauf folgende Vers wiederholt Vers 22: „Und Gott segnete sie, und Gott sprach zu ihnen: Seid fruchtbar und vermehrt euch" (28).

Der letzte Vers von Kapitel 1 setzt das Muster von wiederholten und neuen Elementen fort: „Und Gott sah alles, was er gemacht hatte, und siehe, es war sehr gut. Und es wurde Abend, und es wurde Morgen: der sechste Tag" (31). Tag sieben beginnt mit einem Echo des Anfangssatzes: „So wurden der Himmel und die Erde und all ihr Heer vollendet" (2,1). Es geht weiter mit den ‚und', die hier die Matrix für die Einführung eines völlig neuen Elements bilden: „Und Gott vollendete am siebten Tag sein Werk, das er gemacht hatte; und er ruhte am siebten Tag [...]. Und Gott segnete den siebten Tag und heiligte ihn; denn an ihm ruhte er von all seinem Werk, das Gott geschaffen hatte, indem er es machte" (2,3). Gleichwohl artikuliert dies neue Wort, „ruhen" (*shavat*), lediglich das Gefühl, das während des gesamten ersten Kapitels in uns gewachsen ist, dass nämlich jedes neue Element schließlich durch seine Wiederholung zu einem festen Ruhepunkt, einem kreativen Zentrum der Stille gemacht wird. Kein Wunder, dass dieser Tag gesegnet und geheiligt wird, denn er ist das, was man den Grundbass des Ganzen nennen könnte.

„Der Sabbat ist nicht einfach die Zeit der Ruhe, der Erholung. Wir sollten unsre Arbeit von außen betrachten, nicht nur von innen", bemerkte Wittgenstein einmal und machte damit auf einen entscheidenden Punkt aufmerksam.[21] Denn so wie die ‚und' dazu dienen, die Anfangswoche zusammenzubinden, so macht die Institution des Sabbat sichtbar, dass all die einzelnen Elemente von einem gemeinsamen Grund herrühren, der jedem von ihnen vorangeht und dennoch nicht gänzlich verschieden von ihnen ist. Das hilft uns, die zentrale Bedeutung des Sabbats sowohl im Leben Israels als auch im Leben der Bibel zu verstehen. Er ist eines der beiden Grundelemente, die dieses Buch zu dem machen, was es ist, und die es überhaupt erst möglich machen.

---

21 Ludwig Wittgenstein: *Vermischte Bemerkungen*, *Werkausgabe*, Bd. 8, Frankfurt a.M. (Suhrkamp) ³1989, S. 563.

Es ist ein Allgemeinplatz der alttestamentlichen Forschung und Theologie, dass die anderen Kulturen des Alten Orients zyklisch dachten und dass ihre Mythen die jährliche Wiederkehr des Frühlings feierten, wohingegen die Israeliten linear dachten und Geschichtsschreibung betrieben, um zu feiern, wie ihr Gott in der Geschichte handelt.[22] Das ist nicht falsch, aber ungenau. Es berücksichtigt nicht den Umstand, dass sich die Hebräische Bibel in gewisser Hinsicht sogar viel stärker mit Wiederholung und Wiederkehr befasst als die anderen Erzählungen, die uns aus dem Alten Orient erreicht haben. Es gibt bei diesen Erzählungen drei Hauptaspekte, die wir der Einfachheit halber unterscheiden können, obwohl sie sich in der Praxis gegenseitig beeinflussen. Zunächst sind es Versuche, die Welt, wie sie ist, zu verstehen und zu erklären, warum der Himmel über der Erde ist, warum es Stürme und Hochwasser gibt, warum die Menschen nicht ewig leben. Zweitens postulieren sie eine Reihe von Göttern, einen Sturmgott, einen Meeresgott, eine Erdgöttin usw. Dies führt zum dritten Aspekt, den Machtkämpfen zwischen den Göttern. Die Fragmente der uns überlieferten kanaanäischen Mythen handeln daher vom Kampf zwischen Baal, dem Sturmgott, und Mot, dem Tod, dessen Helfer die Prinzen des Flusses und des Meeres sind. Spuren davon lassen sich noch in der Bibel finden, vor allem bei Jesaja und Hiob, doch auch in der Geschichte von der Durchquerung des Roten Meeres. Auch im akkadischen Epos *Enuma Elisch* ist der Plot ziemlich einfach: Verschiedene Götter werden geschaffen oder geboren, sie schmieden Bündnisse und bekämpfen einander, und das Gedicht endet mit dem Triumph von „Marduk, der Tiamat vernichtete und die Königswürde annahm".[23]

Betrachten wir nun die Rolle des Sabbats in der biblischen Erzählung. Da es keinen Kampf der Götter gibt, kann es keine dramatische Struktur geben. Wie aber lässt sich die Erzählung davor bewahren, einfach vorwärts zu schlendern, bis sie an Schwung verliert und zum Stehen kommt? Das geschieht an erster Stelle durch den Rhythmus und den dadurch bestimmten Erzählablauf. Was diesen Rhythmus jedoch sichtbar macht und ihm eine Rolle in der Erzählung verleiht, ist eben die Einrichtung des Sabbats. Der Sabbat macht deutlich, dass Leben und Geschichte sinnvoll sind und nicht bloß eine Sache des Zufalls oder einer Laune der Götter. Gott beendet seine Aktivität nicht aus Erschöpfung oder Niederlage, sondern absichtlich, und feiert dies mit der Einrichtung des Sabbats. Es ist darüber hinaus von Bedeutung, dass, obwohl sich die sieben Tage eindeutig auf den Mondmonat beziehen, der Ruhetag nicht am Tag des Neumonds oder Vollmonds eingeführt wird, so dass Gottes Entscheidung von Naturphänomenen unabhängig bleibt. Mit anderen Worten: Der Sabbat *erklärt* nichts, er *führt* etwas *ein*. Dadurch ermöglicht er auch das Wachsen des Buchs, denn durch die Einführung einer Pause kann die Erzählung sich erneuern. All das dient freilich, wie wir gesehen haben, nur dazu,

---

22 In den letzten Jahren sind die Forscher mit diesen Unterscheidungen vorsichtiger geworden und haben versucht, der historischen Dimension der antiken nahöstlichen Kulturen gerecht zu werden.

23 Dies sind die Schlusszeilen des Gedichts. Zur Verwendung der Stoffe der antiken nahöstlichen Mythen in der Bibel vgl. Frank Moore Cross: *Canaanite myth and hebrew epic*, Cambridge Mass. (Harvard University Press) 1973 und die Schriften von Umberto Cassuto.

jenes Prinzip offen zu legen und zu benennen, das wir im Anfangssatz am Werk sahen.

Ebenso wie Gott zurückblickt und sieht, dass das von ihm Geschaffene sehr gut ist, können auch wir in diesem Augenblick der Ruhe zurückblicken und sehen, welch weiten Weg wir zurückgelegt haben. Während wir dies tun, mögen wir uns fragen, wo der Anfang war – und wir stellen fest, dass wir diese Frage nicht beantworten können. Die Rabbiner, die den genauen Sinn des ersten Verses des Buches Genesis ausführlich diskutiert haben, stimmten gleichwohl darin überein, dass der Anfang ein Rätsel sei, das akzeptiert werden müsse, auch wenn es nicht verstanden werden kann. Der Jerusalemer Talmud hat sich einen köstlichen Beweis dafür ausgedacht: Die Bibel, heißt es dort, beginnt mit dem Buchstaben *beth*, dem zweiten Buchstaben im hebräischen wie auch im deutschen Alphabet, und nicht etwa mit dem ersten, *aleph*, denn „So wie der Buchstabe Beth (ב) auf allen Seiten geschlossen ist und nur nach vorne offen" – Hebräisch wird, es sei daran erinnert, von rechts nach links gelesen – „so soll man auch nicht fragen, was vorher geschehen ist, sondern nur, was seit der Zeit der Schöpfung passierte" (*Chagigah* 2,1).

Die Bibel ähnelt in dieser Hinsicht der *Commedia* und *À la recherche*, doch ist sie zugleich anders als diese. Alle drei behaupten, dass es so etwas wie ‚einen' oder ‚den' Anfang nicht gibt, es gibt bloß die Aktivität des ‚Anfangens'. Wenn wir anfangen, wissen wir nicht, dass wir es tun, doch wenn wir zurückblicken, sehen wir, dass wir schon unterwegs sind. Trotzdem unterscheidet sich die Bibel von den beiden späteren Werken darin, dass es diese Auffassung vom Ursprung mit einem Verständnis von Autorität verbindet. Das liegt teils daran, dass sie in der dritten und nicht in der ersten Person geschrieben ist, teils, dass es unmöglich ist, den Schöpfergott und den Erzähler zu trennen. Es ist aber auch das Ergebnis des beständigen Vertrauens, das die Erzählung in uns erweckt: Das Folgende verstärkt jeweils das Vorhergehende. Sollten wir das Vertrauen in diesen Gott oder in diese Erzählung verlieren, würden wir rückblickend entdecken, dass wir auch das Vertrauen in den Anfang verloren haben. Daraus folgt nun, dass der Rhythmus, den wir untersucht haben, diese Hin-und-Her-Bewegung von Erneuerung und Wiederholung, stark und geschmeidig genug sein muss, um noch weit größere Veränderungen und Vielfalt als jene des ersten Kapitels zu tragen. Der Rhythmus muss nicht nur die Trennung von Nacht und Tag oder von Land und Wasser verkraften, sondern auch die Trennung, die im Zentrum des Interesses der Erzählung steht: die von Mensch und Gott.

Eines der wertvollsten Resultate aus dem neuen literarischen Interesse an der Bibel und dem wachsenden Zweifel am Wert der Quellenscheidung besteht darin, dass wir die drei Anfangskapitel der Genesis nun als eine Einheit betrachten können. Doch noch immer gibt es die Tendenz, zwar den doppelten Schöpfungsbericht zu berücksichtigen, nicht aber den Rhythmus des sich entfaltenden Ganzen. Wenn aber die hier vorgetragene Lektüre schlüssig ist, dann steht fest, dass die Bibel mittels kleinster, nebeneinander angeordneter Einheiten funktioniert, wobei die Erzählung so aufgebaut wird, dass sie zusammengefügt werden, wo es erforderlich ist. Dies ist ein außerordentlich einfaches und flexibles System, das vom quasistenographischen Abriss bis zu ausführlichen Darstellungen reichen kann. Dies wird natürlich durch den parataktischen Charakter der hebräischen Syntax und durch die Ablehnung von Dualismus innerhalb der Erzählung ermöglicht und verstärkt. Alle drei Aspekte zusammen erzeugen eine Erzählung, die ganze neun Kapitel damit zubringt, von der Schöpfung bis zu Noah und seinen Kindern zu gelangen, das ganze Thema aber auch in gerade mal vier Versen abdecken kann: „Adam, Set, Enosch, Kenan, Mahalalel, Jered, Henoch, Metuschelach, Lamech, Noach, Sem, Ham und Jafet" (1 Chr 1,1-4).

Vielleicht müssen wir uns, extrem gesagt, die Konstruktion der hebräischen Bibel weniger wie St. Paul's Cathedral oder gar wie eine mittelalterliche Kathedrale vorstellen, sondern mehr wie das Centre Pompidou: als ein großes und eindrucksvolles Bauwerk, dessen Gerüst durchaus sichtbar ist und dem immer mehr Teile hinzugefügt werden können, ohne die Grundstruktur zu verändern, und dessen Etagen nach Belieben angehoben und abgesenkt werden können.

Natürlich ist das nur ein grober Vergleich, denn eine Erzählung verändert sich mit der Zeit, was sich auf Architektur höchstens metaphorisch übertragen lässt. Jedes neue Element in Genesis 1 lenkt unsere Aufmerksamkeit auf Elemente, die wir übersehen hätten, wären sie uns nicht durch das, was in der Geschichte folgt, zu Bewusstsein gebracht worden. So richten denn auch das zweite und dritte Kapitel unsere Aufmerksamkeit auf das Thema der Teilung in Kapitel 1. Dort wurde Teilung als eine beinahe natürliche und zweifellos wohltätige Aktivität betrachtet, doch muss dies nicht immer der Fall sein. Teilen bedeutet, Bewegung zu ermöglichen, eine neue Welt entstehen zu lassen, doch zerstört es zugleich die zuvor bestehende Ganzheit. Deshalb müssen wir am Anfang vorwärts gedrängt werden. Die Alliteration von Genesis 1,1 verstärkt dabei den Rhythmus, um uns in Bewegung zu halten, und gibt uns durch Wiederholungen zugleich den Trost der Sicherheit: *bereshit bara elohim*. Das *ber/bar* schneidet uns von allem ab, das vorher war, und das *a/i* in *bara elohim*, das das *i* von *bereshit* aufgreift, öffnet uns für die Zukunft. Die Hülle der Stille wird also zerschnitten und wir werden vorangetrieben. Es folgen weitere Teilungen, die schließlich in der Formung des Menschen aus der Erde gipfeln, *Adam* aus *adamah*. Der Mensch wird nach dem Bilde Gottes gemacht, das gleiche und doch anders, so wie *bara* das gleiche wie *bereshit* und doch anders war. Und so wie Gott zu sich sprach, kann er nun zum Menschen sprechen. Die Erzählung schreitet voran, indem sie teilt und dann heilt und dann wieder teilt.

Die Schlange ist ihrer Erscheinung als auch ihrer Funktion nach die Personifikation der Teilung. Sie bringt zum ersten Mal einen wirklichen Dialog in die Geschichte, und sie bringt das mit, was zum Dialog dazugehört, die Möglichkeit von Lüge und Verstellung. Durch die Sprache überzeugt sie die Frau, die Sprache zu umgehen und von der magischen Frucht zu essen, um wissend wie Gott zu werden („gut und böse" sind nicht als ethische Kategorien zu verstehen, sondern als Umschreibung der ‚Gesamtheit der Dinge'), doch alles, was sie und Adam erfahren, ist, dass sie nackt sind. Wir haben gesehen, wie einige Schlüsselwörter in Kapitel 1 die Kette von Schöpfung/Wiederholung artikulieren. In den Kapiteln

2–3 sind es die Schlüsselwörter *yad'a*, „wissen", und *'arum*, das, was Adam und Eva am Ende von Kapitel 2 sind (nackt), aber auch, was die Schlange am Anfang von Kapitel 3 ist (schlau, listig): „schlauer (*'arum*) als alle Tiere des Feldes" (3,1). Wissen und Weisheit, Nacktheit und List sind so miteinander verbunden, und Gottes schöpferisches Wort wird zur List der Schlange, die den Mann von sich selbst und von der Frau trennt, von Gott und vom Garten.

Der Begriff der Nacktheit bezieht sich hier vermutlich mehr auf die Idee der Verletzlichkeit als auf die der Sexualität. Wird das Wort an anderer Stelle in der hebräischen Bibel verwendet, so gewöhnlich in Bezug auf jemanden, der seiner schützenden Hülle entblößt wurde, manchmal auch seiner Besitztümer, wie in Hiobs berühmten Worten: „Nackt kam ich hervor aus dem Schoß meiner Mutter; nackt kehre ich dahin zurück. Der Herr hat gegeben, der Herr hat genommen; gelobt sei der Name des Herrn" (Hi 1,21). Des weiteren sollten wir festhalten, dass die Ankunft des Todes und die Vertreibung aus dem Garten keine besonders neuen und entscheidenden Ereignisse sind, wie es der christliche Ausdruck des „Sündenfalls" glauben macht, sondern bloß weitere Beispiele für diese Teilung, die wir als wesentlichen Bestandteil der Erzählung erkannt haben, seit das erste Wort die Stille durchbrach. Wenn also die Einrichtung des Sabbats das erste Hauptelement in der Struktur dieses Buchs ist, dann ist die rasch darauf folgende Etablierung des Todes das zweite. Das erste ermöglicht durch die Wiederholung endlose Entwicklung; das zweite ermöglicht die Dynamik der Veränderung, indem Generation auf Generation folgt, ist aber auch ein weiteres Beispiel für die beruhigenden Wiederholungen, da sich jedes Leben den Begrenzungen fügt, die dem Menschen von Anfang an auferlegt wurden.

In den Kulturen des Alten Orients wurden Mythen erfunden, um das Universum zu verstehen. Neben den Kämpfen der Götter erörterten die Mythen vor allem auch das Wesentliche am Menschen: seine Sterblichkeit. Für diese Mythen war die Unsterblichkeit des Menschen gleichbedeutend mit dem Triumph des Hauptgottes über seine Feinde. Wenn dagegen der Held wie Gilgamesch bei seiner Suche scheiterte, war dies das Ende der Geschichte. Auch bei Homer ist der Tod das Ende, das es so lange wie möglich zu vermeiden gilt, auch wenn ein heroischer Tod maßgebliches Begehren des Kämpfers bleibt. Bei Vergil ist der individuelle Tod weniger bedeutend als die Errichtung des Reiches, obwohl dies, wie Buch IV der *Aeneis* zeigt, für Vergil und seine Zeitgenossen keineswegs selbstverständlich war. Im klassischen Roman kann der Tod jede der Figuren ereilen außer den Helden selbst – eine Einschränkung, die bei Romanen in erster Person selbstverständlich ist, faktisch aber meist auch für Erzählungen in der dritten Person gilt. Soweit ich weiß, bildet der Tod nur in der Bibel – und nur, weil sie von Tausenden von Figuren und Dutzenden von Generationen handelt – einen Teil des natürlichen Rhythmus des Ganzen. „Unsre Tage zu zählen, lehre uns! Dann gewinnen wir ein weises Herz" (Ps 90,12), sagt der Psalmist. Und es sollte uns nicht überraschen, dass die Zahl dieser Tage siebzig Jahren entspricht, denn der Grundrhythmus wird zuerst in Form von Dreien und Siebenen gegliedert: „Unser Leben währt siebzig Jahre, und wenn es hoch kommt, sind es achtzig. Das Beste daran ist nur Mühsal und Beschwer, rasch geht es vorbei, wir fliegen dahin" (Ps 90,10).

Es wird häufig behauptet (zuletzt und mit Nachdruck von Herbert Schneidau), dass die Bibel sich der Welt des Alten Orients entgegenstellt, indem sie sich dem Trost von Mythos und Kultur ebenso verweigert wie der Behaglichkeit jährlicher Zyklen oder eines Landes in festem Besitz.[24] Daran ist einiges wahr, doch ist dieses Bild zu einseitig. Unsere Analyse der Anfangsverse der Genesis zeigt, dass solche Verweigerung von Behaglichkeit nur möglich ist, weil die Bibel anerkennt, dass es einen tiefgründigeren Rhythmus als den Zyklus der Jahreszeiten gibt, einen Rhythmus, der nicht zur Natur gehört, sondern zu Gott, der weniger die „natürliche Welt" als den Menschen betrifft. Und wie so oft kommt der Rhythmus deutlicher zum Vorschein, wenn man gegen ihn verstößt, als wenn man ihm treu folgt: Etwa wenn Menschen den Sabbat vergessen oder versuchen, wie homerische Helden zu sterben oder den Tod anderer herbeizuführen. Doch insofern der Rhythmus bereits in den Anfangsversen so unerschütterlich gebildet wurde, bestärken diese Abweichungen von der Norm nur unser Gefühl dafür, worin diese Norm besteht.

Unser Gefühl. Denn als Leser sind wir natürlich privilegiert, mehr zu sehen und somit mehr zu verstehen als die Menschen, deren Leben in der Bibel nacherzählt werden. Der Rhythmus, der sich über die Generationen erstreckt, ist ihnen wahrscheinlich verborgen (obwohl die wiederholte Vorschrift, die alten Geschichten weiterzuerzählen, ihnen die Augen für diese Dinge öffnen soll); dem Leser aber ist er nicht verborgen. Der Rhythmus wird, mit anderen Worten, nicht direkt in der Welt offen gelegt, sondern im Buch.

Die Genesis besteht zweifelsohne aus vielen Traditionssträngen, doch entscheidend ist, wie diese zusammengeführt wurden. Um zu verstehen, wie sie funktioniert, muss man Vergleiche mit Gattungen wie Mythos und Sage, Kurzgeschichte, Drama und Roman zurückstellen. Als weitaus hilfreicher erweisen sich Vergleiche mit bestimmten Werken wie dem *Enuma Elisch* oder Prousts *Recherche*. Aber, so ließe sich einwenden, sind Vergleiche der Bibel mit Dante und Proust nicht hoffnungslos anachronistisch? Ich denke, dass es sich hier nicht um einen Anachronismus handelt. Die Geschichte der Kunst schreitet nicht geradlinig voran, und in jedem Zeitalter fanden Künstler Wege, sich der unmittelbaren Vergangenheit zu entziehen, indem sie sich in der Zeit rückwärts und im Raume nach außen bewegten. Vergil entfloh den Zwängen seiner Zeit indem er auf Homer zurückgriff, Dante tat dies im Rückgriff auf Vergil, und Eliot griff zurück auf Dante. Es ist an sich nicht überraschend, dass sich die Leser von Proust und Joyce bei der Lektüre der Genesis wohler fühlen als Leser von Balzac und George Eliot. Wir dürfen uns durch Vergleiche nicht hypnotisieren lassen, sondern sollten sie nur da anbringen, wo sie uns helfen können.

Aber wie sollen uns nun die Ich-Erzählungen von Dante und Proust bei einem Buch wie der Bibel helfen, die in ihrer Unpersönlichkeit gewiss größere Nähe zum antiken Epos als zur modernen Erzählung aufweist? Erstaunlicherweise ist es gerade

---

24 Herbert N. Schneidau: *Sacred Discontent: the Bible and Western tradition*, Berkeley – London (University of California Press) 1977.

der Gebrauch der ersten Person bei Dante und Proust, der uns an ein Verständnis der großen Themen und Strategien der Bibel heranführen könnte. Denn wie jeder Leser weiß, ist der Icherzähler bei Dante und Proust eine problematische Figur, ganz anders als im Falle Robinson Crusoes oder David Copperfields. Denn sowohl in *À la recherche* als auch in der *Commedia* gibt es eine Spaltung zwischen dem „Ich", das die Reise erlebt, und dem „Ich", das von der Reise erzählt, eine Spaltung, die in der Fiktion am Ende beinahe und im Werk vollständig überbrückt wird, da das erste „Ich" so sehr zum zweiten geworden ist, dass das Buch von ihm geschrieben werden kann. Dies lässt sich auch so beschreiben, dass das zweite „Ich" all das Potential enthält, das im ersten „Ich" vorhanden war, das jedoch aus zahlreichen Gründen in ihm zunichte gemacht wurde. Das Verblüffende daran ist, dass dieses Potential in einem Werk dargestellt und freigesetzt wird, das von den Hindernissen dieser Erfüllung erzählt.

Wenn wir uns der Bibel zuwenden, wird uns rasch bewusst, dass es darin eine ähnliche Unterscheidung gibt, diesmal aber nicht zwischen Erzähler und Protagonist, sondern zwischen Schöpfer und Geschöpf. Gott hat in diesem Buch keine Eigenschaften, die sich beschreiben ließen, oder eine Biographie, die erzählt werden könnte, wie sie die Götter in den antiken nahöstlichen Mythen oder bei Homer und Vergil haben. Er scheint ein reines, sich aktiv realisierendes Potential zu sein. Das Buch beginnt mit seiner Gegenwart, doch ist diese Gegenwart nicht greifbar. Wer und was dieser Gott ist, erfahren wir erst, als sich die Beziehungen zwischen ihm und Adam und ihm und Adams Nachfahren entwickeln. Wie in der *Commedia* und der *Recherche* wird sein Potential erst in der sich entfaltenden Erzählung realisiert (in beiden Bedeutungen des Wortes).

Auch wenn die Bibel vom Intellekt her nicht erfasst werden kann, macht sie doch kein Geheimnis aus ihrer Vorgehensweise, und auch Gott macht kein Geheimnis aus sich selbst.[25] Als Moses ihn geradeheraus fragt, wer er sei, antwortet er so genau er kann: *ehyeh asher ehyeh* (Ex 3,14). Die übliche deutsche Übersetzung „Ich bin, der ich bin" leitet sich wieder von der Septuaginta her, die von der Vulgata als *„ego sum qui sum"* übersetzt wurde. Wie die Kommentatoren schon lange betonen, stützt sich diese Fassung auf die Unterscheidungen der griechischen Philosophie zwischen Essenz und Existenz oder Sein und Werden, die in der hebräischen Phrase fehl am Platz sind. YHWH identifiziert sich hier mit dem Verb *haya*, sein, jedoch als *Aktivität* und nicht als *Essenz*. YHWH hatte kurz zuvor zu Moses

---

25 Vergleiche dazu die antike ägyptische Einstellung zum Namen Gottes in „The God and His Unknown Name of Power", in: *Ancient Near Eastern Texts*, hg. v. James Bennett Pritchard, Princeton (Princeton University Press), 1950 S. 12–14. Der Herausgeber des ägyptischen Kapitels, John A. Wilson, bemerkt dazu: „Den Alten galt der Name als Element der Persönlichkeit und der Macht. Er konnte so sehr mit göttlichem Potential aufgeladen sein, dass er nicht ausgesprochen werden konnte. Oder aber der Gott bewahrte einen verborgenen Namen für sich und behielt dadurch eine Machtposition über alle anderen Götter und Menschen." Der höchste Gott Re, schreibt er weiter, „hatte viele Namen, von denen einer verborgen war und somit eine Quelle der Überlegenheit. Die Göttin Isis schmiedete ein Komplott, um diesen Namen zu erfahren und so die Macht zu erlangen. Zu diesem Zweck setzte sie das Gift einer Schlange gegen Re ein" (S. 12).

gesagt: „Ich werde ja mit dir sein (*ehyeh*)" (3,12), und jetzt definiert er sich als der, der sein wird, was er sein wird. Mit anderen Worten, er erklärt, dass er sich nicht durch einen Namen oder eine Menge von Attributen fassen lässt wie Marduk oder Juno, sondern dass er in seinen Handlungen und in seiner Beziehung zu Moses begriffen werden wird. Für uns bedeutet dies, dass wir in diesem Buch keine Geschichten *von* ihm finden werden, wie wir Geschichten von Marduk im *Enuma Elisch* oder von Juno in der *Aeneis* finden können, sondern dass die Geschichten in diesem Buch für uns die einzige Möglichkeit sind, ihn zu entdecken und zu verstehen. In diesem Sinne müssen Abraham und Moses und alle anderen, die YHWH in der Bibel begegnen, auf ihn reagieren, wie wir auf jemanden reagieren, dem wir begegnen: Wer und was sie sind, erfahren wir mit der Zeit und dadurch, wie sie sich in unterschiedlichen Situationen verhalten, und es besteht dabei immer die Möglichkeit, dass wir uns irren.

Es gibt noch einen weiteren Aspekt der Phrase *ehyeh asher ehyeh*, der erwähnt werden muss. Sie bildet nämlich den nahezu vollkommenen Gegensatz zur Anfangsphrase, *bereshit bara*. Waren es dort nur raue Konsonanten, die uns in eine stets offene Zukunft vorantrieben, haben wir hier nun etwas, das in der Sprache dem reinen Atem, der Nicht-Artikulation, der Nicht-Teilung am nächsten kommt. Dadurch, dass Gott diese Phrase äußert, definiert er sich einerseits als reines Potenzial, andererseits weist er jene Definition zurück, nach der Moses – und wir – suchen. Doch durch seine palindromische Äußerung mit ihren wiederholten „h"- und „sch"-Klängen weist er darauf hin, dass es sein Atem ist, der allen Äußerungen und Handlungen zugrunde liegt, ein lebendiger Atem, der sich nicht vorwärts bewegt und dennoch nicht statisch bleibt, der sowohl das Sprechen als auch die Welt aufrechterhält.

Der erzählerische Bund

Die Bibel nicht nur als Buch der Bücher, sondern auch als Buch unter Büchern zu lesen, ist lange auch unter literarisch interessierten Bibelinterpreten alles andere als selbstverständlich gewesen. Zwar wird seit George Smiths berühmtem Telegramm von 1873, in dem er aus dem Irak die Entdeckung der babylonischen Sintflutgeschichte vermeldete, über den Einfluss diskutiert, den babylonische Schriften auf das Buch Gottes ausgeübt haben könnten, doch war man bis zu David Damroschs 1987 erschienen Buch *The Narrative Covenant* allzu weit davon entfernt, eine Diskursgeschichte des Alten Orients über die bloße Motivgeschichte hinaus auch auf die literarischen Denkweisen, Stilmittel und Erzählstrategien auszudehnen. Ähnlich wie für Robert Alter und Gabriel Josipovici ist David Damroschs Literaturforschung nicht ausschließlich auf die Bibel fokussiert, wodurch das „Umwenden des Blickes", wie Platon das Prinzip des Lernens beschreibt, wesentlich fruchtbarer wird. Die Projektionen in den Text, die bei allem wissenschaftlichen Anspruch ja stets exegetisches Grundprinzip bleiben, blenden dadurch stets einen anderen literarischen und literaturgeschichtlichen Hintergrund mit ein. Womöglich ist das überhaupt der entscheidende Beitrag der gesamten *Bibel-als-Literatur*-Debatte, dass nämlich die Bibel von gänzlich neuartigen Standpunkten ins Auge gefasst wird, wodurch das Buch der Bücher nicht länger auf seine Botschaft und Wirkung reduziert bleibt, sondern durch die Lektüre anderer literarischer Werke erweitert wird. So erscheint die Welt und die Literatur nicht nur im Licht der Bibel, sondern die Bibel im Lichte anderer vor- und nachbiblischer Bücher.

David Damroschs Lehrstuhl für Komparatistik und Englische Literatur an der Columbia Universität in New York gilt als einer der lebhaftesten und thematisch weit gefächertsten, an dem er aztekische Poesie, nordische Sagen, Wordsworth, Kleist, Clarivaux, Freud und eben die Literaturen des Alten Orients in ein Spannungsverhältnis bringt, das der mitunter etwas in Verruf der Beliebigkeit geratenen Komparatistik alle Ehre einer Wissenschaft von den Formen menschlichen Denkens macht. Als vorzüglicher Kenner der altorientalischen, insbesondere babylonischen Literatur, vermochte er die Bibel sowohl gattungsgeschichtlich als auch literaturgeschichtlich in den altorientalischen Kontext einzuordnen, um gerade auf diese Weise deutlicher als je die wesenhaften Eigenheiten der biblischen Literatur und deren geistesgeschichtliche Entwicklung herausarbeiten zu können. In diesem Sinne ist auch sein Titel „Der erzählerische Bund" nicht nur als Anspielung auf den Bund des auserwählten Volkes mit seinem Gott zu verstehen, sondern auch auf den Bund der Menschen, die durch ihre Fähigkeit, die Welt zu erzählen, ihren Platz in der Welt gestalten.

DAVID DAMROSCH

Damrosch fragt nach der geistigen Lage, die in Israel dem Denken der Historie eine so herausragende Bedeutung zumaß und nähert sich von literarischer Seite noch einmal der alten Frage, weshalb ausgerechnet die Hebräer die erzählerische Geschichtsschreibung hervorbrachten, obwohl sich in Babylon, in Ras Schamra oder bei den Hethitern lange vorher schon literarische Konventionen herausgebildet hatten, die die historische Erinnerung ebenfalls in deutenden Geschichten hätten entfalten können. Erst bei den Hebräern jedoch entwickelte sich die narrative Komplexität, um aus der Geschichtsschreibung heraus eine in die Zukunft gewandte Geschichtsdeutung hervorzubringen. Im Unterschied zu den anderen Literaturen des Alten Orients geht es in der Bibel weniger um die tatsächliche, gelebte bzw. überlieferte Geschichte eines machtstolzen Volkes, das in der Erinnerung der nachfolgenden Generationen gefeiert bleiben will, sondern um Fragen an die Zukunft, die sich nur dann für das auserwählte Volk aus der erzählten Geschichte entfalten wird, wenn es die Eigenheiten seines Daseins aus den Verspiegelungen des literarisch komplexen Vergangenheitsgebäudes erkennt und über sich hinauswächst, um die Wirklichkeit moralisch zu überwinden.

Die Offenheit der Zukunft und der Wille zu ihrer Gestaltung, der Widerstand also gegen die Auslieferung an das Schicksal, verlangt, im Unterschied zur ausmalenden Nacherzählung vergangener Heldentaten, die Komplexität der nie eindeutig festzulegenden Bedeutungen von Erzähltem. Die Bibel zelebriert keine Kunst der Beschreibung, wie es in Hellas oder Babylon so oft der Fall war, und sie beschreibt nicht einfach nur, um Bilder vor Augen zu führen, die sich immer weiter ausgemalt dann überliefern lassen, damit die Helden in der Erinnerung unsterblich werden. Die Ausgestaltung eindrücklicher narrativer Bilder der Vergangenheit ist für die Bibel nur insofern interessant, als sie immer wieder zum Bedenken der Gegenwart auffordern und die Zukunft im Auge behalten.

Auch wenn David Damrosch die Bibel literarisch betrachtet, so will er sie keineswegs nur als ein fertiges Werk genialer Redaktoren betrachten, sondern von ihrer Herkunft, von ihrer historischen Gewachsenheit und Dynamik der Entstehung begreifen. Und so liegt das große Verdienst seines Buches *Der erzählerische Bund*, aus dem das vorliegende Kapitel entnommen ist, nicht zu letzt darin, dass er den so unsinnig aufgerissenen Abgrund zwischen historisch kritischem Quellenstudium und literarischer Interpretation überwindet.

Indem der *Narrative Bund* aufgrund der verschiedenen, jeweils herrschenden narrativen Konventionen, Motive und Gattungen in jeder historischen Generation immer wieder neu geschlossen wird, gibt gerade die Literaturwissenschaft eine Reihe neuer Mittel an die Hand, um die historische Schichtung des Textes nicht lediglich nach den Kriterien von Syntax, Lexik oder Grammatik freizulegen. Gerade die Untersuchung von Erzählstrategien und der sich immer komplexer herausbildenden Textkonstruktionen, lässt Rückschlüsse auf die historische Textentstehung zu. Denn auch wenn die Redaktoren die verschiedenen Quellen kombinationssicher zu einer literarischen Einheit verknüpften, so bleiben es doch verschiedene, eigenständige Quellen, die ihrer Arbeit zugrunde lagen.

Indem er die biblischen Erzählungen u.a. mit den Essays von Michel Montaigne, den isländischen Sagas und den Märchen aus Tausend und einer Nacht vergleicht, gelingt es ihm zu verdeutlichen, wie die Redaktoren weder einäugig waren und all die Widersprüche nicht bemerkten, noch so gewieft, jeden scheinbaren Widerspruch als Versteck höherer literarischer Geheimnisse zu benutzen, sondern dass sie die verschiedenen Quellen geschickt gegeneinander ausspielten, miteinander in Dialog brachten, kommentierten und sich gegenseitig ergänzend nebeneinander stellten. Wenn zum Beispiel König Saul in der einen Geschichte sich selbst ins Schwert stürzt (1 Sam 31,4) und in der einige Sätze später folgenden Geschichte statt sich selbst zu töten von einem Amalekiter erstochen wird (2 Sam 1,6-10), so kann dies durchaus auch bedeuten, dass die eine Geschichte die offizielle Version vom Ableben des Königs war, an der niemand wagen würde, etwas abzuändern – es sei denn, man erzähle die Geschichte im Gewand der direkten Rede eines Staatsfeindes noch einmal anders und kommentiere und unterminiere sie so. *hps*

DAVID DAMROSCH

Ist aus David etwa Goliath geworden? –
Das Wachsen der Davidsgeschichte

Epos und Familiensage in der Geschichte der Bundeslade

Die verschiedenen Entwicklungsstadien der Davidsgeschichte lassen eine schrittweise Einbindung von narrativen Elementen sowohl aus dem literarischen Epos als auch der historischen Prosa erkennen. Die Geschichte der Bundeslade, die am Anfang von 1 Samuel erzählt wird, ist vermutlich die früheste Erzähleinheit der beiden Samuelbücher und stellt den beispielhaften Fall eines frühen Versuchs dar, eine historische Erzählung anhand einer Folge von Ereignissen zu konstruieren. Diese weniger als vier Kapitel umfassende Erzählung (2,12-17, 22-25 und 4,1b-7,1) ist auf sehr einfache Weise um eine einzige Plotlinie konstruiert, die dem klar erkennbaren und im Grunde alleinigen Zweck dient, von dem Skandal des Raubs der Bundeslade durch die Philister und ihrer anschließenden Rückkehr in hebräischen Besitz zu berichten. Wie konnte Jahwe es zulassen, dass seiner Lade, die doch Symbol und Ort seiner Gegenwart in Israel war, dieses Unglück zustieß?

Im Unterschied zu späteren Teilen der Davidsgeschichte ist die Geschichte der Bundeslade durch ihre meist unzweideutige Komposition und Darstellung gekennzeichnet, die in der weiteren Entwicklung von 1-2 Samuel zusehends komplexer werden. Hier gibt es noch kaum mehrdeutige Figuren oder komplexe Motive, Plot und Subplot sind nicht miteinander verwoben, und die Dialoge der Figuren sind wenig entwickelt. Trotz dieser Einschränkungen zeichnen sich schon hier viele Eigenschaften der hebräischen Geschichtsschreibung ab, wodurch der Text eine gute Gelegenheit bietet, die anfängliche Entwicklung der hebräischen Chronik hinsichtlich ihrer poetischen und narrativen Elemente nachzuvollziehen. Die Geschichte der Bundeslade weist in ihrer Gesamtstruktur eine anspruchsvolle Vermischung von Gattungen auf. Auch wenn die verschiedenen Gattungen eher gegenübergestellt als tatsächlich verwoben werden, so zeigt sich gerade darin der Anfang einer Entwicklung, durch die die hebräische Geschichtsschreibung später auf so weitreichende Weise die bestehenden Gattungsgrenzen überschreiten sollte. Dem Problem des Verlusts der Bundeslade nähert sich die Erzählung mit einer Dopplung der Gattungen: Der Familiensage von Eli und seinen Söhnen wird die historisierte mythisch-epische Erzählung von Jahwe und Dagon, dem Hauptgott der Philister, gegenübergestellt. Diese beiden Erzählteile werden dabei im Wesentlichen sequentiell verbunden: Die Familiensage zeigt die Ursprünge der Krise, und der Kampf zwischen Gott und Dagon führt zu ihrer Lösung. Durch diese beiden Elemente wird die Chronik gestaltet, die von der Niederlage der Israeliten über den

DAVID DAMROSCH

Verlust der Bundeslade bis zu ihrer Rückerstattung reicht, die durch den Pestausbruch bei den Philistern motiviert wurde.

Das Ergebnis ist in narrativer Hinsicht etwas uneinheitlich, da sich Erzähltechnik und Bedeutungsebenen deutlich verändern, sobald die Geschichte von der Familiensage zum Bericht überwechselt. In der Familiensage liegt das Augenmerk auf menschlichen Figuren, dem alternden Eli und seinen bösen Söhnen Hofni und Pinhas, wohingegen im anderen Teil der Geschichte keine menschlichen Charaktere auftreten und die Ereignisse im Land der Philister, wie z.B. die Pest, Nebenwirkungen der Schlacht zwischen Jahwe und Dagon sind.

Die Familiensage beginnt mit einer lebendigen Darstellung des kriminellen Verhaltens der Söhne Elis, die das System der Tempelopfer durch ihre eigene Gier untergraben. Noch bevor das Fleisch überhaupt am Opferaltar verbrannt werden kann (2,12-17), senden sie schon ihre Diener, um sich die besten Fleischstücke notfalls mit Gewalt zu sichern. Der Stil dieser Episode zeichnet sich von Beginn an durch Lebendigkeit und Ironie aus: „Und die Söhne Elis waren nichtsnutzige Männer. Sie kümmerten sich nicht um den Herrn." (1 Sam 2,12). Die wortwörtliche Übersetzung verdeutlicht noch besser die Themen, die hier eingeführt werden: „Und die Söhne Elis waren Söhne der Wertlosigkeit, sie erkannten Jahwe nicht." Zwei Themen sind dabei zentral: das der Sohnschaft und das des Wissens, die beide für die folgende Geschichte der Bundeslade und auch für die Davidsgeschichte insgesamt wichtig sein werden.

„Söhne der Wertlosigkeit" ist ein in 1-2 Samuel recht gebräuchlicher Ausdruck für ‚Taugenichtse', der in anderen Büchern der Bibel weniger häufig vorkommt. Die direkte Gegenüberstellung von „Söhne Elis" und „Söhne der Wertlosigkeit" erzeugt eine ironische Spannung zwischen Abstammung und Charakter, die durch das Echo auf Elis Namen im zweiten Satzteil noch verstärkt wird: *beney 'Eli, beney beli-ya'al*.[1] Zur Abgrenzung der Söhne vom rechtschaffenen Charakter ihres Vaters passt die Ablehnung ihrer Beziehung zu Jahwe, wobei das Verb ‚erkennen', *yada'* (in 1 Sam 2,12: „sie hatten den Herrn nicht erkannt"), am besten im technischen Sinne der Vertragssprache verstanden werden sollte: ‚loyal sein; einen Vertrag

---

1 Die Parallele wird womöglich noch stärker, wenn wir *beliya'al* (‚Wertlosigkeit') als Eigennamen betrachten. Die King James Version übersetzt die Wendung mit „sons of Belial" (Söhne des Belial). Moderne Wörterbücher betrachten das Wort als gewöhnliches Substantiv (ein Kompositum aus *beli*, ‚ohne', und *ya'al*, ‚Gewinn'). Die Verwendung der Phrase „Söhne des X" in 1-2 Samuel spricht jedoch stark dafür, *beliya'al* als symbolischen Eigennamen zu lesen. Bei den etwa dreihundert Vorkommnissen der Wendung „Sohn/Söhne des ..." in 1-2 Samuel folgt in allen bis auf einundzwanzig Fällen ein Eigenname. Von den einundzwanzig sind neun bestimmte Formen von „Söhne des *beliya'al*", die übrigen zwölf finden sich in den Wendungen: „Sohn der Tapferkeit", „Sohn des Todes" und „Sohn von (x) Jahren". Diese Wendungen kommen in 1-2 Samuel mindestens genauso häufig wie in der gesamten übrigen Bibel vor. „Sohn des Todes", das dreimal vorkommt und gewöhnlich mit „sterben müssen" übersetzt wird, ist eindeutig ein Verweis auf Mawt/Mot, den kanaanitischen Gott des Todes. In jedem Fall muss „Sohn der Wertlosigkeit" doch als lebendige Metapher und nicht bloß als konventionelle Wendung verstanden werden.

einhalten'.[2] Von Anfang an hat die Geschichte der Verfehlungen der Familie den Beiklang eines allgemeinen Bruchs zwischen Gott und seinem Volk, der am Ende des Abschnitts noch einmal unterstrichen wird: „Und die Sünde der jungen Männer war sehr groß vor dem Herrn; denn die Männer verachteten die Opfergabe des Herrn" (2,17). Das Verb na'atz, ‚mit Geringschätzung behandeln, verachten, missbilligen, ablehnen, schmähen', beschreibt fast immer eine fundamentale Störung der Beziehung zwischen Gott und seinem Volk.[3]

Elis Söhne tragen als Vertreter des Volkes vor Gott die höchste Verantwortung für die Aufrechterhaltung der Bundesbeziehung durch Gehorsam und den durch das Opfersystem verkörperten Gottesdienst. Folglich muss ein Urteil, das an den Söhnen vollzogen wird, auch eine Strafe sein, die das Volk als Ganzes betrifft. Die Sünde der Söhne Elis bildet also die Grundlage, um den Verlust der Lade zu verstehen.

Die Strafe folgt schnell. Als Eli von der Boshaftigkeit seiner Söhne hört, ermahnt er sie, doch schenken sie dem kein Gehör (2,22-25), worauf der Krieg mit den Philistern folgt. Nach einer ersten Niederlage befehlen die Ältesten Israels, die Lade in die Schlacht zu bringen. Hofni und Pinhas begleiten sie, werden aber getötet, und die Lade wird von den Philistern geraubt (4,1-11). Als Eli davon erfährt, stirbt er, wobei die Szene sich durch die Erzählung von seiner schwangeren Schwiegertochter verdoppelt, bei der die schlimme Nachricht frühzeitige Wehen auslöst und zu ihrem Tod bei der Geburt des Kindes führt. In beiden Fällen betont der Text, dass sowohl Eli als auch seine Schwiegertochter vor Schreck und Kummer über die Nachricht vom Raub der Lade sterben, und nicht wegen der Nachricht vom Tode Hofnis und Pinhas (4,12-22).

Auf diese Ereignisse folgt nun die große Schlacht zwischen Jahwe und Dagon. Die Philister stellen die Lade im Tempel Dagons auf. Am nächsten Morgen finden sie die Statue Dagons vor der Lade niedergeworfen. Sie stellen die Statue wieder auf, doch am nächsten Tag haben sich die Dinge weiter zugespitzt: Dagon ist wieder niedergeworfen, doch nun sind sein Kopf und seine Hände abgeschlagen. Die Geschichte wird vollständig aus der menschlichen Perspektive erzählt, also ohne unmittelbare Darstellung des Kampfs zwischen Jahwe und Dagon, doch wie Patrick Miller und J. J. M. Roberts in ihrer Untersuchung der Geschichte der Bundeslade gezeigt haben,ist die Szene eindeutig eine prosaische und historisierte Darstellung einer göttlichen Schlacht.[4]

---

2 Vgl. Herbert B. Huffmon: „The Treaty Background of Hebrew Yada", in: *Bulletin of the American Schools of Oriental Research (BASOR)* 181 (1966), S. 31–32, worin der hebräische Gebrauch im Lichte hethitischer und akkadischer Parallelen diskutiert wird.

3 Interessanterweise beschreibt das Verb an beiden Stellen, an denen es für rein menschliche Beziehungen verwendet wird, die Boshaftigkeit von Söhnen, die den Rat ihres Vaters missachten (Spr 5,12, 15,5).

4 Patrick D. Miller/Jimmy J.M. Roberts: *The Hand of the Lord: A Reassessment of the "Ark Narrative" of 1 Samuel*, Baltimore (Johns Hopkins University Press) 1977. Für das Abhauen der „beiden Hände" Dagons (5,4) gibt es direkte Parallelen in ugaritischen poetischen Erzählungen über Kämpfe zwischen Göttern.

Der Götterkampf kann als nachträgliche Vertiefung der auf diese Szene folgenden historischen Ereignisse betrachtet werden: In allen Städten der Philister, in die
die Lade gebracht wird, bricht die Pest aus, so dass die Philister sich genötigt sehen,
die Bundeslade zurückzugeben, zusammen mit goldenen Abbildern von fünf Beulen und fünf Mäusen, die die Pest und Mäuseplage in den fünf Städten der Philister
symbolisieren. Die Erzählung endet mit dem freudigen Empfang der Lade auf isra-
elitischem Gebiet, was allerdings mit einem Unglück beginnt, da durch unsachge-
mäße Handhabung der Lade siebzig Israeliten ums Leben kommen.[5] Zur Bewa-
chung der Lade wird schließlich Eleasar, der Sohn Abinadabs, als korrekt geweihter
Priester eingesetzt.

Die Geschichte der Bundeslade vermittelt einen archaischen Eindruck durch
ihren einfachen Handlungsablauf, ihre simple Erzählweise und ihre gelegentliche
Plumpheit, wenn sie sich zum Beispiel voll Schadenfreude über die fünf goldenen
Beulen verbreitet, mit denen die unglückseligen Philister ihr Leid darstellen. Charakterisierungen sind, sofern sie überhaupt vorgenommen werden, als absolut gesetzt. Der Horizont der Handlung ist eng, und für das Unglück des Raubs
der Lade wird nur eine einzige Ursache geltend gemacht. Die Erzählung bewegt
sich noch deutlich im Umkreis traditioneller Chroniken und ist in mancher Hinsicht weniger entwickelt als zum Beispiel die ausführlichen mesopotamischen
Chroniken.

Die Ladeerzählung wurde allerdings auch bedeutend erweitert, wobei die Elemente der Familiensage und die Umarbeitung der poetischen Erzählung im Kampf
von Jahwe gegen Dagon bereits Teil einer tief greifenden Entwicklung hin zu einer
tatsächlichen Verschmelzung von Epos und Chronik sind. Einige markante Elemente der Erzählung sind zwar im Epos verbreitet, kommen aber nur höchst selten
in der historischen Prosa anderer Länder vor. Beginnen wir mit der Grundstruktur
der Erzählung. Auch wenn man vernünftigerweise vermuten kann, dass die Erzählung von Eli und seinen Söhnen in die Geschichte der Bundeslade aufgenommen
wurde, um deren Verlust zu erklären, stellt der Text den Sachverhalt natürlich
anders herum dar: Der Raub der Lade ist das Ergebnis von Gottes Reaktion auf die
Verruchtheit von Hofni und Pinhas.

In dieser Konstruktion steckt etwas, das sich mit der ironischen Bekämpfung
des Bösen durch das Böse im *Gilgamesch-Epos* vergleichen lässt. Als Reaktion auf
Gilgameschs Unterdrückung seines Volks schaffen die Götter Enkidu, der das Volk
noch stärker unterdrückt. Erst als sich der Plan der Götter nach und nach und
ohne bewusste Beteiligung der irdischen Figuren erfüllt, löst sich diese Verkettung
von Übeln zum Guten auf. In der Geschichte der Bundeslade ist die Situation
ähnlich: Hofni und Pinhas unterdrücken das Volk, dessen Opferzeremonien sie

---

5 Der hebräische Text stellt diesen Abschnitt in einer vermutlich verstümmelten Form dar, in der die
siebzig Israeliten dadurch getötet werden, dass sie die Lade ansehen. Vermutlich war das ursprüngliche historische Problem der Mangel an qualifizierten Priestern in der Stadt Bet-Schemesch, wohin
die Lade zunächst gebracht wurde. Dies führte dazu, dass man die Lade nach Kirja-Jearim brachte,
wo sie ordnungsgemäß behandelt wurde. Vgl. P. Kyle McCarter: *1 Samuel*, (Anchor Bible), 1980,
S. 128ff.

eigentlich führen sollen, und sündigen wider Gott, der die Lage durch etwas berei-nigt, das zunächst als ein viel größeres Übel erscheint, nämlich durch den Verlust der Lade. Dieses Übel erweist sich allerdings schließlich in zweierlei Hinsicht als etwas Gutes: Erstens beweist es nachdrücklich die Macht Gottes über Dagon und sein Volk. Und zweitens führt es, was gleichermaßen wichtig ist, durch die Ernen-nung von Eleasar ben Abinadab zur Wiederherstellung eines ehrlichen Priesteramts für die Lade.

Wenn die Geschichte also ein Element epischer Ironie hat, so zeichnet sie sich auch durch epische Charakterisierungen aus. Darauf weisen etwa die sprechenden Namen der Figuren hin. Natürlich bedient sich nicht nur das Epos, sondern auch die Geschichtsschreibung dieses Mittels, der Unterschied liegt hier im Wesen und der Funktion dieser Namen: Der Name eines historischen Königs bringt gewöhn-lich seine ewige Beziehung zu seinem Schutzgott zum Ausdruck, was in den vielen von einem Gottesnamen abgeleiteten Namen deutlich wird. Selbst da, wo es zu einem Namenswechsel kam, wie bei Amenhotep, der seinen Namen in Echnaton änderte, bezeichnete die Namensänderung eine Wiedereinordnung in die mythi-sche Welt. Im Unterschied dazu ließ sich der Name eines epischen Helden stärker mit seiner jeweiligen Geschichte verknüpfen, wie bei Ziusudra, ‚Der das Leben gefunden hat‘, oder bei Enkidu, dessen Name gerade dort, wo er verführt wird, aus *enkata*, ‚wissend‘, abgeleitet wird.

In der Geschichte der Bundeslade gibt es das bemerkenswerte Beispiel, in dem Pinhas sterbende Frau ihren neugeborenen Sohn benennt. Sie gibt ihm den Namen Ikabod, was sich mit ‚die Herrlichkeit ist dahin‘ übersetzen lässt: „Darum sagte sie: Die Herrlichkeit (*kabod*) ist von Israel gewichen“ (4,21-22). Ikabod erhält seinen Namen also nicht aufgrund einer Eigenschaft seiner Person oder seiner Familie, sondern als Widerspiegelung der historischen Ereignisse, von denen erzählt wird. Die Symbolik des Namens wird zum rahmenden Sinnbild des „Exils“ der Bundes-lade. Gegen Ende der Erzählung sagen die Priester der Philister ihrem Volk, dass die Lade zusammen mit den goldenen Gaben nach Israel zurückgebracht werden muss, und befehlen ihnen: „Gebt dem Gott Israels die Ehre (*kabod*)“ (6,5). Dies sind die einzigen Vorkommnisse von *kabod* in der Geschichte der Bundeslade und abgesehen von der Verwendung im Lied der Hanna auch die einzigen Vorkomm-nisse in 1-2 Samuel. Der Verlust der *kabod* und ihre Rückkehr nach Israel rahmen also die Erzählung.

In einer weiteren thematischen Ausweitung der Erzählung werden die dispara-ten Elemente der Erzählung durch eine Vielzahl übergreifender Motive verbunden, die dem Kleidermotiv im *Gilgamesch-Epos* vergleichbar sind. So gibt es das Thema von der Hand Gottes, die schwer auf den Philistern liegt und zum Abhauen der Hände Dagons führt – eine Verschiebung der Strafe für die gierigen Hände, die zu Beginn der Erzählung mit Gabeln in die Opfertöpfe stachen.[6] Oder das Thema der Sehkraft: Die Erzählung beginnt mit dem halbblinden Eli, dessen Sehschwäche die Unfähigkeit symbolisiert, seine eigenen Söhne zu überwachen, geht dann über zu

---

6 Für eine ausführliche Erläuterung des Themas vgl. Miller/Roberts: *Hand of the Lord* (Anm. 4).

der öffentlichen Bezeugung der Macht Gottes durch die Philister und endet schließlich mit der Freude der Israeliten: „Und als sie ihre Augen erhoben und die Lade erblickten, freuten sie sich, sie zu sehen" – eine Verdreifachung von Ausdrücken für ‚sehen' (6,13). Diese Themen dienen als verbindende Leitmotive für die Elemente der Familiensage, der Chronik und des mythischen Epos, die miteinander zur Erzählung verwoben wurden.

Ein noch viel wichtigeres Verbindungselement jedoch ist die Verwendung der jahwistischen Exodusgeschichte, die der Geschichte der Bundeslade fortwährend gegenübergestellt wird – im anfänglichen Bericht über die Boshaftigkeit von Hofni und Pinhas, in der Erzählung der Schlacht und bei den Vorbereitungen zur Rückgabe der Lade. Die verschiedenen Verwendungen dieser älteren Erzählung zeigen, wie feinsinnig die Darstellung der zeitgenössischen Geschichte vor dem motivischen Hintergrund der Frühgeschichte des Volkes umgeformt wurde.

Zwei wiederkehrende Wendungen, die mit dem Auszug aus Ägypten zusammenhängen, rahmen die anfängliche Beschreibung der Boshaftigkeit von Hofni und Pinhas in 2,12-17 und 22-25. So erfahren wir über die Brüder zunächst, dass sie „Jahwe nicht erkannt" hatten *(lo' yad'u 'et-YHWH)*, ein in der Exoduserzählung allgegenwärtiges Thema. Der Pharao verkündet eigens: „Ich kenne Jahwe nicht" (*lo' yada'ti 'et-YHWH*, Ex 5,2).[7] Das Echo auf den Satz des Pharaos wird am Ende des ersten Teils der Ladeerzählung noch verstärkt, als die Brüder sich weigern, Elis Warnungen zu beherzigen: „Aber sie hörten nicht auf die Stimme ihres Vaters, denn Jahwe war entschlossen, sie zu töten" (1 Sam 2,25). Die Weigerung der Söhne, auf die Stimme ihres Vaters zu hören, folgt also genauso aus Gottes Absicht, sie zu bestrafen, wie die Weigerung des Pharaos, auf Jahwes Stimme zu hören (Ex 5,2 usw.), sich letztlich daraus ergab, dass Gott sein Herz verstockt hatte, um an den Ägyptern ein Exempel zu statuieren (Ex 10,1-2).

Diese Echos der Exodusgeschichte werden im Verlauf der Erzählung ausdrücklich entwickelt. Als die Philister erfahren, dass die Lade in die Schlacht gebracht wurde, sind sie sehr bestürzt:

> Da fürchteten sich die Philister, denn sie sagten: Gott ist zu ihnen ins Lager gekommen! Und sie riefen: Wehe uns! Denn solches ist bisher noch nie geschehen. Weh uns! Wer rettet uns aus der Hand dieses mächtigen Gottes? Das sind die Götter, die die Ägypter mit allerlei Plagen [in der Wüste] schlugen. Seid tapfer und seid Männer, ihr Philister, damit ihr nicht den Hebräern dienen müßt, wie sie euch gedient haben! Seid Männer und kämpft! (1 Sam 4,7-9)

Hier wird die Verwirrung der Philister auf komische Weise durch ihre widersprüchlichen Rufe und ihre Entstellung der Exodusgeschichte gezeigt. Unfähigkeit, die Einzigkeit Gottes zu erkennen, stellen sie sich in 4,8 vor, dass Israel eine ganze

---

7 Die Wendung wird anschließend mehrmals für die Ägypter im Allgemeinen und für die Hebräer selbst verwendet (sie werden Jahwe kennen, sobald er sie herausführt). Dies sind die einzigen Vorkommnisse dieser Wendung in der Genesis bis zu Richter, abgesehen von einem Verweis auf die abtrünnige hebräische Generation, die in Richter 2,10 beschrieben ist.

Palette von Göttern hat. Mit diesem theologischen Missverständnis geht die historische Verwirrung einher, dass sie die ägyptischen Plagen mit dem Herumirren der Hebräer in der Wüste zusammen bringen. Die Rede bringt damit zum Ausdruck, dass ein korrektes Geschichtsverständnis sich erst aus dem richtigen Verständnis des Wesens Gottes ergibt und dass Ungläubigkeit (wissentlich oder unwissentlich) zu Verzerrungen, Unwahrheit und Trug führt.[8]

Das verwirrte Geschichtsverständnis der Philister zeigt sich zudem in ihrer schwankenden Einschätzung ihrer eigenen historischen Situation: In ein und demselben Atemzug betrachten sie das Auftauchen der Lade als einzigartiges Ereignis („solches ist bisher noch nicht geschehen") und als Wiederholung der Geschichte des Exodus. Tatsächlich ist ihr Eindruck, dass es sich bei ihrem Leid um etwas noch nie da Gewesenes handelt, ein weiteres unwissentliches Zeichen für ihre Ähnlichkeit mit den Ägyptern. Moses hatte dem Pharao die Plagen als etwas angekündigt, das „deine Väter und die Väter deiner Väter nicht gesehen haben, seitdem sie in diesem Land leben [...]" (Ex 10,6). Ironischerweise weckt diese Parallele zum Exodus die Tapferkeit der Philister und führt sie zum Sieg in der Schlacht, auch wenn sie nicht bemerken, dass sich damit bereits eine weit schlimmere Niederlage durch die Hand Jahwes anbahnt. In ihrem Versuch, sich gegen die Parallele zum Exodus zur Wehr zu setzen, verwirklichen sie sie, denn der Raub der Lade ruft die Plage hervor, die ihr Land verwüsten wird.

Die Parallele zum Exodus wird noch weiter vertieft, als die Priester der Philister die Rückgabe der Lade empfehlen: „Warum wollt ihr euer Herz verstocken, wie die Ägypter und der Pharao ihr Herz verstockt haben? Ließen sie sie nicht ziehen, als Jahwe ihnen mitgespielt hatte, und sie zogen weg?" (1 Sam 6,6) Diese eng an die jahwistische Sprache in Exodus 10,1-2 angelehnten Zeilen führen explizit die symbolische Strukturierung der Erzählung vor, wobei die Bundeslade die Rolle des hebräischen Volkes während ihrer Sklaverei in Ägypten spielt. Und so wie die Hebräer die Ägypter bei ihrer Abreise beraubten und den Goldschmuck der Ägypter mitnahmen (*keley zahav*, Ex 3,22 usw.), kehrt die Lade mit den fünf goldenen Beulen und Mäusen zurück, die ebenfalls als *keley zahav* beschrieben werden (6,8).[9]

Durch die Einführung von Elementen sowohl der Familiensage als auch des mythischen Epos führt die Geschichte der Bundeslade bei aller Kürze und Schlichtheit vieler ihrer Elemente zu anspruchsvollen Erweiterungen der historischen Prosa. Auch zeigt sich schon hier eine starke Beeinflussung durch die jahwistische Chronik der legendären Frühzeit, die als Modell für das Verständnis der eigenen Gegenwart betrachtet wird. Die Zeit des Exodus bildet den Hintergrund der gegenwärtigen Geschichte, vergleichbar mit der Flutgeschichte des Erra-Epos, den

---

8 Es gibt keinen Grund, diese Stelle zu glätten oder gar V. 8 durch „mit allerlei Plagen und Pest" zu übersetzen, bloß weil der Bericht der Philister „im Gegensatz zur biblischen Tradition steht" (McCarter: *1 Samuel* [Anm. 5], S. 104) – denn genau darauf will diese Stelle ja hinaus.

9 Vgl. zu dieser Parallele Miller und Roberts: *Hand of the Lord* (Anm. 4), S. 55f. und Anmerkungen. Zu weiteren Parallelen zwischen der Geschichte der Bundeslade und dem Exodus vgl. Moshe Garsiel: *The First Book of Samuel*, Israel (Revivim) 1985, S. 51–54.

Abenteuern Utnapischtims oder dem Etana-Mythos, die als Bezugspunkte der epischen Gilgamesch-Erzählung dienen. Die schockierenden Ereignisse der Gegenwart werden durch den historischen Vergleich sowohl verstanden als auch gebändigt: Indem die goldenen Beulen der Philister als Parodien auf den Schmuck der Ägypter erscheinen, führt die Geschichte der Bundeslade die Philister als lächerliche Doppelgänger jener großen, einst bezwungenen Feinde vor.

Die triumphierende Behauptung der Kontinuität mit früheren Zeiten, wie sie in der Geschichte der Bundeslade deutlich wird, schließt allerdings keineswegs das Bewusstsein dafür aus, dass Gottes Eingriffe in den Ablauf der Geschichte nicht mehr ganz so direkt und spektakulär wie früher sind. Zwischen Gott und Dagon gibt es zwar eine große Schlacht, doch keiner sieht oder hört sie. Das einzige Anzeichen ist die gestürzte und beschädigte Statue. Als Jahwes Macht sich im Land manifestiert, geschieht es mit nur einer Plage, noch dazu einer gewöhnlichen Beulenpest, anstatt der zahlreichen Plagen mit Blut, Finsternis und Tod der Erstgeborenen, wie sie aus der Exodusgeschichte bekannt sind. Die Äußerung der majestätischen Macht Gottes ist soweit abgeschwächt, dass die Philister sogar ein Experiment anstellen, um zu prüfen, ob es überhaupt Jahwe ist, der die Plage verursacht hat: Sie stellen die Lade auf einen Wagen, der von zwei ungebändigten Kühen gezogen wird, und schauen, ob die Kühe von allein in Richtung der israelitischen Gebiete laufen, was sie tatsächlich tun (6,7-12). Das Wunder sucht nach Unterstützung bei den strengen Wissenschaften, was als Folge aus der zunehmenden Orientierung der Erzählung an irdischen Szenarien und beobachtbaren Phänomenen zu verstehen ist. Das verstärkt die in der späten epischen Tradition bereits sichtbare Tendenz, dass Gott sich von unmittelbaren Handlungen zurückzieht, was in den späteren Phasen der Davidsgeschichte noch deutlicher hervortritt.

Die Geschichte der Bundeslade scheut sich ebenso wenig wie die assyrischen Chroniken, unangenehme Tatsachen zu verzerren oder gar zu unterschlagen: Wir erfahren lediglich durch verstreute Hinweise an anderer Stelle (Ps 78,60; Jer 7,4), dass die Philister auch den bedeutenden Schrein in Schilo zerstörten, als sie die Lade raubten. Auch wenn die historische Objektivität den theologischen Interessen untergeordnet bleibt, zeigt die Erzählung bereits ein neues Verständnis für die historische Perspektive. Das zeigt sich sowohl an der Verwendung der Exodus-Vorlage, als auch an den Unterscheidungen zwischen der Fehleinschätzung der Situation bei den Soldaten der Philister, der genaueren, wenngleich verspäteten Erkenntnis der Exodusparallele durch die Priester der Philister und schließlich an der eigenen Konstruktion des Berichts durch den Erzähler, der auf flexible Weise direkte und indirekte Anspielungen auf den Exodus verwendet. All diese Elemente werden in späteren Phasen der Komposition der Davidsgeschichte weiter entwickelt. Wenn dabei die meisterhafte Erzählung der Thronfolge die größte Aufmerksamkeit bei Literaturwissenschaftlern erregt hat, so ist sie doch gerade durch ihre Vollkommenheit etwas untypisch. Die weniger entwickelte und vermutlich früher verfasste Geschichte vom Aufstieg Davids lässt bereits eine vollständig ‚poetische' Umarbeitung des historischen Materials erkennen. Die Umgestaltungen der Geschichte von David und Goliath bieten eine ausgezeichnete Gelegenheit, um nach den zaghaften frühen Experimenten, wie sie die Geschichte der Bundeslade darstellt, nun das Erblühen der hebräischen Erzählung zu beobachten.

Goliath in der Geschichte vom Aufstieg Davids

Leonhard Rost stellte als erster die These auf, dass es sich bei der Geschichte vom Aufstieg Davids um eine ursprünglich unabhängige Einheit handelte, die von 1 Samuel 16,14 bis 2 Samuel 2,5 reichte. Diese Aufstiegsgeschichte beschrieb die frühe Karriere Davids und legitimierte den Sturz König Sauls sowie die Absetzung seines Hofes. Parallelen zu ihr finden sich in anderen Erzählungen über die Begründung neuer Dynastien. Insbesondere der hethitische Text *Die Apologie Hattusilis III* weist zahlreiche Parallelen zur Geschichte vom Aufstieg Davids auf.[10] Wie David war Hattusilis der jüngste Sohn, war seinem König (in diesem Fall seinem Neffen) als Untertan treu ergeben und diente ihm als General. Er begann erst nach Macht zu streben, als sein König eifersüchtig auf ihn wurde und danach trachtete, ihn zu vernichten. Hattusilis erhielt dabei Unterstützung von seiner Schutzherrin, der Göttin Ischtar von Samuha, die bereits den Beschluss gefasst hatte, sich von seinem Vorgänger abzuwenden, und ihm den Thron versprach. Immer wieder betont Hattusilis seine Loyalität, seine Mäßigung und den Wunsch, seinen König fair zu behandeln und Ischtar zu gehorchen.

Hattusilis' Erzählung wurde vermutlich als eine Art Memorandum vom hethitischen Senat verwendet, um Hattulsilis' Herrschaftsanspruch zu rechtfertigen und zu festigen. Es ist aber auch möglich, dass der Text auch von jenen Priestern der Ischtar aus Samuha verwendet wurde, denen wir verdanken, dass die Erzählung überhaupt noch erhalten ist. Am Ende des Textes jedenfalls werden der Vorrang ihres Kults und die Notwendigkeit seiner künftigen Unterstützung hervorgehoben. Viele Wissenschaftler nehmen an, dass auch David in seiner Zeit, als die neue Monarchie sich eine starke und zentrale Machtposition im Land zu verschaffen versuchte, das Bedürfnis hatte, seine Macht zu rechtfertigen und zu festigen. Aufgrund der göttlichen Salbung Sauls musste David zeigen, dass seine Statur dem theologischen und politischen Mantel seines Vorgängers gewachsen war (und ihn übertraf), nachdem ihn der Bürgerkrieg an die Macht gebracht hatte.[11]

Es lässt sich mit gutem Grund vermuten, dass solch eine apologetische Schrift die Grundlage für die Aufstiegsgeschichte bildete: für den Bericht von Davids

---

10 Heinrich Otten (Hg.): *Die Apologie Hattusilis III*, Wiesbaden (Otto Harrassowitz), 1981.
11 Für eine vollständige Aufzählung der Parallelen zwischen den beiden Texten vgl. den Anhang zu Herbert Martin Wolf: *The „Apology of Hattusilis"*, Waltham, Mass. (Brandeis Univ., Diss.), 1967, S. 176–178. Wolf geht allerdings zu weit, wenn er behauptet, dass die Geschichte vom Aufstieg Davids direkt von der „Apologie" abhängig sei. Ganz abgesehen von den dreihundert Jahren, die die beiden Texte trennen, einer Periode, während der das Reich der Hethiter zusammenfiel, gibt es große Unterschiede zwischen den Texten, die Wolf nicht weiter erörtert. Dennoch sind die Parallelen beträchtlich, und es erscheint völlig plausibel, dass vergleichbare Umstände in beiden Fällen vergleichbar rechtfertigende Texte hervorbrachten.

Einführung am Hofe Sauls, von Sauls zunehmendem Wahn und seiner eifersüchtigen Furcht vor David, seinen Versuchen, den früheren Schützling zu vernichten, von Davids widerstrebendem Aufstieg an die Macht, der in der Zerstörung vom Hause Sauls, Davids Wahl zum König durch das Volk und der Gründung Jerusalems als Hauptstadt kulminiert. Nach seiner ersten Abfassung im frühen 10. Jahrhundert scheint der Text ungefähr im 8. Jahrhundert, wahrscheinlich unter Einfluss der Propheten, umfangreich überarbeitet worden zu sein. Die abschließende deuteronomistische Redaktion gilt dagegen übereinstimmend als relativ geringfügig, da sie den Text offensichtlich nur um einige Reden erweiterte, um einige deuteronomistische Themen hervorzuheben.

Im Anschluss an meine Untersuchung der frühen narrativen Verfahren in der Geschichte der Bundeslade möchte ich mich nun auf die mittlere Phase der Entwicklung von Davids Geschichte konzentrieren. Hier liegt das Augenmerk nicht mehr ausschließlich auf apologetischen Fragen, die Erzählung wird damit umfangreicher und vielfältiger. Ein besonders deutlicher Eingriff in die ursprüngliche Geschichte vom Aufstieg Davids ist die vordeuteronomistische Geschichte von David und Goliath in 1 Samuel 17. Die Erzählung verdoppelt den im vorhergehenden Kapitel völlig anders lautenden Bericht von Sauls erster Begegnung mit David und bereitet in narrativer Hinsicht außergewöhnliche Schwierigkeiten. In Kapitel 16 kommt David als Lyraspieler an Sauls Hof, um mit seinem Spiel Sauls Depressionen zu lindern, was zur Folge hat, dass Saul ihn in hohem Maße lieb gewinnt und zu seinem Waffenträger ernennt (16,21). In der Episode mit Goliath hingegen hat Saul David noch nie zuvor gesehen, und als er seinen General Abner nach David fragt, kennt dieser ihn ebenfalls nicht (17,55). Warum wurde die Erzählung an dieser Stelle eingefügt, obwohl sie mit dem Rest offenbar nicht kompatibel ist? Wie ich zeigen möchte, handelt es sich dabei nicht bloß um die Einfügung eines späteren Redakteurs, der es sich nicht nehmen lassen wollte, diese hübsche Volkssage zum Besten zu geben, auch wenn er dabei die Erzählung zerreißen musste. Die Geschichte von Goliath bildet vielmehr ein Schlüsselelement für die Umarbeitung der Geschichte vom Aufstieg Davids. Auch der deuteronomistische Historiker überarbeitet das Goliath-Motiv noch ein weiteres Mal, als er die Geschichte vom Aufstieg Davids mit dem sie nun umgebenden historischen Material verbindet. Anhand der Entwicklung der Goliathgeschichte lässt sich daher besonders gut die gattungsspezifische und thematische Entwicklung innerhalb der Erzählung vom Aufstieg der Monarchie nachvollziehen.

Erschwerend kommt allerdings hinzu, dass die Geschichte von Goliath selbst eine Verschmelzung zweier unterschiedlicher Erzählungen von Goliath zu sein scheint, wobei es keine allgemeine Übereinstimmung darüber gibt, auf welchem Wege diese beiden Geschichten in den Text gelangt sind. Der Literaturwissenschaftler sollte aber nicht verzweifeln, denn allein die Komplexität der Kompositionsgeschichte kann uns wertvolle Anhaltspunkte für die Entwicklung der biblischen Erzählung liefern. Eine genaue literarische Untersuchung gibt zudem wichtige Hinweise für eine relative Chronologie des Wachstums der Geschichte und der sie umgebenden Erzählung.

Die Geschichte von Goliath in 1 Samuel 17 unterbricht nicht nur den Erzähl-
fluss, sondern wechselt auch auf die verwirrende Weise die Gattung. Zwischen der
realistischen Beschreibung von Sauls Begegnung mit David in Kapitel 16 und
Davids frühem militärischen Erfolg in Kapitel 18 sind wir plötzlich mit der Erzählung über den Totschlag eines Riesen konfrontiert, der drei Meter groß ist und
dessen Schuppenpanzer hundertfünfzig Pfund wiegt. Er verhöhnt die Israeliten
mit einer typischen Drohung monströser Eindringlinge: Falls sich kein einzelner
Held finde, der ihn töte, müsse das ganze Volk Israel zu Sklaven der Philister werden. Der junge David, der auf Besuch vom Lande ist und keine Rüstung trägt,
tötet den Riesen mit einem Stein aus seiner Schleuder und erlangt Ruhm und
Reichtum am Hofe König Sauls. Als Belohnung fehlt nur die Vermählung mit der
Tochter des Königs, die ihm tatsächlich von Sauls Truppen versprochen worden
war (17,25), wovon aber am Ende dieses Abschnitts nicht mehr die Rede ist. Saul
nimmt David lediglich in seinen Dienst.

Die Einfügung dieser Episode ist umso überraschender, als es sich nicht um die
einzige Fassung der Ermordung Goliaths handelt. Eine historisch weitaus glaub-
würdigere Beschreibung ist in einer Gruppe vermischter Materialien am Ende von
2 Samuel erhalten. Dort werden vier verschiedene Krieger der Philister getötet. An
der ersten Schlacht ist David direkt beteiligt; er begleitet seine Armee in die Schlacht
gegen die Philister, wirkt aber zunehmend geschwächt:

> Und Jischbi in Nob, ein Rafaiter, dessen Bronze-Speer dreihundert Schekel wog und
> der mit einem neuen Schwert umgürtet war, sagte, er wolle David erschlagen.
> Aber Abischai, der Sohn der Zeruja, kam ihm zu Hilfe, schlug den Philister und
> tötete ihn. Damals schworen die Männer Davids ihm und sagten: Du sollst nicht
> mehr mit uns in den Kampf ausziehen, damit du die Leuchte Israels nicht auslöschst!
> (2 Sam 21,16-17)

Die Szene ergibt durchaus Sinn: David ist nicht bloß ein Jüngling, der seine Brüder
besucht, sondern zieht als König in die Schlacht. Jischbi in Nob ist keine einsame
archetypische Gestalt, sondern bloß ein Krieger unter vielen, insgesamt geht es um
die aus dem Leben gegriffene Frage, ob ein König in der Schlacht selbst in vorders-
ter Reihe stehen sollte. Auf diesen Abschnitt folgen Beschreibungen dreier weiterer
Gefechte: Im zweiten von ihnen tötet einer von Davids Soldaten „Goliath, den
Gatiter; und der Schaft seines Speeres war wie ein Weberbaum" (21,19) – genau
wie Goliaths Speer in der Episode von David und Goliath. Im letzten Gefecht
erschlägt Davids *Bruder* einen Riesen aus Gat, der Israel verhöhnt. Der ganze
Bericht schließt wie folgt: „Diese vier wurden dem Rafa in Gat geboren; und sie
fielen durch die Hand Davids und durch die Hand seiner Knechte" (21,22). Die
Sage von David und Goliath könnte durch mündliche überlieferte Erinnerungen
an diese hier in nüchternem Chronik-Stil beschriebenen Schlachten entstanden
sein. Sie könnte auch eine rein literarische Komposition sein, die direkt auf den
schriftlichen Aufzeichnungen beruht. In beiden Fällen hätte die Erzählung von 1
Samuel 17 bestimmte Details aus dem historischen Bericht von 2 Samuel 21
übernommen.

Die historisch-kritische Methode liefert weitere starke Belege für die Hypothese, dass es eine literarische Beziehung zwischen diesen Beschreibungen gibt, die über die bloße Entwicklung paralleler Überlieferungen hinausgeht. Denn wahrscheinlich stand die chronikartige Beschreibung des Sieges über die Philister nicht immer am Ende von 2 Samuel, wo sie nicht recht hinpasst, da die Philister zu diesem Zeitpunkt ja längst besiegt worden sind. Es wird daher allgemein angenommen, dass die Beschreibung der vier Kämpfe mit den Riesen stattdessen zur zusammenfassenden Aufzählung der Kriege Sauls und Davids gegen die Philister gehörten, in denen Saul das Leben verlor und Davids Karriere begann.

Nach Ansicht der meisten Exegeten steht das Kapitel 2 Samuel 5 am Ende der Geschichte vom Aufstieg Davids, und die Verse 17-25 gehören noch zur allgemeinen Beschreibung von Davids Schlachten gegen die Philister.[12] Es ist daher zu vermuten, dass die Geschichten von von Jischbi und Goliath aus 2 Samuel 21 ursprünglich zum Ende der Geschichte von Davids Aufstieg gehörten, später aber – vermutlich vom deuteronomistischen Historiker – verschoben wurden.

Der Einschub der Goliath-Geschichte in 1 Samuel 17 bildete daher eine Art Rahmen für Davids Aufstiegsgeschichte, die nunmehr mit einem anfänglichen Scharmützel gegen die Philister beginnt und mit dem entscheidenden Sieg über den Feind in 2 Samuel 5 endet. Doch die geradezu aufdringliche Betonung dieser Geschichte machte es wahrscheinlich, dass die meisten Forscher Recht damit haben, Kapitel 17 als eine Ergänzung zu betrachten, die nach der anfänglichen Komposition der Geschichte vom Aufstieg Davids vorgenommen wurde. Anhand einer Untersuchung der literarischen Verzweigungen der Erzählung möchte ich die Gründe dafür nahe legen. Ich habe zuvor erwähnt, dass zwei ganz unterschiedliche Geschichten von David und Goliath in Kapitel 17 miteinander verwoben wurden. Die eine, die in vielerlei Hinsicht umfangreicher und stärker theologisch ist, stammt wahrscheinlich von der späten, deuteronomistischen Überarbeitung der Samuelbücher. Die andere ist die anscheinend ursprüngliche Ergänzung der Erzählung und entstand, als die Geschichte vom Aufstieg Davids erstmals für theologische Zwecke adaptiert wurde und sich so von ihren ursprünglichen chronistischen und apologetischen Funktionen entfernte.

Um die Gründe dieses Einschubs zu verstehen, sollten wir uns zunächst fragen, was die Folgen davon sind. Als narrativer Eingriff hat sie keine direkten

---

12 Über den genauen Endpunkt der Geschichte vom Aufstieg Davids herrscht keine Gewissheit. Einige Forscher zählen manche Passagen jenseits von Kapitel 5 mit hinzu, wobei sie insbesondere auf das Wiederauftauchen Michals in 6,20-23 hinweisen und behaupten, dass der Text mit der in Kapitel 7 beschriebenen Errichtung von Davids Dynastie endet. Andere bevorzugen Rosts ursprünglichen Vorschlag, dass das eigentliche Dokument in 5,10 endet. Das übrige Material von Kapitel 5 ließe sich daher als Anhang oder als Mischung aus Originalmaterialien und späteren Ergänzungen betrachten. Was 5,17-25 betrifft, jene Verse, die für unsere Diskussion relevant sind, so steht fest, dass sie thematisch mit dem vorangehenden Bericht verknüpft sind. Man vergleiche zum Beispiel das Orakel in 5,19 mit denen in 1 Samuel 23,2 und 2 Samuel 2,1. Entweder kam 5,17-25 ursprünglich vor dem gegenwärtigen 5,10 oder sie waren Teil eines Anhangs nach dem formalen Schluss, oder die Geschichte vom Aufstieg David erstreckt sich etwas über den von Rost vorgeschlagenen Schluss hinaus.

Auswirkungen, was umso erstaunlicher ist, als dieser eine Kampf gegen Goliath als kriegsentscheidend dargestellt wird. Der gesamte Krieg soll durch ein einzelnes Gefecht entschieden werden. Die Verlierer sollen zu Sklaven der Sieger werden. Aber dies tritt mitnichten ein, denn in Kapitel 18 gehen die Feindseligkeiten wie gewohnt weiter. Zudem bietet auch Saul, wie oben erwähnt, seine Tochter dem jungen Helden nicht zur Vermählung an. Zum Ende des Einschubs macht er David zum General über all seine Armeen (18,5), doch in der Fortsetzung der älteren Geschichte erfahren wir, dass Saul ihm lediglich den Rang eines Befehlshabers über Tausend verleiht (18,13), was durchaus seinem vorher erteilten Rang des Waffenträgers (16,21) entsprechen würde.

Die Goliath-Episode hat allerdings noch eine weitere, allerdings eher mittelbare Folge. Denn die Vorstellung der Soldaten, der Sieger über Goliath solle die Hand der Königstochter erhalten, wird in einem späteren Aufschub aufgenommen: Saul bietet David seine Tochter Merab an (18,17). Dieses Angebot ist freilich alles andere als eine Belohnung für Davids Sieg über Goliath, sondern erfolgt erst einige Zeit später, als Davids anhaltende Erfolge als Feldherr dazu führen, dass Saul ängstlich und eifersüchtig auf seinen jungen Befehlshaber wurde. Das Angebot von Merab ist zudem auch gar keine Belohnung, sondern eine Falle: „Und Saul sagte zu David: Siehe, meine älteste Tochter Merab will ich dir zur Frau geben. Sei mir nur ein tapferer Mann und führe die Kriege des Herrn! Saul aber dachte: Meine Hand soll nicht gegen ihn sein, sondern die Hand der Philister soll gegen ihn sein" (18,17).

Sauls Plan wird durch Davids Bescheidenheit (oder Vorsicht?) vereitelt. Mit dem Einwand, seine Familie habe zu geringen Stand, als dass er die Vermählung mit einer Königstochter verdiene, lehnt er das Angebot ab, und Merab wird einem anderen Mann gegeben.[13] Nachdem seine Pläne zunächst vereitelt worden sind, ergibt sich für Saul eine noch bessere Gelegenheit, als er erfährt, dass sich seine zweite Tochter, Michal, in David verliebt hat. Saul verbessert jetzt sorgfältig sein Angebot und bietet Michal nicht nur direkt an, sondern instruiert seine Diener auch, es durch Schmeicheleien gegenüber David zu bekräftigen (18,21-22). Als David abermals ablehnt, da er nicht genug Vermögen für ein angemessenes Hochzeitsgeschenk habe, hat Saul schon einen Vorschlag parat, der die frühere Bitte, David möge seine Schlachten für ihn kämpfen, verfeinert. Dieser Vorschlag wird wieder durch Mittler überbracht:

> Da sagte Saul: So sollt ihr zu David sagen: Der König fordert keine andere Heiratsgabe als hundert Vorhäute der Philister, um an den Feinden des Königs Vergeltung zu üben. Saul aber gedachte, David durch die Hand der Philister zu Fall zu bringen. Und seine Knechte berichteten David diese Worte, und es war in den Augen Davids recht, des Königs Schwiegersohn zu werden. Und noch waren die Tage nicht vollendet, da

---

13 Das Ende des Abschnitts sollte wie folgt gelesen werden: „Und zu der Zeit, als Merab, die Tochter Sauls, David gegeben werden sollte, wurde sie Adriel, dem Meholatiter, gegeben." Die KJV [King James Version, A.d.Ü.] und die RSV [Revised Standard Version, A.d.Ü.] übersetzen das anfängliche *waw* als „aber" statt als „und".

machte sich David auf und zog hin, er und seine Männer, und erschlug zweihundert Mann unter den Philistern. Und David brachte ihre Vorhäute, und man lieferte sie dem König vollzählig ab, damit er des Königs Schwiegersohn werde. Da gab Saul ihm seine Tochter Michal zur Frau. (1 Sam 18,25-27)

In der Geschichte der Bundeslade bereiteten sich die Philister durch ihr Bestreben, den Guten zu schaden, ihren eigenen Untergang. Auch Saul, der David eigentlich vernichten wollte, muss ihn schließlich als Mitglied der königlichen Familie aufnehmen.

Auch wenn diese Wiederaufnahme der Geschichte von Goliath durch ihre narrative Ironie der Geschichte von der Bundeslade ähnelt, zeigt sich darüber hinaus eine ganz neue subtile Beziehung zur früheren narrativen Tradition. Die Ladeerzählung war unmittelbar um die jahwistische Geschichte des Exodus konstruiert; die Transformation der Goliath-Erzählung hat dagegen eine viel umfassendere und zugleich eigenartigere Beziehung zur jahwistischen Tradition und Themenstruktur. Ein wahrhaft bizarres Detail bei Sauls zweitem Heiratsangebot ist die Art des geforderten Beweises für die Tötung der Philister: hundert Vorhäute. Das obige Zitat zeigt, wie David diese überraschende Forderung gleich doppelt erfüllt und der Text die ordnungsgemäße Überbringung des Beweisgutes betont. Was sollen wir von diesem seltsamen Beweisverfahren halten?

Sauls Kriegslist erinnert unmittelbar an die Taktik von Jakobs Söhnen in Genesis 34. Sichem, der Sohn des Hewiterkönigs Hamor, vergewaltigt Jakobs Tochter Dina und stellt danach einen Heiratsantrag. Die auf Rache sinnenden Brüder Dinas stimmen zu, allerdings unter der Bedingung, dass die Hewiter sich beschneiden lassen. Auch hier ist die Forderung nach Beschneidung als Voraussetzung für die Hochzeit eine Falle: Während die Hewiter noch im Wundfieber liegen, greifen Jakobs Söhne die Stadt an, erschlagen Hamor und Sichem und plündern ihre Stadt. Es handelt sich offensichtlich um eine Parallele, und an der Stelle, als David Sauls Angebot erhält, findet sich anscheinend auch ein Anklang an Hamors Reaktion auf den Vorschlag der Brüder: Ihre freudigen Reaktionen auf das Angebot werden mit ähnlichen Worten beschrieben (*wayyitevu divreyhem be'eyney Hamor*, Gen 34,18; *wayyishar haddavar be'eyney David*, 1 Sam 18,26 – „Ihre Rede war gut in den Augen Hamors / Die Rede dünkte den Augen Davids recht").

Im Unterschied zur direkten Verwendung jahwistischer Vorbilder in der Geschichte der Bundeslade wird der Plot hier umgekehrt: er handelt jetzt von der List des böswilligen Königs gegen den jungen Helden. Durch das Thema der Beschneidung erhält der Plot zudem einen neuen Beiklang. In Samuel 1-2 steht die neue Institution der Monarchie oft in einem problematischen Verhältnis zur Bundesbeziehung zwischen Gott und dem Volk, etwa wenn Gott Samuel anweist, der Forderung des Volkes nach einem König nachzugeben: „Denn nicht dich haben sie verworfen, sondern mich haben sie verworfen, daß ich nicht König über sie sein soll" (1 Sam 8,7). Wenn der König vom Volk als der sichtbarere und greifbarere Herr dem Gott vorgezogen wird, ähnelt ein schlechter König leicht einem Anti-Gott.

Als Saul sich nach dem Sieg über Goliath mit David anfreundet, heißt es über Sauls Sohn Jonatan ausdrücklich, dass er einen Bund (*berit*) mit David eingeht (18,3). Diesen Bund versucht Saul zu lösen, und in seinem Wahn und seiner Eifersucht wird er zur düsteren Parodie jenes Gottes, den er auf Erden vertreten soll. Normalerweise steht die Beschneidung wie in der priesterlichen Geschichte Abrahams für Gottes Versprechen von Fruchtbarkeit und Land. In der Geschichte zwischen Saul und David hingegen wird die Beschneidung zum Zeichen des Todes zwischen dem gefallenen König und seinem loyalen Untertanen, und das Versprechen von Reichtum und Fruchtbarkeit, das mit dem Angebot Michals einhergeht, ist lediglich eine List, mit der Saul seinen einstigen Schützling zu vernichten hofft.

Der rasch wachsende Abstand zwischen Saul und David, der dadurch herausgestellt wird, dass Saul neuerdings auf Mittler angewiesen ist, wenn er mit David kommuniziert, bekommt den Beiklang ebenjener Kluft zwischen dem Volk und dem fernen, stummen Gott. Bald darauf fragt David Jonatan mit Worten, die auch von Hiob stammen könnten, was er falsch gemacht habe: „Was habe ich getan? Was ist meine Schuld, und was ist mein Vergehen gegen deinen Vater, daß er mir nach dem Leben trachtet? […] Jedoch, so wahr der Herr lebt und so wahr du lebst: Nur ein Schritt ist zwischen mir und dem Tod" (20,1-3). Dabei vergleicht er ausdrücklich seine Situation mit dem heiligen Bund zwischen Gott und Israel: „Erweise denn nun Gnade an deinem Knecht, denn du hast mich mit dir in den Bund des Herrn [*berit YHWH*] treten lassen!" (20,8)[14]

Auf diese Weise wird die Beziehung zwischen König und Untertan der Bundesbeziehung zwischen Gott und Israel gleichgesetzt. Die metaphorische Setzung des Königs als Gott gestattet es der Erzählung, sich mit tiefgründigen Erkundungen zu befassen und so zur irdischen, historischen Erzählung über ehemals legendenhafte und mythisch-epische Themen zu werden. Die Verschiebung, die schon in den historisierten epischen Elementen der Geschichte der Bundeslade am Werk war, ist nun abgeschlossen: Wo einst Jahwe gegen Dagon kämpfte, kämpft nun David gegen Goliath. Indem das Goliath-Thema in der Geschichte vom Aufstieg Davids entfaltet wird, ordnen sich Elemente der politischen Apologetik, die in der Erzählung offensichtlich sind und den Text anfänglich beherrschten, existentiellen Fragen unter, wie man sie etwa in den traditionellen mesopotamischen Epen findet.

Von der Familiensage zum Epos: Das Heiratsmotiv

Die Verschmelzung von Familiensage und Epos in der Geschichte von Davids Aufstieg wird durch die Beziehung von David und Jonatan noch verstärkt. Ihre Beziehung wird viel breiter entfaltet, als nötig gewesen wäre, um glaubhaft zu machen,

---

14 Wohl durch den Einfluss von Rosts stark säkularisierender und politischer Interpretation verharmlosen viele Kommentatoren die erstaunlich direkte theologische Sprache. So bemerkt zum Beispiel die Oxford Annotated Bible zu diesem Vers an: „*Bund des Herrn* ist ein Verweis auf die tiefe Freundschaft zwischen David und Jonatan"(!).

DAVID DAMROSCH

dass David und Jonatan eng befreundet waren und ersterer dem Erben Sauls die Thronfolge nicht absprechen wollte. Das betont auch Hattusilis gegenüber seinem Bruder und Neffen, doch seine „Apologie" versucht nirgends, die Intimität der Beziehung zu zeigen, nicht mal, wo sie andeutungsweise die enge Beziehung zwischen Hattusilis und seiner Frau behandelt. Davids Geschichte greift dagegen die jahwistische Dynamik der Bruderbeziehungen in zutiefst epischer Weise auf und geht zugleich über diese hinaus. Tatsächlich beschreibt sie die Beziehung zwischen David und Jonatan mit ganz ähnlichen Worten wie das *Gilgamesch-Epos* die Freundschaft von Gilgamesch und Enkidu.

In beiden Texten gibt es dabei klare Assoziationen der Freundschaft mit der Beziehung zwischen Mann und Frau. Enkidu begegnet Gilgamesch zum ersten Mal, als er ihn davon abhält, zu einer Frau zu gehen, und nimmt anschließend in Gilgameschs Herzen die Stelle der Frauen ein. Bei Enkidus Tod klagt Gilgamesch um seinen Freund „wie um eine Braut". Die spätere Tradition der Ependichtung entwickelt das Thema weiter, vor allem in der Beziehung von Achilles und Patroklos oder eben der von David und Jonatan lassen sich parallele Entwicklungslinien beobachten. Dass die Parallelen zum *Gilgamesch-Epos* in der Geschichte vom Aufstieg Davids noch enger als die zu Homer sind, mag angesichts der größeren räumlichen und zeitlichen Nähe der Texte kaum überraschen.

Die Begegnung von Jonatan und David in der Zeit nach der Ermordung Goliaths wird als Liebe auf den ersten Blick beschrieben. Saul und David haben ein kurzes Gespräch, in dem David sich zu erkennen gibt.

> Es geschah nach dem Gespräch Davids mit Saul, dass sich Jonatans Seele mit der Seele Davids verknüpfte. Und Jonatan liebte David wie seine eigene Seele. Saul behielt David von jenem Tag an bei sich und ließ ihn nicht mehr in das Haus seines Vaters zurückkehren. Jonatan schloss mit David einen Bund, weil er ihn wie sein eignes Leben liebte. Er zog den Mantel, den er anhatte, aus und gab ihn David, ebenso seine Rüstung, sein Schwert, seinen Bogen und seinen Gürtel. David zog ins Feld, und überall wohin Saul ihn schickte, hatte er Erfolg. (1 Sam 18,1-5)

Die Sprache ist hier familiär, politisch und erotisch zugleich. Die ‚Verknüpfung' der Seelen Jonatans und Davids bringt einen verwandtschaftlichen Bund zum Ausdruck (man vergleiche die parallele Wendung, die für die Beschreibung der Liebe Jakobs zu seinem Lieblingssohn Benjamin in Genesis 44,30-31 verwendet wird). Dieser verwandtschaftliche Bund hat sowohl eine politische Bedeutung als auch erotische Anklänge. Der politische Bund beider sowie die Unterordnung Jonatans in der Beziehung werden durch Jonatans Geschenk seines Mantels und seiner Waffen symbolisiert, durch die David Jonatans Rolle als Sauls Oberbefehlshaber übernimmt.

Gleichzeitig wird wiederholt die Sprache der Liebe verwendet, und obwohl diese Sprache auch einen politischen Aspekt hat (Vasallen aus dem Nahen Osten werden oft in der Weise beschrieben, dass sie ihre Herrscher „lieben", d.h. diesen gebührende Loyalität zeigen), spielt diese Szene auch auf eine Hochzeit an. Eine Hochzeit stellt immerhin eine familiäre Beziehung zwischen Erwachsenen her, und die

Sprache dieser Textstelle wäre einer Verlobung angemessen. Tatsächlich wird in Genesis 34 in der Erzählung von Hamor, Sichem und Dina eine ganz ähnliche Sprache verwendet, die zuvor als Parallele und als wahrscheinliches Vorbild für Sauls Beschneidungslist erwähnt wurde. Sichems „Seele hing an Dina, der Tochter Jakobs, und er liebte das Mädchen" (34,3); hier „verknüpfte sich die Seele Jonatans mit der Seele Davids; und Jonatan liebte ihn wie seine eigene Seele".

Während Hamor die Leidenschaft seines Sohns unterstützt und einen förmlichen Heiratsantrag stellt, mit dem er hofft, Dina und ihre Sippe zu bewegen, ihre Unabhängigkeit aufzugeben und in seine Stadt zu ziehen (34,10), nimmt Saul David bei sich auf und gestattet ihm nicht, in das Haus seines Vaters zurückzukehren. Hamor ist als Vorbild für Saul durchaus passend. Er ist ein boshafter König und eine Bedrohung für die Träger des wahren Bundes mit Gott. Selbst seine persönlichen Schwächen finden in Saul ihr Echo. Hamor ist gierig, eine Schwäche, für die Samuel Saul in 1 Samuel 15 verurteilt. Die Rede von Sauls „Aufnahme" Davids (18,2) ist ebenfalls zweideutig (das Verb *laqah* kommt in der gebräuchlichen Wendung ‚sich eine Frau nehmen' vor), und das Motiv, (nicht) ins Elternhaus zurückzukehren, wird anderswo stets mit einer Ehe oder dem Ende einer Ehe in Verbindung gebracht.[15] Im nächsten Kapitel erfahren wir, dass Jonatan „großen Gefallen an" David hatte, wofür das Verb (*hafets*) verwendet wird, das auch gebraucht wurde, um Sichems Verlangen nach Dina zu beschreiben (1 Sam 19,1, Gen 34,19).

Die Beziehungen zwischen der Geschichte von Dina und der Davidsgeschichte reichen über die angesprochenen Punkte hinaus, da die Vergewaltigung Dinas eindeutige Parallelen zu Amnons Vergewaltigung Tamars aufweist. Wie Yair Zakovitch dargelegt hat, sind diese Parallelen auf eine Bearbeitung der Dina-Geschichte in Analogie zur Geschichte Tamars zurückzuführen.[16] Zakovitch ist der Auffassung, dass diese Bearbeitung vorgenommen wurde, um Sichem schlechter darzustellen und so die gewaltsame Vergeltung der Brüder deutlicher zu rechtfertigen. Um sämtliche Beziehungen zwischen diesen drei Episoden offen zu legen, wäre eine weitere Untersuchung nötig, doch es ist immerhin wahrscheinlich, dass sie zusammen ein bemerkenswertes Beispiel für wechselseitigen Einfluss verschiedener biblischer Geschichten abgeben: Eine frühe jahwistische Erzählung beeinflusste die Geschichte vom Aufstieg Davids, die dann wiederum im Lichte des späteren Berichts von Amnon und Tamar in der Thronfolge-Erzählung überarbeitet wurde.

Um noch einmal auf die Beziehung zwischen David und Jonatan zurückzukommen: So wie das Thema der Ehe im Gilgamesch-Epos am deutlichsten erst in

---

15 Vgl. dazu die Sprache der Liebe und des Besitzes im Hohelied: „[D]a fand ich ihn, den meine Seele liebt. Ich ergriff ihn und ließ ihn nicht [mehr] los, bis ich ihn ins Haus meiner Mutter gebracht hatte" (3,4). An anderer Stelle kehrt eine Witwe „in das Haus ihres Vaters zurück" (Lev 22,13), und Naomi drängt ihre verwitweten Schwiegertöchter „in das Haus ihrer Mutter" (Rut 1,8). Dieses Thema spiegelt sich auch in der traurigen Rückkehr von Jeftahs Tochter zu ihrem Vater wieder, wo ihr Opfer an die Stelle der Hochzeit tritt (Ri 11,39).

16 Yair Zakovitch: *Assimilation in Biblical Narratives*, in: Jeffrey H. Tigay (Hg.): *Empirical Models for Biblical Criticism*, Philadelphia (University of Pennsylvania) 1985, S. 185–192.

Gilgameschs Klage um Enkidu zum Ausdruck kommt, ist es hier am ausdrücklichsten in Davids Klage nach Sauls und Jonatans Tod in der Schlacht. David lobt sie als „Geliebte und Holdselige", stimmt eine etwas förmliche Klage für Saul an und schließt dann mit einer bewegenden Apostrophe an Jonatan: „Über alles lieb warst du mir. Wunderbar war mir deine Liebe, mehr als Frauenliebe" (2 Sam 1,26). Dieser Vergleich führt die Metapher aus und geht im gleichen Atemzug über sie hinaus. Wenn die Geschichte von Hamor und Sichem geholfen hat, die Geschichte von Saul und Jonatan zu gestalten, dann hat das Thema der Ehe, wie auch das Thema der Beschneidung, eine Wandlung vom Buchstäblichen zum Metaphorischen durchlaufen. Die historische Erzählung von Davids erster Begegnung mit Saul und Jonatan entwickelte sich durch die Verknüpfung einer legenden- und sagenhaften Episode mit motivischen Resonanzen des literarischen Epos.

Die Geschichte vom Aufstieg Davids entwickelt durch narrative Verknüpfungen und symbolische Motive die Erzählung von David und Jonatan zu einer Betrachtung über Wesen und Bedeutung des göttlichen Bundes in der Geschichte des Menschen. Der Kampf um die königliche Herrschaft ist weniger eine politische Angelegenheit als vielmehr die Suche nach einem Gleichgewicht zwischen historischen Zwängen und göttlichen Imperativen. Auch die Entwicklung des Goliath-Themas macht durch seine Einbindung in die Aufstiegsgeschichte deutlich, wie die politisch-theologische Apologetik der Erforschung allgemeiner existentieller Fragen untergeordnet wird. Nach dem Scheitern der Versuche Jonatans, zwischen Saul und David zu vermitteln, flieht David ins Exil und erlebt eine Vielzahl wunderbarer Abenteuer. Diese sind durchaus planmäßig eingesetzt und zeigen zum Beispiel, wie David zum Beschützer der jahwistischen Priesterschaft wird, nachdem sich Saul gegen seine Priester gewandt und die meisten von ihnen bei Nob niedergemetzelt hatte (1 Sam 21,1 ff.). Gleichzeitig werden die Figur Davids und seine Handlungen in einer Komplexität ausgearbeitet, die bei weitem über die Anforderungen und Eigenheiten der apologetischen Historiographie hinausgehen. Die *Apologie Hattusilis III* und zahlreiche ähnliche Texte beschreiben vergleichbare Situationen in den frühen Kämpfen eines Königs oder Königsprätendenten gegen mächtige Feinde, doch ich kenne keinen so frühen altorientalischen Text, der die ersten Gefolgsleute seines Helden mit Worten wie diesen beschreibt: „Und es sammelten sich um ihn lauter Bedrängte und solche, die verschuldet waren, und andere mit erbittertem Gemüt. Und er wurde ihr Anführer" (22,2). Das erinnert geradezu an Robin Hood und seine fröhliche Bande! Dabei enthält die Erzählung noch seltsamere Passagen als diese, etwa die vorhergehende Szene, in der David versucht, als Söldner in den Dienst der Philister zu treten. Als sie sein Angebot ablehnen und die Sache gefährlich zu werden droht, kommt er unbeschadet davon, indem er Wahnsinn vortäuscht, in seinen Bart sabbert und auf die Torflügel von Gat kritzelt (21,13).

Hier geht es eindeutig um mehr als um die Rechtfertigung von Davids Thronfolge. Hätte der Historiker die unbequeme Tatsache erklären müssen, dass David ein Söldner der Philister und geächtet war, hätte ein lediglich apologetisches Werk diese Abschnitte mühelos in ein besseres Licht rücken können. Die folgenden

Kapitel, die offenkundig aus einer früheren Stufe stammen, sind dem Robin Hood-Paradigma deutlich näher, denn in ihnen helfen David und seine Männer den Unterdrückten, erlösen die Stadt Keila von den Philistern (23,1-6), wobei ihre Handlungen vom Willen Jahwes gelenkt werden, wie es der Priester Abjatar offenbart, der für David die Rolle des Bruders Tuck spielt. In einer Textfassung, die bemüht ist, Davids ehrenhaftes Verhalten in einer schwierigen Zeit hervorzuheben, arbeitet David tatsächlich für die Philister (Kap. 27-29). Warum also wurde dem Bericht die sonderbare Anekdote aus Kapitel 21 hinzugefügt?

Die Frage lässt sich angesichts der unmittelbar vorhergehenden Ereignisse sogar noch zuspitzen. Auf ihrer Flucht ins Exil machen David und ein paar andere Männer Rast in Nob und bitten Ahimelech, den dortigen Oberpriester, um Essen. David belügt Ahimelech, indem er behauptet, er sei im geheimen Auftrag Sauls unterwegs, und bittet um Brot für seine Männer. Ahimelech gibt ihnen heiliges Brot vom Altar, worauf David ihn fragt, ob er ihm vielleicht eine Waffe leihen könne.

Und der Priester sagte: Das Schwert des Philisters Goliath, den du im Terebinthental erschlagen hast, siehe, es ist in ein Oberkleid gewickelt hinter dem Ephod. Wenn du dir das nehmen willst, so nimm es! Denn außer diesem ist kein anderes da. Und David erwiderte: Seinesgleichen gibt es nicht. Gib es mir! Und David machte sich auf und floh an diesem Tag vor Saul und kam zu Achisch, dem König von Gat. (1 Sam 21,10-11)

Mit Goliaths Schwert in der Hand flieht David anschließend in die Stadt Goliaths. Ist aus David etwa Goliath geworden?

LEKTÜREN UND KULTUREN

Schreiben als Lesen, Erzählen als Interpretieren

Lesen und Schreiben werden oft für ganz verschiedene, ja komplementäre Tätigkeiten gehalten: Was der eine über die Welt schreibt, kann der andere in den Büchern lesen. Nun beschreiben aber die Texte des Neuen Testaments nicht nur die Welt, sondern sind auch aus Texten gemacht: In ihnen wird mal implizit mal offen die Bibel zitiert, nach der heute gängigen ‚Zweiquellentheorie‘ der historischen Kritik haben manche Verfasser sogar von den anderen abgeschrieben: Matthäus und Lukas etwa sollen Markus und eine weitere Quelle vor sich liegen gehabt haben, als sie ihre Evangelien verfassten. Solche Rückgriffe hatten freilich etwas leicht anrüchiges: So wurden die Stellen, wo das Neue Testament die ‚Verheißungen‘ des Alten zitiert, im 19. Jahrhundert zunehmend als peinliche Fehlinterpretationen betrachtet, und auch das Abschreiben der Evangelisten ließ sowohl ihre historische Treue als auch ihre Originalität nicht eben im besten Licht erscheinen. Erst im 20. Jahrhundert schien mit einem neuen Verständnis von Literatur die Rehabilitation dieser Praktiken möglich: Nachdem ‚Interpretation‘ zur zentralen Methode, ja zum fundamentalen Weltverhältnis erklärt wurde, konnte auch das Lesen, Deuten und sogar das Kritisieren von Texten aufgewertet und von dem Ruch des Parasitären befreit werden.

Frank Kermode ist einer der wichtigsten *critics* des zwanzigsten Jahrhunderts. Der Ausdruck ist nicht leicht zu übersetzen, er bedeutet mehr als ‚Literaturkritiker‘ und etwas anderes als ‚Theoretiker‘ oder gar ‚Philosoph‘. Kermode liest Literatur, verbindet seine Lektüren aber mit allgemeinen Fragestellungen; er kennt die Theorie, benutzt sie aber höchst eklektisch; er ist an der Moderne interessiert, nimmt aber den Umweg durch die ganze Literaturgeschichte. So untersucht etwa *The Sense of an Ending* (1967) die Muster der Endzeit in der Literatur, um die apokalyptische Stimmung der Moderne besser zu verstehen und zugleich noch eine allgemeine Theorie der Fiktion zu entwerfen: Die Moderne kenne nämlich keine Mythen mehr, sondern Fiktionen, die an die Stelle der mythischen Zeitlosigkeit eine Beziehung zur Zeit, anstelle der Absolutheit das Bewusstsein ihrer eigenen Gemachtheit setzen. Stand hier die Bibel noch für den apokalyptischen Mythos in seiner Reinform, so liest *The Genesis of Secrecy* (1979) nun den biblischen Text selber als Fiktion, der sich selbst relativiert und problematisiert, der aber vor allem nach Interpretation verlangt. Jeder Text setzt gemäß Kermode eine Interpretationsgemeinschaft voraus, die ihn auslegt, aber keine der Interpretationsgemeinschaften kann ausschließliches Recht auf den Text beanspruchen. Denn Kermode ist grundsätzlich misstrauisch gegenüber allen Interpretationen, die behaupten, sie könnten ihre Texte vollständig deuten. Dass das nicht möglich ist, dass Geschichten dunkel sein müssen, um ihre Leser an sich zu binden, zeigen für Kermode etwa die biblischen Gleichnisse. Sie sind alles andere als klar und scheinen tatsächlich eher der Beschreibung bei Markus (Jesu erzählt Gleichnisse, „damit" die Hörer nichts verstehen, Mk 4,12) zu entsprechen als der bei Matthäus, die von den neueren Kommentatoren immer vorgezogen worden ist („denn" die Hörer verstehen nichts, Mt 13,15). Ihre Unklarheit und Unklärbarkeit lässt auch jene allegorischen und figuralen Interpretationen wieder interessant werden, die lange als allzu absurd, entlegen und dem ‚offensichtlichen' Sinn der Parabeln fremd disqualifiziert worden waren. Als Außenseiter der Disziplin, der keine Lösungen anbieten muss, sondern primär Probleme aufzeigt, hat Kermode eine offensichtliche Freude an diesen Dunkelheiten und ihren dunklen Deutungen.

Wenn die Bedeutung nicht von selbst einleuchtet, hat die Deutung eine eminente Rolle und ist eigentlich von den Texten gar nicht zu trennen. Das Neue Testament beruht selbst auf etwas, was Kermode in Anschluss an Paul Ricœur ‚narrative Interpretation' nennt und anschaulich macht am historischen Verhältnis der Evangelien zueinander: Am Anfang konstatiert Markus eine einfache Tatsache, etwa eine Figur oder ein Ereignis, eine spätere Erzählung derselben Sache (also bei Matthäus oder Lukas) wird diese Erzählungen dann noch weiter fortführen und Lücken des älteren Textes durch eigene Gedanken oder andere Texte auffüllen, indem er etwa die Verheißungen des ‚Alten Testaments' auf Jesus bezieht und die Ereignisse als deren Erfüllungen beschreibt. Aber auch diese Interpretation erzeugt neue Fragen, so dass noch weitere Erweiterungen möglich und sogar nötig sind, etwa bei Johannes oder in späteren Apokryphen. Der Text der Evangelien entsteht daher durch das Deuten einer eigenen Geschichte, er beschreibt die Welt nicht unmittelbar, sondern durch das Medium schon vorhandener Texte.

Für Kermode ist dieses Verfahren nicht spezifisch für die Bibel oder für die Antike. Auch unsere Sicht der Welt ist bestimmt durch die Literatur, die wir gelesen haben, auch wir versuchen unser konfuses Leben wie einen Roman zu lesen. Und auch die Literatur, die wir im Kopf haben, ist wiederum aus anderer Literatur gemacht, besteht aus anderen Erzählungen oder auch nur aus einzelnen Worten, aus denen sich ganze Geschichten entwickeln können, wie Kermode es aus den Tagebüchern von Henry James kennt. ‚Interpretation', wenn auch nicht mehr narrative Interpretation, ist schließlich auch das eigene Verfahren des Interpreten Kermode, der sich in die lange Tradition der Exegese stellt, um besser zu verstehen, was er eigentlich selber macht. Denn Interpretation interessiert sich für das Geheimnis, das sie fasziniert umkreist, eben *als* Geheimnis, ohne den Anspruch, es zu entschleiern. *dw*

FRANK KERMODE

Der Drang zu wachsen

Narrative Interpretation und Erweiterung in den Passionsgeschichten

> *Der Reiz der Erzählkunst sind die stillen Kräfte der Erweiterung,*
> *sind der Drang der aufkeimenden Saat und die schöne Bestimmung*
> *der darin liegenden Idee, so hoch wie möglich empor zu wachsen.*

Henry James

In seinem Vorwort zu *The Portrait of a Lady* referiert Henry James zustimmend Turgenjews Ansicht über die Entstehung fiktiver Bilder:

Fast immer begann es für ihn mit der Vorstellung einer oder mehrerer Personen, die ihm vorschwebten, ihn belästigten, ihn als aktive oder passive Figur fesselten und an ihn appellierten als das, was sie waren und wodurch sie es waren. Er sah sie sozusagen zur Verfügung stehen (*en disponibilité*), sah wie sie den Zufällen und Komplikationen des Daseins unterworfen waren, sah sie höchst lebendig vor sich; aber dann musste er die richtigen Beziehungen finden, durch die sie sich charakterisieren ließen, musste Situationen erfinden, auswählen und nach der Bedeutung dieser Geschöpfe sinnvoll und geschickt miteinander in Verbindung bringen, damit jene Komplikationen entstünden, die ihnen am ehesten entsprächen.[1]

Turgenjew habe hinzugefügt, dass sich Leute manchmal beschwerten, er habe nicht genug Handlung, aber was er habe, sei ausreichend, um die Beziehungen seiner Figuren darzustellen. Vielleicht fehle ihm „Architektur", doch zu viel Architektur sei vermutlich schlimmer als zu wenig, denn sie könne das stören, was er seinen „Maßstab an Wahrheit" nannte.

James begnügte sich mit Turgenjews Andeutungen, denn er kannte selbst „die Intensität der Eingebung, die in einer einzelnen Figur und dem noch vollkommen ungebundenen Charakter und dem noch ganz verfügbaren Bild liegen kann". Am Anfang von *The Portrait of a Lady* etwa stand ein „kleiner Eckstein: der Entwurf einer gewissen ihrem Schicksal gegenüberstehenden jungen Dame", und diese vage Vorstellung bildete „mein ganzes Material zu dem großen Gebäude". Auch am Ursprung seiner anderen Romane standen nicht etwa ‚Plots' („ein schändliches Wort"), sondern solche Keime reiner Verfügbarkeit. Zwar behauptet er, den „erfinderischen Schriftsteller" zu beneiden, „der zuerst die Handlung vor sich hat und ihre Handelnden später entwirft", aber er selbst denkt zunächst an ein

---

1 Zit. nach: Henry James: „Nachwort", in: ders.: *Bildnis einer Dame*, übers. von: Helmut M. Braem, Frankfurt a.M. (Insel) 2003, S. 779–799.

anspruchsvolles Mädchen, das seinem Schicksal gegenübersteht. Erst dann kann er damit fortfahren, „ein Aufheben zu veranstalten um Isabel Archer".

Dass es sich hierbei um eine sehr stark vereinfachte Beschreibung von James' eigener Praxis handelt, die man in seinen *Notebooks* studieren kann, und dass sich auch ganz andere Äußerungen von James zitieren ließen, verringert ihren Wert nicht. Diese Erzählpraxis gehört in eine noch nicht ganz abgelaufene Epoche, denn nach zweieinhalb Jahrhunderten des Romans erscheint es uns ganz natürlich, dass die Figur gegenüber der Geschichte den Vorrang erhält (oder der ‚Agent' gegenüber der ‚Fabel'), denn unsere gewöhnlichen Vorstellungen von Individualität gründen auf der langen Übung, narrative Andeutungen mithilfe der Erinnerung an andere Bücher und dank unserer Kenntnis der gängigen Charaktere zu entziffern. Allerdings liegt dies keineswegs in der Natur der Erzählung, es ist vielmehr ein kultureller Mythos, der sich schon lange vor Turgenjew und James eingebürgert hatte. Ganz anders stand für Aristoteles noch die Fabel an erster Stelle, die Figuren (was freilich *ethos* nur sehr unvollkommen übersetzt) an zweiter, was freilich nicht bedeutet, dass die Figur irrelevant gewesen sei, sondern lediglich, dass es ihr an Autonomie fehlte und sie nicht am Ausgangspunkt einer Geschichte stand.

Es wäre absurd, zu fragen, ob James oder Aristoteles der Wahrheit näher ist. Figuren bringen ebenso Erzählungen hervor wie Erzählungen Figuren. Das schlichteste Geschehen braucht Agenten, weil es aus einer Reihe von Handlungen besteht; sobald das Geschehen oder die Fabel erweitert wird, müssen diese Agenten ihren ursprünglichen Typ und ihre bloße Funktion überschreiten. Sie sind dann nicht mehr nur ‚Held', ‚Gegenspieler' usw., sondern müssen Eigenarten und Eigennamen bekommen. Je kunstvoller die Geschichte wird – d.h. je mehr sie sich von ihrer schematischen Grundlage entfernt –, desto mehr Figuren werden vom Typischen abweichen und so zu Figuren im eigentlichen Sinn werden.

Im Folgenden möchte ich einen Teil der Passionsgeschichte – im Wesentlichen Abendmahl, Verrat und Gefangennahme – als Teil einer Fabel erörtern, deren Agenten von phantasievollen Schriftstellern, den Evangelisten, ‚entwickelt' werden, ganz ähnlich wie von jenen Autoren, die James so wenig überzeugend zu beneiden vorgab. Dabei wird sich zeigen, dass die vertiefte Gestaltung dieser Agenten die auf ihre ursprüngliche Entwicklung folgt, ihrerseits noch mehr Erzählung hervorbringt, und dass diese zusätzliche Erzählung die Figuren zunehmend zu *disponibles* macht, indem sich diese von den bloßen Notwendigkeiten ihrer Funktion befreien. Damit verlangen sie nach noch mehr Erzählung, so dass am Ende eine Struktur entsteht, die sich mehr oder minder endlos ausarbeiten ließe, gäbe es da nicht die Kräfte von außen, die dem Prozess ein Ende setzen, etwa durch die Veröffentlichung oder die Kanonisierung einer bestimmten Version.

Wenn ich von ‚Fabel' spreche, impliziert das kein Urteil über die Historizität der Erzählung und unterstellt auch nicht zwangsläufig, dass es eine solche Erzählung in schriftlicher Form vor den vorliegenden Evangelien gegeben hat, auch wenn heute die meisten Wissenschaftler glauben, dass ein solches Dokument existiert hat. Alle scheinen übereinzustimmen, dass es irgendeine primitive Fassung gab, die später ausgearbeitet wurde, und diese Fassung lässt sich praktisch von der hier erörterten ‚Fabel' kaum unterscheiden. Hypothesen über verloren gegangene Fassungen, Ur-Evangelien, Quellen und dergleichen waren immer charakteristisch für die moderne Bibelwissenschaft; sie sind auch grundsätzlich plausibel. Trotzdem scheinen sie mir auch ein Symptom dafür zu sein, wie unser Verstand angesichts eines problematischen Textes funktioniert: Wir können leichter über ihn nachdenken, wenn wir uns etwas *hinter* ihm vorstellen, das ganz anders ist als das, was wir vor uns haben. So können Shakespearianer die Rätselhaftigkeit oder gar das Unbefriedigende an *Hamlet* erklären, indem sie einen *Ur-Hamlet* postulieren, obwohl dessen Form, die sich ja nur aus den vorhandenen Fassungen erschließen lässt, höchst umstritten ist. Genauso trösten sich Bibelwissenschaftlicher mit einem aramäischen Matthäus, einem Proto-Lukas, einem Ur-Markus oder einer vorevangelischen Passionserzählung, denn es ist zumindest bequem, von einer methodisch beschreibbaren Fabel zu glauben, dass sie historisch existiert.

Eine andere Richtung von synchronistischen oder ‚formalistischen' Forschern hält es dagegen für unnötig, diese früheren Versionen auf eine Zeitleiste zu projizieren, um sie heuristisch zu verwenden. Wenn sie von einer ‚Fabel' sprechen, die einer Erzählung zugrunde liegt, impliziert das nicht, dass diese Fabel zuvor unabhängig existierte. Es handelt sich bloß um eine methodologische Fiktion, die uns beim Verstehen der ‚Narrativität' der betrachteten Geschichte helfen soll und, so hofft man zumindest, sie besser für die rein literarische Interpretation erschließt. Das freilich ist ein gefährliches Terrain, denn die Neoformalisten würden den zweiten Teil dieses Programms, die Interpretation, am liebsten untersagen. „Gibt es nicht eine Position", würde ich dagegen mit Paul Ricœur fragen, „zwischen einem methodologischen Fanatismus auf der einen Seite, der ausschließen würde, dass wir überhaupt etwas außer der von uns verwendeten Methode begreifen, und einem kraftlosen Eklektizismus auf der anderen, der sich in allzuleichten Kompromissen erschöpfen würde?"[2] Ricœur will uns davon überzeugen, dass die Interpretation beginnen kann, nachdem die strukturalen Analytiker ihre Arbeit erledigt haben; nur wenn die strukturale Analyse struktural*istisch* werde, würde sie zur Ideologie, die unangemessene Verbote und Grenzen errichte. Mir scheint, er hat in der Sache Recht, daher erlaube ich mir den Gebrauch neoformalistischer Terminologie, um Dinge zu sagen, die ihre Erfinder und Verfechter wohl missbilligen würden.

Bekanntlich versuchte Vladimir Propp nachzuweisen, dass die Figuren der russischen Volksmärchen als Oberflächenerscheinungen oder auch sekundäre Ausgestaltung tieferer Funktionen des Plots betrachtet werden können. Dabei können die einunddreißig Funktionen auf sieben ‚Handlungskreise' reduziert und jeweils einem Handelnden zugeordnet werden. Propp spricht von ‚Gegenspieler', ‚Spender', ‚Helfer', ‚Gesuchter', ‚Absender', ‚Held' und ‚falscher Held'. In der Tiefe, in der Propp arbeitete, gibt es keine „Figuren"; es gibt eine einleitende Situation, dann ein Unheil oder Mangel, auf das schließlich eine Reihe von Funktionen folgt, welche die durch den Mangel eröffnete Handlung abschließen. Es gab zahlreiche

---

2 Paul Ricœur: „Esquisse de conclusion", in: *Exégèse et herméneutique*, hg. v. Xavier Léon-Dufour, Paris (Éd. du Seuil) 1971, S. 285.

Versuche nach Propp, dieses Schema noch strenger zu fassen. So spricht zum Beispiel A. J. Greimas von sechs ‚Aktanten'-Rollen, die als binäre Oppositionen geordnet sind, also: ‚Herr/Gesuchter', ‚Absender/Adressat', ‚Helfer/Gegenspieler'. Ein
Sender übermittelt einem Empfänger ein Objekt, wobei es sich bei dem Objekt um
das handelt, was dem Empfänger fehlt. Der Helfer, der gegen den Gegenspieler
arbeitet, verwirklicht die Wünsche des Senders im Hinblick auf den Empfänger.
Diese Aktanten sind keine Figuren und werden dies auch nicht zwangsläufig. Laut
Daniel Patte ist somit in der Geschichte des guten Samariters die Gesundheit das
Objekt, der Empfänger ist der verletzte Mann, das Subjekt ist der Samariter und
der Gegenspieler sind die Räuber; aber der Helfer sind Wein und Öl.[3] Auf diese
Weise sind alle Erzählungen Performanzen einer zugrunde liegenden Kompetenz,
die durch das aktantielle Schema repräsentiert wird.

    Dieses hier nur sehr oberflächlich beschriebene Modell ist keineswegs konkur-
renzlos oder allgemein anerkannt. Es scheint mir jedoch hilfreich zu sein, um über
die Beziehung zwischen Figur und narrativer Struktur nachzudenken, und zwar in
ganz anderer Art als James, denn die Morphologie Propps und Greimas' reduziert
jede Figur auf einen Aktanten, und ein Aktant existiert nur in Bezug zu einem Plot.
Dieses Modell könnte den Eindruck erwecken, man bevorzuge das Einfache, Redu-
zierte gegenüber dem Ausgearbeiteten, dem, was James als Wachstumsdrang der
Saat feierte. Beabsichtigt ist aber, genau diese Prozesse des Wachstums und der
Expansion richtig zu lesen und das besser zu verstehen, was James die „schöne
Bestimmung" nennt.

    Unterstellen wir also eine ‚Fabel', die stufenweise interpretiert wird: zuerst von
Markus, dann von Matthäus und Lukas, die Markus verwenden; schließlich von
Johannes, der vermutlich ein ähnliche, aber nicht identische Quelle verwendete.
Welche Fassung der Fabel Markus auch vor sich gehabt haben mag, es war vermutlich das einzige Stück fortlaufende Erzählung, das ihm zur Verfügung stand, denn
die Evangelien sind, nach den häufig zitierten Worten Martin Kählers, „Passionsgeschichten mit ausführlicher Einleitung". Natürlich können wir diese frühere Fassung, was auch immer diese gewesen sein mag, nur aus den von ihr ‚abgeleiteten'
Erzählungen erschließen, die wir tatsächlich besitzen. Das gleiche gilt für die primitive Fabel selbst, deren historische Existenz wir nicht zu unterstellen brauchen.
Wir müssen uns lediglich vorstellen, *was* die Evangelisten eigentlich zu interpretieren begannen. Ich spreche von ‚interpretieren', da die Redaktion einer existieren-
den Erzählung unter den Umständen des frühen Christentums ein quasiexegeti-
scher interpretativer Akt war. Statt eine Erzählung in einem Kommentar zu interpretieren, geschieht dies durch deren Anreicherung. Dabei bedienten sich die
Evangelisten nach den meisten Forschern derselben Methoden, mit denen auch
andere antike Texte vor ihrer Kanonisierung revidiert und überarbeitet wurden, um
anstößig oder unverständlich gewordene Stellen zu entfernen oder akzeptabel zu
machen. Diese Praxis ist auch als Midrasch bekannt, sie beinhaltete unter anderem

---

3 Daniel Patte: *What Is Structuralist Interpretation?*, Philadelphia (Fortress Press) 1976, S. 43.

manchmal sehr freie narrative Veränderungen und Erweiterungen und wurde nicht nur bei der Aktualisierung von Texten, sondern auch bei deren Übersetzung vorgenommen. Die Evangelisten waren mit dieser Praxis bestens vertraut. Der Anlass zu so einem Midrasch konnte ein vergessenes oder fremdes Wort, die Interpretation eines schwierigen Gesetzesabschnittes oder einer im Lauf der Zeit zweideutig oder gar anstößig gewordenen Geschichte sein, wie etwa die von Saras Aufenthalt im Harem des Pharaos. Der Midrasch gab narrative Erläuterungen, um Sara zu verteidigen – der Pharao wusste, dass sie verheiratet war und konnte ohnehin nicht seinen tyrannischen Willen an ihr ausüben. Ähnlich wurde Josephs Heirat mit der Tochter des Ägypters Potifar interpretiert: Ein alexandrinischer Roman behauptete, dass die Tochter zuvor konvertierte, nach einer rabbinischen Auslegung war sie in Wirklichkeit die Tochter von Dina – daher gebürtige Jüdin – und wurde von der Frau des Pharaos aufgezogen. So dient eine romantische Erzählung dazu, Unstimmigkeiten oder Anstößiges zu beseitigen.[4]

Als *testimonium* oder ‚Zeugnis' bezeichnet man eine Textstelle des Alten Testaments, die die Wahrheit des Neuen bestätigen soll und in ihm narrativ interpretiert wird. Ein Testimonienbuch war eine Sammlung solcher Texte, die zum Gebrauch in der Predigt zusammengestellt wurden. Manche Forscher glauben, dass solche Sammlungen – in Kodexform, um leichter nachzuschlagen – bereits existierten, bevor auch nur ein einziges der Bücher des Neuen Testaments geschrieben worden war.[5] Das einzige Testimonienbuch aus dieser Zeit ist eine Sammlung von Belegtexten über den Messias, die in einer Höhle bei Qumran gefunden wurde.[6] Doch es gibt genügend Hinweise, dass die Menschen ‚in der Schrift suchten', um die Wahrheit des Christentums zu bestätigen, und es ist auch durchaus plausibel, dass vergleichbare Sammlungen in christlichen Gemeinden von früher Zeit an existierten. Auch ist nicht unwahrscheinlich, dass die narrative Interpretation dieser gesammelten Texte die Gestaltung der Evangelien einschließlich der Passionsgeschichte beeinflusst hat, dass also Teile der evangelischen Geschichte als Midraschim von Testimonien geschrieben wurden.

Ein Midrasch setzt den Glauben an die anhaltende Bedeutung alttestamentlicher Texte voraus. Diese Relevanz wird gerade durch ihre Umgestaltung deutlich, durch die sie in einen neuen narrativen Zusammenhang gestellt werden, wo sie die Wahrheit und Kraft der von Verfasser und Publikum geteilten Lehren verstärken. Dieser Prozess kann sehr gewaltsam sein, wie in Qumran, wo die exakte Übereinstimmung der Schrift mit Geschichte und Erwartungen einer bestimmten Sekte erzwungen wurde. Die Grundannahme, dass die Gegenwart die Endzeit ist,

---

4 Vgl. etwa Géza Vermès: „Bible and Midrash", in: *Cambridge History of the Bible (CHB)* I (1970), S. 199f.; ders.: *Scripture and Tradition in Judaism*, Leiden (Brill) 1961; John Drury: *Tradition and Design in Luke's Gospel*, London (Darton Longman Todd) 1976, S. 5f. und die Bibliographie in Raymond Edward Brown: *The Birth of the Messiah*, New York (Doubleday) 1977, S. 563.

5 Vgl. Colin Henderson Roberts: „Books in the Graeco-Roman world and in the New Testament", in: *CHB* I (1970), S. 53.

6 Die Beschreibung des Qumran-Manuskripts als eine Sammlung von Testimonien hält Brown für zweifelhaft (*The Birth of the Messiah* [Anm. 4], S. 101, Anm. 10).

in der sich alle Zeichen und Prophezeiungen erfüllen, lässt den neuen Text so gestalten, dass er mit dem alten übereinstimmt und manchmal sogar den alten Text zugunsten des neuen abändert.

Es ist nach wie vor umstritten, in welchem Maß der Midrasch die Komposition der Evangelien beeinflusst hat. Einige kühnere Geister halten ihn für sehr wichtig und behaupten etwa, Matthäus habe neben Markus keine weitere Quelle benutzt, weil sich seine Hinzufügungen komplett als Midrasch verstehen ließen.[7] Auch Lukas wird gelegentlich für so einen freien Interpreten gehalten.[8] Andere Forscher sind hier weitaus vorsichtiger, da ihnen die Vorstellung nicht behagt, die Interpretation von Testimonien habe den eigentlichen Bericht beeinflussen können. So verurteilt etwa Raymond Brown in seinem Buch über die Kindheitserzählungen ausdrücklich die Gleichsetzung von Midrasch mit Literatur.[9] Tatsächlich ist diese Gleichsetzung jedoch gar nicht unplausibel, und ein säkularer Interpret kann vielleicht etwas freier über dieses Verhältnis nachdenken.

Ich will mich im Folgenden auf die Frage beschränken, wie die vorhandenen Passionsgeschichten und ihre aus Agenten entwickelten Figuren mit Mitteln der Interpretation wie dem Midrasch erzeugt worden sind. Üblicherweise wird die Erzählung als aus fünf Abschnitten bestehend beschrieben: Abschied, Gefangennahme, Prozess, Hinrichtung und Auferstehung; C. H. Dodd bezeichnet diese Abschnitte gar als „Akte".[10] Diese Sequenz besteht aber aus zwei verschiedenen Gruppen von Elementen, denn wie wir sehen werden, spricht einiges dafür, dass die ältesten Berichte mit der Gefangennahme begannen. Unabhängig von diesen Berichten gab es ebenfalls eine Überlieferung vom Abendmahl; sie war etwa zur Zeit des ersten Korintherbriefes schon in der liturgischen Tradition verankert; stark liturgisch geprägt ist auch Markus' Beschreibung vom Brechen des Brots und Trinken des Weins. Für Markus war das Abendmahl ein Fixpunkt, der in einer kontinuierlichen Erzählung direkt vor der Gefangennahme platziert werden muss, was dann auch bei allen Synoptikern tatsächlich der Fall ist. Trotzdem stimmt der Verlauf von deren Erzählungen erst von der Gefangennahme an überein. Jeremias, auf den ich mich hierbei stütze, unterscheidet zwischen einem ‚Kurzbericht', der mit der Gefangennahme begann, und einem langen Bericht, in dem das Material bis zum Einzug in Jerusalem, ‚nach rückwärts vervollständigt' worden sei, wobei auch die Episode von Petrus' Verleugnung eingefügt wurde.[11] Dieser lange Bericht schließe also den Abschied mit ein und sei dann schließlich von jedem Evangelisten auf seine Weise aufgefüllt worden.

Bei Paulus erfahren wir, dass das Abendmahl „in der Nacht, in der er ausgeliefert [oder ‚verraten'] wurde" (1 Kor 11,23) stattfand. Das legt die Vermutung nahe, dass der Verrat ‚rückwirkend eingefügt' wurde, um die Kontinuität und den

---

7 Vgl. Michael Douglas Goulder: *Midrash and Lection in Matthew*, London (S.P.C.K.) 1974.
8 Vgl. Drury: *Tradition and Design* (Anm. 4).
9 Vgl. Brown: *The Birth of the Messiah* (Anm. 4).
10 Charles Harold Dodd: *Historical Tradition in the Fourth Gospel*, Cambridge (U.P.) 1963, S. 29.
11 Joachim Jeremias: *Die Abendmahlsworte Jesu*, Göttingen (Vandenhoeck & Ruprecht) 1960, S. 90.

Zusammenhang der Geschichte von der Gefangennahme und vom Abschied her-
zustellen; anders gesagt, erzeugt die Bewegung der Erzählung von einer Phase zur
nächsten (vom Abschied zur Gefangennahme) die Funktion ‚Verrat‘, bevor noch
der Agent des Verrats bestimmt war. Denn wenn Judas bei der Gefangennahme
erwähnt wird, erscheint er als jemand, von dem der Leser zuvor nichts gehört
hatte: Markus und Matthäus schreiben „Judas, einer der Zwölf“ (Mk 14,43, Mt
26,47), Lukas nennt ihn „der, welcher Judas hieß“ (Lk 22,47). Johannes' Formulierung „Judas, der ihn auslieferte (‚verriet‘)“ (Joh 18,2) ist hier weniger einschlä-
gig, denn er hatte Judas viel stärker als seine Vorgänger in vorangehenden Sequenzen charakterisiert – seine ‚rückwirkende Vervollständigung‘ ist also gründlicher,
und manches spricht dafür, dass seine Quelle Judas hier nicht zum ersten Mal
einführt.

Wir können daher vermuten, dass Judas in jenem früheren Stadium des ‚Kurzbe-
richts‘ keine Rolle in der Abendmahlsszene spielte. Er wurde später eingearbeitet, als
er die Funktion des Verrats übernahm und so zu dem Agenten wurde, durch den die
Geschichte vom ersten zum zweiten ‚Akt‘ wechselt. Die nachträgliche Geburt der
Judasfigur wird durch sein einziges vorheriges Vorkommen bei den Synoptikern (in
der Liste der Zwölf Mk 3,19, Mt 10,4, Lk 6,16) nicht angefochten, denn dort steht
er am Ende der Liste und wird schon als Verräter etikettiert, als sei er durch eine
etwas nachlässige ‚nachträgliche Ergänzung‘ eingefügt worden.

Dass eine ausführliche und quasihistorische Geschichte die Figur eines Verräters
fordert, liegt auf der Hand. Je nach Standpunkt spielt diese Figur die Rolle des
Helfers oder des Gegenspielers, denn indem er sich dem Helden entgegenstellt,
dient er der Logik der Geschichte. Das tut etwa im Buch Hiob der Satan, dessen
Name dann auch ‚Widersacher‘ oder ‚Gegenspieler‘ bedeutet; in der Passionsgeschichte, in der der Satan nach Lukas und Johannes ja in Judas fährt (Lk 22,3, Joh
13,27), ist die Figur tatsächlich von ihrer narrativen Rolle ‚besessen‘. Natürlich
hilft auch Judas, indem er sich entgegenstellt. Seine böse Tat, wie die Satans, ermöglicht etwas und wird letztlich ein Mittel zum Guten.[12]

Aus dem Verrat wird also Judas. In der vollständig ausgearbeiteten Geschichte ist
das Schema komplizierter, denn alle Zwölf, insbesondere Petrus, sind Verräter
und Abtrünnige (*prodotes*, jemand, der einen bei Gefahr verlässt), was in der Erzählung berücksichtigt werden muss. Auch ist es notwendig, dass der Held – seine
übernatürlichen Fähigkeiten vorausgesetzt – weiß, dass und von wem er verraten
werden wird. Beides verlangt nach weiterer Erzählung, und die relative Freiheit des
Midrasch ermöglicht, dass jede Fassung dem auf ihre Weise nachkommt, auch
wenn alle Petrus' Verleugnung und Jesus' Ankündigung, dass er von einem engen
Freund verraten werden wird, enthalten.

---

12 Wie Louis Marin schreibt, ist Judas der Agent, durch dessen Tat es Gott möglich wird zu sterben.
   „Der Tod Gottes ist also zugleich *notwendig und unmöglich*. Jemand muss also dieses Notwendige
   möglich machen. Doch wie? Eben durch den *aleatorischen Akt des Verrates* […] Die Notwendigkeit
   des Verräters ist die *Notwendigkeit einer narrativen Logik*, die ein unlösbares Problem lösen muss.“
   Louis Marin: *Semiotik der Passionsgeschichte. Die Zeichensprache der Ortsangaben und Personenna-
   men*, München (Kaiser) 1976, S. 92.

Diese Ankündigung basiert in charakteristischer Weise auf einem der vielen alt-testamentlichen Texte, die in der Passionsgeschichte verwendet werden. Wie viele andere stammt auch diese Stelle aus den Psalmen: „Auch mein Freund, dem ich vertraute, der mein Brot aß, hat gegen mich geprahlt" (wörtlich: „hat die Verse gegen mich erhoben" Ps 41,10). Dieser Text ist der ‚Keim' der Szene, und aus ihm erwächst auch die Episode, die der Geschichte vom Mahl vorangeht: Judas' Besuch bei den Hohepriestern und sein Angebot, Jesus zu verraten. Das wiederum wirft weitere Fragen auf – Warum will Judas das tun? –, die dazu beitragen, aus dem Agenten des Plots eine Figur zu machen. Die nahe liegendste Antwort lautet jetzt: des Geldes wegen, und mit dieser Antwort erzeugt die Figur noch mehr Erzählung.

Wie gestaltete Markus die Geschichte vom Mahl?[13] Als Jesus verkündet, dass einer seiner Tischgenossen ihn verraten wird, werden die Zwölf betrübt und jeder fragt: „Doch nicht etwa ich?" (Mk 14,19) Darauf klagt Jesus über den Verräter, nennt ihn aber nicht, anschließend folgt die liturgische Erzählung von Brot und Wein. Dabei wahrt das nun um den Wein erweiterte Brot die Verbindung zum ursprünglichen Testimonium des Psalmentextes: Die Figur des Verrats wird mit der Figur des Ritualopfers verschmolzen und suggeriert, dass beide untrennbar sind.

Nach dem Mahl machen sie sich auf den Weg zum Ölberg. Markus erwähnt keine eigenständige Bewegung von Judas, der allein zu den Schergen aufgebrochen sein muss, die Jesus gefangen nehmen werden; erst bei der Gefangennahme wird Judas wieder erwähnt. Der Kuss ist Verrat, eine Umkehrung jenes Kusses, der nach dem heiligen Mahl erfolgt wäre – vollendet wird damit der Betrug und nicht das Opfer. All das könnte also eine stark ausgearbeitete narrative Interpretation des Testimoniums sein. Bei Markus ist Judas' narrative Rolle damit erfüllt, er unter-scheidet sich hier wenig von einem abstrakten Agenten und könnte schlicht ‚der Verräter' oder ‚Verrat' genannt werden. Man fühlt sich an mittelalterliche Schau-spiele wie die *Moralités* erinnert, deren Rollenbezeichnungen manchmal zwischen namentlichen Personen und Abstraktionen hin- und herschwanken, zwischen ‚King Johan' und ‚Rex'.

Aber wir wissen schon genug über Judas, um mehr zu erwarten, sobald die Arbeit der narrativen Interpretation weitergeht und die Figur Gestalt annimmt. Matthäus hatte Markus beim Schreiben vermutlich aufgeschlagen vor sich liegen. Wie interpretierte er diese Szenen? Nun, während Markus bloß von Judas' Besuch bei den Hohepriestern berichtete, hält Matthäus den Dialog fest, der bei dieser Gelegenheit stattfand: „Was wollt ihr mir geben, wenn ich euch Jesus ausliefere?"

---

13 Markus macht das Paschamahl zum Abendmahl und beschreibt auch die Vorbereitungen dazu. Als historischer Bericht aufgefasst, hat der Text viele Schwierigkeiten (Wann fand das Mahl genau statt, welche Beziehung hatte es zum Paschafest, etc?), die wir hier jedoch übergehen können. Wie Jeremias vermutet, könnte es sich auf eine christianisierte Version des Paschafests beziehen, was auch die Einsetzungsworte erklären würde. Wie die Juden hielten auch die frühen Christen das Paschafest für die wahrscheinliche Zeit der Ankunft des Messias, obwohl sie diese Stunde fastend statt schlemmend erwarteten, um ihre spezifische Hoffnung auf Parusie von den unbestimmteren Hoffnungen der Juden abzuheben (Jeremias: *Die Abendmahlsworte Jesu* [Anm. 11] S. 116f.).

(Mt 26,15) Die Antwort lautet: dreißig Silberstücke. Matthäus hat diese Summe erfunden, aber bei ihm folgt das Erfinden fast immer einer festgelegten Form. Seine Vorstellung, was geschehen sein könnte, gehorcht dem Respekt für die messianischen Prophezeiungen und Zeichen des Alten Testaments. Entsprechend findet er seine dreißig Silberstücke in Sacharja (11,12): „Doch sie wogen mir meinen Lohn ab, dreißig Silberstücke."

Zwischen dem Kontext dieser Passage bei Sacharja und ihrer neuen Verwendung durch Matthäus lässt sich keine zwingende Übereinstimmung erkennen. Und obwohl diese Silbermenge ein vernünftiger Preis zu sein scheint – also die normale Prüfung der narrativen Plausibilität besteht –, ist doch wichtig, dass sie eigentlich zu einem völlig anderen Plot gehört, einem Plot, der auf verborgenen Verbindungen zwischen der neuen Erzählung und vielen alten beruht und überhaupt nicht auf Sequentialität oder Plausibilität angewiesen ist. Es scheint dabei eine Konstellation von Texten zu geben, von denen der neue die alten erhellt und ihre unerwartete und endgültige Bedeutung offenbart. Aber weil das in einer Erzählung geschieht, müssen auch diese Offenbarung und diese behaupteten Entsprechungen in den syntagmatischen Fluss des Textes eingefügt werden. Matthäus steht also plötzlich am Anfang eines Subplots. Er erinnert sich jetzt an zwei Texte bei Jeremia: Im ersten kauft der Prophet eine Flasche beim Töpfer und zerbricht sie auf dem Gräberfeld, zum Zeichen, dass die Könige Jerusalem mit dem Blut Unschuldiger angefüllt haben (Jer 19); im zweiten kauft er einen Acker für siebzehn Silberstücke (Jer 32). Matthäus' Judas gesteht schließlich, dass er unschuldiges Blut verraten habe, und wirft sein Silber in den Tempel (Mt 27,4 f., das stammt wieder von Sacharja: „ich warf sie im Haus des Herrn dem Schmelzer hin", Sach 11,13). Da solches Geld im Tempel nicht angenommen werden konnte, verwenden es die Priester dazu, den Acker des Töpfers zu kaufen, um darin Fremde zu begraben. Matthäus macht dabei die Verbindung zu Jeremia mit dem üblichen Erfüllungszitat klar (Mat 27,9-10), aber es könnte auch noch andere, weniger explizite Beziehungen geben: So spielt für manche Exegeten Matthäus hier auf Ahitofel an, der nach seinem Verrat Davids sein Haus bestellt und sich erhängt (2 Sam 17,23); anderen zufolge erinnert er an die Brüder Josephs, die ihn für zwanzig Silberstücke verkauften (Gen 37,28).

Aus seinem alttestamentlichen Material macht Matthäus eine lebendige Erzählung und einen lebendigen Dialog – „Was geht das uns an? Das ist deine Sache." (Mt 27,4) –, auch wenn diese bei näherem Hinsehen nicht besonders plausibel klingt: So bringt Judas das Geld an einen Ort, zu dem er schwerlich Zugang haben dürfte, und zu Männern, die, wie wir wissen, gerade anderswo beschäftigt sind, nämlich vor Pilatus. Auch Judas' Tod wirft einige Probleme auf: Anders als Matthäus beschreibt ihn die Apostelgeschichte, wo er vornüber stürzt und seine Eingeweide aus ihm hervorquellen (Apg 1,16-20), nach einer weiteren, durch Papias überlieferten, Erzählung schwillt er zu solcher Größe auf, dass er nicht mal mehr durch ein Wagentor passt und qualvoll stirbt. Sein Ende ähnelt also dem Tod, der traditionell Tyrannen und Erzbösen wie Herodes vorbehalten ist. Wieder andere Überlieferungen berichten, dass Judas weiterlebt, bis er die Auferstehung sieht und dann zerbirst. Schon länger wird vermutet, dass jede dieser drei Erzählungen auf eigene Quellen zurückgeht: Die von Matthäus kennen wir, die Apostelgeschichte verwendete eine Passage im Buch der Weisheit (4,17 ff.) und die Papias-Tradition verwendete 2 Makkabäer (9,7-18) und eventuell weitere Quellen über den Tod böser Menschen.

Diese Stellen (und die vielen anderen dieser Art) machen nicht nur die zunehmende Komplexität von Matthäus' Interpretation von Markus deutlich, sondern auch die Freiheit, den Verräter durch Hinzufügen von Details zu charakterisieren, welche oft weit über das für die narrative Realisierung des Verrats erforderliche Minimum hinausgehen. Sollten wir dies nur in Erzählungen finden, die auf Schriftzitaten basieren? Ich glaube nicht. Diese Erzählungen haben gewiss ihre Eigentümlichkeiten: Das Alte Testament und die Apokryphen werden als eine Art Sammlung narrativer Keime behandelt, welche in die Passionsgeschichte transplantiert werden und dort zu einer geschichtsartigen Erzählung heranwachsen. Und obwohl man wahrscheinlich davon ausgehen kann, dass das Repertoire solcher Stellen sich irgendwie auf ein zentrales Korpus messianischer Texte begrenzte – das allerdings nach Bedarf erweitert werden konnte, wie z.B. um Sacharja, der Matthäus schon die Figur des Schäfers geliefert hatte, nun die dreißig Silberstücke beisteuert –, so hatte doch im Prinzip jeder alttestamentliche Text ein narratives Potential, das sich im Neuen Testament realisieren ließ. Auf den ersten Blick ist diese Situation einzigartig, tatsächlich ist sie aber nicht gänzlich anders als das Verhältnis zwischen den Anfangsseiten und der späteren Ausführung eines langen Romans. Die ersten Seiten enthalten Virtualitäten oder Keime, die nicht alle wachsen werden; es gibt eine Menge narrativer Details, die selbstständig existieren und, wie das Alte Testament, auch ohne spätere ‚Erfüllung' existenzfähig sind, gleichwohl aber erfüllt werden könnten. Eine besondere Art von Roman, die klassische Detektivgeschichte, beruht auf unserer Fähigkeit, wie die Hexen in *Macbeth* zu unterscheiden, welche Samen wachsen werden und welche nicht, wobei uns der Text gelegentlich verwirrt, indem er die eine Sorte genauso aussehen lässt wie die andere.

Der Roman, der solche gelegentlichen Erfüllungen ausnutzt, ist eine Form der Erzählung, die nur als Buch denkbar ist – er setzt im Prinzip voraus, dass wir in seinen Seiten vor- und zurückblättern können. Ein Roman auf einer Schriftrolle wäre etwas anderes. Es ist daher von großer Bedeutung, dass die Christen schon zu einem sehr frühen Zeitpunkt den Kodex der Rolle vorzogen. Die Juden, für die das Ende der Zeit noch nicht gekommen war, deren Prophezeiungen eines Messias unerfüllt waren, behielten die Rolle bei. Die Christen dagegen, die sich nach der Übereinstimmung von Ende und Anfang des Buchs sehnten, brauchten den Kodex und benutzten ihn nicht nur für ihre eigenen Bücher, sondern übertrugen auch ihr ‚Altes Testament' in diese Form. Wann sich der Wechsel genau vollzog, ist strittig, aber es ist zumindest denkbar, dass das Markusevangelium bereits in Kodexform zirkulierte. Die frühen Kodizes konnten nicht die gesamte Bibel enthalten, aber sie erleichterten die Rückverweise sehr: Die neue Sicht der Weltgeschichte brachte ein neues System mit sich, um Informationen über sie abzurufen und zu ordnen. Die Übertragung der hebräischen Schriften in griechische Kodizes ermöglichte die

Aneignung dieser Schriften für christliche Zwecke. Sie machte es möglich, die jüdische Erzählung zur Begründung der Wahrheit des Christentums zu verwenden und zwar nicht nur durch Rekurs auf das Gesetz und die Propheten, sondern auch auf andere Belegstellen, die scheinbar wahllos in den alten Texten verstreut waren und deren verborgener Sinn erst jetzt manifest wurde. Das Alte Testament wird somit zur Grundlage einer enormen Peripetie; in seinem *chronos* finden sich Präfigurationen der *kairoi*, die im Neuen Testament zutage treten.[14] So wurde der Kodex, ursprünglich vielleicht ein Notizbuch der hellenischen Geschäftsleute, zum Werkzeug einer neuen Art von Erzählung, die veränderte Ansichten über die göttliche und die menschliche Ordnung der Zeit widerspiegelte. Auf seine Weise bewahrt noch der Roman das archaische Vertrauen in die figurale Beziehung von Neuem und Altem, in das Fortbestehen des Sinnes, der immer wieder erneuert und wieder hergestellt wird, und in die Erwartung, wie berechtigt auch immer, dass das Ende seinen mächtigen Schatten auf alles, das ihm vorangeht, werfen muss. Die Form des Buches ist daher ein dauerhaftes Bild verborgener Absichten und Zusammenhänge. In ihm lassen sich Übereinstimmungen notieren, wobei, wenn es sein muss, auch die ursprüngliche Geschichte verändert werden kann (wie manchmal in den frühchristlichen Fassungen der Evangelien), häufiger aber das spätere Geschehen entsprechend gestaltet wird, wie es Matthäus tut, wenn er Passagen der jüdischen Bibel in seinen Bericht von Judas aufnimmt.

Als Matthäus seinen Midrasch über Markus' Judasgeschichte schrieb, kann es ihm nicht so vorgekommen sein, als erfinde er bloß. Das Bild des Judas war da, *en disponibilité,* für seine Ausgestaltung gab es im Markusevangelium bereits starke Hinweise. Die Entfaltung dieser Hinweise gehörte zur Aufgabe des Schriftstellers, die Matthäus meist mit größerem Geschick als Markus löste, wobei zum Schreiben allerdings mehr gehört als bloßes ,Geschick'. Jedenfalls war Matthäus ordentlicher als Markus: Es gibt für ihn keinen Grund, wie Markus zweimal auf das Testimonium vom Brot zu verweisen; einmal scheint besser, daher lässt er den ersten Verweis weg. Auch entdeckt er mühelos Lücken in Markus' Erzählung, die ihm ebenfalls *en disponibilité* zu sein schienen. Als Jesus prophezeit, dass einer der Zwölf ihn verraten wird, lässt Markus sie alle fragen: „Doch nicht etwa ich?" Bei Matthäus ist es allein Judas, der die Frage stellt, und er erhält die charakteristische Antwort *su eipas,* „Du sagst es" (Mt 26,25), die Jesus auch Pilatus auf die Frage, ob er der König der Juden sei, geben wird (hier *su legeis,* 27,11), ebenso wie dem Hohepriester auf jene, ob er Christus sei (*su eipas,* 26,64). An dieser Stelle antwortet übrigens der gewöhnlich sehr schweigsame markinische Jesus völlig überraschend *ego eimi,* „ich bin (es)". Matthäus hatte entweder einen abweichenden Text,[15] oder wollte

---

14 Vgl. zu diesen Ausdrücken mein *The Sense of an Ending,* New York (Oxford University Press) 1967. Gegen eine zu strenge Entgegensetzung vgl. James Barr: *Biblical Words for Time,* London (SCM Press) 1962, S. 20f.

15 Markus 14,26. In manchen Zeugnissen steht *su eipas hoti ego eimi,* „Du hast gesagt, daß ich es bin", und diese charakteristischere Lesart lässt sich leichter als Grundlage von Matthäus 26,64 und Lukas 22,70 verstehen. Taylor scheint in seiner Ausgabe des griechischen Texts (New York 1952) dazu zu tendieren, die längere Lesart zu übernehmen. Von einem narrativen Standpunkt aus ist

eine ihm unerklärliche Unregelmäßigkeit beseitigen, oder er zog die dreifache Wiederholung dem narrativen Schock bei Markus vor.

Su legeis und die Aoristform *su eipas* kann alles Mögliche von ,Ja' bis hin zu ,Du sagst es' oder ,Kein Kommentar' bedeuten. In Matthäus' neuer Judas-Szene wird gegenüber Markus die vollständige Wiedererkennung des Gegenspielers/Helfers durch den Helden hinzugefügt. Dadurch wird die Fabel zugleich komplexer und eindeutiger. Seltsam ist allerdings, dass Matthäus aus dieser vielversprechenden Entwicklung nicht mehr macht. Scheinbar hört niemand dem Gespräch der beiden zu, obwohl nichts auf eine heimliche Unterredung hinweist. Nach diesem neuen Höhepunkt geht die Geschichte einfach wie zuvor weiter, und Judas, der vermutlich alleine losgegangen ist, taucht als nächstes wieder bei der Gefangennahme auf und wird unumwunden als „einer der Zwölf" bezeichnet. Er sagt: „Sei gegrüßt, Rabbi!" und küsst Jesus. Jesus' Erwiderung (Mt 26,50) kann man verschieden übersetzen: „Freund, wozu bist du gekommen?", „Mein Freund, dazu bist du gekommen?", „Mein Freund, tu, wozu du gekommen bist", oder schließlich – wenn man annimmt das der Vokativ *hetaire* nicht einfach „O Freund" bedeutet, sondern wie auch sonst gelegentlich bei Matthäus einen Vorwurf einleitet –: „Komm endlich zur Sache". Mein Griechisch reicht nicht aus, um zwischen diesen Übersetzungen auszuwählen, allerdings scheinen die letzteren dazu zu tendieren, eine Unzulänglichkeit oder Lücke in Matthäus' Erzählung zu übertünchen. Demgegenüber lesen sich die einfacheren Übersetzungen besonders seltsam, besonders weil Matthäus kurz vorher die Gefangennahme mit der markinischen Wendung „Seht, der Verräter, der mich ausliefert, ist da" eingeleitet hatte (Mt 26,46). Jesu Antwort dagegen erweckt nicht nur den Anschein, als habe die Wiedererkennung beim Abendmahl nie stattgefunden, sondern als habe Matthäus auch vergessen, was er gerade geschrieben hat.

Wie dem auch sei, Matthäus sagt danach zunächst nichts mehr über Judas, bis er berichtet, was schließlich aus dem Verräter wurde: Er gibt das Blutgeld zurück und begeht Selbstmord. Diese erzählerischen Hinzufügungen lassen sich nur durch ein Interesse an der Figur erklären. Am Anfang stand also das Bedürfnis nach einer Erzählung, das durch eine narrative Interpretation des Testimoniums befriedigt wurde. Die Erzählung aber brachte Figuren hervor, und die Figuren brachten neue Erzählungen hervor, und im Laufe dieser Entwicklung sind neue Lücken unvermeidlich – so funktioniert Interpretation in der Literatur.

Lukas folgt Markus oder demjenigen, dem Markus folgt, meistens ziemlich genau und macht den Kuss ganz eindeutig zum Augenblick der Wiedererkennung. Johannes macht dagegen deutlich, dass die Fabel für den narrativen Interpreten noch weitere Möglichkeiten bietet. Zwar setzen alle Evangelisten Judas schon bei dessen erster Nennung in der Apostelliste mit dem Verrat in Beziehung, aber Johannes gibt bereits hier eine detailliertere Präfiguration des Verrats: „Habe ich nicht euch, die Zwölf, erwählt? Und doch ist einer von euch ein Teufel. Er sprach von

---

die erhaltene Lesart (schlicht *ego eimi*, ich bin) stärker, teils, weil sie unerwartet ist, teils durch den Kontrapunkt zur Verleugnung durch Petrus.

Judas, [...] denn dieser sollte ihn verraten: einer der Zwölf" (Joh 6,70-71). Johannes greift dieses dämonische Thema (auf das auch Lukas anspielt, 22,3) am Anfang seiner Abschieds-Szene auf: „Während des Mahles, als der Teufel Judas, dem Sohn des Simon Iskariot, schon ins Herz gegeben hatte, ihn zu verraten und auszuliefern." (oder „Der Teufel hatte schon beschlossen, dass Judas [...] ihn überliefern solle", Joh 13,2). Nach der Fußwaschung, die sich nur bei Johannes findet, sagt Jesus seinen Verrat voraus, ohne dabei das Testimonium vom Brot aus Psalm 41,10 zu erwähnen. Die Zwölf blicken einander unsicher an. Petrus bittet darauf den geliebten Jünger, der „an der Seite Jesu lag", das heißt, der neben ihm lehnte, herauszufinden, wer der Verräter sein werde. Der geliebte Jünger hat keinen Eigennamen, Petrus ist es offensichtlich nicht; man hat sogar gesagt, es sei Judas gewesen, was ein exzellenter Midrasch wäre. Jedenfalls reicht er die Frage an Jesus weiter, der antwortet: „Der ist es, dem ich den Bissen Brot, den ich eintauche, geben werde." (13,26), und gibt den Bissen Judas.

Dies ist eine schöne Umwandlung des von Markus und Matthäus zitierten Testimoniums in eine lebendige Erzählung – indem er tatsächlich dem Fragenden das Brot gibt, hat sich das Testimonium als Text vollkommen aufgelöst. Als Judas dann den Bissen isst, nimmt er den Satan in sich auf – das eucharistische Brot erscheint in dämonischer Umkehrung, der menschliche Agent nimmt den Gegenspieler/Helfer in sich auf. Damit vollendet sich die Wiedererkennung, und die Folgen treten sogleich ein: „Was du tun willst, das tu bald!" (13,27) Johannes, der schon viel getan hat, um die narrative Textur zu verdichten, schließt jetzt eine weitere Lücke im Bericht des Matthäus, indem er die Reaktion der verbleibenden zehn der Zwölf berücksichtigt. Sie haben zwar etwas gehört, aber nicht verstanden, warum es gesagt wurde; die Weitergabe des eingetauchten Bissens halten sie für einen normalen Teil des Mahls und vermuten, dass Judas als Schatzmeister hinausgeschickt wurde, um noch mehr Essen zu kaufen oder den Armen Almosen zu geben (was in der Paschanacht üblich war, allerdings werden wir sehen, dass bei Johannes der Abschied nicht in dieser Nacht stattfindet). Auf diese Vermutung hat Johannes den Leser schon früher vorbereitet, indem er Judas zum Schatzmeister der Gruppe macht, natürlich zu einem unehrlichen. Nur bei Johannes ist Judas derjenige, der sich über die Verschwendung des Öls in Bethanien beschwert, in den anderen (auch sonst spezifisch verschiedenen) Fassungen dieser Szene gibt es nur ein allgemeines Murren der Jünger.

Mittlerweile ist die Abschieds- und Wiedererkennungsszene narrativ so suggestiv geworden, dass Johannes nicht einfach weitermachen kann wie die Synoptiker. Er kann Judas nicht bei den anderen lassen, er muss ihn hinausschicken. „Als Judas den Bissen Brot genommen hatte, ging er sofort hinaus. Es war aber Nacht." (13,30) Das Griechische hier ist knapper: *exelthen euthus; en de nux*. Dieses „sofort", *euthus*, ist einer der Lieblingsausdrücke von Markus, der es vierzigmal in seinem kurzen Evangelium verwendet; seine Erzählung bekommt dadurch etwas rastloses, etwas nervös und zufällig bewegtes. Hier bei Johannes klingt es ganz anders, eher nach abrupter Endgültigkeit. Dabei liegt eine außergewöhnlich raffinierte Erzählung vor, die in ihrer Fülle weit entfernt von Matthäus oder gar Markus ist, bei dem alles *disponible* blieb. Wir fühlen uns nahe am Roman. Dabei beschränkt sich die Entwicklung nicht auf Ausfüllen und Erweitern, es gibt auch einen ökonomischen Umgang mit den Mitteln: Die Worte „Was du tun willst, das tu bald" und der plötzliche Aufbruch von Judas leisten das gleiche wie Matthäus' dreißig Silberstücke und machen die Beschreibung von Judas' zukünftiger Reue und Tod überflüssig.

Wenn wir also die verschiedenen Transformationen der Fabel vergleichen, müssen wir jene von Matthäus für weiter entwickelt halten als die von Markus, und die von Johannes noch einmal weiter entwickelt als die von Matthäus. Markus ist charakteristisch schlicht, mehr ein Netz als ein ausgefüllter Raum. Auch darin liegt eine Stärke, obwohl es einfacher ist, Johannes' literarisches Können zu bewundern. Nachdem Markus sich entschieden hat, das Mahl in der Paschanacht stattfinden zu lassen, will er das Thema nicht weiter entwickeln. Grundsätzlich ähnlich entscheidet sich Johannes – der wohl kühnere und geübtere Autor – gegen die Paschanacht und versucht, aus den sich daraus ergebenden Konsequenzen so viel wie möglich zu machen. Er wollte die Kreuzigung mit der Schlachtung der Paschalämmer zusammenfallen lassen, eine Idee, die nicht von ihm stammt und schon von Paulus überliefert wird (1 Kor 5,7). Damit wird „die Typologie als Chronologie verstanden":[16] Da Christus das Paschaopfer war, sollte er in der Erzählung zur gleichen Zeit wie die Lämmer getötet werden. Daher musste das Mahl *vor* dem Paschafest stattfinden. Mag die Absicht eine theologische gewesen sein, der Effekt ist ein entschieden literarischer, denn durch diese Verschiebung entsteht eine Beziehung zwischen zwei getrennten Sequenzen von Ereignissen (das Töten der Lämmer und Jesus' Hinrichtung), die sozusagen kontrapunktisch ist. Ein Schriftsteller, der eine Erzählung so sicher handhabt, wird auch einer einfacheren Episode genügend Kraft und Kohärenz verleihen können. Johannes ist jedenfalls dazu in der Lage. Dabei verlangt der kontrapunktisch-typologische Effekt von ihm, an anderer Stelle der Erzählung Korrekturen vorzunehmen. So bekräftigt er das Zusammenfallen von Paschafest und Kreuzigung indirekt, wenn er sagt: „Es war am Rüsttag des Paschafestes" (Joh 19,14), wobei er betont, dass die Gekreuzigten vor Beginn des Pascha-Sabbats abgenommen werden mussten (19,31) und erwähnt, dass die Hohepriester das Prätorium nicht betraten, „um nicht unrein zu werden, sondern das Paschalamm essen zu können" (18,28).

Man kann annehmen, dass der ursprüngliche ‚primitive Bericht' diese Dinge viel einfacher darstellte. Es ist keinesfalls absurd zu vermuten, dass es ursprünglich überhaupt keinen Judas gab, dass er in der Geschichte zum ersten Mal im Augenblick der Gefangennahme vorkam und dann ‚nach rückwärts erweitert' wurde. Paul Winter reflektiert über Judas' Beinamen „Iskariot", von dem bisher niemand sicher sagen konnte, was er bedeutet. Nach manchen bezeichnet er einfach den Herkunftsort, nach anderen leitet er sich von *sicarius* her, einem Wort für ‚Mörder' (diese Ableitung ist für jene interessant, für die Jesus und seine Jünger eine mehr oder weniger militante revolutionäre Gruppierung waren). Wieder

---

16 Johannes Betz: wiedergegeben in Jeremias: *Die Abendmahlsworte Jesu* (Anm. 11), S. 77.

andere argumentieren, Markus hätte den Beinamen sicher erklärt, wenn er gekonnt hätte, dass aber der Ursprung des Namens schon in Vergessenheit geraten war. Winter meint, dass er sich von einem aramäischen Wort herleitet, dass „Verrat" bedeutet.[17] Ich habe nicht die Kompetenzen, die sprachliche Herleitung zu beurteilen, aber es dürfte klar sein, warum ich sie reizvoll finde: Eine Funktion entwickelt sich zu einem Eigennamen. Damit wird sie zu einer Figur, deren Leben und Tod erzählt werden können, und schließlich geht die Funktion in der Figur verloren. Im ersten uns überlieferten Bericht ist bereits vergessen, dass Judas Iskariot einst Judas der Verräter und zuvor schlicht Verrat war.

Ist aus dem Verrat erst einmal eine Figur geworden, sind den narrativen Möglichkeiten keine Grenzen mehr gesetzt. Für manche, für die die Evangelien auf Fälschungen beruhten, wurde Judas zum eigentlichen Helden der Geschichte – etwa für die gnostische Sekte der Kainiten. Viel später lebte er in der mittelalterlichen Tradition fort: In der *Legenda aurea* ist er eine ödipale Figur, die mit der Mutter verheiratet ist, und man hat ein wenig Mitleid mit ihm. Hier wird spekuliert, Gott habe ihn angerufen, um ihn zu retten, Judas habe sich aber dennoch erhängt. Auch ist der Gedanke recht verbreitet, er habe unter Zwang gehandelt. Seine zänkische Frau brachte ihn dazu, von dem ihm anvertrauten Geld zu stehlen und zwang ihn schließlich, seinen Herrn für noch mehr Geld zu verkaufen. Das wohl interessanteste Beispiel dieser immer weiter laufenden Ausschmückung ist vermutlich die *Ballad of Judas* aus dem dreizehnten Jahrhundert, die als älteste Ballade in englischer Sprache gilt. Hier gibt Jesus Judas dreißig Silberstücke, um Essen zu kaufen, und warnt ihn zugleich vor seinen Verwandten. Tatsächlich trifft Judas seine Schwester, die ihn lauthals für seinen Umgang mit Jesus tadelt. Er heißt sie schweigen, aus Furcht, Jesus könne sich an ihr rächen. Aber sie überredet ihn, mit ihr zur Seite zu gehen; er legt seinen Kopf in ihren Schoß und schläft ein. Als er erwacht, ist das Geld verschwunden und Judas rauft sich verzweifelt die Haare. Da tritt ein reicher Jude namens Pilatus auf und fragt, ob Judas seinen Herren verkaufen wolle. Nur für die dreißig Silberstücke, die Jesus gehören, antwortet Judas. Nun wechselt die Szene abrupt zum Abendmahl; Jesus erzählt den Zwölfen, dass er für Essen verkauft wurde, Judas fragt: „Bin ich's?", und Petrus beteuert, dass weder Pilatus noch tausend Ritter ihn von der Verteidigung seines Herren abhalten würden. Mit der Prophezeiung von Petrus' Verleugnung bricht die Ballade ab.

Hinter dieser Fassung – allerdings ziemlich weit dahinter – steht Johannes. Es ist eine freie Interpretation, dass Judas unter Zwang handelt und womöglich in einem inzestuösen Verhältnis zu seiner Schwester steht, und damit eine aktive Form des Verrats darstellt, wohingegen Petrus, ohne Zwang, die passive Form repräsentiert. Eine solche freie Entwicklung ist auch die Nebenhandlung, in der Christus selbst das Geld gibt, für das er verkauft wird: So wird das Brot, das eucharistisch Christi Körper darstellt und in diesen verwandelt wird, tatsächlich durch den Verkauf dieses Körpers erworben. Judas' Verrat ermöglicht also die Messe. Diese und ähnliche

---

17 Paul Winter: *On the Trial of Jesus*, in: *Studia Judaica*, Bd. I, Berlin – New York (de Gruyter) [2]1974, S. 196, 198.

mittelalterlichen Geschichten, in denen Judas das Geld beim Spielen verliert, sind sehr weit von Matthäus entfernt, der sich seine Silberstücke zu einem ganz anderen Zweck ausgedacht hatte. Die neue Erzählung, die durch die Figur hervorgebracht wird, ist von anderen Interessen beherrscht. Die Ballade ist ein gutes Beispiel dafür, was aus der jahrhundertelangen Interpretation werden kann, doch sie ist besonders deshalb interessant, weil sie eine narrative Form annimmt.[18]

Der gleiche Prozess lässt sich bei anderen Figuren beobachten, etwa bei Pilatus, bei dem ich mich aber kürzer fassen muss. Er ist eine historische Gestalt, über die man einiges aus außerbiblischen Quellen weiß: Von 26 bis 36 n.Chr. Statthalter von Judäa, war er laut Josephus ein strenger Mensch (obwohl er nach C. K. Barrett „Nachfolger hatte, deren kleiner Finger dicker war als seine Lenden"[19]). Diese historische Gestalt spielt in unserer Fabel die Rolle des Richters. Wie der Verrat einen Verräter braucht, so braucht der Prozess einen Richter. Und an dieser Stelle beginnt sein Leben in der narrativen Interpretation. Es verläuft auf höchst außergewöhnliche Weise, denn der allgemein verabscheute Pilatus wird schon in den Berichten der Evangelien eine unhistorische Figur, die umsichtig, sogar mitfühlend handelt; in der koptischen Kirche wurde er sogar zum Heiligen. Viele verschiedene Tode, einschließlich Selbstmord und Hinrichtung, sind überliefert; auch erhält er eine Frau, die ihrerseits einen Eigennamen bekam.

In Markus' kurzem Bericht fragt Pilatus Jesus im Prozess sogleich, ob er der König der Juden sei, und erhält, wie erwähnt, eine unverbindliche Antwort und keine weitere Reaktion auf die schweren Vorwürfe. Pilatus wundert sich darüber und bietet darauf an, Jesus gemäß dem (unhistorischen) Brauch des Festes freizulassen. Lukas lässt Pilatus etwas mehr sagen: „Ich finde nicht, dass dieser Mensch eines Verbrechens schuldig ist" (Lk 23,4). Johannes wiederholt bei der zweiten Befragung das *su legeis*, doch weit entfernt, ein markinisches Schweigen zu bewahren, werden die Worte zur Einleitung einer Unterhaltung: „Du sagst es, ich bin ein König. Ich bin dazu geboren" (Joh 18,37), die in der berühmten Frage kulminiert: „Was ist Wahrheit?" (18,38) Pilatus ist hier eine nachdenkliche, philosophische Figur; in einem späteren Midrasch sagte Bacon, seine Frage sei ein Scherz gewesen und hätte nicht auf eine Antwort gezielt; Johannes' Pilatus hört sich eine Aussage an (Jesus: „Jeder, der aus der Wahrheit ist, hört auf meine Stimme", 18,37) und stellt dazu eine vernünftige Frage. Er würde Jesus nach wie vor lieber freilassen. Johannes will hier erstens zeigen, dass Jesus' Ziele nicht politisch sind, und zweitens möchte er Pilatus und die Römer auf Kosten der Juden rein waschen. Die Kreuzigung war eine römische Strafe, die relativ umstandslos über militante Revolutionäre verhängt wurde. Daher war es wichtig, dass die Dinge hier anders lagen und die Juden Pilatus zum Handeln gezwungen hatten.

18 Vgl. Paull Franklin Baum: "The English Ballad of Judas Iscariot", in: *Publications of the Modern Language Association (PMLA)* 31 (1916), S. 181–189; Peter Dronke: *The Medieval Lyric*, New York (Perennial Library) 1969, S. 67–69; Donald G. Schueler: "The Middle English *Judas*: An Interpretation", in: *PMLA* 91 (1976), S. 840–845.

19 Charles Kingsley Barrett (Hg.): *New Testament Background: Selected Documents* (1956), London (S.P.C.K.) 1974, S. 206.

Sobald der Richter zu einer Figur wird, wird deren Entwicklung stark durch die Erfordernisse der Handlung bestimmt, hier erweist er sich als überraschend besonnen und verständnisvoll. Matthäus stattet ihn mit einer einfühlsamen Frau aus, die einen warnenden Traum hat (Mt 27,19), und erfindet außerdem die Szene, in der Pilatus (historisch ziemlich unwahrscheinlich) seine Hände wäscht und äußert: „Ich bin unschuldig am Blut dieses Menschen. Das ist eure Sache" (27,24). Das führt dazu, dass die Juden die Schuld auf sich nehmen: „Sein Blut komme über uns und über unsere Kinder!" (27,25) Diese schreckliche Erdichtung beruht auf einer Stelle des Alten Testaments: „Alle Ältesten dieser Stadt sollen, weil sie dem Ermordeten am nächsten sind [...] ihre Hände waschen. Sie sollen feierlich sagen: Unsere Hände haben dieses Blut nicht vergossen" (Dtn 21,6-7). Vermutlich sollen diese Worte ebenfalls an Judas' Blutschuld erinnern. Jedenfalls wird der Richter durch diese Erweiterungen in höherem Maß zu einer Figur im eigentlichen Sinne. Bei Lukas ist er richterlicher, und die hier entwickelte zusätzliche Vernehmung vor Herodes eröffnet ein neues politisches Thema. Bei Johannes ist er ein zivilisierter Debattierer, und es ist Johannes, der ihm seine einprägsamsten Aussprüche verleiht: „Seht, da ist der Mensch" (Joh 19,5) und, über den *titulus* des Kreuzes, „Was ich geschrieben habe, habe ich geschrieben" (19,22).

Wir haben somit eine Fülle von Beispielen für das, was John Drury „midraschische Entwicklungen in der Historiografie" nennt.[20] Pilatus ist nachdenklich, verdutzt, ein Mann, der den Träumen seiner Frau Beachtung schenkt. Er ist auf seinen politischen Vorteil bedacht, weshalb er eine höfliche oder kluge Geste gegenüber Herodes macht. Er ist von der geheimnisvollen Macht seines Gefangenen berührt und diskutiert mit ihm sogar über Religion und Ethik. Da wir über die biblischen Figuren selten in Verbindung mit nur einem Evangelium nachdenken, stellen wir uns bei Pilatus eine Mischung dieser Eigenschaften vor. Die Erzählung suchte nach einer Figur, worauf noch mehr Erzählung folgte, um die Figur näher zu erläutern. Es gibt zahlreiche spätere Dichtungen über Pilatus: Er überzeugt den Kaiser Tiberius von der Göttlichkeit Christi. Er erscheint vor Caesar, in Jesus' nahtloses Gewand gekleidet (das seinerseits anhand eines Testimoniums erfunden wurde). Als Caesar ihm den Kopf abschlagen will, betet er, dass er nicht zusammen mit den bösen Juden getötet werden möge, und eine Stimme aus dem Himmel verkündet, dass alle Generationen und alle Völker ihn gesegnet nennen sollen. Ein Midrasch, der offenkundig auf Lukas' Magnifikat beruht, das wiederum ein Midrasch zu Hannas Lied in 1 Samuel 2 ist.[21] Die verständigen Männer, die den Kanon erstellten, tendierten dazu, Texte zu bevorzugen, die diese Technik zurückhaltender gebrauchten, aber wie wir gesehen haben, gedieh diese Interpretation weiterhin außerhalb des Kanons, wobei die offenkundige Fiktionalität dieser außerkanonischen

---

20 Drury: *Tradition and Design* (Anm. 4), S. 113.
21 Für die Pilatus-Phantasien vgl. Alexander Roberts und James Donaldson (Hg.): *Apocryphal Gospels, Acts and Revelations*, in: *Ante-Nicene Christian Library*, vol. XVI, Edinburgh (T. & T. Clark) 1870. Für das Magnifikat als Midrasch vgl. Drury: *Tradition and Design* (Anm. 4), S. 58.

Tradition im Gegenzug zweifellos den Eindruck der Geschichtsartigkeit der kano-
nischen Texte verstärkte.

Meine These ist also eigentlich ganz einfach. Über einen Agenten gibt es nichts
weiter zu sagen, als dass er eine Funktion erfüllt: Verrat oder Urteil. Wenn ein
Agent eine Art Person wird, ändert sich alles. Man braucht nicht viel für eine Figur:
Ein paar Andeutungen von Eigenheiten oder von Abweichungen vom Typischen
genügen, denn unser geschultes Auge wird sofort eine größere Struktur entwerfen,
als deren Teile jene Andeutungen interpretieren lassen.

Der Schlüssel zu dieser Entwicklung – von der Fabel zur geschriebenen
Geschichte, von der Geschichte zur Figur, von der Figur zu noch mehr Geschichte
– ist die Interpretation. Zu einem bestimmten Zeitpunkt erhält eine Erzählung
eine mehr oder minder feste Form. Im Falle der Evangelien war dies die Bildung
eines nicht völlig starren Kanons. Es gab viele andere Evangelien, aber dass sie
keine Kanonizität erlangten, kostete sie das Leben. Vier sind übrig geblieben, und
jedes von ihnen veranschaulicht auf seine eigene Weise, wie vorkanonische Interpretation funktioniert. Einige ihrer Unterschiede verdanken sich zweifelsfrei den
verschiedenen Bedürfnissen und Interessen der jeweiligen Gemeinden, für die die
Evangelisten ursprünglich schrieben, manches wird durch die unterschiedlichen
theologischen Neigungen der Autoren erklärbar sein. Aber viele Unterschiede wurden auch durch den Druck der narrativen Interpretation verursacht, der freilich
nicht unabhängig von jenen Faktoren wirkte. Jedenfalls handelte es sich dabei um
eine ganz andere Art von Interpretation als den institutionalisierten Formen des
Kommentars und der Exegese, die typisch für die nachkanonische Interpretation
sind. Denn diese frühen Interpretationen haben die Form neuer Erzählungen, sei
es durch Neuorganisation bestehenden Materials oder durch Einfügen neuen
Materials. In der ersten Phase stammt dieses neue Material bezeichnenderweise aus
Texten – alttestamentlichen Texten –, die stillschweigend als zur Geschichte gehö-
rig betrachtet wurden, zum selben allgemeinen Plot, dessen Auflösung die Passion
ist. Die neue Erzählung bringt Figuren hervor, und die Figuren erzeugen wiederum
weitere Erzählung über das Notwendige hinaus, wobei diese neue Erzählung wiederum ihre Form von den älteren Texten im ersten Teil des Buchs erhält. Erst wenn
der Kanon abgeschlossen ist, wird die Interpretationsarbeit zur Exegese, und selbst
diese kann, wie wir wissen, sehr schöpferisch sein. Es gibt daher auch eine echte
Kontinuität zwischen den Verfahren, mit denen die Evangelisten ihre eigenen Texte
produzierten und den seit fast zweitausend Jahren betriebenen der Exegeten.

Wenn wir all das berücksichtigen, so müssen wir wohl Henry James' Meinung
über den „normalen Ursprung eines fiktiven Bildes" ein wenig korrigieren. James
sieht seinen Ursprung dort, wo die Agenten beginnen, eine Geschichte hervorzubringen. Andere, die er für schlichter hielt, sehen „zuerst die Handlung vor sich
und dann ihre Handelnden". Aber auch in diesem Fall schweben diese Figuren
einem vor und belästigen einen, sie fesseln, und sie appellieren an einen als das, was
sie sind – als plausible Scheinbilder von Personen. Und dann beginnt die Arbeit,
die richtigen Beziehungen und Verwicklungen für sie zu entdecken, die mit dem
eigenen Maßstab des Wahrheitsgefühls übereinstimmen. Und in dem Moment

beginnen auch unsere Interpretationen, unsere Erforschung dessen, was Geschichten einmal ‚ursprünglich' bedeuteten und was sie heute ‚eigentlich' bedeuten, wenn unser vielleicht trügerisches Gespür für ihren vielleicht trügerischen Glanz es uns erlaubt, solche Überlegungen überhaupt auszusprechen.

Lesbarkeit der Kultur

Texte gehören zu einer ‚Kultur'. Das bedeutet nicht nur, dass sie einer bestimmten historischen Umwelt entstammen, deren Bedingungen man bei ihrer Lektüre berücksichtigen muss. Sie produzieren auch selbst Kultur, denn sie selbst knüpfen Netze von Bedeutungen und stiften Praktiken, die eben ‚die Kultur' sind: Sie legen fest, was das Eigene und das Andere, das Vertraute und das Fremde ist, das Gute und das Verpönte. Das gilt nicht nur für normative Texte wie Gesetzbücher oder Mythen, sondern auch für ‚Literatur'. Denn ‚Kultur' ist ja niemals stabil, ihre Unterscheidungen sind stets umstritten, und genau dieser Streit findet in den Texten der Kultur statt. Es gehört freilich zu den Schwächen des deutschen Kulturbegriffs, dass er Kultur meist eher als Sammlung von ‚Kulturgütern' versteht, als einen besonderen, abgetrennten Bereich der Hochkultur. Auch die Lektüre der Bibel ‚als Literatur' ist in dieser Richtung verstanden worden: als würde die Bibel damit endlich als Bestandteil eines kulturellen ‚Erbes' anerkannt. Aber eine solche Lektüre verstellt eher die Kontexte und Fragen, die in den biblischen Texten verhandelt werden, und entschärft nicht zuletzt die Kritik, die die biblischen Texte gegenüber einer solchen ‚Kultur' doch auch immer üben. Aus der Perspektive eines weiten Kulturbegriffs sind die biblischen Texte dagegen kein Produkt, sondern ein Produzieren, kein Reservoir von Antworten, sondern permanente Verhandlungen, die sich gerade in den verborgenen und oft unbeachteten Winkeln der Texte niederschlagen.

Mieke Bal gehört zu den bekanntesten Kulturwissenschaftlern der Gegenwart. Ihr Projekt der ‚Kulturanalyse' verbindet dabei die angloamerikanische Tradition der *cultural studies* und deren Interesse an der Populärkultur mit einer semiotischen Kulturtheorie aus dem Umfeld des (Post-)Strukturalismus. Dementsprechend weit gefächert sind ihre Gegenstände – sie reichen von barocker Kunst bis in gegenwärtige Filmarbeit –, alle ihre Untersuchungen sind aber auch stets mit einem methodischen Interesse verbunden, das versucht, semiotische Theorie mit Anregungen aus der Dekonstruktion, der Gender-Forschung, der Bildwissenschaft und den *postcolonial studies* zu verbinden (*Kulturanalyse*, dt. 2002). Angesichts dieser Themen überrascht es vielleicht, dass Bal sich Ende der 80er Jahre auch intensiv mit der Bibel auseinandersetzte. Aber gerade dort zeigte sich, wie eng der biblische Text mit seiner populären Rezeption und mit moderner Theoriebildung verknüpft ist: *Lethal love* (1987) zeigte etwa, dass die moderne (auch feministische) Rezeption biblischer Geschichten dazu neigt, diese zu homogenisieren und ihre Probleme auszublenden. *Murder and Difference* (1988) zeigte dieselbe Tendenz in der biblischen Exegese, *Death and Dissymmetry* (1988), aus dessen Kontext auch der hier vorliegende Text stammt, versucht demgegenüber, eine Lektüre der Texte zu

MIEKE BAL

entwickeln, in der das von Rezeption und Forschung Ausgegrenzte eine zentrale Rolle spielt. Dass dabei immer auch mithilfe verschiedener Theorien wie der Freudschen Psychoanalyse, der Anthropologie und der historischen Linguistik argumentiert wird, macht die Lektüre nicht einfach, zeigt aber auch, in wie hohem Maße die Lektüre der Bibel anschlussfähig sein kann an allgemeine Fragen und Probleme des kulturwissenschaftlichen Diskurses.

Die Frage nach der (Be-)Handlung der Frauen ist dabei, so die Grundannahme der Genderstudies, nicht nur ein Thema unter vielen, sondern hat grundsätzliche Bedeutung für die Kultur und dementsprechend auch für die Texte, um die es hier geht. Denn jeder Text arbeitet mit Differenzen und unter diesen ist die Geschlechterdifferenz eine der wichtigsten und offensichtlichsten, ist doch schon durch das grammatische System der Sprache nicht nur jedem Akteur, sondern überhaupt allem ein Geschlecht gegeben. Das ist nicht nur eine basale Klassifikation, sondern es enthält auch kulturelle Modelle von Subjektivität, von ,aktiver' männlicher und ,passiver' weiblicher, bzw. vielfältig abgestuft von Mädchen-, Jungfrauen-, Mutter- und Witwenschaft. Freilich ist die Art, wie das geschieht, oft nicht so einfach wie es auf den ersten Blick scheint, sondern voller potentieller Störungen und sogar Paradoxien. In den Texten gibt es daher immer Unklarheiten, Leerstellen, aber auch Verdoppelungen: Zwei Frauen scheinen eine zu sein, eine Frau teilt sich in zwei, eine Frau wird aktiv usw. Was eine einfache Hermeneutik oft als ,Fehler' oder ,Versprechen' interpretiert und die historische Kritik auf verschiedene Quellen verteilt, liest die Kulturanalyse als Symptom kultureller Spannungen, Verwerfungen und Verschiebungen: Sie richtet sich also auf die oft übersehenen Details, die von Entstellungen des Textes durch das Zusammentreffen mehrerer Logiken zeugen. Um sie sichtbar zu machen, muss der Text freilich von seiner manifesten Logik befreit werden: von Lektüren, die ihm wieder und wieder eine bestimmte Kohärenz der hegemonialen Kultur aufzwingen, die also in diesem Fall patriarchale Lektüren sind. Bals Kritik dieser Hegemonien hat dementsprechend nicht das primäre Ziel, ,mehr' Weibliches im Text zu finden, sondern den Prozess der Verdrängung selbst lesbar zu machen und die scheinbare Geschlossenheit des Textes aufzusprengen, um dessen verschiedene Stimmen sichtbar zu machen. Weil es auf diesem Feld keine neutrale Lektüre geben kann, so muss sie ,gewaltsam' vorgehen, indem sie etwa – durchaus nicht ohne Ironie – denjenigen einen Namen gibt, denen der Text sie verweigert. *dw*

MIEKE BAL

Frauen-Handlung: Töchter im Buch Richter

Natürlich lassen sich Literaturtheorien auf die Bibel ebenso wie auf irgendein anderes Textkorpus ‚anwenden'. Aber da Theorien Textkorpora von derselben Ordnung wie der analysierte Bibeltext sind, können sie dieses meiner Meinung nach nicht beherrschen, sondern allenfalls in Dialog mit ihnen treten. In diesem Sinne möchte ich das ‚und' zwischen Bibel und Literaturtheorie so verstehen, wie ich die hebräische Konjunktion *waw* verstehe, nämlich wörtlich. Es steht nicht für eine falsche Harmonie, hinter der sich eine andere, ‚logische' Beziehung oder eine Unterordnung verbirgt, sondern für einen Dialog, für zwei Gleichberechtigte, die miteinander sprechen, einander zuhören und versuchen, etwas durch die Begegnung zu lernen: nämlich sich zu ändern. Die Theorie, die ich benutze, ist meine eigene Version der Narratologie, ich werde sie als Subtext dem biblischen Text gegenüberstellen, mit dem und durch den sie sprechen wird, den sie öffnen und befragen soll.[1] Wie relevant diese Begegnung ist, hängt für mich mehr davon ab, ob sie neue Probleme hervorbringt, als dass sie welche löst; davon, ob sie den Text fesselnder zur Sprache zu bringen kann, als es ohne sie möglich war. Der Text wird also in seiner Logik in Frage gestellt. Aber als Antwort auf diese Infragestellung wird auch der Text die Theorie in Frage stellen, er wird auf ihre Grenzen hinweisen und sie dazu drängen, über sich selbst hinauszugehen. Daher führt der Dialog zwischen Erzähltheorie und einem Korpus biblischer Texte zu einer Überschreitung der Disziplinengrenzen. Eine fruchtbare Begegnung zwischen kritischer Theorie und der Bibel führt, so meine Argumentation, zu einem interdisziplinären Unternehmen. Die einzige wahrhaft *kritische* Theorie kritisiert sich somit auch selbst und muss eine offene und dialogische Theorie sein.

Mörder und Opfer

Als ich zum ersten Mal das Buch Richter als Ganzes las, überraschte es mich, dass die böse Frau schlechthin, Delila, zwei Begleiterinnen im Bösen hatte, die ebenfalls einen männlichen Helden in eine Falle lockten und töteten. Trotz ihrer Mitwirkung bei der ‚guten' Sache wird Jael, die Mörderin Siseras (Ri 9,24 ff.), im Allgemeinen von den Kommentatoren kritisch behandelt. Ihr wird vorgeworfen, dass sie gegen die Gesetze der Gastfreundschaft verstößt und dass ihre Art des Tötens

---

1 Vgl. Mieke Bal: *Narratology: Introduction to the Theory of Narrative*, Toronto (University of Toronto Press) 1985.

grausam sei.[2] Tatsächlich aber brauchen wir nur die Perspektive umzukehren und für die Philister Partei zu ergreifen, um die große Ähnlichkeit ihrer Geschichte mit der Delilas zu bemerken. Die dritte Mörderin wird nicht so stark verurteilt, passt aber sehr gut in das Schema: Es ist die Frau, die Abimelech mit dem Mühlstein tötet (Ri 9,53). Obwohl ihre Tat befreiende Wirkung hat, thematisiert das Opfer selbst die Geschlechterfrage: „Da rief er seinen Waffenträger und sagte zu ihm: Schnell, zieh dein Schwert, und töte mich! Man soll nicht von mir sagen: Eine Frau hat ihn umgebracht. Der junge Mann durchbohrte ihn, und er starb" (Ri 9,54) Auch die Prosafassung von Jaels Mord an Sisera (Ri 4,7 ff.) macht deutlich, dass es eine Schande ist, von einer Frau getötet zu werden.

Offensichtlich erweckt das Buch den Eindruck, die exzessive Gewalt sei irgendwie mit der Geschlechterfrage verbunden. Als Feministin hatte ich es schwer, diese Mörderinnen zu verteidigen. Lange habe ich über sie gearbeitet und gehofft, dadurch besser zu verstehen, welche Fragen diesen Geschichten zugrunde liegen.[3] Erst nachdem ich mich auf weibliche Gewalt konzentriert hatte, fiel mir im selben Buch eine weitere Gewaltstruktur auf, welche den Eindruck, dass Gewalt hier als Frage des Geschlechterverhältnisses verhandelt wird, nur bestätigt. Sie besteht aus zwei Fällen: aus Jeftahs Opfer seiner Tochter im neunten Kapitel und aus der Vergewaltigung, Folter und Ermordung einer unschuldigen „Nebenfrau" in Richter 19. Auf den ersten Blick scheint es einen Gegensatz zu geben: Die Tochter Jeftahs ist, obwohl sie getötet wird, das ‚reine' Opfer eines heiligen Mordes. Sie wird Jahwe geopfert. Die „Nebenfrau" ist nach üblicher Auffassung eine Frau von niedrigem Status, ein Status, der durch ihre Sexualität bestimmt wird. Sie ist ganz sicher keine Jungfrau und wird auf erniedrigende Weise getötet: nicht durch Feuer gereinigt und der Gottheit geweiht, sondern entwürdigt und zu Tode vergewaltigt. Ebenbürtig sind sich die beiden Geschichten von der Ermordung unschuldiger Frauen nur in ihrer Schrecklichkeit.

Erst nachdem diese beiden Geschichten meine Aufmerksamkeit – und meine starke emotionale Reaktion – geweckt hatten, entdeckte ich einen weiteren Fall eines weiblichen Opfers. Auch die Frau mit dem Mühlstein war ja erst entdeckt worden, nachdem wir aufgrund der Ähnlichkeiten der ersten beiden Mörderinnen eine Reihe weiblicher Täter gebildet hatten. Ganz ähnlich tritt das dritte, bisher beinahe übersehene Opfer erst ins Blickfeld, sobald das verwandte Schicksal der anderen beiden Opfer herausgearbeitet worden ist. Unser drittes Opfer ist Simsons Braut, die ebenfalls männlicher Gewalt wegen getötet wird (Ri 15,6). Diese beiden nahezu versteckten dritten Fälle werden sich in gewisser Hinsicht als entscheidend erweisen, da sie jeweils die anderen beiden zusammenfassen. Bedeutungsvoll scheint dabei auch die narrative Nähe zwischen diesem dritten Opfer und Delila zu

---

2 Vgl. Alberto J. Soggin: *Judges: A Commentary*, London (SMC Press) 1981; und Robert Boling: *Judges: A New Translation With Introduction and Commentary*, Garden City, NY (Doubleday, Anchor Bible) 1975.

3 Vgl. Mieke Bal: *Murder and Difference: Gender, Genre and Scholarship on Sisera's Death*, Bloomington (Indiana University Press) 1988.

sein: Simsons Braut ist verheiratet, aber nicht so richtig, sie ist eine Jungfrau, aber auch das nicht so richtig, sie wird nicht von, sondern mit ihrem Vater getötet. Sie wird der Mörderin Simsons vorangestellt, die ihrerseits nicht so richtig die wirkliche Mörderin ihres Opfers ist und die von allen drei Mördern am eindeutigsten die Geliebte ihres Opfers ist – genauso wie Simsons Braut die Geliebte ihres indirekten Mörders ist, weil die Philister sie schließlich aufgrund von Simsons Taten töten (Ri 14,20).

Auf der einen Seite drei weibliche Mörderinnen, auf der anderen drei weibliche Opfer: Hier zeichnet sich eine Struktur ab,[4] die dem übermäßig gewaltsamen Eindruck des Buches zugrunde liegt und die der folgenden Lektüre als Leitfaden dienen soll. Dieser Leitfaden ersetzt für mich die Fragen nach dem historischen und theologischen Zusammenhang, an denen sich die Analysen des Richterbuches üblicherweise orientieren. Auch wenn allgemein anerkannt wird, wie schwierig die Chronologie des Buches ist, gibt es immer noch Bemühungen, eine solche zu etablieren. Die beste mir bekannte Untersuchung beginnt mit einer überzeugenden Widerlegung der Annahme, das Buch sei nur eine von ungeschickter Hand zusammengestellte Redaktion disparaten Materials; aber seine eigene Lektüre geht immer noch davon aus, dass die Sinnebenen von Krieg und Theologie die entscheidenden sind.[5] Auch wenn die historische, politische und theologische Orientierung die Hauptrichtung der Komposition des Buches sein mag, scheint es ein unterschwelliges anderes Interesse zu geben, das zumindest die Auswahl des Materials beeinflusst hat. Im Folgenden werde ich das Buch um dieses Interesse herum an diesem Gegen-Zusammenhang (counter-coherence) von Gewalt und Geschlecht lesen. Ich werde mich dabei vor allem auf die Opfer konzentrieren und nur kurz am Ende noch mal auf die Mörderinnen zurückkommen.

Die Erzähltheorie wird dabei helfen, Fragen zu stellen und die Probleme aufzuzeigen. Ich werde dabei mit der Hauptfrage der Erzähltheorie beginnen und nach dem Subjekt fragen. Das Subjekt kommt in der Erzählung auf drei Ebenen vor: als sprechendes, als sehendes und als handelndes Subjekt (subject of speech, subject of vision, subject of action). Die Frage ist also in anderen Worten: Wer spricht? Wer sieht (technisch ausgedrückt: Wer fokalisiert)? Wer handelt? Diese Fragen werden dazu dienen, eine naiv-realistische Lektüre zu überwinden und die narrative Form herauszuarbeiten. Sie sollen auch die Falle einer wiederholenden Lektüre vermeiden, die innerhalb der Ideologie des Textes bleibt, statt diese zu kritisieren. Anders gesagt, verwende ich sie auch, um den in der Exegese verbreiteten lähmenden Gegensatz zwischen historischen und literarischen Ansätzen zu überwinden. Sie sollen nicht nur bei der Aufklärung dessen helfen, was in den Geschichten passiert, sondern auch die Verantwortlichkeit (responsibility) sowohl der Ereignisse wie ihrer erzählerischen Wiedergabe verdeutlichen.

---

4 Für eine ausführliche Untersuchung dieser Struktur vgl. Mieke Bal: Death and Dissymmetry. The Politics of Coherence in the Book of Judges, Chicago (University of Chicago Press) 1988.
5 Vgl. David W. Gooding: „The Composition of the Book of Judges", in: Eretz-Israel 16 (1982), S. 70–79.

Die Figuration des Subjekts

Überraschend bei der Frage nach dem Subjekt ist das Problem der Anonymität. Die drei Opfer haben wie durch Zufall keine Namen. Keine Namen zu haben heißt, keine narrative Kraft (*narrative power*) zu besitzen. Sie sind der Macht von Männern unterworfen, die meistens Namen haben. Die erste Tat für uns bestünde somit darin, den Opfern einen Namen zu geben, der sie zu Subjekten macht und selber sprechen lässt. Den Opfern Namen zu geben, ist schon eine Ungehorsamkeit gegenüber dem Text, vielleicht eine Verzerrung. Tatsächlich wird an der Namensgebung deutlich, wie notwendig die Aktivität des Lesers ist. Mein Ziel besteht jedoch nicht darin, den Text auszuschmücken, sondern lediglich darin, seine Wirkung zu erklären. Die Namen, die ich ihnen geben werde, müssen daher innerhalb der Logik des Textes möglich sein, aber auch dem Leser und den Figuren Raum geben. Jeftahs Tochter ist durch ihre Tochterschaft bestimmt, ihr Schicksal ist eine metonymische Erweiterung ihres Vaters. Sie bekommt den Namen *Bath,* ‚Tochter'. Die „Nebenfrau" aus Kapitel 19 ist, wie wir noch sehen werden, keine Konkubine im heute üblichen Sinne. Um ihren Status zu begreifen, müssen wir verstehen, wie ihr Schicksal mit dem ‚Haus' (*bayit*) zusammenhängt. Sie kommt aus Bethlehem, übersetzt ‚Haus des Brotes', und wird von Haus zu Haus versetzt, schließlich aus dem Haus geworfen und in ihrer absoluten Opferrolle gekennzeichnet, als sie sich zur Schwelle dieses Hauses zurückschleppt – sie erhält daher den Namen *Beth.* Der nächstliegende Name für Simsons Braut, der wir nur kurz begegnen werden, ist *Kallah.* Das Wort bedeutet ‚Braut', doch ich verwende es auch als Wortspiel von *kalah*, was ‚Verzehr' oder ‚völlige Zerstörung' bedeutet. Ihre Zerstörung ist in der Tat vollständig, sowohl körperlich als auch symbolisch, denn sie wird von Flammen verzehrt (Ri 15,6), und die Erinnerung an sie wird durch Delila überschattet. Erinnert wird jene, die Simsons Heldenkraft zunichte machte, aber nicht jene, die ihr zum Opfer fiel. Diesen Frauen einen Namen zu geben, ist daher eine erste Geste, um ihrem Vergessen entgegenzuwirken. Es ist der erste Schritt, um sie wieder in die Geschichte der Geschlechterbeziehungen einzuführen, die ich im Folgenden zu rekonstruieren versuchen werde; es ist damit auch ein Versuch, die einseitige Betonung der Mörderinnen in dieser Geschichte zu korrigieren.

Es wird nicht möglich sein, die Erzählungen umfassend zu analysieren. Ich werde mich auf ein einschlägiges Phänomen konzentrieren, das ich als ‚narrative Verdichtung' (*narrative condensation*) bezeichne und das ich weiter unten erklären werde. Meine These dabei ist erstens, dass Bath und Beth nicht nur Opfer sind, sondern auch Subjekte, die – wenn auch im Rahmen der patriarchalen Macht, die sie schließlich tötet – selbständiger handeln als man es erwarten würde. Zweitens ist ihr Ruf falsch, weil die patriarchale Ideologie moderner Leser die den Text prägende Verdrängung wiederholt. Drittens geht es in den Geschichten vor allem um die Macht des Vaters, was unsichtbar bleibt, wenn man wie die meisten Interpretationen Themen wie Gehorsam (Bath) oder Gastfreundschaft (Beth) betont. Schon diese Interpretationen sind ein Beleg des ‚Wiederholungszwangs', der in meinen Augen die Hauptstrategie der ideologischen Lesarten ist, gegen die ich mich im

Folgenden wende. Ich werde mich daher auf einige textliche Details konzentrieren, an denen die Figur der Verdichtung deutlich wird; eine Figur, die geradezu symbolisch ist, wenn es um die Verschmelzung, das Eins-Sein, von Vater und Tochter geht.

Die Verdichtung ist eine Stil- und Denkfigur, die zwei oder verschiedene oder gar entgegen gesetzte Vorstellungen mit einem einzigen Wort ausdrückt. Sie ist natürlich in erster Linie eine Figur der Freudschen Rhetorik, wo sie als Form der Zensur verwendet wird. Jene Gedanken, die sich das Subjekt nicht eingestehen kann, werden aus dem Bewusstsein verdrängt, kehren aber in entstellter Form zurück, wobei Verdichtung ebenso wie Verschiebung Formen dieser Entstellung sind. *Narrative* Verdichtung bezeichnet dasselbe Verfahren, zwei oder mehr Gedanken auf einmal auszudrücken, aber eben in einem narrativen Akt. Die narrative Verdichtung par excellence besteht darin, zwei unterschiedliche, oft unvereinbare Subjekt-Positionen miteinander zu verschmelzen. Wie dies geschieht, soll im Folgenden veranschaulicht werden.

Bath, Beth und Jungfräulichkeit

Wie werden Bath und Beth eingeführt? Bath tritt das erste Mal nicht nur ohne Namen, sondern, gewissermaßen unter Vorbehalt auf, als Unbekannte, ausgezeichnet nur durch die *Erstheit*, die für unsere Vorstellung der Jungfräulichkeit entscheidend ist: Sie ist die erste, die dem Helden nach dem Sieg begegnet (Ri 11,34). Sie ist Gegenstand eines Schwurs. Als Sprechakt ist der Schwur eine Verbindung von Tausch und Versprechen. Das Versprechen betrifft die Zukunft, der Tausch eine Verabredung, in der Baths Leben gegen einen militärischen Sieg getauscht wird, den Jeftah nicht alleine zu erringen können glaubt (Ri 11,30 f.). Er braucht Unterstützung von Jahwe, der somit der wahre Sieger ist. Traditionsgemäß gebührt dem Sieger die Tochter des Anführers als Braut – so wie etwa am Anfang des Richterbuches Otniel sich Achsa verdient, die Tochter des Anführers Kalebs (Ri 1,13), so verdient jetzt Jahwe Bath. Der Wortlaut des Schwurs ist in beiden Fällen ziemlich ähnlich, und die Situation ist es ebenfalls: eine heikle militärische Situation, die die Prüfung des Helden, des *gibbor*, erfordert. Robert Alter würde von einer *type-scene* sprechen.[6] Der Schwur endet allerdings anders: Bath wird dem Sieger nicht als Braut, sondern als Brandopfer gegeben, das kein Ehemann, sondern ein anderer, höherer Vater erhält.

Beth wird in ähnlicher Weise zu gewissen Bedingungen weggegeben. Die Umkehrung der Situation betont die Ähnlichkeit nur noch mehr. Wieder droht dem Held eine Gefahr, allerdings nicht die einer militärischen Niederlage, der Held ist schon auf der Flucht. Die Unsicherheit ist aber in beiden Fällen dieselbe und betont das Gemeinsame: Auch diese Szene ist eine Variante der *type-scene* von Richter 1: Die Frau wird auch hier nicht als Braut weggegeben, sondern als Objekt

---

6 Vgl. Robert Alter: *The Art of Biblical Narrative*, New York (Basic Books) 1981.

sexuellen Missbrauchs. Sie wird nicht dem wahren Sieger gegeben, sondern der stärksten Seite. Seltsamerweise wird die „Nebenfrau" *zusammen* mit einer Jungfrau als Geschenk dargeboten: „Siehe, meine Tochter, die Jungfrau, und seine Nebenfrau" (Ri 19,24). Wiederum wird eine Frau gegen Sicherheit getauscht, diesmal nicht die der Armee, sondern die eines einzelnen Mannes. Und wiederum scheint der Status dieser Frau (Jungfrau? Nebenfrau?) wichtig zu sein. Anscheinend werden Frauen als Frauen und wegen ihrer spezifischen Weiblichkeit getauscht.

Was ist Jungfräulichkeit? In einem bekannten, aber zu wenig kritisierten Aufsatz versuchte Freud 1918 das Tabu der Virginität zu erklären. Woran liegt es, dass „primitive Menschen" die Entjungferung meiden, während „zivilisierte Männer" sie schätzen? Trotz Freuds Versuch, einen Unterschied zwischen den „Wilden" und seinesgleichen festzuschreiben und die schmerzhafte Ähnlichkeit zu leugnen, ist in beiden Fällen Jungfräulichkeit oder vielmehr Entjungferung ein Problem. Wie und warum? Wenden wir uns zunächst dem Status dieser Frauen zu, einer „Jungfrau" und einer „Nebenfrau". Das Wort, das üblicherweise mit „Jungfrau" übersetzt wird (*betulah*), wird von Bath selbst verwendet, doch weder von Jeftah noch vom Erzähler. Die Frage „Wer spricht?" lässt sich umformulieren zu „Wer spricht von Jungfräulichkeit?" und ist womöglich ein zentrales Problem. Der Erzähler beendet seine Darstellung der Geschichte mit den Worten „sie aber hatte noch keinen Mann erkannt" (Ri 11,39), Bath sagt aber etwas anderes, das gewöhnlich mit „Lass mich meine Jungfräulichkeit beweinen" (Ri 11,37) übersetzt wird, verstanden als „meine Kinderlosigkeit, meine Nutzlosigkeit beweinen". Ich bezweifle aber, ob das Baths Problem ist, es klingt eher nach einem männlichen. Um uns klar auf dieses Problem konzentrieren zu können, müssen wir einen kurzen Exkurs über sprachliche Probleme einfügen – welche die erste Grenze betreffen, die zu überschreiten uns die Narratologie zwingt.

Im Land der wandernden Felsen

Das Wort *bakah*, das hier mit ‚beweinen' übersetzt wird, hat im Hebräischen kein direktes Objekt. Daher können wir es ebenso gut als absolutes Verb übersetzen: als ‚klagen'. In Richter 11,37 – „Lass mir noch zwei Monate Zeit, damit ich in die Berge gehe und zusammen mit meinen Freundinnen meine Jugend beweine" – wird dieselbe Präposition '*al* zweimal verwendet: vor *betulah,* übersetzt als „Jungfräulichkeit", ebenso wie vor *har,* „Berge". Die zwei Segmente „'*al* die Berge" und „'*al* meine *betulah*" können, auch wenn sie voneinander getrennt sind, als gebrochener Parallelismus betrachtet werden.[7] Die Präposition '*al* gehört zu den variabelsten des Hebräischen. In einem Wörterbuch, auf das man oft herabsieht, das ich jedoch noch verteidigen werde, hat sie mindestens achtundzwanzig Bedeutungen,

---

7 Vgl. James Kugel: *The Idea of Biblical Poetry,* New Haven – London (Yale University Press) 1981, Adele Berlin: *The Dynamics of Biblical Parallelism,* Bloomington (Indiana University Press) 1985 und Robert Alter: *The Art of Biblical Poetry,* New York (Basic Books) 1985.

von denen eine synonym mit 'el ist – für welches das Wörterbuch wiederum zwölf
Bedeutungen angibt. Es ist eindeutig kontextabhängig, mit einem räumlichen
Bezugswort kann es ‚auf‘ oder ‚bis‘ bedeuten. Dann wäre allerdings die Konstruktion einigermaßen merkwürdig: „lass mich hinabgehen auf die Berge“. Angesichts
dieser Unbestimmtheit ist es einigermaßen plausibel ʾal gemäß einer ebenfalls häu-
figen Verwendung eher im Sinne einer Konfrontation oder Ausrichtung zu verstehen: als ‚entgegen‘, ‚um … zu begegnen‘. Den Bergen entgegen – das heißt hier:
fort vom Vater. Wenn wir diese Bedeutung der Ausgerichtetheit auch auf das zweite
ʾal beziehen – das legt auch die Septuaginta nahe[8] -, es aber nicht räumlich, sondern zeitlich verstehen, könnte es dort „meiner *betulah* entgegen“, „bis ich mit ihr
konfrontiert werde“ bedeuten.

Das Substantiv *betulah* muss man nun aus verschiedenen Gründen genauer
betrachten. Einmal steht es häufig zusammen mit der Wendung „keinen Mann
erkannt haben“. In einer Erzählung vom Frauenraub für die Benjaminiter am Ende
des Buches ist die Beschreibung sogar noch expliziter: „vierhundert Mädchen,
betulah, von denen keine erkannt hatte, keine mit einem Mann gelegen hatte“
(21,12). Hier wird oft „junge (oder jungfräuliche) Mädchen“ übersetzt, wobei die
beiden Substantive *naʿarah* (‚junge, unverheiratete Mädchen‘) und *betulah* als Syn-
onyme erscheinen. Sollte dies der Fall sein, so würde viermal dasselbe gesagt, was
selbst für die Hebräische Bibel ein bisschen viel wäre. Ich vermute eher, dass jedes
Glied der Reihe das Subjekt, also die Bräute, genauer bestimmt. Eine andere Stelle,
die an der Übersetzung von *betulah* mit ‚Jungfrau‘ zweifeln lässt, ist der zitierte Vers
„meine Tochter, *betulah*, und seine *Nebenfrau*“ (19,24). Wenn Jungfräulichkeit
eine Empfehlung ist, so gilt das nicht für den Status einer Nebenfrau; dennoch
werden beide Frauen gleichberechtigt angeboten, als ein Geschenk, wertvoll genug,
um einen Mann auszulösen. Ein dritter Grund des Zweifels an *betulah* ist, dass nur
Bath dieses Wort verwendet, der Erzähler dagegen die Umschreibung, sie habe
„noch keinen Mann erkannt“. Dadurch wird schließlich auch die Beobachtung
gestützt, dass *betulah* in Richter 11,37 nicht das direkte Objekt von ‚klagen‘ war
und dass die Präposition ʾal hier eher ein Gegenübertreten zu bedeuten schien.

Alle diese Argumente weisen darauf hin, dass sich *betulah* bei Bath auf einen
Zustand, eine Lebensphase bezieht, die nicht aufhört, sondern der man begegnen,
ja entgegengehen kann. Die Sichtweise, die darin zum Ausdruck kommt, würde
sich von der des Erzählers prägnant unterscheiden: Bath würde sich mit ihrer *Richtung* befassen. Sie wendet sich von ihrem Vater ab und geht in Richtung der Berge
und der Wildnis, in Richtung einer Phase *betulah*. Ihre Äußerung ist somit unab-
hängiger von der des Erzählers, als wir für möglich gehalten haben – weil wir an
eine realistische und psychologische Erzählung gewöhnt sind. Mir scheint hingegen, dass gerade der so heterogene biblische Diskurs etwas enthalten kann, was ich
‚wandernde Felsen‘ nenne: Ausdrücke, Wörter oder Diskursfragmente, die innerhalb der Kultur kursieren, selbst wenn sie vielleicht gar nicht mehr verstanden

---

8 Vgl. Karlheinz H. Keukens: „Richter 11.37 f.: Rite de Passage und Übersetzungsprobleme“, in:
Biblische Notizen 19 (1982), S. 41–43.

werden, die wie Felsblöcke mit einem Gletscher an fremde Orte, in neue Kontexte gewandert sind – aber unzerstörbar bleiben. In gleicher Weise bringt Baths Rede ein weibliches Verständnis von *betulah* zum Ausdruck: von der Lebensphase der Reife also, die durch den Handel unter Männern so gründlich verschoben worden ist, aber immer noch da ist. Wie ein wandernder Felsen ist auch sie unzerstörbar, aber wird jetzt anders benutzt.

Es ist bei vielen Völkern üblich, die Zäsuren im Leben des Individuums durch Rituale zu markieren, durch Übergangsriten, die es in der einen oder anderen Form auch in unserer Kultur gibt.[9] Riten des Erwachsenwerdens wie die *bar-mitzvah* oder die Erstkommunion werden in der säkularen Kultur durch Abschlussfeiern ersetzt, oft feiern Mütter und Töchter die erste Menstruation heimlich miteinander. In vielen Gesellschaften sind die Initiationsriten sehr differenziert. Wie Victor Turner in seiner strukturalistischen Interpretation dieser Riten gezeigt hat, wird dabei häufig der zeitliche Übergang in räumlicher Form symbolisiert: Durch die Wildnis, in der sich der Einzuweihende oft mehrere Monate lang getrennt von der Welt seiner Kindheit aufhalten muss.[10] In Baths Bitte spielen beide Aspekte eine Rolle.

Wenn man Baths Bitte, ihre *betulah* betrauern zu dürfen, im Kontext der Übergangsriten betrachtet, bekommt sie eine völlig neue Bedeutung. Als sie aus dem Hause ihres Vaters tritt, um den Sieger zu empfangen, ist sie in einer ähnlichen Situation wie Achsa in Richter 1,13: Es ist zu erwarten, dass sie dem Sieger zur Heirat gegeben wird. Genauso deutet sie hartnäckig und zu Recht ihr Schicksal: als einen wandernden Felsen, gewissermaßen fehl am Platz. Sie weiß also, dass sie das Übergangsalter erreicht hat, verlässt ihren Vater und bereitet sich auf die nächste Phase in ihrem Leben vor: auf die *Heiratsfähigkeit*, indem sie den dazugehörigen Übergangsritus organisiert. Das Problem, dass sie „keinen Mann erkannt" hat, dass sie dem Sieger gehört, dessen Identität aber nicht klar ist, da der Vater als *gibbor* gescheitert ist und göttliche statt menschlicher Hilfe erfleht hat, dies alles ist für sie ohne Bedeutung. Dasselbe Ereignis des Übergangsritus' bekommt im Text also eine vollkommen andere und fremde, ja entgegen gesetzte Bedeutung, je nachdem ob die Sichtweise des einen oder des anderen Subjekts ausgedrückt wird. Dies ist ein erster Fall von narrativer Verdichtung. Aber die meisten Leser erkennen den ‚wandernden Fels' von Baths fast formelhafter Rede nicht mehr in seiner Fremdheit und gehen wie selbstverständlich von der männlichen Auffassung von Jungfräulichkeit aus.

Der Begriff *betulah* kommt in einer Reihe vor, in der *na'arah* (‚unverheiratet') vorangeht und *'almah* (‚kürzlich verheiratet') nachfolgt. Es ist eine Reihe von Gefahrensituationen, denn sie bezeichnet jene Phasen, in denen die Reife der Frauen für die um sie kämpfenden Männer zum Zankapfel wird. Nur kurz sei erwähnt, dass Beth, die „Nebenfrau" aus Kapitel 19, eine *'almah* ist; die Gabe des

---

9 Vgl. Arnold van Gennep: *Übergangsriten*, Frankfurt a.M. (Campus) 2005.
10 Vgl. Victor Turner: *The Forest of Symbols: Aspects of Ndembu Ritual*, Ithaca (Cornell University Press) 1967, und ders.: *Das Ritual: Struktur und Anti-Struktur*, Frankfurt a.M. (Campus) 2005.

Gastgebers besteht dort also aus zwei jungen, aber volljährigen Frauen, die sexuell brauchbar sind.

Wir sehen jetzt, worin die narrative Verdichtung besteht: Bath spricht eine Sprache, der Erzähler spricht eine andere. Baths Sprache ist die des weiblichen Subjekts, das sich auf die Zukunft vorbereitet, auf die nächste Phase ihres Lebens. Der Erzähler befasst sich mit der Jungfräulichkeit im heute üblichen Sinne, der sich nicht an der Zukunft, sondern der Vergangenheit orientiert, Jungfräulichkeit also, die kein Anfang, sondern ein Ende, die nicht positiv, sondern negativ ist. Was bedeutet diese negative, männliche Sicht auf die Frau im Übergangszustand?

Die Logik des Besitzes

Sigmund Freud ist nicht nur zu Recht berühmt dafür, die unbewussten Motive kulturellen Verhaltens entdeckt zu haben, er ist auch ein Vertreter der zeitgenössischen männlichen Ideologie; und als dieser formuliert er die lange vorherrschende Auffassung von Jungfräulichkeit im bereits erwähnten Aufsatz über das Tabu der Virginität: „Die Forderung, das Mädchen dürfe in die Ehe mit dem einen Manne nicht die Erinnerung an Sexualverkehr mit einem anderen mitbringen, ist ja nichts anderes als die konsequente Fortführung des ausschließlichen Besitzrechts auf ein Weib, welches das Wesen der Monogamie ausmacht, die Erstreckung dieses Monopols auf die Vergangenheit."[11] Die „Logik", die Freud mit der von ihm hergestellten Beziehung zwischen Sex und Erinnerung zum Ausdruck bringt, lässt tief blicken, denn sie ist „logisch" problematisch und ähnelt darin eher einer Freudschen Fehlleistung. Auf Hebräisch wird Jungfräulichkeit auch mit einer meist als Euphemismus betrachteten Wendung ausgedrückt: „keinen Mann erkannt haben". Ich glaube aber nicht, dass es sich hier um einen Euphemismus handelt – also um einen Ausdruck, der einen groben Gehalt beschönigt –, sondern ganz im Gegenteil, dass das Gemeinte hier schärfer und spezifischer aufgefasst wird. Im Lichte von Freuds „Logik" sagt der Ausdruck, dass es kein Entkommen vor der Sexualität im Sinne eines ‚sexuellen Besitzes' gibt. Aus Freuds Sicht leitet sich die Bedeutung von Jungfräulichkeit nicht davon ab, dass Sexualität schändlich sei und die Frau beschmutze – so eine weit verbreitete Annahme –, sondern weil es in ihr um Besitz geht.

Nach G. J. Wenham ist Mary Douglas' Deutung der Besudelung zu stark aufs Symbolische beschränkt.[12] Tatsächlich sei der Verlust von Samen ein Verlust von Lebensflüssigkeit und habe daher einen (nicht allzu bedeutenden) Platz in der Reihe sonstiger Verluste von Lebensflüssigkeit wie das Blut bei einer Geburt oder

---

11 Sigmund Freud: „Das Tabu der Virginität", in: *Gesammelte Werke*, Frankfurt a. M. (S. Fischer) 1999, Bd. XII, S. 161.

12 Vgl. Mary Douglas: *Reinheit und Gefährdung*, Frankfurt a.M. (Suhrkamp) 1988; Gordon J. Wenham: „Why Does Sexual Intercourse Defile?", in: *Zeitschrift für Alttestamentliche Wissenschaft* 95 (1983), S. 432–434.

bei der Menstruation. Dieser Ansicht nach beschmutzt Sex den Mann von vornherein, die Frau wird dagegen quasi metonymisch durch Ansteckung besudelt. Die Erfahrung von Sex wertet die Frau nicht aufgrund der körperlichen Veränderung ab, sondern buchstäblich aufgrund ihrer Erinnerung, also ihres Wissens von der Vergangenheit. Dieses Wissen macht die Frau zu einer *anderen*, zu einem autonomen Subjekt. Es ist diese mit der sexuellen Erfahrung einhergehende Subjektivität, die anscheinend die Ausschließlichkeit des Besitzes bedroht. Das Wissen, die Kontaminierung des Geistes, ist hier das Entscheidende, daher geht es bei der männlichen Auffassung von Jungfräulichkeit im Wesentlichen um die Vergangenheit und nicht um die Zukunft. Das drückt das Hebräische nicht nur mit der Wendung „keinen Mann erkannt haben" aus, sondern auch mit anderen Worten. So heißt ,männlich' bezeichnenderweise *zakar,* ein Wort, das auch – sei es auch als Homonym ganz anderen Ursprungs – ,erinnern' bedeutet: Erinnern ist ein männliches Vorrecht, das den Frauen verweigert wird.

Nun muss in der Tat an die männliche Rolle bei der Fortpflanzung erinnert werden, während die weibliche deutlich sichtbar ist. Erinnern ist eine dringende Angelegenheit, da die Vaterschaft niemals gewiss ist, wohingegen man sich der Mutterschaft immer sicher sein kann. Ausdrücke für ,Sexualität' und ,Männlichkeit' verstärken daher oft die Bedeutung der Vaterschaft. Allerdings gibt es dabei ein interessantes, störendes Detail: Es findet ein Wechsel vom Ehemann zum Vater statt. Wie Freud darlegt, besteht der Zweck der Jungfräulichkeit darin, einen neuen Anfang zu machen, ohne die Erinnerung an einen anderen Mann mitzubringen, und dies würde, so ließe sich nun vermuten, auch den Vater einschließen. Diese Form der Jungfräulichkeit gewinnt eine besondere Brisanz angesichts der in den letzten Jahrzehnten aufgedeckten Tatsache, wie verbreitet die moderne patriarchale Praxis der Vergewaltigung von Töchtern durch ihre Väter ist. Sie hilft uns auch, den Widerwillen von Vätern zu verstehen, ihre Tochter zu einem anderen Mann gehen zu lassen – sie wegzugeben, wie es im Jargon der Hochzeitszeremonien heißt. Auch hier kommt es zu einer Verdichtung, allerdings ist sie nicht narrativ – wenn auch mit narrativen Konsequenzen –, sondern linguistisch: Sie verschmilzt die Positionen von Vater und Ehemann, von gegenwärtigem und vergangenem Besitz, oder noch einmal anders: von zeitlichem und ewigem Besitz. Baths Opfer ist eine Lösung, wenn auch eine tödliche, des Dilemmas der Jungfräulichkeit: Der Vater gibt sie weg, doch zu einem höheren Vater, nicht zu einem Mann. Und wenn Bath als die jungfräuliche Tochter erinnert wird, so auch deshalb, weil ihre eigene Subjektivität von den späteren Lektüren der Geschichte unterdrückt wurde. Von der zweiten Auffassung von *betulah* wurde die weibliche Sicht ihrer eigenen Lebensphase unterdrückt, bewahrt wurde nur das negative Interesse an ihr als Besitz.

Beths Hochzeit

Beths Lage ist ebenso interessant. Dabei ist hier eigentlich leicht erkennbar, dass ihre Darstellung massiv missverstanden wurde. Der Satz, der sie einführt, wird

üblicherweise wie folgt übersetzt: „In jenen Tagen, als es noch keinen König in
Israel gab, lebte im entlegensten Teil des Gebirges Efraim ein Levit als Fremder. Er
hatte sich eine Frau aus Betlehem in Juda zur Nebenfrau genommen." (Ri 19,1)
Buchstäblich steht dort: „Er nahm sich eine Frau, eine ‚Nebenfrau' aus Bethlehem." Zahlreiche Forscher haben darauf hingewiesen, dass die Reihenfolge der
Wörter „Frau" und „Nebenfrau" sonderbar erscheint; ‚logischer' wäre „Er nahm
sich eine Nebenfrau, eine Frau aus Bethlehem", doch wir haben gelernt, der Logik
zu misstrauen. Es gibt auch keine Anzeichen, dass hier die obige Übersetzung „er
nahm eine Nebenfrau aus Bethlehem zur Frau" gemeint sei. Meiner Meinung nach
entstehen diese Probleme aus der Annahme, dass das hebräische *piylegesh* (‚Nebben-
frau') so etwas wie eine Konkubine meint. Abermals ist das Wort, das den Status
der Frau zum Ausdruck bringt, der Unruhestifter. Auffällig ist dabei auch, dass die
beiden scheinbar irrelevanten Ortsangaben (Efraim, Bethlehem), einen Gegensatz
bilden, der im vorangehenden wie im folgenden Kapitel eine Rolle spielt. Der
Gegensatz kann durch die Bedeutung der Namen bestimmt werden: *Ephraim* leitet
sich von ‚Weideland' (aramäisch: *'aphra*) her, während *bayit-lehem* ‚Haus des Brotes' bedeutet. Auf diese Bedeutungen, die den Hintergrund für die problematische
Behauptung über die Frau bilden, werde ich noch zurückkommen.

Das mit ‚Nebenfrau' (bei Luther „Kebsweib", A.d.Ü.) übersetzte Wort *piylegesh*
ist das Hauptproblem bei dieser Darstellung der Frau. Das wird noch deutlicher in
der geläufigen englischen Übersetzung als *concubine*. Die ‚Logik' dieser Übersetzung ist anachronistisch: Sie wählt zunächst ein lateinisches Wort und gibt ihm
dann die Bedeutung, die es im Lateinischen buchstäblich hat, nämlich Bettgenos-
sin. Sie wird zirkulär, wenn daraus abgeleitet wird, dass die *piylegesh* einen niedrigen Status habe, wofür es wenige Anhaltspunkte gibt. Das tut etwa Phyllis Trible,
die anhand recht schwacher Belege eine große These über den niedrigen Status der
Frau aufstellt – ein Bespiel für die gefährliche Neigung von Wissenschaftlern, einander zu wiederholen.[13] Der feministischen Sache, in deren Dienst sie sich gleichwohl sieht, erweist sie mit dieser unkritischen Haltung auch keinen Dienst.

Wenn wir dagegen versuchen, die ‚Nebenfrau' aus narratologischer Perspektive
zu verstehen, so gehen wir zunächst davon aus, dass sie Subjekt einer im zweiten
Vers beschriebenen Handlung ist: „Aber seine Nebenfrau wurde zornig auf ihn und
verließ ihn; sie ging in das Haus ihres Vaters nach Betlehem in Juda zurück."
(Ri 19,2) Das Setting dieser Geschichte wird durch den Gegensatz zwischen dem
Weideland des Ehemanns und dem Haus-des-Brotes des Vaters bestimmt. Wenn
wir das im Hinterkopf halten und die Wortfolge des ersten Verses ernst nehmen, so
bedeutet allem Anschein nach die erste Beschreibung von Beth: „er nahm sich eine
Frau, eine [Präzisierung] aus Bethlehem". Hier wird also präzisiert, *was für eine
Frau* er sich nahm, und Beth-lehem ist hier anscheinend eine einschlägige Information. Mit anderen Worten: Er nahm sich eine Frau gemäß der in Beth-lehem
damals üblichen Sitte.

---

13 Vgl. Phyllis Trible: *Mein Gott, warum hast du mich vergessen! Frauenschicksale im Alten Testament*,
   Gütersloh (Gütersloher Verlagshaus) 1995.

Das Wörterbuch verzeichnet für das nicht-semitische Substantiv *piylegesh* zahlreiche Bedeutungen und weist auf eine Verbindung zum Arabischen Wort für „Königin" hin. Koehler und Baumgartner nennen als erste und älteste Bedeutung „Ehefrau der älteren Eheform, in der die Frau im Haus des Vaters bleibt".[14] Diese Form der Ehe ist aus nomadischen Gesellschaften bekannt: Der Ehemann, der keinen festen Wohnsitz hat, zieht mit seinen Herden umher und besucht seine Frau in unregelmäßigen Abständen. Schon 1921 und 1931 fand Julian Morgenstern diesen von ihm als *Beena*-Ehe bezeichneten Typ an einer ganzen Reihe von Stellen. Obwohl das Substantiv *piylegesh* sich auch auf eine zweite Frau beziehen kann (Gen 22,24; 25,6), scheint es sich weit öfter auf diese *Beena*-Ehe zu beziehen. Ich möchte hier nun die These verfechten, dass der Konkurrenzkampf zwischen diesem und dem üblicheren Ehetyp das anthropologische Hauptproblem des Richterbuches ist. Dies bringt uns von der Narratologie über die Philologie zur Anthropologie als einer Disziplin, die hilfreich, ja notwendig ist, um diese beunruhigenden Geschichten zu verstehen.

Der von Morgenstern verwendete Ausdruck ,*Beena*-Ehe' oder ,Matriarchat' legte nahe, dass es sich um die Institution einer matriarchalischen Gesellschaft handelt. Dabei handelt es sich um einen interessanten Fall von Verdrängung im anthropologischen Diskurs, in dem sehr häufig die matrilokale der virilokalen Ehe gegenübergestellt und erstere mit dem Matriarchat verwechselt wird, eine Vermischung, die irreführend ist. In anderen Studien wird die uns hier interessierende Eheform als duolokal bezeichnet, aber auch hier wird der Ehemann mit dem Vater verschmolzen. In beiden Fällen wird der Frau wesentlich mehr Macht zugeschrieben, als sie vermutlich hatte, womit vieles an der Geschichte unerklärlich wird. Morgenstern beschäftigt sich denn auch nicht mit Richter 19, die meines Erachtens die Grunderzählung des Überganges ist, um den es hier geht. Um ein wenig Klarheit zu gewinnen, können wir diese Eheform als *patrilokale* Ehe bezeichnen und sie sowohl von der matrilokalen als auch der virilokalen Ehe unterscheiden.

Wenn wir nun annehmen, dass sich *piylegesh* in dieser vermutlich sehr alten Geschichte auf diesen Ehetyp bezieht, passen viele der so problematisch scheinenden Bestandteile auf einmal zusammen. So zunächst die Einführung Beths im ersten Vers: „Er nahm sich eine Frau, eine patrilokale Frau aus Beth-lehem". Die Präzisierung ist bedeutsam: Als Mann vom Weideland ohne festen Wohnsitz, nimmt er sich eine Frau, die einen festen Platz im Haus des Vaters hat. Damit wird der Rest der Geschichte nicht nur kohärent, sondern auch höchst bedeutsam als Darstellung eines Wandels der Institutionen.

Noch schwieriger als die Übersetzung des ersten Verses erscheint auf den ersten Blick die des zweiten: Aus dem hebräischen Text stammt die Übersetzung „sie hurte neben ihm",[15] aus der Septuaginta „sie war wütend auf ihn". Es gibt also einen

---

14 Ludwig Koehler/Walter Baumgartner (Hg.): *Lexicon in Veteris Testamenti Libros*, Leiden (Brill) 1953, S. 761.
15 Vgl. A. Slotki: „Commentary on Judges", in: *Joshua and Judges: Hebrew Text and English Translation with Introduction and Commentary*, hg. v. Abraham Cohen, Jerusalem – New York (The Soncino Press) 1980.

Unterschied, ob Beth Täterin oder Beleidigte ist, also in welcher Weise sie handelt. Statt sich durch diese Unstimmigkeit und ihre Folgen auf ideologischer Ebene beunruhigen zu lassen, stellt Phillis Trible die Tendenz der beiden Übersetzungen niemals in Frage, was mir im Lichte der entscheidenden Bedeutung dieser Stelle geradezu als komisch für die Interpretation der Geschichte erscheint. Dabei ist dieselbe Präposition *'al*, deren Flexibilität in Baths Geschichte so hilfreich war, auch hier der Unruhestifter. Sie taucht sonst nirgends mit diesem Verb *zanah* auf. Im 11. Kapitel hatte sie die Bedeutung einer Richtung: ‚entgegen‘, das würde hier bedeuten: ‚Sie ... ihm entgegen‘, mit einer Nuance von Konfrontation. Wie passt das Verb dazu? Auch wenn *zanah* häufig in Bezug auf sexuelle Untreue verwendet wird, ist dem nicht immer so, und obwohl es sich meist auf Frauen bezieht, kann es auch Männer meinen (z.B. Num 25,1). Koehler und Baumgartner, die sich dabei auf Wincklers *Geschichte Israels* beziehen, führen als mögliche älteste Bedeutung an: „bedeutet ursprünglich, dass der Mann nicht im Stamme seiner Frau lebt."[16] Das würde geradezu verblüffend gut zur *beena*-Ehe passen, und wenn es eine Entwicklung von der patrilokalen Ehe zur normalen Prostitution gibt, so würden wir hier beobachten können, wie der ideologische Wandel die Semantik des Wortes beeinflusste. Über die Bedeutung ‚zornig werden‘ sagt mein Wörterbuch, dass sie sich vom Akkadischen herleite, wohingegen die vielen anderen Bedeutungen aus dem Aramäischen stammen. Buch der Richter 19 wäre der einzige Fall einer akkadischen Etymologie, und es erscheint mir legitim, an dieser Ausnahme zu zweifeln. Die vergleichende Philologie soll Probleme nicht voreilig lösen, aber sie soll ebenso dazu verwendet werden, interessante Möglichkeiten des Textes zu vertuschen.

Setzen wir daher für unsere Geschichte die Bedeutung ‚untreu sein‘ voraus. In Anbetracht der Übereinstimmung von *pilegesh* und der antiken Bedeutung von *zanah* könnte diese Untreue mit dem Übergang von der patrilokalen zur virilokalen Ehe zu tun haben. Die Narratologie lenkt unsere Aufmerksamkeit auf Beths Status als Handlungssubjekt von *zanah*. Sie ist somit nicht untreu *gegen* ihren Mann, sondern ihm *entgegen*, im direktionalen, konfrontativen und räumlichen Sinne. Sie ist untreu, weil sie *zu* ihrem Mann *geht*. Dies ergibt auch in Verbindung mit der nächsten Aussage Sinn, derzufolge sie ihn verlässt, aber nach dieser ‚Untreue‘. Wem gegenüber ist sie also untreu? Ihrem Vater gegenüber, der das ‚exklusive Besitzrecht‘ hatte? Diese Frau handelte als ein verhältnismäßig autonomes Subjekt. Sie ging, um ihren Mann zu besuchen – ob auf sein Betreiben hin oder nicht, können wir nicht wissen. Nach dem Besuch ging sie zurück zu ihrem Vater, wo sie gemäß der Eheinstitution, an die sie gebunden war, hingehörte. Die Unsicherheiten bei der Übersetzung und der Interpretation spiegeln die problematische und ungewisse Situation wider, in die sich Beth begeben hat. Wie wir noch sehen werden, wird sie zwischen den Männern zerdrückt, die um ihr exklusives Besitzrecht wetteifern: Eine narrative Verdichtung *par excellence*, in der Vater und Ehemann verschmelzen.

---

16 Koehler/Baumgartner: *Lexicon* (Anm. 14), S. 261.

MIEKE BAL

Beths Vater

Diese Lektüre erklärt auch ein sonderbares Detail, das zwar häufig bemerkt, aber nie wirklich verstanden wurde; auch die gründlichste mir bekannte Analyse ist nicht in der Lage, die Geschichte als Ganzes zu erklären.[17] Als Beths Mann später zum Haus seines Schwiegervaters kommt, begrüßt ihn dieser freudig und besteht darauf, dass das Paar im ,Haus des Brotes' bleibt (Ri 19,3 ff.). Der herzliche Empfang erscheint wenig plausibel, wenn man sich Beths Status als ,Nebenfrau' mit dem *Interpreter's Dictionary of the Bible* so ähnlich vorstellt wie den einer Sklavin, die von einer armen Familie gekauft wurde.[18] Man fragt sich, warum der Schwiegervater so glücklich ist, den Mann seiner entweder schändlich verstoßenen oder zornigen Tochter wieder zu sehen. Und warum bedrängt er seinen Schwiegersohn, gegen dessen Willen zu bleiben? Meine Antwort ist ganz einfach: Er ist glücklich, denn nun verhält sich der Ehemann regelkonform und stellt die bedrohte Institution wieder her, die dem Vater den ausschließlichen Besitz seiner Tochter garantiert. Zweitens ist er so beharrlich, damit es nicht noch einmal zu einer derartigen Überschreitung kommt. Der prächtige Empfang im ,Haus des Brotes' stellt seine Macht zur Schau; der Schwiegersohn antwortet darauf, indem er ebenfalls seine Besitztümer zeigt. Auch für ein drittes Detail gibt es eine traurige Erklärung. Von dem Augenblick an, als die beiden Männer sich treffen, verschwindet Beth aus der Geschichte und kehrt erst an deren gewaltsamen Höhepunkt als Opfer wieder zurück.

Fälschlicherweise wird Richter 19,3: „Da machte sich ihr Mann auf den Weg [...], um ihr ins Gewissen zu reden und sie zurückzuholen" oft als Zeichen freundlicher Gesinnung interpretiert und bei Luther als: „dass er freundlich mit ihr redete" übersetzt. Das ,Gewissen' (wörtlich *lev*, Herz) ist jedoch eher der Sitz der Vernunft als der des Gefühls, der Zweck des Besuches scheint daher eher Überredung als Versöhnung zu sein. Es ist kein moderner psychologischer Roman.

Beths Ehe spiegelt den Konkurrenzkampf zwischen patrilokaler und virilokaler Ehe wider. Um diesen Konkurrenzkampf geht es in der hebräischen Bibel viel häufiger, als gemeinhin angenommen wird. Das Werben um Rebekka hat Virilokalität zur Voraussetzung, und Jakob musste sich für lange Zeit in ein patrilokales Umfeld eingliedern, bevor es ihm gelang, sich von Laban zu emanzipieren. Vater und Ehemann konkurrieren in diesen Fällen um die ,Erinnerung' der Tochter. Im Rahmen der biblischen Ideologie konkurrieren sie darum, wessen Erinnerung sie bewahren wird, wem ihre Kinder gehören werden, wessen Namen sie dienen wird? Jedenfalls nicht ihrem eigenen; dafür haben die Autoren gesorgt, die Bath und Beth ihres

---

17 Vgl. Susan Niditch: „The ,Sodomite' Theme in Judges 19-20: Family, Community and Social Disintegration", in: *Catholic Biblical Quarterly* 1982, S. 365–378.
18 Otto J. Baab: „Concubine", in: *The Interpreter's Dictionary of the Bible*, Nashville (Abingdon Press) 1962, S. 666.

Namens beraubt haben. Dabei haben sie jedoch übersehen, was die weibliche Subjektivität auch in den Grenzen eines Kampfs zweier Formen des Patriarchats erreichen kann.

Es ist an der Zeit, eine Figur einzuführen, die in Baths Geschichte eine Rolle spielt und die in Beths Geschichte auffällig abwesend ist, auch wenn er durch die Folgen seines Tuns durchaus anwesend ist: Jahweh, der wahre Held, der eigentliche ‚Verlobte' der Tochter des Heerführers. Als Adressat von Jeftahs Schwur und als Empfänger ihres Opfers spricht er nicht. Wenn man freilich aus diesem Schweigen schließen würde, dass er das Opfer missbillige, wäre das wenig überzeugend: Sowenig er zugunsten der Sache spricht, so wenig äußert er sich auch gegen sie. In seiner vermeintlichen Allwissenheit hätte er die Folge des Schwurs voraussehen können. Jeftahs Sieg verdankt sich, jedenfalls in seinen Augen, eigentlich Jahwehs Hilfe; schließlich unternimmt Jahweh nichts, um Jeftahs Opfer, wie einst das Opfer Isaaks, zu verhindern. Jahweh ist unbestreitbar eine Vaterfigur. Es ließe sich mutmaßen, dass Jeftah seine Tochter lieber vollständig aufgibt, anstatt sie einem Mann der nächsten Generation zu geben. Indem er sie dem Übervater gibt, behält er sie zumindest auf der ‚richtigen' Seite: auf der Seite der Väter. Sie bleibt absolutes Eigentum der Väter, ein Eigentum mit *Geschichte*. Das Gottesbild dieser Geschichte entspricht einer Vaterfigur; sie passt zu einer Machtstruktur, in der Töchter gegen militärische Siege getauscht werden, der Gott unternimmt nichts dagegen, dass erst das Geschäft und dann das Leben kommt.

Nachdem wir uns der anthropologischen Struktur dieser Geschichten bewusst geworden sind, ist es leicht, das dritte weibliche Opfer in diese Reihe einzufügen. Tatsächlich ist Kallah, die Braut aus Richter 14, beispielhaft für dieses Thema. Ihr Vater gab sie beinahe weg an einen Mann, doch er holte sie zurück, um sie jemandem zu geben, der zumindest die Regeln der patrilokalen Ehe akzeptierte. Wieder wird dadurch ein eigenartiges Detail erklärt: Als Simson sie besuchen kommt, lebt sie noch bei ihrem Vater, der zugleich behauptet, sie schon vergeben zu haben (Ri 15,1 ff.).[19]

Unter Männern

In Beths Fall scheint am Ende der Ehemann zu gewinnen: Er schafft es, Beth aus dem Haus-des-Brots hin zum Weideland zu bringen. Doch soziale Veränderungen rufen, wie der Fortgang der Geschichte zeigt, gefährliche Situationen hervor. Der Ehemann zeigt nämlich, dass er seinem neu erlangten Status nicht gerecht wird und nicht in der Lage ist, seine Frau sicher nach Hause zu bringen. Er kehrt in Gibea bei einem „alten Mann" (Ri 19,16) ein, also bei einem anderen Vater, kehrt also gewissermaßen zum Haus des Vaters zurück – und wieder ist es ein Haus des Brots. Damit gibt er seine Position auf. Beth wird von dem Vater übernommen, der

---

19 Vgl. Julian Morgenstern: „Additional Notes on ‚*Beena* Marriage (Matriarchat) in Ancient Israel'", in: *Zeitschrift für Alttestamentliche Wissenschaft* 49 (1931), S. 46-58.

sie später zusammen mit seiner eigenen heiratsfähigen Tochter zum sexuellen Missbrauch anbietet (Ri 19,24). Das Geschenk muss ein Doppelgeschenk sein, und
dass nicht nur, um Genesis 19 zu entsprechen, wo Lot zwei seiner Töchter als Ausgleich für Abraham anbietet (Niditch nennt, hoffentlich ironisch, das Angebot des
alten Mannes erfolgreicher als das Lots[20]), sondern vor allem, um das Geschenk als
väterlichen Akt zu kennzeichnen; der Vater gibt Töchter, seine eigene wie auch die
eines anderen. Die Einwohner der Stadt sind mit den Frauen nicht zufrieden. Sie
wollen den Mann. Es ist der Mann, der bestraft werden muss, weil er die Institution untergraben hat. Sie wollen ihm eine Lektion erteilen – zu Sex, Wissen und
Besitz, zu Sex *als* Wissen und Besitz.

Dies erklärt ein weiteres bemerkenswertes Detail. Die Männer weigern sich, die
beiden Frauen aus der Hand des Vaters entgegenzunehmen, aber als der Mann nur
Beth hinausschickt, nehmen sie sie an (Ri 19,20). Warum sollten sie zwei Frauen
ablehnen und dafür eine akzeptieren? Weil es ihnen um einen symbolischen Sieg
geht. Der subversive Ehemann muss bestraft werden, indem er entweder selbst
vergewaltigt wird oder selbst den Zankapfel aufgibt. Die Frauen vom Vater entgegenzunehmen, würde diesen Sieg verschleiern. Doch wenn es um Bestrafung geht,
warum muss sie dann in Form von Vergewaltigung vollzogen werden?

Es ist natürlich naiv zu vermuten, dass die Männer Gibeas und Sodoms allesamt
homosexuell seien. Niditch weist darauf hin, dass die homosexuelle Vergewaltigung in dieser Kultur eine Form der extremen Demütigung ist: Die Männer wollen
hier das Subjekt zerstören, und eine schlimmere Zerstörung, als einen Mann wie
eine Frau zu behandeln, ist ihnen nicht denkbar. Es lässt sich jedoch noch ein weiteres, tieferes Motiv denken. Aus Sicht der patrilokalen Ideologie ist die Verbindung zwischen Vater und Tochter die einzig ‚natürliche‘ und akzeptable: als Besitz
mit Geschichte. Vom Vater fort zu gehen, ‚einem Mann untreu zu sein‘, heißt mit
irgendeinem Mann zu gehen; dies ist Willkür im Unterschied zu Natürlichkeit.
Und von ‚irgendeinem Mann‘ zu ‚jedem Mann‘ ist es bloß ein kleiner Schritt. Das
ist auch heute oft nicht anders: Eine Frau, die sich scheiden lässt oder sich einen
Liebhaber nimmt, wird als öffentliches Eigentum betrachtet, denn sie hat sich in
den Augen derer, die sich nach dieser ‚Logik‘ richten, durch ihren autonomen Akt
als ‚verfügbar‘ erwiesen. Die Bestrafung für eine solche Überschreitung kann daher
nur auf zweierlei Art geschehen: Entweder durch Gefangenschaft bzw. Rückfüh-
rung in den ausschließlichen Besitz des Vaters, was es unmöglich macht, jemals
wieder in die kompromittierende Situation der Ehe zu geraten (Bath). Oder durch
Gruppenvergewaltigung, durch öffentlichen Massenmissbrauch (Beth). Beide
Bestrafungen führen zum Tod des weiblichen Subjekts.

Es bleibt noch eine weitere Frage zu beantworten. Warum schützt der „alte
Mann" den Ehemann, warum diese übertriebene Gastfreundschaft der Vaterfigur?
Auch wenn der Vater mit dem Ehemann konkurriert, ist das eine Sache unter Männern. Sobald es zu einer anderen Konfrontation kommt, ergreift der Vater Partei
für den anderen Mann, der zwar einer anderen Generation angehört, aber immer

---

20 Niditch: „The ‚Sodomite‘ Theme" (Anm. 17), S. 376.

noch das gleiche Geschlecht hat: jenes Geschlecht, das Interesse an der Erinnerung hat. Durch das Angebot, beide Töchter herzugeben, die eigene heiratsfähige Tochter und Beth, gewinnt der Vater auf beiden Fronten: Er schützt den Mann, doch beraubt er ihn seiner Andersheit und Eigenständigkeit. Denn indem er ihm die patrilokale Frau nimmt, macht er ihn zu einem ‚normalen‘ jungen Mann: Er hat sich der Macht des Vaters unterworfen, dennoch ist er ein Mann, der Samen für den Vater heranziehen kann, ein Mann mit zukünftiger Vater-Position.

Der Ehemann offenbart sich seinerseits als der Feigling, als den wir ihn schon kennen. Sein verzerrter Bericht, den er später den Israeliten erzählt (Ri 20,4 ff.) zeigt, dass er sich sehr wohl dessen bewusst ist, was er tut. Er hat den Kampf mit dem Vater verloren, er muss die Frau aufgeben, doch zumindest kann er in ebendieser Geste des Aufgebens seine Macht über sie bekräftigen. Die Macht über die Schwächere entschädigt für den Machtverlust, die Unterwerfung und die Demütigung. Das ist ein typisches Verhalten und erklärt, warum auch heute unterdrückte Männer ihre Frauen unterdrücken, anstatt mit ihr gegen die unterdrückende Macht zu kämpfen. Die Geste des Hinausschickens von Beth ist somit eine narrative Verdichtung auf der Handlungsebene: Der Akt der Unterwerfung und der Akt der Ausübung absoluter Macht verschmelzen zu einer einzigen Handlung. Die Geste gehört ebenjener Ordnung an, die sie umkehrt. Beth war ihrem Vater untreu, indem sie auf ihren Mann zuging (*'al*); ihr Mann schickt sie von sich weg, ihrem Vater entgegen (*'al*). Er unterwirft sich dem Vater, aber – das gehört zur extremen Gewalt, die hier wie so oft mit gesellschaftlichen Umbrüchen und Revolutionen einhergeht – nur über ihre Leiche.

Das Opfer der Töchter

Drei junge, heiratsfähige Frauen werden geopfert – also mit einer symbolischen Geste an eine höhere Macht abgetreten. Green definiert das Opfer als „die freiwillige oder unfreiwillige Beendung menschlichen Lebens auf rituelle Weise oder für rituelle Zwecke",[21] Turner hebt den symbolischen Aspekt des Opfers hervor, Girard betont seine Gewalt und Jay nennt es „ein Heilmittel dagegen, als Frau geboren zu sein".[22] All diese Theorien des Opfers passen äußerst gut auf unsere drei Frauen; keine erwähnt sie. Dass das „Heilmittel" zwangsläufig die „Gründungsgewalt" mit einschließt, dass somit Jays und Girards Theorie einander implizieren, klärt auf, was in den drei Fällen passiert. Bath wird verbrannt, statt in die Ehe gegeben zu werden. Beth wird vorübergehend vom Vater getrennt, aber später aufgegeben.

---

21 Alberto Ravinell Whitney Green: *The Role of Human Sacrifice in the Ancient Near East*, Missoula, Montana (Scholars Press) 1975, S. 17.
22 Vgl. Victor Turner: „Sacrifice as Quintessential Process: Prophylaxis or Abandonment?", in: *History of Religions* 16 (1977), S. 189–215; René Girard: *Das Heilige und die Gewalt*, Düsseldorf (Patmos) 2006; Nancy Jay: „Sacrifice as a Remedy for Having Been Born a Woman", in: *Immaculate and Powerful: The Female in Sacred Image and Social Reality*, hg. v. Clarissa Atkinson/Constance H. Buchanan/Margaret R. Miles, Boston (Beacon Press) 1985, S. 283–309.

Kallah wird *mit* ihrem Vater zu Tode verbrannt. Baths Henker ist ihr eigener Vater. Kallah wird von einem Kollektiv hingerichtet, das den Stamm des Vaters und die Generation ihres Ehemannes repräsentiert. Von wem Beth getötet wird, ist unklar.[23] Ihr Vater bietet sie an, ihr Ehemann gibt sie auf, ein Kollektiv vergewaltigt und foltert sie, um ihren Mann im Namen des Vaters zu bestrafen. Doch wer tötet sie?

Die Initiative, die Beth ergriff, um ihren Ehemann besuchen zu gehen, wird durch ihren zweiten ,Besuch' nach der Vergewaltigung gespiegelt: „Als der Morgen anbrach, kam die Frau zurück; vor der Haustür des Mannes, bei dem ihr Herr wohnte, brach sie zusammen und blieb dort liegen, bis es hell wurde." (Ri 19,26) Sie ist als narratives Subjekt eliminiert worden. All ihres ,Eigentums' beraubt, kann sie nur noch zusammenbrechen, aber sie tut es an der Schwelle des Hauses, das dem Vater gehört und vom Ehemann bewohnt wird. Vielleicht ist sie schon tot, als sie nicht auf die Machtdemonstration ihres Mannes antwortet – der ihr am nächsten Morgen *befiehlt*, nachdem er ordentlich ausgeschlafen hat, aufzustehen und mit *nach Hause* zu kommen (Ri 19,28). Wir wissen es nicht und sollen es auch nicht wissen. Denn in diesem Fall muss unklar bleiben, wer der Henker ist. Der Ehemann handelt als Vollstrecker des Opfers und wiederholt seine erste Geste der Gewalt: „Als er nach Hause gekommen war, nahm er ein Messer, ergriff seine Nebenfrau, zerschnitt sie in zwölf Stücke, Glied für Glied, und schickte sie in das ganze Gebiet Israels." (Ri 19,29) In ihrer Gewaltsamkeit entspricht diese Opfergeste ganz der Geschichte. Die Geste ist symbolisch. Sie macht Beth zu einem Symbol. Um es mit Shoshana Felman zu sagen: Beth ist *der Skandal des sprechenden Körpers*. Die Geste ist zudem mehrdeutig: Wenn Beth noch am Leben war, ist der Ehemann ihr tatsächlicher Mörder. Das kann jedoch nicht sein, denn das nächste Kapitel schildert den Krieg gegen die Benjaminiter als gerechte Rache für diese Tat. Der Krieg beginnt mit einem unakzeptablen Opfer, er wird von Jahweh geführt, an seinem Ende werden die Israeliten reine Opfer darbringen (Ri 21,4 ff.). Es gibt keine Rechtfertigung für Beths Ehemann. Doch es gibt ebenso wenig eine Rechtfertigung für das, was folgt: den Bürgerkrieg, der damit endet, dass die neue virilokale Eheinstitution den Benjaminitern aufgezwungen wird.[24] Die Schlussszene des Krieges, der Frauenraub, durch den die überlebenden Benjaminiter wieder Ehefrauen bekommen (Ri 21,10 ff.), wird trotz der Gewalt gegenüber den Frauen oft als ,fröhliches Ende' des Buchs betrachtet. Aus dieser Perspektive sind die drei Opfer allesamt ,unangemessen'. Bath wird von jemandem getötet, der kein Priester ist, denn Simson übertrat die Reinheitsgebote, indem er vom Honig aus dem Körper eines toten Löwen aß. Beth, Gründungsopfer und Gegenstand aller erdenklichen Gewalt, wird geschlachtet durch die Hand eines Priesters, der so oder so das Falsche tut.

---

23 Vgl. Robert Polzin: *Moses and the Deuteronomist*, New York (Seabury Press) 1980, S. 200–202.
24 Die Beziehung der Geschichte von Beth zum Brautraub, als Umkehrung der und Rache für die Auferlegung einer Institution, die als Ersatz für eine andere verstanden wurde, stammt von Teresa Cooley, einer Studentin in meinem Seminar über „Ideo-stories" an der Harvard Divinity School.

Gegen-Rituale

Wenn die Männer in diesen Geschichten das rituelle Opfer an jenen Frauen vollziehen, die keinen Platz in ihrem Wettstreit haben, so treten Beth und Bath dem
ihnen aufgelegten Vergessen rituell entgegen, soweit das in den ihnen zugewiesenen
Subjekt-Positionen möglich ist. Beths Geste der Hand auf der Schwelle des Hauses,
vor dem sie niederfällt (Ri 19,27), weist anklagend auf ihren Mörder und fordert
zudem Zutritt zum Haus. Ob sie zu dem Zeitpunkt, zu dem sie dort gefunden
wird, schon tot ist oder nicht, hat eigentlich keine Bedeutung. Ihr letzter Akt
als bereits zerstörtes Subjekt besteht darin, Anspruch auf ihren Platz im Haus zu
erheben und dessen Bewohnern ihre Verstoßung vorzuwerfen. Sie zeigt, dass das
Haus ein Ort der Macht und der männlichen Konkurrenz ist, es ist, um einen
Freudschen Schlüsselbegriff zu verwenden, „unheimlich": ein gespenstischer Ort,
vertraut, aber dennoch fremd; gefährlich gerade in seinem Versprechen von
Sicherheit.

Die zum Tode verurteilte Bath, die etwas mehr Macht hat, ihre Subjektivität
zum Ausdruck zu bringen, führt ein neues Ritual ein. Sie nimmt Gefährtinnen mit
zum Initiationsritual in die Berge und der Heiratsfähigkeit ‚entgegen', damit wird
sie zum Anlass für ein Erinnerungsritual: „So wurde es Brauch in Israel." (Ri 11,39)
Ironischerweise wird dabei sie und nicht ihr Vater von den Töchtern Israels erinnert. Es schein typisch, dass diese scheinbar unschuldige Passage generell verzerrt
gelesen wird und als ätiologische Erzählung ohne wirklich entsprechendes Ritual
erklärt wird. Es ist kein ‚Brauch' wie in vielen Übersetzungen, sondern eine Aufgabe: nicht zu klagen, sondern Bath-Jeftah zu besingen oder ihre Geschichte
nachzuerzählen.

Und was ist mit Kallah, dem dritten namenlosen Opfer? Zum Zeitpunkt ihrer
Hochzeit war sie bereits in die Enge getrieben zwischen den verschiedenen männlichen Parteien, zwischen ihrem Bräutigam und ihren Brüdern. Rembrandt, den
man durchaus für Hollands interessantesten Bibelwissenschaftler halten kann,
malte die Hochzeitsszene nach dem Vorbild von Da Vincis *Abendmahl*. Abgesondert von den sie umgebenden Männern, die mit ihren eigenen Geschäften zu tun
haben, sitzt die Frau mit gekröntem Haupt in der Mitte, an der Stelle von Christus.
Dies ist keine gewöhnliche typologische Interpretation. Es ist nicht Kallah, die auf
Christus hindeutet, sondern Christus, der uns an Kallah erinnert, an ihr Opfer, das
entheiligende Opfer aus bloßer Rache. Im Augenblick ihrer Hinrichtung sehen wir
sie weder handeln noch sprechen. Wie wird *sie* gerächt werden?

Der Vergleich der drei Opfer bringt uns zurück zur Anfangsfrage. In den Drei-
eckskonstellationen, in denen die Töchter zerdrückt werden zwischen Männern,
die sie besitzen wollen, ist etwas abwesend: Wo ist Klytemnestra, wie Marianne
Hirsch in ihrem Vortrag über mütterlichen Zorn zu Recht fragte?[25] Wo ist die

---

25 Marianne Hirsch: „Clytemnestra's Children", Vorlesung, Dartmouth Colleg, Hanover – New
Hampshire.

MIEKE BAL

Mutter von Jeftahs Tochter? Wo sind die anderen Mütter, die das Opfer ihrer Tochter hätten verhindern oder doch rächen können? Abwesenheit bedeutet nur negativ, kann aber die Phantasie anregen, an die Stelle des Verdrängten zu treten. So stieß ich beim Lesen eines kurzen Artikels über Kindesopfer auf eine Zeichnung, die meine Phantasie in Gang setzte (siehe die Abbildung gegenüber).

Dargestellt ist ein ägyptisches Relief, das wie viele ähnliche auf semitischem Gebiet gefunden wurde.[26] Wir sehen einen belagerten Turm, die Angreifer sind schon gefährlich weit hinaufgeklettert, eine Situation wie sie ganz ähnlich bei Abimelechs Belagerung von Tebez beschrieben wird (Ri 9,52). Was tut man, wenn der Feind so weit vorgedrungen ist? Auf dem Relief hören die Männer auf zu kämpfen, und opfern ihrem Gott. Sie opfern, um genau zu sein, Kinder. Töchter. Zwischen den Männern auf der obersten Ebene sehen wir die Frauen. Sie sitzen und nehmen eine untergeordnete Position ein. Laut Derchain durften Frauen, die Mütter, das Opfer ihrer Kinder nicht beklagen. Sie sind demnach vollkommen machtlos, unfähig, ihr eigen Fleisch und Blut zu schützen. Nehmen wir nun das Bild als Anlass für eine Geschichte.

Versuchen wir uns vorzustellen, dass irgendwann eine der Mütter aufsteht. Sie stößt die Männer zur Seite, voller Verachtung für ihre ineffiziente Strategie, die statt des Feindes ihre eigene Erinnerung tötet. Statt nach oben zu sehen, weg von der Schlacht, schaut sie nach unten, und in dem Augenblick, in dem Abimelech sich ihrem Turm zu sehr nähert, wirft sie statt eines Kindes einen Mühlstein – eben das, was in Richter 9,53 geschieht.[27] Das wäre die Antwort der Mutter auf die männliche Art, mit Töchtern, Ehefrauen und Krieg umzugehen. Die Frau mit dem Mühlstein verkörpert also die sich rächende Mutter, die die griechische Tradition mit der Figur Klytemnestras verbindet. Ihr mächtiger Körper ist stärker als der Held, der das Königtum durch seinen Vater beansprucht; er wird dargestellt in der Metapher des Turms.

Vielleicht fehlt im Buch Richter die Figur der sich rächenden Mutter also gar nicht, sondern sie ist bloß verschoben. Verschiebung und Entstellung sind der Verdichtung benachbarte Phänomene. ‚Entstellung‘ kann sowohl Verzerrung als auch Versetzung an einen anderen Ort bedeuten. Die örtliche Dimension der Geschichten ist bereits deutlich geworden. Das Haus als der Ort des Konkurrenzkampfs zwischen Männern ist die Stelle, an der Bath ihr Todesurteil vernimmt, Kallah ihren Tod findet und Beth verstoßen wird, stirbt und schließlich zerstückelt wird. Die Mutter, die ‚normalerweise‘ in diesem Haus wohnt, wird herausgestoßen, verdrängt. Für sie ist in dem Konkurrenzkampf um die Tochter kein Platz. Doch das Verdrängte kehrt zurück, entstellt, getarnt als die Feindin Delila oder als die Heldin Jael. Beide Frauen haben mütterliche Eigenschaften, und ihr Verhalten gegenüber den Männern hat auch ein Moment von Pflege und Bemutterung. Die versetzte

---

26 Abgebildet nach P. Derchain: „Les plus anciens témoignages de sacrifices d'enfants chez les Semites occidentaux", in: *Vetus Testamentum* 20 (1970), S. 351–355.
27 Vgl. dazu Mieke Bal: *Lethal Love: Reading Biblical Love-Stories, Differently*, Bloomington (Indiana University Press) 1987.

Dealing/With/Women

Mutter kehrt zurück auf die Spitze des Turms der Sicherheit, von dem sie verstoßen worden war.

Wenn wir die Mörderinnen in diesem Buch als sich rächende Mütter betrachten, wird ihre exzessive Gewalt verständlich. Da sie die unmäßige Gewalt rächen, die ihren Töchtern zugefügt wurde, muss ihre Rolle wiederum verschoben werden. Doch wo Verdrängung die Unterdrückung verdeckt, kann die Gewalt nur zunehmen.

Schluss

Ich habe versucht, den Leser von der Bedeutung einer narratologischen Lektüre des Richterbuchs zu überzeugen, einer Lektüre, die mit der Annahme beginnt, dass das *Subjekt* der Erzählung eine relevante Kategorie ist, weil es auf gesellschaftlich vorhandene Subjekt-Positionen bezogen ist. Im Verlauf der Analyse bin ich auf sprachliche und philologische Fragen gestoßen, die wiederum auf grundlegende antike Auseinandersetzungen hindeuteten. In vielen Übersetzungen verschwinden diese Probleme oder werden vorschnell gelöst, statt sie als heuristische Mittel der Lektüre zu verstärken. Uns haben sie geholfen, einen anthropologisch relevanten sozialen Wandel zu erkennen. Die Beziehung zwischen sozialer Realität und narrativer Struktur erweist sich demnach als komplexer, als es ein naiver Realismus nahe legen würde.

Wenn das Richterbuch Geschichtsschreibung ist, dann sicher nicht nur oder nicht vornehmlich, weil es von Kriegen und Eroberungen erzählt. Es ist zutiefst historisch, indem es einen sozialen Wandel mit umfassenden historischen Konsequenzen inszeniert. Die Verwandlung einer Form des Patriarchats in eine andere ist der Prä-Text, den man immer im Auge behalten muss. Er droht auch deshalb vergessen zu werden, weil Feministinnen und andere dazu neigen, geschichtliche Veränderungen mit dem einen Begriff des Patriarchats unsichtbar zu machen und dieses damit als etwas Ewiges, Unveränderliches erscheinen lassen. Nur wenn jene Disziplinen, die antike Texte erforschen, zu einer interdisziplinären Zusammenarbeit bereit sind – wobei die Bibelwissenschaft mit ihrer großen Tradition eine führende Rolle spielen könnte und sollte –, nur dann lassen sich die soziale Funktion von Erzählungen und die narrative Funktion sozialen Wandels, die ideologische Funktion von Ritualen und die rituelle Funktion der Ideologie richtig analysieren und begreifen. Nur dann könnten wir die Sprache der Macht untergraben und jenen namenlosen Frauen die Macht über die Sprache zurückgeben.

Flucht zurück in die Lücken des Textes

„Der wahre Mann sitzt den ganzen Tag lang still über einem Buch und hat den Körperbau eines Mannes, der eben nur dies tut", schrieb Daniel Boyarin in einem wunderbar provokanten Buch über *Unheroic Conduct* (1997). Dass das jüdische Volk als einziges Volk ohne Land fast zweitausend Jahre die Geschichte und Imperien überstand, führt Boyarin nicht zuletzt darauf zurück, dass in der Zeit nach der römischen Zerstörung des Gelobten Landes der wirksamere Widerstand gegen den Verlust der eigenen Identität eben nicht die kriegerische Rebellion, sondern die Unterwanderung des römischen Männlichkeitsideals war. Sitzt man Daniel Boyarin mit seinen ungeheuer wachen, verschmitzen, ruhelosen, kleinen Augen hinter der dicken Brille, seiner hohen, kahlen Stirn, dem schütteren grauen Bart an seinem Arbeitstisch gegenüber, glaubt man tatsächlich niemandem mehr, dass ein so unrömisch ohne Sport und Dampfbad verbrachtes Leben mit Büchern unglücklich oder gar krank machen könnte. Der passive Widerstand allerdings, wie er ihn aus der Historie des judäischen Volkes nach der Zerstörung des zweiten Tempels abzulesen meinte, ist ganz und gar nicht Daniel Boyarins Sache. Immer wieder hat er mit seinen Büchern gegen starrste Vorurteile Stellung bezogen, mit pointierten Aussagen die Gegner an den empfindlichsten Stellen getroffen und sich hinter schwierigem Satzbau und Vokabular nahezu uneinnehmbare Bollwerke gebaut.

Als Literaturwissenschaftler mit Willen zur Dekonstruktion, als an Derrida geschulter Philosoph, als Talmudist mit orthodoxer Ader, als vielsprachiger Linguist, als israelischer und amerikanischer Staatsbürger passt er nicht nur in keine Schublade, sondern reißt mit seiner großartigen intellektuellen Unruhe eine Schublade nach der anderen auf, um wie mit einem entwendeten Rohrstock im Ameisenhaufen für totalen Aufruhr zu sorgen. In seinem Buch *A Radical Jew: Paul and the Politics of Identity* (1994) deutet er, die Briefe des Heiligen als bemerkenswertesten Text im Kanon der westlichen Literatur preisend, eben diese Briefe zu einer spirituellen Autobiographie eines jüdischen Kulturkritikers des ersten Jahrhunderts um. Aus den Fragen, was solch einen radikalen Kritiker der jüdischen Kultur zu seiner dramatischen Konvertierung zum Christentum führen konnte, entwickelt er eine geistige und kulturhistorische Zustandsbeschreibung des untergehenden, sich neu erfindenden Israels. Im schon erwähnten Buch *Unheroic Conduct* verbindet er Genderstudies und Judaistik zu Thesen über die Femininität des rabbinischen Judentums und brandmarkt Herzl wie Freud quasi als Verräter an der eigenen Kultur, da sie die weiblichen, vaterliebenden, gefühlvollen, passiven Männern zu aktiven, phallisch orientierten, Mutter begehrenden, vatermordenden normalen Männern umzupolen begehrten. Als Mitverfasser einer Petition israelischer Akademiker gegen den Irak-Krieg und die Unterdrückung der Palästinenser hat er mit dem

heftigen Zorn von Andersdenkenden umgehen gelernt. In einem von Tony Kush-
ner herausgegebenen Buch *Wrestling with Zion* (2003) schrieb er: „So wie die
Christenheit in Auschwitz, Treblinka und Sobibor untergegangen sein mag, so
fürchte ich, dass mein Judaismus in Nablus, Deheishe, Beteen (Beth-El) und al-
Khalil (Hebron) gestorben sein könnte". In *Dying for God* (1999) spricht er in
Bezug auf die Entstehung von Christentum und Judaismus von einer spätantiken
Zwillingsgeburt anstatt wie seit Jahrhunderten üblich von einem Vater-Sohn-Kon-
flikt. In genauem Quellenstudium gelingt ihm die Untermauerung der These, dass
das rabbinische Judentum und die christliche Kirche aus der gleichen Glaubens-
und Gesellschaftskrise hervorgegangen sind, bei der Überwindung dieser Krise
aber keineswegs von Anfang an getrennter Wege gingen, sondern sich erst im Verlauf der ersten drei Jahrhunderte nach der Zerstörung Jerusalems in einer Weise
voneinander abgrenzten, dass eine familiäre Wiedervereinigung der beiden Brüder
außerhalb aller argumentativen Möglichkeiten geriet.

Für den *Bibel as Literature* Diskurs am bedeutsamsten sind allerdings seine
Arbeiten zur Interpretation des Midrasch, in denen er zeigt, wie die Rabbis des
Midrasch literarische Auslegungen der Bibel erprobten und zwar nicht, um ihre
ästhetische Schönheit zu preisen, sondern um die verschlungenen Wege ihres
Inhalts in einer Weise nachvollziehbar zu machen, die den Willen und die Sprache
Gottes in sinnvolle Zusammenhänge mit den Erfahrungen der Wirklichkeit brach-
ten. In Anlehnung an die dekonstruktivistischen Abwandlungen von Bachtins
Theorie der Dialogizität, der zufolge jedes Verstehen das In-Beziehung-Setzen des
jeweiligen Textes mit anderen Texten ist, überträgt Boyarin das Konzept der Intertextualität auf den Midrasch und über den Midrasch auf den eigentlichen Text der
Bibel.

Getrieben von den brennenden Fragen der eigenen Zeit erzeugten die Rabbis
des Midrasch sich ständig erneuernde und immer weiter entfaltende Dialoge oder
besser Polyloge mit der Heiligen Schrift, wobei sie die Widersprüche, Ambiguitäten und Lücken des biblischen Textes für die Auslotung ihrer eigenen Widersprüche und Ambiguitäten szenisch ausnutzten. Die konkrete historische Situation, in
der die Rabbis des Midrasch sich befanden, war zu komplex, als dass sie sich ideologisch an fixierte Antworten hätten klammern können. Und sogar von den Fragen, die sie konkret hätten stellen können, wussten sie, dass sie die Antworten, die
nötig wären, schon von vornherein zu sehr einengten. Also blieb ihnen nur die
Flucht zurück in die Lücken des Textes und in dessen Widersprüche, aus denen
sich bei entsprechend geschicktem interpretatorischen Umgang die literarischen
Freiräume erschaffen ließen, um die Mosaiksteine der Bedeutungen in immer neue
Ordnungen zueinander zu schieben. Die Kunst des Midrasch und auch der Bibel
kommt so scheinbar der Kunst des Edelsteinschliffs nahe. Unzählige Facetten eines
einzigen Kerns werden mit ebensoviel Geschick wie mit Intuition und Erfahrung
poliert, worauf das Licht der Erleuchtung sich ebenso unzählige Male bricht. *hps*

DANIEL BOYARIN

Duale Zeichen, Mehrdeutigkeit und die Dialektik intertextueller Interpretationen

Der vorliegende Text widmet sich der Semantik und Semiotik der Mehrdeutigkeit[1] in der Torah und untersucht, wie der Midrasch darauf reagiert. Dazu werde ich zunächst genauer untersuchen, wie die Mechilta[2] eine bestimmte Erzählung der Torah genauer untersucht, um dann zu zeigen, dass der Midrasch auf eine Mehrdeutigkeit des biblischen Diskurses selbst reagiert. Zudem möchte ich zeigen, dass es sich bei den vom Midrasch angebotenen Auflösungen von Mehrdeutigkeiten nicht bloß um Aneignungen oder Vereinnahmungen des Textes handelt, sondern um Entscheidungen für bestimmte Interpretationsmöglichkeiten, die im Kanon selbst bereits angelegt sind.

Michael Riffaterre hat einige sehr präzise Untersuchungen zu Mehrdeutigkeit und Intertextualität in literarischen Werken vorgelegt. Sein weitreichendster Begriff ist der der ‚Ungrammatikalität‘ (*ungrammaticality*), womit die Unangemessenheit (*awkwardness*) eines Textelementes auf einer bestimmten Sprach- oder Diskursebene bezeichnet. Die Tatsache, dass ein Element nicht in den Kontext der jeweiligen Ebene passt, lässt es semiotisch auf einen anderen Text verweisen, der schließlich die Dekodierung jenes Elementes liefert. Der Begriff der ‚Ungrammatikalität‘ führt uns einen Schritt über den Begriff der ‚Lücken‘ (*gaps*) hinaus, welche bei der Lektüre narrativer Texte als Garant für Intertextualität fungieren, und eröffnet die Möglichkeit, den Text und seine Intertextualität zu lesen. Mich interessiert hier insbesondere eine bestimmte Form von Ungrammatikalität, nämlich das ‚duale Zeichen‘, das zweierlei intertextuelle Codes aufruft und damit zwei verschiedene Dekodierungsmöglichkeiten des Texts erzeugt:

> Das duale Zeichen funktioniert wie ein Wortspiel. Wie sich zeigen wird, erwächst das Wortspiel im poetischen Diskurs aus textuellen ‚Wurzeln‘. Zunächst wird es bloß als Ungrammatikalität aufgefasst, bis man entdeckt, dass es noch einen anderen Text gibt, in dem das Wort grammatisch korrekt verwendet wird. In dem Augenblick, in

---

1 Der englische Term *ambiguity* wird hier und im Folgenden mit *Mehrdeutigkeit* übersetzt, da der deutsche Begriff *Ambiguität* zu sehr die Konnotation der Unentschiedenheit trägt.

2 Die Mechilta ist ein halachischer Midrasch zum Exodus aus der Zeit um 400 u.Z. Als Redaktor wird Rabbi Jischmael ben Elischa angegeben. Die Mechilta zählt zu den Hauptwerken des halachischen Midrasch. Eine deutsche Übersetzung gibt es bisher nicht. Die Übersetzung der Zitate folgte der englischen Ausgabe von Jacob Z. Lauterbach: *Mekilta de-Rabbi Ishmael*, Philadelphia (Jewish Publication Society of America) 1961, bzw. der englischen Übersetzung des Autors. [A.d.Ü.]

dem man den anderen Text erkennt, wird das duale Zeichen bedeutsam und zwar allein aufgrund seiner Form, denn sie allein weist auf jenen anderen Code hin.[3]

Oder, in ähnlicher Formulierung:

> Das duale Zeichen ist somit das lexikalische Äquivalent zu zwei gleichzeitigen, aufeinander abgestimmten Erweiterungen, die parallel, aber separat erzeugt werden. [...] Obgleich im Text getrennt, werden sie in einem Kofferwort [durch lautliche Zusammenziehung zweier Worte entstandenes Wort z.B.: ‚Jein‘, A.d.Ü] wieder zusammengeführt, dessen hybride Morphologie die Neugier des Lesers erweckt und ihn damit besser an die Bedeutung heranführt.[4]

Diese Beschreibung zweier Erweiterungen, die aus der Hybridität eines einzelnen Zeichens im biblischen Text entstehen, ist eine nahezu ideale Beschreibung des Midrasch-Textes, mit dem ich mich hier befassen werde. Diese Form der Mehrdeutigkeit des Midrasch und ihre Verbindung zur Intertextualität gehen jedoch über die Dualität eines einzelnen Zeichens bzw. Wortes, hinaus und erstrecken sich auf die Dualität und Ungrammatikalität einer gesamten Erzählung als Syntagma mehrerer Zeichen. Da ich mich ausdrücklich mit Mehrdeutigkeit und ihrer intertextuellen Dekodierung befassen möchte, will ich mich nicht nur auf die einzelnen im Midrasch repräsentierten Interpretationsvorgänge konzentrieren, sondern auch darauf, wie der Midrasch als Text diese Interpretationsvorgänge *repräsentiert* und implizit kommentiert. Dementsprechend werde ich zunächst vollständig die Auslegung einer bestimmten biblischen Erzählung aus der Mechilta zitieren, um so eine etwas bessere Vorstellung von dem besonderen Geist eines Midrasch-Kommentars zu geben. Dabei werde ich insbesondere zwei Beispiele auslegen, in denen der Midrasch, in seinem typisch diskursiven Stil, eine Erzählung der Torah in zwei genau entgegengesetzten Interpretationen darstellt. Ich beabsichtige damit, jenen ‚Skandal‘ zu verstehen, dass die maßgeblichen Kommentare zum heiligsten Text des Judentums als eine Folge von Kontroversen dargestellt werden, in denen bei zwei oder mehreren Interpretationen jede einzelne der/oder den anderen widerspricht und diese untergräbt. Meine Behauptung lautet, dass die Mechilta ein Metakommentar ist, der durch seinen Aufbau eine implizite Theorie des Lesens und des biblischen Textes liefert. Diese These impliziert, dass die Mechilta sich der Mehrdeutigkeiten in der biblischen Erzählung bewusst ist, und dass, obwohl jeder in der Mechilta dargestellte Leser auf eine Reduktion der Mehrdeutigkeiten hinarbeitet, der kumulative Effekt des Midrasch darin besteht, sich auf die Mehrdeutigkeiten sowie auf die daraus entstehenden Möglichkeiten der Sinnerzeugung zu konzentrieren.

---

3 Michael Riffaterre: *Semiotics of Poetry*, London (Indiana University Press) 1978, S. 82. Vgl. auch John Hollander: *The Figure of Echo*, Berkeley (California U.P.) 1981, S. 92.
4 Michael Riffaterre: *Text Production*, New York (Columbia U.P.) 1983, S. 64–65.

Verbale Mehrdeutigkeit, das duale Zeichen und die doppelte Lektüre

Der erste Abschnitt, auf den ich ausführlich eingehen will, bezieht sich auf die Geschichte des bitteren Wassers von Mara (Ex 15,22-26):

> (22) Mose ließ Israel vom Schilfmeer aufbrechen und sie zogen zur Wüste Schur weiter. Drei Tage waren sie in der Wüste unterwegs und fanden kein Wasser. (23) Als sie nach Mara kamen, konnten sie das Wasser von Mara nicht trinken, weil es bitter (*marim*) war. Deshalb nannte man es Mara (Bitterbrunn). (24) Da murrte das Volk gegen Mose und sagte: Was sollen wir trinken? (25) Er schrie zum Herrn und der Herr lehrte (*wayyorehu*) ihn [wies ihm] einen Baum. Als er es ins Wasser warf, wurde das Wasser süß. Dort gab Gott dem Volk Gesetz und Rechtsentscheidungen und dort stellte er es auf die Probe (*nissahu*). (26) Er sagte: Wenn du auf die Stimme des Herrn, deines Gottes, hörst und tust, was in seinen Augen gut ist, wenn du seinen Geboten gehorchst und auf alle seine Gesetze achtest, werde ich dir keine der Krankheiten schicken, die ich den Ägyptern geschickt habe. Denn ich bin der Herr, dein Arzt.

Es gibt zahlreiche Mehrdeutigkeiten im Text, die sich mit einiger Gewissheit in diesem Text selbst verorten lassen. Die ersten drei sind auf der lexikalischen Ebene zu finden. Das Adjektiv *marim*, das hier mit „bitter" übersetzt ist, ähnelt stark dem Verb *mara* („aufsässig sein"), das sehr oft verwendet wird, um das Verhalten der Juden in der Wüste zu beschreiben. Syntaktisch kann sich dieses Adjektiv entweder auf das (bittere) Wasser oder das (aufsässige) Volk beziehen. Hinter der oberflächlichen Deutung findet sich daher ein mehrdeutiger Beiklang einer anderen Bedeutung. Des Weiteren ist das Verb *wayyorehu* („er lehrte") in diesem Zusammenhang ziemlich überraschend. Im Allgemeinen bezieht es sich in der Bibel auf mündliche Anweisungen und nicht auf die Art von Hinweis, dessen es in diesem Zusammenhang anscheinend bedarf und üblicherweise mit *wayyar'ehu* („er zeigte") ausgedrückt wird, was aber ein völlig anderes Verb ist. Die Ähnlichkeit zwischen den beiden Verben und die Unstimmigkeit des tatsächlich verwendeten eröffnen recht ergiebige mehrdeutige Möglichkeiten. Als letztes Beispiel auf lexikalischer Ebene schließlich bedeutet die Verbform *nissahu* in ihrer Schriftform zwar unzweideutig „er stellte ihn auf die Probe", mündlich jedoch ist die Verbform homonym mit „er verherrlichte ihn". Auf der Ebene der Erzählung ist es überaus unklar, worin der Charakter von Israels Handeln besteht. Einerseits scheint es als ungerechtfertigte Rebellion dargestellt zu werden, andererseits aber stellt sich die Frage, ob dieses Murren in einer Situation, in der Menschen in die Wüste geführt wurden und vom Tod durch Verdursten bedroht sind, nicht durchaus zu erwarten wäre. Außerdem gibt es eine große Leerstelle zwischen der Geschichte vom Wasser und seiner Zusammenfassung in Vers 25: „Dort gab Gott dem Volk Gesetz und Rechtsentscheidungen." Wo wurde solche Gesetzgebung vorher erwähnt oder angedeutet? Gleichermaßen erscheint der Verweis auf die „Krankheiten der Ägypter" und Gott als Arzt wie eine unlogische Schlussfolgerung. Der Versuch, die Geschichte und ihre Moral zu verknüpfen, erzeugt so diverse Möglichkeiten der Interpretation und führt erneut zu Mehrdeutigkeiten.

312   DANIEL BOYARIN

Die erste Reihe von Mechilta-Kommentaren zu unserem Abschnitt befasst sich mit der Art des bezeichneten Wassers und der Ursache für das Misslingen der Wassersuche:

> *Drei Tage waren sie in der Wüste unterwegs und fanden kein Wasser.* R. Jehoschua sagt: Dem Ohr nach.[5]

R. Jehoschua verlangt eine ‚buchstäbliche‘ Deutung des Verses. Im Text steht, dass sie kein Wasser fanden, und das bedeutet es auch. Diese Art der Deutung ist typisch für R. Jehoschua, der in der Mechilta stets als Anhänger einer ‚buchstäblichen‘ Lektüre dargestellt wird. Anders dagegen R. Elieser:

> R. Elieser sagt: Tatsächlich aber war Wasser unter den Füßen von Israel, denn das Land schwimmt auf dem Wasser, denn es heißt: „der die Erde über den Wassern gegründet hat" (Ps 136,6). „Und fanden kein Wasser" kann also nur bedeuten, dass es sie erschöpfen sollte. Andere sagen: Das Wasser, das Israel aus den Spalten nahm, war in diesem Augenblick erschöpft. Was also ist die Bedeutung von „und sie fanden kein Wasser"? Selbst in ihren Krügen fanden sie keines, so wie dort, wo es heißt: „Die Vornehmen schicken ihre Diener nach Wasser; sie kommen zu den Brunnen, *finden aber kein Wasser*; sie kehren mit leeren Krügen zurück" (Jer 14,3).

Dieser Midrasch ist der Nachhall eines anderen. Denn unter den Wundern, die Gott am Roten Meer vollbrachte, gab es laut Mechilta auch das folgende: „Er gewann für sie aus dem Salz süßes Wasser." Sie waren also wenigstens für die ersten Tage der Reise mit Wasser versorgt. Wir müssen daher annehmen, dass ihnen nach drei Tagen das Wasser ausging. Diese Deutung passt allerdings nicht recht zur sprachlichen Ausdrucksweise der Bibel. „Drei Tage waren sie in der Wüste unterwegs und fanden kein Wasser" bedeutet gewiss, dass sie drei Tage ohne Wasser umherzogen und danach suchten. Doch warum heißt es dann: „Sie fanden kein Wasser" und nicht so etwas wie: „Das Wasser ging ihnen aus"? Anschließend wird der Vers aus Jeremia zitiert, um die Verwendung von „sie fanden kein" in dem Sinne zu stützen, dass sich ihre Krüge als leer erwiesen.

Bis zu diesem Punkt wenigstens haben beide Tannaim[6] das Wasser buchstäblich als Wasser gedeutet. Die folgende Deutung interpretiert das Wasser dagegen metaphorisch als Symbol für die Worte der Torah:

> Die Interpreten der *Reschumot*[7] sagten: „Sie fanden kein Wasser": Die Worte der Torah, die durch „Wasser" symbolisiert werden. Und woher [erfahren wir], dass die Worte der Torah durch „Wasser" symbolisiert werden, wie es heißt: „Auf, ihr Durstigen, kommt alle zum Wasser" (Jes 55,1)? Denn sie sonderten sich für drei Tage von den Worten der Torah ab; deshalb rebellierten sie. Darum verfügten die Ältesten und

---

5 Der in diesem Kapitel aus der Mechilta zitierte Text stammt aus dem Buch: *Massekta de-Vayehi Beshallah* – Sektion 5, vgl. *Mekilta* (Anm. 2), Bd. I, S. 224ff.
6 Als Tannaim werden die rabbinischen Gelehrten der Mischnah-Zeit (0–200 u.Z.) bezeichnet. Tannaim ist der Plural von Tanna. [A.d.Ü.]
7 Dorsche Reschumot: rabbinische Schriften aus dem 1. Jahrhundert [A.d.Ü.].

Propheten, dass sie die Torah am Sabbat, Montag und Donnerstag lesen müssen. Wie das? Sie lesen am Sabbat und lassen den Tag danach aus; sie lesen am Montag und lassen Dienstag und Mittwoch aus. Sie lesen am Donnerstag und lassen den Freitag aus.

Ich werde später versuchen, diese Deutung der *Dorsche Reschumot* als Reaktion auf die zahlreichen Mehrdeutigkeiten des biblischen Texts zu erklären.

Die mehrdeutige Bewertung der biblischen Ereignisse wird im Austausch von verschiedenen Interpretationen der Mechilta streng dialektisch kodiert:

Als sie nach Mara kamen. R. Jehoschua sagt, dass Israel zu dieser Zeit an drei Orte kam, denn in der Schrift heißt es: „Als sie nach Mara kamen, usw." R. Eleazar Modiin sagt, dass sie nur an einen Ort kamen.

Der Ausgangspunkt für R. Jehoschuas Ansicht ist die dreifache Wiederholung von Mara im kommentierten Vers, Ex 15,23. R. Jehoschua besitzt hier dieselbe literarische Sensibilität wie der moderne Kommentator Umberto Cassuto, der zu diesem Vers bemerkt: „Der Name Mara kommt in dem Abschnitt dreimal vor, das entspricht dem Zeitraum von drei Tagen und unterstreicht die Länge der Zeit, in der sie kein Wasser fanden."[8] Sowohl der antike als auch der moderne Leser spüren, dass die rhythmische, fast schwerfällige Wiederholung des Worts „Mara" die zunehmende Verzweiflung bei der dreitägigen Suche nach Trinkwasser erhöht. R. Jehoschua äußert dieses Empfinden selbstverständlich in der Art des Midrasch und zwar indirekt durch Narrativierung, während es der moderne Interpret direkt ausspricht. Wir können unser Augenmerk allerdings noch genauer auf R. Jehoschuas Interpretation richten. Wie der nächste Abschnitt zeigen wird, deutet der rabbinische Weise die Wüstenperiode als die Flitterwochen von Gott und jüdischem Volk. Wo der Text der Torah dieser Auffassung zu widersprechen scheint, interpretiert er diesen Widerspruch weg, was er manchmal durchaus mit hermeneutischer Gewalt tut. Mit seiner Versdeutung, wonach sie bei ihrer Suche nach Wasser dreimal enttäuscht worden und dreimal zu den bitteren Quellen gekommen seien, rechtfertigt R. Jehoschua zumindest teilweise ihren Aufschrei: „Was sollen wir trinken?" Rabbi Eleazar hingegen erscheint stets so, als ob er die Ungläubigkeit und beständige Rebellion des Volks in dieser Phase hervorhebe. Er besteht darauf, dass die Beschwerde über das Wasser erst nach der vergleichsweise geringen Enttäuschung darüber erfolgte, dass sie an einem Ort kein trinkbares Wasser fanden. Die Gegenüberstellung dieser beiden Ansichten wird in der Interpretation der nächsten Verse noch ausdrücklicher dargestellt:

Da murrte das Volk gegen Mose und sagte ... R. Jehoschua sagt, Israel hätte sich zuerst mit dem Größten unter ihnen beraten und ihn fragen sollen: „Was sollen wir trinken?"; statt dessen haben sie sich hingestellt und zornige Worte gegen Moses gesagt. R. Eleazar Modiin sagt, Israel war darin bewandert, zornige Worte nicht nur gegen

---

8 Umberto Cassuto: *A Commentary on the Book of Exodus*, übers. von: Israel Abrahams, Jerusalem (Magnet Press) 1967, S. 183.

Moses, sondern auch gegen den Allmächtigen zu sagen. Darum heißt es: „und *sagte*:
Was sollen wir trinken?"

Die beiden Tannaim sprechen hier ein wirkliches exegetisches Problem an. Warum
bezeichnet der Text ihre ganz natürliche Frage pejorativ als Murren oder Klage? Ist
eine solche Frage nicht das Allernatürlichste, wenn ein Volk, das drei Tage durch
die Wüste geführt wurde, nur bitteres Wasser fand? R. Jehoschua antwortet darauf
mit dem Hinweis, sie hätten sich nicht gleich beschweren sollen, sondern hätten
sich zuerst Rat bei dem Größten unter ihnen holen sollen (ist Moses selbst
gemeint?), anstatt sofort zornig aufzubegehren – „haben sie sich hingestellt" bedeutet hier also ‚sofort'. R. Eleazar sagt, sie waren schon gewohnt zu murren und
hielten ihre zornigen Worte gegen Moses bereit, so dass die Frage nach dem Wasser
keinesfalls ohne böse Absicht gestellt war. Darüber hinaus signalisiert das offenbar
überflüssige Wort ‚sagten' („das Volk murrte" ist bereits ein *verbum dicendi*), dass
sie sich bei Moses beklagten und sogar Gott lästerten. R. Jehoschuas Interpretation
spielt die pejorative Bedeutung des Verbs ‚murrte' herunter, während R. Eleazars
sie hervorhebt. Jeder von ihnen löst das exegetische Problem in Übereinstimmung
mit seiner Deutung.

> *s*nicht schwer.
> *Dort stellte er es auf die Probe.* [R. Jehoschua sagt:] Dort machte Er es groß, so wie es
> heißt: „Ewil-Merodach hob den Kopf von Jojachin" (2 Kön 25,27), und es heißt
> auch: „Ermittle auch die Zahl der Gerschoniter" (Num 4,22). R. Eleazar Modiin
> sagte zu ihm, Aber „Größe" ist abhängig vom Buchstaben „Schin", und hier wird es
> mit „Samech" geschrieben. Was ist also die Bedeutung von „Dort stellte er es auf die
> Probe"? Dort prüfte Gott Israel.

Diese Meinungsverschiedenheit der Rabbis erfordert für die deutschen Leser ein
wenig Exegese. R. Jehoschua leitet das Wort *nissahu* („Er stellte es auf die Probe")
von der Wurzel *nsha*, (‚erhöhen') ab und deutet es daher so, dass Gott Israel in
Mara *vergrößerte*, wie in den anderen Fällen von *Vergrößerung*, die er durch Belegstellen aus Königen und Numeri anführt. R. Eleazar entgegnet, dass *nsha*, ‚erhöhen',
in der Bibel stets mit Schin geschrieben wird, der Buchstabe hier aber Samech ist,
so dass es sich von *nsy*, ‚versuchen', ‚prüfen' herleiten muss. Diese beiden Ansichten
stimmen erneut mit der allgemeinen interpretatorischen Tendenz dieser zwei Tannaim bei der Deutung unseres Texts überein. R. Jehoschua wird so dargestellt, dass
er sich um eine für Israel günstige Interpretation müht, während R. Eleazar die
negativen Aspekte dieser Erzählung hervorhebt. R. Jehoschua, der gewiss genauso
viel Kenntnis von biblischer Orthographie hatte wie sein Kollege, nutzt gleichwohl
eine Mehrdeutigkeit auf der Ebene des gesprochenen Texts, um seine ‚Lobes'-Inter-
pretation aufrechtzuerhalten.

Die Mechilta konzentriert ihre Interpretation als nächstes auf die Beschaffenheit des Baums, denn mit der Bestimmung des Baums lässt sich anscheinend ein
Schlüssel zur Auflösung der Bedeutung der Geschichte finden.

Und der Herr lehrte ihn einen Baum. R. Jehoschua sagt, es war eine Weide. R. Eleazar Modiin sagt, es war ein Olivenbaum, denn es gibt keinen bittereren als den Olivenbaum. R. Jehoschua der Kahle sagt, es war ein Oleander. R. Schimon ben Jochai sagt, Er lehrte ihn ein Wort aus der Torah, denn es heißt: „Und Er lehrte ihn (*yorehu*)". Es steht nicht [geschrieben], „Und Er zeigte ihm" (*yar'ehu*), sondern „Er lehrte ihn", so wie es heißt: „Da lehrte er mich und sagte zu mir" (Spr 4,4). R. Natan sagt, es war eine Zeder, andere wieder sagen, es war die Wurzel einer Feige und die Wurzel eines Granatapfels. Die *Dorsche Reschumot* sagten, ‚Er zeigte ihm Worte der Torah, die durch einen Baum symbolisiert sind, denn es heißt: „Wer nach ihr greift, dem ist sie ein Lebensbaum" (Spr 3,18).

Innerhalb der zahlreichen verschiedenen Bestimmungen des Baums lassen sich zwei konkurrierende Interpretationsschulen unseres Textes unterscheiden, von denen die eine den Baum als wirklichen Baum bestimmt, wohingegen die andere ihn als eine Metapher für die Torah deutet. Konzentrieren wir uns zunächst auf die ‚buchstäbliche' Deutung. R. Jehoschua argumentiert gemäß seinem allgemeinen Verfahren für die einfachste mögliche Interpretation des Verses und deutet den Baum als eine Weide, wie sie ursprünglich in der Nähe des Wassers einer Oase wuchsen. Die anderen Tannaim jedoch bestimmen den Baum genauer. Auch wenn es sich nicht in jedem Fall mit Sicherheit sagen lässt, so scheint der Baum für R. Eleazar (ausdrücklich), R. Jehoschua den Kahlen und höchstwahrscheinlich auch für die ‚Anderen' durch seinen bitteren Geschmack ausgezeichnet. Der Oleander ist jedenfalls nicht nur bitter, sondern tödliches Gift.

Die Beweggründe für diese Interpretation des Baums sowie ihre Rechtfertigung finden sich in der Fortsetzung des Diskurses der Mechilta:

Rabban Schimon ben Gamliel sagt: Komm und siehe, wie anders die Wege des Ortes von den Wegen von Fleisch und Blut sind. Fleisch und Blut gebrauchen Süßes, um das Bittere zu heilen. Nicht so Er-der-Sprach-und-die-Welt-war. Er gebraucht Bitteres, um das Bittere zu heilen. Warum das? Er tut etwas, das verdirbt, in etwas Verdorbenes, um damit ein Wunder zu vollbringen.

In ähnlicher Weise werdet ihr sagen: „Darauf sagte Jesaja: Man hole einen Feigenbrei und streiche ihn auf das Geschwür" (Jes 38,21). Doch ist es nicht so, dass rohes Fleisch, wenn man es mit Feigenbrei bestreicht, sofort schlecht wird? Warum also? Er legt etwas, das verdirbt, auf etwas Verdorbenes, um damit ein Wunder zu vollbringen.

Ähnlich heißt es: „Und er ging zur Wasserquelle und warf das Salz hinein mit den Worten: So spricht" (2 Kön 2,21), doch ist es nicht so, dass süßes Wasser, wenn man Salz hineinstreut, sofort schlecht wird? Warum das? Er tut etwas, das verdirbt, in etwas Verdorbenes, um damit ein Wunder zu vollbringen.

R. Schimon zitiert zwei Beispiele, die seine Interpretation unterstützen. Was auch immer wir von der Geschichte von Hiskija und dem Feigenbrei halten mögen, im Falle von Elischa und dem Wasser von Jericho sagt der biblische Text ausdrücklich, dass Elischa das salzige Wasser mit Salz „gesund macht". R. Schimon hat eine klassische Formel eines paradigmatischen Midrasch übernommen. Auf diese Art wird eine Folge von Ereignissen oder Texten unter der Rubrik ‚ähnlich' oder als paradigmatische Variante behandelt, um die gleichen Merkmale jedes Beispiels herauszustellen und so gewissermaßen eine theosophische Wahrheit zu begründen – in diesem Fall Gottes paradoxes, übernatürliches Verhalten, das seine Fähigkeit unterstreicht, Wunder zu vollbringen. In der zitierten Jesaja-Stelle ist Hiskija an Geschwüren erkrankt, der Prophet sagt ihm, er solle Feigen auf seinen Ausschlag tun und werde genesen. Das Ergebnis ist deutlich. In dem Abschnitt aus Könige, setzt der zitierte Vers mit der Erklärung fort: „Und er ging zur Wasserquelle und warf das Salz hinein mit den Worten: So spricht der Herr: Ich mache dieses Wasser gesund." Ich vermute, dass dieses dritte Beispiel den Schlüssel zur gesamten Konstruktion bildet und damit zeigt, welchen Wert die ‚paradigmatische' Deutung des Midrasch hier hat. Mit anderen Worten: Wir lernen das Ereignis mit Jesajas Feigen und unser Ereignis in Mara durch die Episode aus Könige zu verstehen, in der die paradoxe ‚Kur' explizit erwähnt wird. Darüber hinaus gibt es, wie Cassuto scharfsinnig bemerkt, in der Elischa-Episode eine Reihe wörtlicher Anspielungen, die nahe legen, sie als Imitation (oder Interpretation, vom hermeneutischen Standpunkt aus gesehen) der Ereignisses in Mara zu lesen. „Der Abschnitt der Gesundmachung des Wassers durch Elischa stützt sich auf unsere Erzählung (vgl. 2 Kön 2, 19-22); dort finden sich auch *und er warf* sowie das Verb *gesund machen*."[9] Wenn Cassuto Recht hat, dann sind die Exegesen von R. Schimon und der anderen Tannaim, die den Baum für einen bitteren halten, schon zur Zeit des Propheten geläufig. Dies wäre ein eleganter Beweis dafür, dass das, was als Homilie erscheint, in Wirklichkeit eine Exegese der Schrift durch die Schrift ist. Um es noch deutlicher auf den Punkt zu bringen: Die Deutung über die Elischa-Geschichte in Könige löst zahlreiche Interpretationsschwierigkeiten, die wir in der Mara-Erzählung festgestellt haben. Das „Gesetz und die Rechtsentscheidungen" werden aus dieser Sicht als das Gesetz Gottes interpretiert, Gott heilt das Bittere mit dem Bitteren. Ich behaupte zudem, dass R. Schimon ben Gamliels Deutung auch das Rätsel der ungewöhnlichen Form *wayyorehu* (‚und er lehrte') löst: Es ist verlockend, die lexikalische Ungrammatikalität von *wayyorehu* als Verweis auf die Lehre „Komm und siehe, wie anders die Wege Gottes als die Wege des Menschen sind" zu deuten. Diese Interpretation von R. Schimons Midrasch wurde schon von einem sehr frühen Interpreten unseres Abschnitts, dem Autor des etwas späteren Midrasch *Tanhuma*, vorgeschlagen:

> Ihr stellt fest, dass Fleisch und Blut mit einem Messer erschlägt und mit einem Breiumschlag heilt, doch der Heilige, gesegnet sei Er, ist nicht von dieser Art, denn das, womit Er erschlägt, das nimmt Er auch zum Heilen. Und so stellt ihr fest, dass sie, als sie nach Mara kamen, das Wasser von Mara nicht trinken konnten, und Moses glaubte, dass der Heilige, gesegnet sei Er, ihm befehlen würde, Honig oder Feigen hineinzuwerfen, so dass das Wasser süß würde. Doch siehe, was geschrieben steht: „Er schrie zum Herrn, und der Herr lehrte ihn einen Baum." Es heißt nicht: „Er zeigte ihm", sondern: „Er lehrte ihn", Er lehrte ihn seine Wege.[10]

---

9 Cassato: *Commentary* (Anm. 8), S. 127.
10 *Tanhuma Exodus*, Abs. 24.

R. Schimons Deutung ist somit eine elegante Lösung für die Kohärenzprobleme in der Mara-Erzählung. Sämtliche Ungrammatikalitäten werden erklärt. Die Form *wayyorehu* wird durch das paradoxe Handeln Gottes erläutert; und genau das lehrt Gott an dieser Stelle: Seine Wege sind anders als die des Menschen. Außerdem bietet diese Lektüre eine Lösung für die Frage nach dem „Gesetz"; es ist das unnatürliche Gesetz Gottes, auf das hier verwiesen wird. Schließlich wird der seltsame Verweis auf Gott als Heiler durch das Echo jenes Abschnitts in Könige erklärt, in dem die Wasser „gesund gemacht" werden.

R. Schimons Interpretation der Geschichte (wie auch die Deutungen der anderen Tannaim, die auf die Bitterkeit des wirklichen Baums beharren) wählt und aktiviert daher bei dem Wort *marim* die Bedeutung ‚bitter'. Die kontextabhängige Entscheidung dieser Interpreten besteht darin, die Geschichte im Lichte ihres beinahe ausdrücklichen Intertexts in Könige zu deuten. Diese Interpretation löst auch zahlreiche andere Mehrdeutigkeiten im Text auf, da sie eine narrative Kohärenz schafft, die der biblischen Erzählung als solcher fehlt. Diese Kohärenz fehlt übrigens so offensichtlich, dass moderne historisch-kritische Exegeten den Text bei der Zäsur von Vers 25 in zwei angeblich unvereinbare Dokumente aufteilten.[11]

Die anderen Interpreten, also R. Schimon ben Jochai und die *Dorsche Reschumot*, deuten den Baum metaphorisch als ‚Lebensbaum', d.h. als die Torah. Wie verfährt nun diese Deutung mit der Mehrdeutigkeit des Textes? Wie bereits erwähnt, beginnt diese Interpretationslinie damit, das „Wasser" der Toraherzählung nicht buchstäblich als reales Wasser zu deuten, sondern als ein Symbol für die Torah. Diese Interpretation sieht auf den ersten Blick wie eine Allegorie aus, also eine Deutung, die annimmt, der Text würde von einer ihm äußerlichen ‚Idee' (im platonischen Sinne) handeln, in diesem Fall von der Idee der Torah. Aber eine genauere Untersuchung dieser Interpretationslinie wird zeigen, dass ihr Verständnis als ‚Allegorie' weder die einzige noch die überzeugendste Analyse dessen ist, was hier vor sich geht. Der entscheidende Hinweis ist, dass die verschiedenen metaphorischen Deutungen der Erzählung allesamt Verse eines einzelnen Abschnitts aus dem Buch Sprüche als ‚Belegstellen' zitieren: Die *Dorsche Reschumot* zitieren die ausdrückliche Metapher von der Torah: „Wer nach ihr greift, dem ist sie ein Lebensbaum" (Spr 3,18), und Rabbi Schimon ben Jochai zitiert: „Da lehrte er mich und sagte zu mir" (Spr 4,4). Darüber hinaus zitiert Rabbi Eleazar in einer weiteren Interpretation des ‚Heilens' folgende Worte der Torah: „Denn Leben bringen sie dem, der sie findet, und Gesundheit seinem ganzen Leib" (Spr 4,22 und 3,8). Ich behaupte, dass diese verschiedenen Zitate von Versen aus demselben Abschnitt im Buch der Sprüche nicht zufällig sind, sondern auf eine Tradition zurückzuführen sind, nach der die Schwierigkeiten und Ungrammatikalitäten des Mara-Berichts

---

11 Für eine Erörterung dieser Auffassungen vgl. Brevard S. Childs: *Exodus: A Commentary*, Philadelphia 1974, S. 269f.

im Licht der salomonischen Texte gelöst werden könne, die die Rabbis als hermeneutische Schlüssel der Torah auffassen.[12]

Dieser semiotische Prozess lässt sich ziemlich genau beschreiben. Die gesamte
Interpretation wird durch die lexikalische Mehrdeutigkeit von *marim* und *wayyorehu* hervorgebracht. Die erste buchstäbliche Deutung von Vers 24 interpretiert
das Adjektiv syntaktisch als auf das Wasser bezogen. Es ist aber genauso plausibel,
es auf das „sie" einen Halbsatz weiter zurück zu beziehen: „Als sie nach Mara
kamen", denn da ‚Wasser' (*mayim*) im Hebräischen ein pluralischer Substantiv ist,
passt das Adjektiv entweder zu „sie" oder zu ‚Wasser'. Diese zusätzliche Deutung
bildet relativ viele intertextuelle Resonanzen. Zunächst ist dieses Adjektiv vom
Klang her beinahe identisch mit einem anderen, das normalerweise verwendet
wird, um die Aufsässigkeit Israels in der Wüste zu beschreiben. Wir lesen daher:
„Sie aber *trotzten* mir und wollten nicht auf mich hören" (Ez 20,8), „und *trotzten*
dem Höchsten am Schilfmeer" (Ps 106,7), „Wie oft haben sie ihm in der Wüste
getrotzt" (Ps 78,40). In allen drei Versen werden Formen des Verbs *mry* (‚trotzen')
benutzt, das klanglich mit *mayim* (‚Wasser') verwandt ist. In noch stärker zuge-
spitzter Form redet Moses in einer parallelen Erzählung über Wassermangel mit
folgenden Worten zu seinem Volk: „Hört, ihr Meuterer (*hamoriym*)" (Num 20,10),
wobei er ein Wort verwendet, das mit *mayim* beinahe identisch ist. Außerdem
werden auch sonst die Orte der Wüstenwanderung nicht nach ihrem natürlichen
Zustand benannt, sondern nach der Erinnerung an den Aufstand des Volkes an
diesem Ort. Zum Beispiel wird in einer ganz ähnlichen Geschichte von einem
Aufstand wegen Wassers in Exodus 17,1-7 der Ort aufgrund des aufsässigen Verhaltens Israels in „Probe und Streit" umbenannt. All diese Verweise machen es sehr
plausibel, den Vers wie folgt zu deuten: „Sie konnten das Wasser von Mara nicht
trinken, denn sie waren aufsässig, und darum heißt es Mara."

Wie oben bereits erwähnt, hat das Verb *wayyorehu* zwei Bedeutungen: ‚zeigen'
und ‚lehren', doch letztere ist lexikalisch weitaus verbreiteter und kulturell wichtiger, da sie die Wurzel des Wortes *Torah* ist. Andererseits wird aber der seltenere
Wortsinn ‚zeigen' durch den narrativen Kontext der Mara-Erzählung evoziert. Es
handelt sich somit um eine Art Syllepse im Sinne Riffaterres, das heißt um eine
Form von Wortspiel, das gerade durch seine formale Unangemessenheit einen
Intertext aufruft. Tatsächlich wird *wayyorehu* hier so ungewöhnlich verwendet, dass
wir es als duales Zeichen im Sinne Riffaterres verstehen können, wobei dessen
Dualität eben darin besteht, dass es auf zwei Intertexte verweist und zwei Bedeutungen für den gedeuteten Text hervorbringt. Was in unserem Text geschieht, entspricht genau der Beschreibung Riffaterres. Wir beginnen mit der Interpretation
des Textes, indem wir zunächst den vom Kontext verlangten Sinn des Verbs abru-
fen, das heißt, wir deuten den Text als eine Geschichte über leibhaftigen Durst in
der Wüste. Aber dann bricht die Kraft des anderen Sinns ein: Die ungewöhnliche

---

12 Vgl. zu dieser Tradition der Spruch- und Parabelexegese das Kapitel „The Song of Songs, Lock
or Key", in: D. Boyarin: *Intertextuality and the Reading of Midrash*, Bloomington (Indiana U.P.)
1990.

Verwendung von *wayyorehu* wird als intertextueller Wegweiser für den Abschnitt im Buch der Sprüche gedeutet, der anschließend den Rest des Rätsels Lösung von Mara liefert. Er versorgt uns sowohl mit der Metapher des „Baums" für die Torah als auch mit der ausdrücklichen Aussage, dass die Worte der Torah „heilen" – also genau zu den anderen schwierigen Teilen der Mara-Erzählung passt. Diese Lücken und der Umstand, dass es der intertextuellen Deutung gelingt, sie zu füllen, sind eine ausreichende Vollmacht dafür, die gesamte Geschichte gemäß der doppelten Deutung des Verbs *wayyorehu* zu interpretieren. Im Grunde haben wir zwei Geschichten – eine, die sich aus der Bedeutung ‚zeigen', und eine andere, die sich aus der Bedeutung ‚lehren' herleitet. Die zweite Geschichte liest sich demnach auf folgende Weise: Drei Tage waren sie in der Wüste unterwegs und fanden kein Wasser = Torah (wie im Jesaja-Vers), und als sie nach Mara kamen, konnten sie das Wasser von Mara nicht trinken (die Torah studieren), weil sie aufsässig waren. Moses betete und Gott lehrte ihn ein Wort der Torah, die ein „Lebensbaum" ist, und das bittere Wasser (das aufsässige, torahlose Volk) wurde süß. Dort gab Gott ihnen Gesetz und Rechtsentscheidungen und dort stellte er sie auf die Probe, und sagte: „Wenn ihr die Torah bewahrt, die ich euch an diesem Tag gegeben habe, dann werde ich euch keine weiteren Plagen wie die Plagen Ägyptens auferlegen, denn die Worte der Torah, die ich euch gegeben habe, sind heilsam für euch und bewahren euch davor, aufsässig zu sein und Strafen wie diese zu verdienen". Alle Ungrammatikalitäten und Unangemessenheiten der biblischen Erzählung werden elegant aufgelöst, wenn man sie als eine Reihe von Metaphern deutet, die durch ihre Intertextualität dekodiert werden. Darüber hinaus habe ich den Eindruck, dass zwar der Leser die Wahl hat, *welchen* Kontext er beleben will, um eine Auflösung der Mehrdeutigkeiten zu erhalten, dass es aber der Text selbst ist, der dazu auffordert, *etwas* in dieser Art zu tun. Die Mehrdeutigkeit steckt daher im Diskurs. Außerdem sind die verschiedenen Entscheidungen der Kontextualisierung, auch wenn sie nicht notwendig sind (was in der vorliegenden Erzählung ziemlich offensichtlich ist, da es zwei gibt), so doch keinesfalls willkürlich, sondern scheinen Interpretationsmöglichkeiten zu aktualisieren, die der Kanon bereithält.

Die Mechilta setzt ihre Interpretation bis zum Ende der Mara-Geschichte fort:

Als er es ins Wasser warf. Andere sagen, die Israeliten hätten zu dieser Zeit gefleht und sich vor ihrem Vater im Himmel niedergeworfen. Wie ein Sohn, der seinen Vater anfleht oder ein Jünger, der sich vor seinem Meister niederwirft, so hätte Israel gefleht und sich vor seinem Vater im Himmel niedergeworfen und gesagt: Herr der Welt, wir haben uns gegen dich versündigt, als wir wegen des Wassers murrten.
Wurde das Wasser süß. R. Jehoschua sagt, es wurde für eine Zeit bitter und wurde dann süß. R. Eleazar Modiin sagt: Es war von Anfang an bitter, denn es heißt zweimal „das Wasser, das Wasser".
Dort gab Gott dem Volk Gesetz und Rechtsentscheidungen. „Gesetz" ist der Sabbat und „Rechtsentscheidungen" ist die Eltern zu ehren; die Worte des R. Jehoschua. R. Eleazar Modiin sagt, „Gesetz", das sind die verbotenen sexuellen Beziehungen, so wie es heißt: „Befolgt keinen von den gräulichen Bräuchen" (Lev 18,30); „und Rechtsentscheidungen": Das sind die Gesetze über Raub, die Gesetze über Geldbußen und die Gesetze über Vergehen.

[Hier folgt die Diskussion um die Bedeutung von „Dort stellte er sie auf die Probe", die ich oben erörtert habe.]

Er sagte: Wenn du … hörst. Wenn folglich, sagten sie, ein Mensch ein Gebot hört, neigt er dazu, viele Gebote zu hören, wie es heißt: „Wenn du hörst." Wenn ein Mensch ein Gebot vergessen hat, wird er dazu gebracht, viele Gebote zu vergessen, wie es heißt: „Wenn du aber vergisst" (Dtn 8,19).

Die Stimme des Herrn, deines Gottes. Dies sind die zehn Worte, die in zehn Stimmen [Klängen] von Mund zu Mund gingen. *Und tust, was in seinen Augen gut ist.* Dies sind die rühmlichen Interpretationen, die jedermann verstehen kann. *Wenn du seinen Geboten gehorchst.* Dies sind die Verordnungen. *Und auf alle seine Gesetze achtest.* Dies sind die *halachot.*

Werde ich dir keine der Krankheiten schicken, die ich den Ägyptern geschickt habe, denn sollte ich sie schicken: *Ich bin der Herr, dein Heiler.* [Dies sind] die Worte von R. Jehoschua.

Dieser letzte Absatz ist erneut schwierig. Er scheint einen Selbstwiderspruch zu enthalten. Ich werde nichts schicken, aber ich schicke. Einen Einblick in die Bedeutung dieses Verses gibt die Deutung, die R. Jochanans ihm im Talmud verleiht:

„Da sagte R. Abba zu Rabba bar Meri: Es steht geschrieben: ‚Ich werde dir keine Krankheit schicken, die ich den Ägyptern geschickt habe, denn ich bin der Herr, dein Heiler.' Nun da er nichts schickt, warum sollte ich der Heilung bedürfen? Da sagte R. Jochanan: Dieser Vers erklärt sich selbst. ‚Wenn du die Stimme des Herrn hörst' – wenn du hörst, werde ich nichts schicken; wenn du nicht hörst, werde ich sie schicken, und selbst dann bin ich der Herr, dein Heiler" (Sanh 101a).

R. Jochanan erweitert den Vers gemäß einer einfachen Logik der Implikation. Dementsprechend ist R. Jehoschuas Aussage zwar elliptisch, aber nicht widersprüchlich. Er deutet den Vers wie ähnliche Stellen, an denen die schlimmsten Flüche mit einem sicheren Erlösungsversprechen verbunden werden: ‚Ich werde nichts schicken, aber solltest du mich zwingen, werde ich dich selbst dann noch am Ende heilen.' Der Wert dieser Deutung besteht darin, dass sie die gesamte Erzählung wiederherstellt als Geschichte der Einrichtung eines Bundes *en miniature*, mitsamt der Gesetzgebung und den abschließenden Segnungen und Verdammungen. Genauso wie es in den anderen großen Bundestexten das ausdrückliche Versprechen gibt, dass, selbst wenn Israel fehlgehen sollte, Gott sie am Ende erlösen wird, so gibt es dies auch hier.

Jüngst hat Lee Patterson in einem gleichermaßen interessanten wie gelehrten Buch in Frage gestellt, ob überhaupt ein Text an sich mehrdeutig sein könne.[13] Vielmehr sei im Text alles eine Funktion der hermeneutischen Vorwegnahme. Ich habe durch meine Lektüre der rabbinischen Deutung der Exodus-Geschichte jedoch zu zeigen versucht, dass diese Erzählung, wenn sie überhaupt lesbar sein soll, eine starke Deutung *verlangt* und dass es der Abschnitt aus Könige ist, der eine mögliche und tatsächlich sehr plausible Interpretation gestattet, denn die Geschichte von Elischa

---

13 Vgl. Lee Patterson: *Negotiating the Past: The Historical Understanding of Medieval Literature,* Madison (University of Wisconsin Press) 1987, S. 150f.

und dem Wasser scheint durch die Deutung der Exodus-Geschichte entstanden zu sein. Wenn meine Argumentation überzeugend ist, liefern die Mehrdeutigkeiten unseres Texts und ihre Auflösung mittels der Intertexte einen hinreichenden Grund dafür, den Baum paradoxerweise zugleich als einen wirklichen und als bitteren Baum zu deuten. Damit ist freilich nicht behauptet, dass es keinerlei Beziehung zwischen R. Schimons politischen Anliegen und seiner Deutung der Torah gibt. Ganz im Gegenteil. Ira Chermus' Hypothese, dass R. Schimons Interpretation durch seine politischen Anliegen von außen motiviert ist,[14] bleibt höchstwahrscheinlich zutreffend, doch die Beziehung zwischen der Praxis der Auslegung im Midrasch und den anderen gesellschaftlichen und historischen Praktiken, wie sie in den Texten über R. Schimon ben Gamliel nahe gelegt werden, wären dann noch weitaus komplizierter als es Chermus annimmt.

Ganz ähnlich lässt sich nun auch für die Interpretation des Baumes als Torah argumentieren. Diese Interpretation gilt normalerweise als das Paradebeispiel für Allegorese im Midrasch und für einen Deutungsstil, der vollständig durch eine dem Text äußerliche ideologische Konstruktion gesteuert und motiviert wird: nämlich durch die typische rabbinische Ideologie von der moralischen und geistigen Wirkungskraft des Torahstudiums und von den schädlichen Folgen seines Versäumnisses. Tatsächlich stammt diese Deutung der Mara-Geschichte zweifellos aus einem solchen kulturellen Umfeld. Es bleibt aber die Frage, wie man diese Tatsache erklärt. Die ältere Forschung behauptete, dass der Midrasch die einfache und wörtliche Bedeutung stets als Vorwegnahme anderer Bedeutungen sah, an denen sich ideologische Ideen festmachen ließen. Ich hingegen möchte behaupten, dass die Torah mittels der Lücken, Mehrdeutigkeiten und Ungrammatikalitäten ihres narrativen Diskurses eine solche spirituelle Deutungsart selbst erst legitimiert.

Die genaue Lektüre der Mechilta-Interpretation zur Geschichte des Wassers von Mara hat mich zu der Behauptung gebracht, dass die Mehrdeutigkeiten und Lücken dieser Erzählung im Diskurs zu verorten sind und nicht bloße Funktionen der Deutung sind. Während die Strategien, die verwendet werden, um die Mehrdeutigkeiten der Geschichte auszuschließen und zu verringern, eindeutig ein Effekt der Deutung sind, stellen sie jedoch keinesfalls eine willkürliche Entscheidung der Rabbis darüber dar, was der Text ihrer Meinung nach bedeuten soll. Die Prozesse zum Ausschluss von Mehrdeutigkeiten werden zudem durch die Wahl verschiedener kontrollierender Kontexte oder intertextueller Anspielungen legitimiert, die innerhalb des Textsystems möglich sind, um die lokale Erzählung und ihre axiologischen Bedeutungen zu erschließen.

---

14 Vgl. Ira Chermus: „History and Paradox in Rabbinic Midrasch", in: ders.: *Mysticism in Rabbinic Judaism*, Studia Judaica, Bd. XI, Berlin 1982, S. 130f.

Stimmen im Text

Im folgenden Abschnitt der Mechilta wird die Geschichte der Speisung mit Manna interpretiert. Die Mechilta besteht hier wie auch bei den folgenden Erzählungen aus den fortlaufenden Kommentaren der Rabbis Jehoschua und Eleazar Modiin. Wie wir sehen werden, machen sich diese beiden Interpreten bei der Deutung des Textes Standpunkte zu Eigen, die in sich logisch, aber einander diametral entgegengesetzt sind. Anscheinend hat jeder Tanna *im Voraus* aus ideologischen Gründen entschieden, was der Text bedeuten soll, und deutet den Text nun auf eine dieser Vorstellung gemäße Weise. Dennoch werde ich diese stimmige Unstimmigkeit erneut als Reaktion auf eine Mehrdeutigkeit im Text deuten, diesmal nicht auf lexikalischer Ebene, sondern auf der Ebene der *Beurteilung* der gesamten narrativen Situation. Die zwei alternativen Deutungen werden abermals dadurch hervorgebracht, dass sie den zu interpretierenden Text auf zwei mögliche intertextuelle Codes beziehen, die dieser durch seine eigene Heterogenität aufruft.

Die Manna-Erzählung und ihre Interpretation beginnen mit Exodus 16,2.

> *Die ganze Gemeinde der Israeliten murrte.* R. Jehoschua sagt: Sie hätten den Größten unter ihnen fragen sollen: „Was sollen wir essen?", doch stattdessen stand Israel auf und sagte zornige Worte gegen Moses. R. Eleazar sagt: Israel war darin bewandert, zornige Worte gegen Moses auszusprechen, und nicht allein gegen Moses, sondern auch gegen Aron, denn es heißt: „Die Israeliten sagten zu *ihnen*: Wären wir doch gestorben usw." Sie sagten: Wären wir doch in Ägypten in den drei Tagen der Dunkelheit gestorben.[15]

Die beiden Tannaim sind hier mit demselben Interpretationsproblem wie oben konfrontiert. Das Verb „murrte" hat eine stark pejorative Konnotation von Aufstand und Undankbarkeit. Warum aber sollte die Frage der Gemeinde so charakterisiert werden? Schließlich ist das Volk hungrig, und was wäre natürlicher für sie als die Frage: „Was sollen wir essen?" R. Jehoschua antwortet auf diese Schwierigkeit, indem er den pejorativen Aspekt des ‚Murrens' minimiert und eine plausible Erklärung für ihn findet: Der Fehler der Israeliten war im Wesentlichen einer des Protokolls. Anstatt sich gleich zornig bei Moses zu beschweren, hätten sie ihren weisesten Mann danach fragen sollen, was sie essen sollen. R. Eleazar dagegen hebt die pejorativen Konnotationen des Worts „murrte" dezidiert hervor und bauscht sie sogar dramatisch auf. Er behauptet, dass das Volk von Natur her aufständisch sei und dass diese Tat daher nur ein Ausdruck dieser Tendenz gewesen sei. Darüber hinaus verstärkt er das Ausmaß des Murrens noch mit der Behauptung, dass sie sowohl gegen Aron als auch gegen Moses aufständisch gewesen seien. Die beiden Interpreten haben folglich diametral entgegengesetzte Standpunkte eingenommen: Einer liest den Text in einer für Israel und seine Taten möglichst vorteilhaften Weise, der andere auf höchst unvorteilhafte Weise.

---

15 Die in diesem Kapitel ausführlich zitierte Passage der Mechilta befindet sich in: Lauterbach: (Anm. 2), Bd. II, S. 100ff.

Diese Struktur ihrer Interpretationen findet sich auch in der Fortsetzung:

> Ihr habt uns nur deshalb in diese Wüste geführt, *um alle, die hier versammelt sind, an Hunger sterben zu lassen. (barā'av).* R. Jehoschua sagt: Es gibt keinen qualvolleren Tod als den Tod durch Verhungern, denn es heißt: „Besser die vom Schwert Getöteten als die vom Hunger Getöteten" (Klgl 4,9) R. R. Eleazar sagt: *Ba rā'av* „Hungertod kommt": Es kommt über uns Hungertod über Hungertod, Plage über Plage, Dunkelheit über Dunkelheit.

R. Jehoschuas Deutung reduziert erneut den pejorativen Eindruck des Verses. Die vom Volk vorgebrachte Anklage scheint sowohl unnötig hart als auch ungerechtfertigt, denn bisher war für das Volk gesorgt worden. R. Jehoschua rechtfertigt den Tonfall des Volkes mit der Panik angesichts des Hungertods, den er als den schlimmstmöglichen Tod für den Menschen bezeichnet. R. Eleazar hingegen deutet diese Aussage als haarsträubend falsche Anschuldigung: ‚Immer wieder habt ihr uns den Hungertod sterben lassen, uns Plagen geschickt, uns in die Dunkelheit gestürzt!' Von welchen Ereignissen ist hier überhaupt die Rede? Es sind die Plagen, die Israels Feinden in Ägyptern geschickt wurden und die Israel nun ihrem Gott und seinem Stellvertreter Moses vorwerfen! R. Eleazar vollbringt dieses hermeneutische Kunststück in der für ihn typischen Weise, indem er das Wort *barā'av* (‚am Hungertod') in zwei Worte zerlegt: *ba rā'av* (‚der Hungertod kommt').

Die Geschichte geht mit Gottes Antwort auf die aufdringlichen Forderungen des Volks weiter:

> *Da sprach der Herr zu Mose: Ich will euch hiermit Brot vom Himmel regnen lassen.* R. Jehoschua sagt: Ich offenbare mich hiermit sogleich; ich zögere nicht. R. Eleazar sagt: Er sagt „hiermit" im Sinne von „durch das Verdienst eurer Vorfahren".

Das mit ‚hiermit' übersetzte Wort *hineni* bedeutet im juristischen Kontext eine Willensäußerung, das Eingehen einer Verpflichtung, die freudig und aus freiem Willen erfolgen soll. Wie R. Jischmael gesagt haben soll: Überall wo *hineni* (‚hiermit') steht, ist es nichts weiter als ein Ausdruck der Freude. Daher ist R. Jehoschuas Deutung von *hineni* als Ausdruck einer Willensäußerung eine direkte Interpretation des Verses, die natürlich mit seiner gesamten Deutung des Abschnitts übereinstimmt. R. Eleazar verwendet seine ‚anomalistischen' Methoden, um den Vers ebenfalls mit seiner gesamten Deutung in Übereinstimmung zu bringen. Er deutet das Wort *hineni* in der Weise um, dass er seine positive Konnotation von Wille und Freude (insofern es sich auf die gegenwärtige Situation bezieht) entfernt und es als Anspielung auf die freudige Zustimmung der rechtschaffenden Vorhaben liest, so etwa Abrahams *hineni* in Gen 22,1: „Nach diesen Ereignissen stellte Gott Abraham auf die Probe. Er sprach zu ihm: Abraham! Er antwortete: *hineni.*", oder Jakobs Zustimmung in Gen 46,2: „Da sprach Gott in einer nächtlichen Vision zu Israel: Jakob! Jakob! *hineni*, antwortete er". Gottes Antwort in der Wüste war also keinesfalls freudig und willig, sondern äußerst widerwillig und erfolgte einzig und allein wegen der Verdienste der Vorfahren.

Im nächsten Abschnitt finden wir noch einmal dieselben beiden interpretativen Haltungen: *„Euch*: R. Jehoschua sagt: Tatsächlich verdient ihr es [nicht]. R. Eleazar sagt: „Er sagt ‚euch' nur des Verdienstes eurer Vorfahren wegen." Wenn das ‚nicht' eine korrekte Emendation der Stelle ist, so behauptet R. Jehoschua hier, dass das Wort ‚euch' in Ex 16,4 („Ich will euch Brot vom Himmel regnen lassen") ein weiterer Hinweis auf Gottes guten Willen bei der Gabe des Manna ist. R. Eleazar dagegen macht aus dem ‚euch' eine Anrede an die Vorfahren, auf die mit *hineni* angespielt wird; sinngemäß und beide Kommentare zusammenfassend liest er also: „O *hineni*! Für *euch* lasse ich Brot vom Himmel regnen und nicht für diese unwürdigen Nachkommen."

Auch in den folgenden Kommentaren der beiden Tannaim wird der Unterschied der beiden Auffassungen deutlich:

> *Dann sagte Mose zu Aaron: Sag der ganzen Gemeinde der Israeliten: Tretet hin vor den Herrn.* R. Jehoschua sagt: „tretet hin", denn der Allmächtige hat sich offenbart. R. Eleazar sagt: „tretet hin", um gerichtet zu werden.

Die Positionen sind hier sehr deutlich voneinander abgesetzt. R. Jehoschua deutet es so, dass das Volk hinzutreten soll, um das Wunder zu empfangen und die Herrlichkeit des Herrn zu schauen. Nach R. Eleazar hingegen dient das Hinzutreten dazu, ihre Sünden zu richten und zu bestrafen. Die abweichenden Beurteilungen der gesamten Episode sind daher klar und vollständig.

Dieses Thema wird im nächsten Kommentar noch weitergeführt:

> *Sie wandten sich zur Wüste hin.* R. Jehoschua sagt: Sie wandten sich hin, allein da der Allmächtige sich offenbarte. R. Eleazar sagt: Sie wandten sich nur wegen der Taten ihrer Vorfahren hin, denn es heißt: „die Wüste"; so wie es in der Wüste weder Frevel noch Sünde gibt, so tragen auch die Vorfahren in sich weder Frevel noch Sünde.

Beide Rabbis scheinen durch das Hinwenden beunruhigt. Warum wandten sich die Israeliten hin? Ihnen wurde befohlen hinzutreten! Außerdem sind sie doch in der Wüste; wie können sie sich zu ihr hinwenden? Diese Frage plagt übrigens auch noch heutige Kommentatoren des Exodus.[16] R. Jehoschuas Lösung besteht typischerweise darin, dass sie sich hinwandten, um das Wunder, das sich ereignete, zu betrachten: „Sie wandten sich […] Da erschien plötzlich in der Wolke die Herrlichkeit des Herrn." R. Eleazar deutet diese Stelle – ebenso seiner Rolle gemäß – bildlich und bezieht sie auf die Vorfahren und deren Verdienste: Dieses Hinwenden war spirituell – hin zu den Taten der Vorfahren; es könnte Buße oder eine Bitte bedeuten.

Zusammengefasst ergeben die beiden Deutungen das folgende Bild: Nach R. Jehoschua war das Volk berechtigterweise hungrig. Sie fragten nach Brot (wobei sie zugegebenermaßen etwas gegen den Anstand und die Etikette verstießen), und Gott antwortete ihnen rasch, großzügig und gerne. Laut R. Eleazar läuft die Geschichte ganz anders: Das Volk verhielt sich wie immer rebellisch und begehrte auf. Gott wollte sie für diese kleingläubige Tat bestrafen, doch die Vorfahren legten

---

16 Vgl. u.a.: Childs: *Exodus* (Anm. 11), S. 287f.

ein Wort für sie ein, und dem Heiligen zuliebe sah Gott nicht nur von seiner Strafe ab, sondern erhörte auch dessen Gebete.

Was kann so stark divergierende Deutungen desselben Textes motiviert haben? Wir gelangen hier an den entscheidenden Punkt der Midrasch-Interpretation im Allgemeinen, an einen Scheideweg, bei dem die Art der Fragen, die wir stellen, die Art der zu erhaltenden Antworten bestimmen wird. Eine typische Methode bestünde darin, den jeweiligen theologischen oder ideologischen Bezugspunkt der beiden Tannaim außerhalb des Textes zu suchen und dabei anzunehmen, dass jeder seine Interpretation forciert, um seine jeweilige theologische Position zu stärken.[17] Die Schwäche dieses traditionellen Forschungsparadigmas scheint mir darin zu liegen, dass sie nicht erklärt, welche Rolle die midraschische Interpretation bei der Herausbildung jener ideologischen und theologischen Positionen spielt. Wie in einer Literaturwissenschaft, die den Text nur als Widerspiegelung einer historischen Wirklichkeit betrachtet, wird die Literatur nicht als etwas begriffen, das genau diese Wirklichkeit selbst *hervorbringt*. Wir können das an einem bisher noch nicht erörterten Abschnitt noch deutlicher machen: In der Mechilta gibt es eine Kontroverse über Exodus 16,4 („Ich will euch Brot vom Himmel regnen lassen. Das Volk soll hinausgehen, um seinen täglichen Bedarf zu sammeln. Ich will es prüfen, ob es nach meiner Weisung lebt oder nicht.“):

> *Seinen täglichen Bedarf:* R. Jehoschua sagt: Dies heißt, dass ein Mensch an einem Tag die Menge für den nächsten Tag sammeln darf, wie es am Vorabend des Sabbats für den Sabbat getan wird. R. Eleazar sagt: Dies heißt, dass ein Mensch an einem Tag nicht die Menge für den nächsten Tag sammeln darf, wie es am Vorabend des Sabbat für den Sabbat getan wird. Denn es heißt: „seinen täglichen Bedarf“; Er, der den Tag schuf, schuf auch dessen Versorgung. Nun, pflegte R. Eleazar zu sagen, wer für heute genug zu essen hat und fragt: „Was werde ich morgen essen?“, der ist kleingläubig. Denn es heißt: *„Ich will es prüfen, ob es nach meiner Weisung lebt oder nicht.“* R. Jehoschua sagt: Wenn ein Mensch zwei *halachot* [Bestimmungen der Torah] am Morgen und zwei am Abend studiert und sich den ganzen Tag seinem Geschäft widmet, macht es soviel aus, als hätte er die ganze Torah befolgt.[18]

Die Tannaim weichen in ihrer Interpretation des mehrdeutigen „seinen täglichen Bedarf" voneinander ab. R. Jehoschua interpretiert es so, dass man am heutigen Tag für die Bedürfnisse des nächsten Tages sorgen dürfe, während R. Eleazar es so versteht, dass man sich heute nur für heute versorgen dürfe und darauf vertrauen solle, dass für morgen schon gesorgt werden wird. Diese Lesarten spiegeln sich unmittelbar in ihren Vorschriften für das tägliche Leben wider: Nach R. Eleazar ist ein Kleingläubiger, wer genug für seine unmittelbaren Bedürfnisse hat und sich aus Sorge um den

---

17 Der Höhepunkt dieses Verständnisses des Midrasch ist E. E. Urbachs klassische Studie *The Sages: Their Beliefs and Opinions*, in der er annimmt, R. Jehoschuas Motivation sei der Protest gegen das Prinzip des „Verdienstes der Väter" (das Prinzip, dass man infolge des verdienstvollen Verhaltens seiner Vorfahren unverdientermaßen Verdienste von Gott angerechnet bekommt), während R. Eleazar sich diesem Gedanken fest verschrieben hat. (Ephraim Elimelech Urbach: *The Sages: Their Beliefs and Opinions*, Jerusalem [Magnes Press] 1975, S. 497.)

18 *Mekilta* (Anm. 2), Bd. II, S. 103.

nächsten Tag weiter der Nahrungssuche widmet, anstatt die Torah zu studieren. Er hat die Prüfung „ob es nach meiner Weisung lebt oder nicht" nicht bestanden, und zwar gleich demjenigen, der während der Zeit der Wüstenwanderung Manna für den morgigen Tag sammelte. R. Jehoschua hingegen meint, dass man sich dem Lebensunterhalt auch über die unmittelbaren Bedürfnisse hinaus widmen sollte, denn die Prüfung besteht darin, ob man sich, nachdem für alle Bedürfnisse gesorgt ist, noch Zeit für die Torah nimmt oder nicht. Bei den Juden in der Wüste, für deren Bedürfnisse auch am morgigen Tag gesorgt wurde, ging es dementsprechend um die Frage, ob sie *dann* noch „nach meiner Weisung leben" oder nicht.

Wir können nun zwei unterschiedliche Herangehensweisen an diesen Konflikt wählen. Wir könnten annehmen, dass die von den beiden Tannaim vertretenen Standpunkte von äußerlichen ideologischen Positionen herrühren, die ihre Deutungen erzwingen, oder aber wir nehmen an, dass etwas im Text die verschiedenen Deutungen anregt (oder zumindest den Unterschied der Deutungen) und verschiedene Vorschriften begünstigt. Es ist jedenfalls festzuhalten, dass der Midrasch-Text selbst behauptet, diese Deutung sei der *Ursprung* und nicht die *Wirkung* von R. Eleazars Position. Natürlich stimmen die jeweiligen Standpunkte mit den jeweiligen Lektüren der gesamten Geschichte überein: R. Eleazar vermittelt eine extrem fromme Haltung, die aus jeder Klage über Hunger einen Aufstand macht, während R. Jehoschuas Standpunkt zum Lebensunterhalt jegliche pejorativen Konnotationen der Forderung nach Brot stark abschwächt. Es zeigt sich somit, dass diese Meinungsverschiedenheit in eine einheitliche Aufspaltung ihrer Deutungen des ganzen Komplexes von Erzählungen in diesem Torahabschnitt eingeschlossen ist.

Was aber ist die Ursache dieser doppelten Lektüre? Ich möchte behaupten, dass der Unterschied der tannaitischen Deutungen kein außertextlicher Sachverhalt ist, der sozusagen in der tannaitischen Zeit zu verorten wäre, sondern eine hintergründige Reaktion auf eine Spannung im biblischen Text selbst und zugleich eine Verdoppelung derselben ist. Brevard Childs hat, wie auch andere moderne Kommentatoren, diese Spannung bemerkt, die sich für ihn nicht nur in einer einzelnen Erzählung manifestiert, sondern im gesamten Kanon:

> Das grundlegendste traditionsgeschichtliche Problem der Wüstentradition hat vermutlich mit der Rolle des Motivs des Murrens zu tun, das, obwohl es in einigen Erzählungen vollständig fehlt (Ex 17,8 ff.; 18,1 ff.), zunehmend zur Rubrik wird, unter der diese Erzählungen interpretiert wurden (Dtn 9,22 ff.; Ps 78). Das Problem entsteht durch die scheinbaren Widersprüche beim Verständnis der Wüstenperiode im Alten Testament selbst. [...] Einerseits wurde die Wüstenperiode im Pentateuch und anderswo als Beweis für den frühen Ungehorsam Israels und seinen wiederholten Aufstand gegen Gott verurteilt. Andererseits gibt es Handlungsstränge im Pentateuch (Ex 16) und ausdrückliche Verweise bei den Propheten (Hos 2,16; Jer 2,2), die eine anscheinend positive Interpretation dieser Periode liefern.[19] Sie wird sogar als „Hochzeitsreise" bestimmt, bevor durch den Kontakt mit den Kanaanitern die Verderbtheit des Götzendienstes einsetzte.[20]

---

19 Vgl. auch Michael Fishbane: *Biblical interpretation in ancient Israel*, Oxford (Clarendon) 1985, S. 304.
20 Childs: *Exodus* (Anm. 11) S. 256.

Diese Angaben liefern an sich eine überzeugende Erklärung für die hier dokumentierte tannaitische Kontroverse. Unser Text, Exodus 16, ist nach Childs der einzige im Pentateuch, der Israels Rolle in der Wüste positiv deutet, während es starke und unzweideutige Stimmen in anderen Texten gibt, die das genaue Gegenteil vertreten: „Ihr habt euch dem Herrn widersetzt, seit er euch kennt" (Dtn 9,24), oder noch mehr auf den Punkt gebracht: „In ihrem Herzen versuchten sie Gott, forderten Nahrung für den Hunger. Sie redeten gegen Gott; sie fragten: Kann uns denn Gott den Tisch decken in der Wüste?" (Ps 78,18-19). Wir können daraus schließen, dass R. Jehoschua, der, wie so oft, auf Hinweise im unmittelbaren Text reagiert, die Geschichte positiv deutet, während R. Eleazar stärker die größere Erzählung und den Wertezusammenhang beachtet.

Aber wir können noch einen Schritt weiter gehen. Dazu müssen wir noch einmal die Exegesen der beiden Tannaim auf der Mikroebene der einzelnen Verse betrachten. Der Schlüssel liegt darin, dass jeder von ihnen einige Verse auf eine anscheinend einfache und direkte Weise liest, während er bei anderen Versen offenbar forciert interpretiert. So hat R. Jehoschua, um seine Deutung zu stützen, die übliche Bedeutung des ‚Murrens' mit seinen stark negativen Konnotationen von Verschwörung und Rebellion als metaphorische Wendung aufgefasst. Zudem fühlte er sich verpflichtet, eine Verteidigung für den undankbaren Vorwurf zu liefern, Moses habe das Volk nur aus Ägypten geführt, um es in der Wüste an Hunger sterben zu lassen. R. Eleazar war zur Aufrechterhaltung der eigenen Deutung gezwungen, Wörter wie *hineni* und „euch", die scheinbar eine gütige und aus freien Stücken erfolgende Reaktion Gottes auf das Gebet des Volkes darstellten, auf einigermaßen regelwidrige Weise zu deuten, d.h. durch völliges Ignorieren ihres syntaktischen Kontexts. Da dieser biblische Text jeden Leser zu zwingen scheint, die Sprache einiger Stellen zu verzerren, um eine harmonische Deutung zu erzielen, lässt sich behaupten, dass er sich in der Beurteilung dieser Ereignisse selbst widerspricht. Selbstverständlich neigt die Erzählung in Exodus 16 stark zur positiven Interpretation der Ereignisse (weshalb die Deutungen von R. Eleazar viel weiter hergeholt scheinen, als die seines Kollegen), doch es herrscht darin gleichwohl eine Spannung zwischen den Anzeichen für eine positive Deutung und solchen, die eine negative Deutung nahe legen. Diese Spannung haben viele Kommentatoren bemerkt, so auch Nachmanides, der schreibt:

Ich habe das Murren der Israeliten gehört. Sag ihnen: Am Abend (Ex. 16,12): Diese Rede wurde schon von Moses zu Israel gesprochen [oben in Vers 8], doch sie wird wiederholt, weil Er sagte: „Ich habe das Murren der Israeliten gehört", denn am Anfang sagte Er: „Ich will euch hiermit Brot vom Himmel regnen lassen", wie jemand, der ihnen einen Gefallen oder dies wegen ihrer Verdienste tut. Nun aber sagt er, dass es ihnen als Sünde angerechnet wird, und wegen dieses Murrens wird Er solches mit ihnen tun, damit sie wissen, dass „ich der Herr, euer Gott, bin", denn bisher glaubt ihr nicht.

Die Manna-Geschichte in Exodus 16 (wie mehr oder weniger in allen Texten) ist heterogen.[21] Einerseits gibt es reichlich Hinweise auf Not, Klage, Gebet und Wunder, die den Text dominieren; andererseits gibt es das anfängliche Murren mit seinen starken Anklängen an Übertreibung und Rebellion („Wären wir doch in Ägypten durch die Hand des Herrn gestorben, als wir an den Fleischtöpfen saßen und Brot genug zu essen hatten. Ihr habt uns nur deshalb in diese Wüste geführt, um alle, die hier versammelt sind, an Hunger sterben zu lassen" [Ex 16,3]). Aus einer eher literaturwissenschaftlichen (synchronen) als literarhistorischen (diachronen) Perspektive ist der Text polyphon. Widerspruch und Gegensatz sind in seine Struktur eingebettet. Hier wie auch im ganzen Kanon gibt es einen Dialog von Stimmen, die die Wüstenperiode beurteilen: Die eine Stimme verkündet, dass dies die Zeit der größten Liebe Israels für seinen Gott war, und die andere Stimme schreit auf, dass Israel sozusagen unter genau diesem Hochzeitsbaldachin dem Bräutigam untreu war. Jeder der beiden Tannaim hört nur eine dieser Stimmen.

Die Zweistimmigkeit der Exodus-Erzählung schreibt sich selbst in zwei verschiedene Genres ein. Einerseits gibt es eine Reihe von Erzählungen in der Torah, die die Geschichte von der Not des Volks in der Wüste erzählen, von seinem (oder Moses') Gebet und davon, wie Gott auf die Not reagiert. Diese Erzählungen stimmen ideologisch mit der Ansicht überein, dass das Verhalten der Israeliten in der Wüste lobenswert war. Der Sprachgebrauch in unserer Geschichte, wonach die Speisung mit Manna aus freien Stücken erfolgte, scheint unseren Text in den intertextuellen Code dieses Genres zu stellen. Andererseits gibt es eine andere Sammlung von Erzählungen, die die Geschichte von der unberechtigten Klage des Volkes erzählen, in der Gott auf die Klage antwortet, indem er das rebellische Begehren ironischerweise in Verbindung mit einer furchtbaren Strafe erfüllt. Unsere Geschichte scheint zum ersten Muster zu gehören. Wie Childs scharfsinnig beobachtet hat, erzeugt das Verb „murrte" in unseren beiden Erzählungen ein widersprüchliches oder zumindest mehrdeutiges Moment in der Erzählung, da es intertextuell auf die Schuld-Reihe verweist. Von jedem Tannaim lässt sich daher sagen, dass er „den gestörten Übergang zwischen Text und Leser durch das Abmildern der Widersprüche im Text ebnet".[22] Der Midrasch als solcher hingegen mildert diese Widersprüche nicht ab, obwohl er ein redigierter Text ist. Ganz im Gegenteil: Er gibt zwei diametral entgegengesetzte Ansichten wider und bekundet so ein starkes Bewusstsein für die in den Text selbst eingebaute Mehrdeutigkeit, die eben keine bloße Funktion der Deutung ist.

Jeder der Tannaim hört also nur eine der ‚Stimmen im Text', die Mechilta hingegen hört beide. Sie präsentiert daher nicht nur zwei verschiedene Auffassungen darüber, was die Torah bedeutet – so, als handelte es sich um zwei verschiedene Bücher –, sondern einen Text, die *Mechilta Wayyassa*, in der diese beiden Auffassungen zusammen artikuliert werden. Der Midrasch ist somit genauso heterogen wie die Torah. Die Rabbis Jehoschua und Eleazar können wir als Verkörperungen oder

---

21 Vgl. ebd., S. 259.
22 Tony Bennett: *Formalism and Marxism*, London (Methuen) 1979, S. 146.

Personifizierungen der Stimmen betrachten, die *wir* in der Torah selbst hören. Ihre Kontroversen lassen sich folglich nicht auf ideologische Differenzen reduzieren, die in ihrer jeweiligen historischen Situation begründet liegen, sondern haben ihren Ursprung in den Konflikten des Textes selbst, wie ihn seine Autoren kodiert haben. Die Reduktion auf ideologische und theologische Differenzen ist daher nicht weniger und nicht mehr berechtigt, als die Reduktion eines bedeutenden Werks der weltlichen Literatur auf die politischen Differenzen seiner Interpreten. Das Wechselspiel von hermeneutischer Praxis und anderen kulturellen, sozialen oder politischen Ideologien und Praktiken ist komplex, dynamisch und wechselseitig.

Pattersons Behauptung, dass die Mehrdeutigkeit allein in der Arbeit des Lesers zu verorten ist, scheint somit widerlegt zu sein. Mehrdeutigkeit kann allem Anschein nach auch im Text verortet werden. Die Energie, die die Tannaim aufwenden müssen, um die Texte zu deuten, sowie der Scharfsinn und die Kühnheit der hermeneutischen Schritte die erforderlich sind, um die Mehrdeutigkeit zu rationalisieren, dienen nicht dazu, diese Mehrdeutigkeit zu verbergen oder zu bestreiten, sondern dazu, sie dialektisch offen zu legen. Dementsprechend hat Geoffrey Hartman betont, dass „die Heterogenität des Gedichts oder Originaltexts in älteren Hermeneutiken keinesfalls verschwindet, sondern dass sie allein durch die gewagte Interpretation in Erscheinung tritt, die gerade in ihrem Streben nach Harmonie verblüffend, ja sogar befreiend wirkt".[23] Um ein harmonisches Verständnis von Israels Rolle in der Wüste zu erlangen, ist jede der beiden tannaitischen Interpretationen gezwungen, die direkte Bedeutung bestimmter Passagen zu verzerren. Die Stärke dieser harmonisierenden Deutungen hebt sich deutlich von der schwach harmonisierenden Art ab, in der sich der spätere Midrasch mit diesen Widersprüchen befasst. Die jüngere Tradition ordnet die positiven Hinweise in der Torah fast ausnahmslos dem ‚wahren Israel' zu, die negativen hingegen dem ‚großen Haufen'. Die Verweigerung der Mechilta gegenüber einer solchen Lektüre ist eine eindeutige Bestätigung der Komplexität und Polyphonie der Torah. R. Jehoschua, der in der Mechilta normalerweise als ein Vertreter der buchstäblichen Lektüre dargestellt wird, präsentiert dabei mehrere äußerst kühne Interpretationen, um die Geschichte im Lichte der ‚Hochzeitsreise' von Gott und Israel zu verstehen, während R. Eleazar darauf hinarbeitet, ihre schlechten Sitten hervorzuheben, so dass er z.B. aus ihrem Murren gegen Moses eine Lästerung Gottes im großen Stil macht. Gerade durch die Verzerrungen, die für ihre Aufrechterhaltung nötig sind, zwingt uns jede dieser Interpretationen, die in der Erzählung kodierte Mehrdeutigkeit zu erkennen. Zur Funktion der Mehrdeutigkeiten in der Bibel schrieb Meir Sternberg:

> Das Nebeneinander zweier (oder mehrerer) sich gegenseitig ausschließender Hypothesen – zu Handlung, Motiv oder Figuren – ermöglicht es dem Autor, durch das Verwenden ein und desselben Materials für unterschiedliche Zwecke zwei Fliegen mit einer Klappe zu schlagen. Vor allem ermöglicht es ihm, Ablauf und Wirkung auf die Spannungen zu gründen, die zwischen den beiden Möglichkeiten bestehen. Jede einzelne Deutung kann dazu dienen, die andere aufzuwiegen oder zu ironisieren. Die

---

23 Geoffrey Hartman: *Criticism in the Wilderness*, New Haven (Yale U.P. 1980), S. 32.

Verwendung einer solchen Hypothese in einem Text, der ebenso ihr Gegenteil bestätigt, lässt jede einzelne davon völlig anders erscheinen als eine ähnliche Hypothese, die davon unberührt bliebe.[24]

Wenn dies auf den literarischen Text selbst zutrifft, dann trifft es auch auf den Midrasch-Text zu, der die Mehrdeutigkeit der Toraherzählung durch seine eigene Dialektik verdoppelt. Es lässt sich somit von jeder der tannaitischen Interpretationen in der Mechilta behaupten, dass sie die andere jeweils aufwiegt und ironisiert. Wird eine Interpretation innerhalb eines Kommentars zusammen mit einer ihr entgegengesetzten Interpretation präsentiert, so erscheint jede einzelne Interpretationen in völlig anderem Licht, als eine ähnliche Interpretation, die unangefochten vorgetragen wird. Die Wirkung des Midrasch-Textes als solchem beruht darauf, eine Auffassung von Textualität zu präsentieren, die weder das Extrem vertritt, eine eindeutige ‚korrekte‘ Deutung des Textes vorauszusetzen, noch das Gegenextrem, nach dem jeder, der darin eine Lektion findet, die der Förderung der Wohltätigkeit dienlich ist, sich weder täuscht noch in irgendeiner Weise lügt, selbst wenn er etwas anderes sagt als der Autor nachweislich zu sagen beabsichtigte. Der Midrasch scheint stattdessen die Auffassung des antiken Lesers darzustellen, der die im Text kodierte Mehrdeutigkeit und die verschiedenen dialektischen Möglichkeiten zu deren Reduzierung erkennt. Jede dieser dialektischen Möglichkeiten trägt dabei zur Entfaltung der Bedeutungen bei, ohne diese gleichwohl auszuschöpfen. Unser Midrasch-Text nimmt eigentlich den Standpunkt des Kritikers Sternberg ein, der die allzu einseitigen Auflösungen der Mehrdeutigkeit des Textes bemerkt und kommentiert. In diesem Sinne habe ich die Mechilta als ‚Metakommentar‘ bezeichnet. Die Mechilta spricht nicht diskursiv und abstrakt *über* die Mehrdeutigkeit der Torah, sondern stellt die Spannung und den inneren Dialog der biblischen Erzählung durch ihre eigene Spannung und ihre inneren Dialoge dar. Damit nimmt sie auf elegante Weise Harold Blooms berühmte Feststellung vorweg: „Alle Interpretation hängt vom antithetischen Verhältnis zwischen Bedeutungen ab, nicht vom angenommenen Verhältnis zwischen einem Text und seiner Bedeutung."[25]

---

24 Meir Sternberg: *The Poetics of Biblical Narrative. Ideological Literature and the Drama of Reading*, Bloomington (Indiana University Press) 1985, S. 228.
25 Harold Bloom: *Eine Topographie des Fehllesens*, übers. von: Isabella Mayr, Frankfurt a.M. (Suhrkamp) 1997, S. 101.

HANS-PETER SCHMIDT

Essay: Literatur und Gott – eine Liaison

Die Muse des Dichters galt nicht nur bei den Griechen, sondern im ganzen Alten Orient und so auch im biblischen Israel als göttlich. Redegewandtheit und Intelligenz hielt man auch zwischen Beerscheba und Dan für eine Gabe Gottes. Die Träume galten allerorts als Zwiegespräch zwischen Gott und Herzen. Und trotzdem waren die Autoren der Bibel keine lediglich literarischen Figuren, denen ein göttlicher Überautor die Ideen, Gedanken, Sätze einflüsterte, sondern Menschen, die sich in ihrer schöpferischen Tätigkeit verwirklichten und sich im Ergebnis ihres kreativen Werkes selbst erkannten. Ebenso wie ein Tischler, der aus einem rohen Baumstamm einen Altar sägt, hobelt, fugt, schnitzt, schleift, poliert und trotz aller Vorgaben der Auftraggeber seine Freiheit als schöpferisches Wesen dabei erkennt, so waren sich auch die biblischen Autoren bei der Komposition der Erzählungen, Lieder, Parabeln, Gesetze aus dem überliefertem Material, aus Träumen, Gesprächen, Konventionen, Befehlen, Ängsten, Projektionen sehr wohl ihrer künstlerischen Freiheit bewusst. Unabhängig davon wie hoch man den Grad dieser Freiheit ansetzen möchte, und wie stark man ihn unter den Schein und die Zwänge der Wahrheit anordnen will, auch in der Bibel manifestierten sich wie in jedem anderen hohen literarischen Werk der Schöpferstolz und die Schöpferfreude ihrer Autoren, der Drang zur Perfektion und ihre Irrtümer, die ästhetische Entfaltung ihres Denkens und die Gestaltung der Wege durch das Unerklärliche. Der Streit, ob die Bibel Literatur oder Offenbarung oder beides zugleich sei, ist, entgegen allen ersten Anscheins, so alt wie die Bibel selbst und wurde seither nicht nur von ihren Lesern und Interpreten aufs heftigste geführt, sondern bereits von ihren Autoren öfter reflektiert und auf ihre unnachahmlich indirekte Weise sogar im Buch selbst thematisiert.

Bereits in jener zentralen Szene am Sinai (Ex 20 ff.), nachdem YHWH mit Donner, Rauch und Blitzen die 10 Gebote vom Himmel herab verkündet hatte und Moses auf den Heiligen Berg stieg, um die Schrift zu empfangen, stellt sich mit Nachdruck die Frage, inwiefern die Torah eine ästhetisch ausgestaltete Aufforderung zu eigenständigem Nachdenken oder eine wortwörtlich zu nehmende Offenbarung sei. In den vierzig Tagen bis zu Moses' Rückkehr vom Berge begann das in der Wüste darbende Volk zu zweifeln, ob Gottes donnernde Worte nicht nur Täuschung und seine Gebote womöglich nur der inszenierte Text eines riesig himmlischen Spektakulums waren. In seiner Not überlegte das in jener Zeit noch längst nicht monotheistische Volk, ob die Macht dieses Gottes tatsächlich so total sei, dass seinen Worten absolute Autorität zukäme. Sollte es YHWH nämlich an der Macht ermangeln, um für die Einhaltung des von ihm unterbreiteten Bundesvertrages

einzustehen, so würde es den Geboten nicht nur an Verbindlichkeit fehlen, sondern sie müssten geradezu als Teil einer göttlich literarischen Irreführung angesehen werden. Jedenfalls schlussfolgert das mit sich allein gelassene Volk, dass es sich
in diesem Fall nicht auf die bloßen Worte verlassen könne, sondern weiter für sich
selbst überlegen und handeln müsse. Jene Zweifel sowohl an der Macht als auch an
den Intentionen und der Verständlichkeit Gottes blieben in der literarischen Kunst
der Hebräischen Bibel auch über die Verkündigungsszene hinweg ebenso präsent
wie die gegenseitigen Erprobungen von Gott und Volk. Denn schließlich hatte
auch Moses kein Argument gegen die Zweifel des Volkes, sondern lediglich einen
schrecklichen Machtbeweis, als er, selbst gegen die Gebote verstoßend, die Ermordung der 3000 abtrünnigen Brüder, Väter, Freunde anordnete (Ex 32,26).

Schaut man sich im Hebräischen Bibeltext zudem die allenthalben inszenierten
Polemiken und Kämpfe gegen falsche Propheten, die ohne Gottes Wort zu vernehmen, Gottes Wort erdichten,[1] etwas näher an, so wird auch hier deutlich, dass die
Möglichkeit, dass Literatur ist, was für Offenbarung gehalten wird, schon damals
in der Bibel mitgedacht und gestaltet wurde.

Auch wenn sich in den biblischen Kulturen die Frage, ob es sich bei der Heiligen
Schrift um Menschenwort oder um Gotteswort handle, nie wirklich auf die Frage
zuspitzte, ob Gott Fiktion oder Wahrheit sei, so war doch die mehr oder weniger
direkt geführte Auseinandersetzung um die Literarizität der Bibel stets von der
theologischen Frage nach dem Wesen Gottes angetrieben. Die Suche nach Gott,
nach dem Wesen und Willen Gottes und vor allem nach dem Begreifen der Beziehung von Gott und Menschen wurde nicht nur den biblischen Redaktoren zur
Herausforderung ihres literarischen Denkens, sondern war dies ebenso für alle
nachfolgenden Generationen, deren Denkart und Lebensweise sich in Beziehung
zur Bibel und den jeweils herrschenden Auslegungen formte.

Wenn sich, wie im Fall der Bibel, ein literarisches Werk nach und nach zur
Grundlage für das geistige, gesellschaftliche, historische und moralische Selbstver-
ständnis von Kulturen herausbildet, so heißt dies jedoch gerade nicht, dass alles nur
eitler Windhauch wäre und auf Täuschung und Lüge beruhen würde, sondern
bedeutet vor allem, dass der Umgang und die Auseinandersetzung mit der literarischen Verfassung einer Kultur stets auch ihrerseits von den Formen des literarischen Denkens geprägt bleiben. Wobei *literarisches Denken* sich keineswegs nur auf
das Bewusstsein und den Willen begrenzt, ein literarisches Werk zu erschaffen,
sondern vor allem eine Lebensart und eine Einstellung zur Welt bezeichnet, die in
der kreativen Auseinandersetzung mit der Wirklichkeit und ihrer Wahrnehmung
das Dasein sinnstiftend einrichtet. Erst durch dieses literarische Denken vermochte
die biblische Kultur sowohl den Weg ins himmlisch Unbekannte zu wagen als auch

---

1 Vgl. u.a. die Geschichte Bileams (Num 22,5-24,25). Zudem wird auch die Fehlbarkeit der tatsächlich von Gott erwählten Propheten immer wieder in Szene gesetzt, um nicht zuletzt zu zeigen, wie
  zwischen Gottes Wort und des Menschen Verstehen immer der Spalt der falschen Auslegung droht
  (z.B. die Geschichte der Königseinsetzung durch den Propheten Samuel: 1 Sam 16,17).

die Kontextualisierungen und die religiöse Glaubwürdigkeit zu schaffen, durch die die Gesetze, Gebete, Rituale, Offenbarungen und Weisheiten der Bibel auch in den Jahrhunderten nach ihrer Kanonisierung immer wieder neu in Einklang mit dem zeitlichen Wandel der lebensweltlichen Erfahrungen gebracht werden konnten. Das sich an der Bibel und ihrer Tradition immer neu befruchtende literarische Denken führte nicht nur zu immer neuen Interpretationen und Verständnisarten der biblischen Schriften, sondern auch zu immer neuen literarischen Formen, in denen die ewigen Fragen und Antworten des Menschen, wie einst in der Bibel, neu gestellt, neu vernetzt, neu versteckt, neu ausgespielt werden konnten.

Zum Abschluss der vorliegenden Anthologie sollen daher, beginnend vom Midrasch und den Evangelien über die Kommentare Raschis, die Kabbala und die Geburt des Romanes bis hin zur Kunstreligion und zur Moderne, einige Wandlungen dieses von der Bibel ausgehenden literarischen Denkens angedeutet werden, um so nicht zuletzt einige weitere Perspektiven der Auseinandersetzung mit der „Bibel als Literatur" aufzuzeigen.

In den Jahren zwischen 100 v.u.Z. – 300 u.Z. entwickelten die rabbinischen Gelehrten des Midrasch und der Mischna die höchst bewundernswerte Kunst der bewusst hineindichtenden Textauslegung,[2] wofür sie sich die Rechtfertigung durch die einerseits mythologische und andererseits sprachphilosophische Interpretation der Gesetzeskündigungsszene auf dem Berge Sinai verschafften. Vierzig Tage verbrachte Moses im Gespräch mit YHWH auf dem Gipfel des Berges, doch die von ihm mit herab gebrachten Tafeln hätten nach Meinung der Rabbis in viel kürzerer Zeit geschrieben werden können, woraus sie folgerten, dass YHWH seinem Propheten noch viel mehr als das letztlich Aufgeschriebene verkündet und kommentierend erklärt haben musste. Als Moses das Wort Gottes in Stein mitschrieb, ging zudem viel Wesentliches verloren, denn erstens lässt sich die Stimme, noch dazu Gottes Stimme, mit all ihren Intonationen und Nebenschwingungen nur unter großem Verlust in Schrift übersetzen, und zweitens steht in der Schrift nur das, was Gott gesagt, nicht aber, was er wirklich gemeint hat. Die Schrift der Torah muss also, selbst wenn sie unmittelbar auf Gottes Offenbarung zurückgeht, stets interpretiert und vertieft und ihre Lücken überbrückt werden, um Gottes eigentlichen Text, also seinen Willen und seine Wahrheit daraus ablesen zu können. Aufgrund dieser

---

2 Midrasch ist keine abgeschlossene Textsammlung, sondern steht für die u.a. auch in der Mischna und im Talmud zur Geltung kommende Kunst der fragenden, suchenden [hebr.: *darasch*] Auslegung der biblischen Texte, wobei es sich nicht nur um eine in den Text zurückschauende Form der Exegesis handelt, sondern zugleich um eine Lebensart, die sich im Umgang mit dem Text der Gegenwart zuwendete, weshalb diese Epoche zwischen 100 v.u.Z. und 300 u.Z. auch als die des Midrasch bezeichnet werden kann, ohne damit auszuschließen, dass auch heute noch Midraschim entstehen. Bei der Mischna handelt es sich um eine zunächst mündliche Tradition, die nach und nach auch verschriftlicht wurde. Die endgültige Redaktion der Mischna, die den inneren Kern des späteren Talmuds bildet, wird auf das Jahr 220 datiert. Vgl. hierzu u.a.: Geoffrey H. Hartman: *Midrash and Literature*, New Haven (Yale University Press) 1986; Jeffrey L. Rubenstein: *Talmudic Stories – Narrative Art, Composition and Culture*, Maryland (Liturgical Press) 2003; Daniel Boyarin: *Intertextuality and the Reading of Midrash*, Bloomington (Indiana University Press) 1990.

Erwägungen entstand die theologisch bahnbrechende Distinktion der Offenbarung in schriftliche Torah und mündliche Torah, wobei die schriftliche Torah für die in unveränderbarem Wortlaut gefasste Heilige Schrift steht und die mündliche Torah für den nie vollständig fassbaren Geist, in dem die Heilige Schrift verfasst wurde und aus dem sich ihre Bedeutungen ableiten lassen.

Aus der politischen und sozialen Not, dass die Heilige Schrift, weil sie als von Gott offenbart galt, nicht verändert werden durfte und also nicht an die sich verändernde Zeit angepasst werden konnte, begründeten die Rabbis die grandiose und in der Literaturgeschichte ohne Gleichen dastehende Kunst der literarischen Kommentierung, die zugleich Interpretation, Neudichtung, Widerspruch und Bewahrung ist. Die Rabbis des Midrasch fassten die Torah nicht als ein fertig gestelltes Dokument einer fertig gestellten Welt, sondern als einen beständigen Prozess auf, der durch die Aktivität der kreativen Interpretation bewahrt und weitergeführt wird. Ihre Auslegungen der Schrift zielten weniger darauf ab, sich des Mehrwerts zu versichern, der jedes Wort und jeden Satz über seine unmittelbare Bedeutung hinausgehen lässt. Statt dessen bevorzugten sie die Mittel fiktionaler Kontextualisierungen, die eine bestimmte Textstelle durch eine Vielzahl anderer, inhaltlich wie textlich oft weit entfernter Passagen ins Licht rücken,[3] um auf diese Art völlig neue, meist überraschende Hintergrundgeschichten und Bedeutungsebenen zu erschaffen. Die Gelehrten des Midrasch waren eben keinesfalls nur Exegeten, sondern literarische Kommentatoren, die – im vollen Bewusstsein, sich auf einen (göttlich) literarischen Text zu stützen – ihre narrativen Untersuchungen durch den Text und dessen Lücken webten, um den lediglich schriftlichen Text mit seiner oralen Transzendenz kurzzuschließen und auf diese Weise im buchstabenlosen Buch des geistigen Weltganzen zu lesen und lesend zu schreiben.

Dass die Freiheiten, die sich die Rabbis dabei nahmen, sie mitunter über alle Stränge schlagen ließen, zeigt sich nicht nur darin, dass selbst hochgradige Absurdität und die Methode des an den Haaren Herbeiziehens nie als Gegenargument der Aussage geltend zu machen waren, sondern nicht zuletzt auch darin, dass parallel zur redaktionellen Sammlung einer autorisierten Mischna groß angelegte Vernichtungen und Bereinigungen von Manuskripten angeordnet wurden. Auf diese Weise wurde die Mischna als kanonischer Kommentar schließlich ebenfalls zu einem unantastbaren, abgeschlossenen Buch mit autoritärer Aura, was den literarischen Geist hinter neue Schleier zwang.

---

3 „Es gibt in der Torah kein vorher und nachher" (Talmud: *Pesahim 6b)*, was in der rabbinischen Tradition bedeutet, dass jeder Satz, jedes Wort, ja jeder Buchstabe durch jede andere Textstelle, egal ob sie vorher oder nachher im Text steht, erhellt werden kann. Dies widerspricht der gewohnten narrativen Logik, ließe sich aber durchaus im Sinne von Malarmés Vorstellungen vom absoluten Gedicht oder auch den Ideen zu *Pour un nouveau Roman* (Robbe-Grillet) als Versuch der aufgelösten Zeitlichkeit und Totalkomposition verstehen. Für eine stilistische Formbeschreibung der Midraschim würde sich übrigens ganz vorzüglich das in *Mille Plateaux* von Gilles Deleuze und Félix Guattari entwickelte Bild des Rhizoms eignen, in dem nicht nur alles von allem abhängig ist, sondern Späteres auch Vorhergehendes beeinflusst.

Mitten in jene geistig so aktive Zeit des Midrasch fallen auch die Evangelien sowie die Paulusbriefe. Ohne sich zu weit in Analogieschlüsse hinauszuwagen, lässt sich gleichwohl feststellen, dass ohne die literarische Öffnung der Heiligen Schrift durch die rabbinische Kultur der Kommentierung und ohne die befreiende Unterscheidung von schriftlicher und mündlicher Torah das Neue Testament nie als Fortsetzung der Hebräischen Bibel hätte entstehen können. Die von den Evangelien gepflegte Kunst der Querverweise und der narrativen Analogien quer durch die gesamte Heilige Schrift, die dialogische Form der Lehr- und Streitgespräche sowie die feine Kultur der gegen den Strich bürstenden Auslegung von überlieferten Sätzen und Gesetzen, stellen die neutestamentlichen Schriften in eine Tradition mit dem Midrasch.[4] Erst der theologische Spielraum, der sich durch die im Midrasch errungene Trennung vom *kalten Buchstaben* eröffnete, verschaffte den Evangelien die Möglichkeit, ihre umfassende Religionsreform trotz aller Widersprüche zur schriftlichen Torah und zur Glaubenstradition mit Gottes Willen zu rechtfertigen. Was nicht im Mindesten besagt, dass die Evangelien *bloß* Midrasch wären, sondern lediglich, dass der Geist des Midrasch die Entstehung der Evangelien und Paulusbriefe überhaupt erst denkbar werden ließ.[5]

Im 2. Brief an die Korinther schrieb Paulus, dass jeder selbst ein Brief Gottes sei, „geschrieben nicht mit Tinte, sondern mit dem Geist des lebendigen Gottes, nicht auf Tafeln aus Stein, sondern auf Tafeln aus Herzensfleisch" (2 Kor 3,3), um dann fortzufahren, dass „der Buchstabe tötet, der Geist aber lebendig macht", womit er den Priestern und Gläubigen des *Alten Bundes* vorwirft, sich an das Werk eines Sterblichen[6] zu halten, der vergängliche Worte in Stein meißelte. Zwar behauptet Paulus hiermit nicht, dass die schriftliche Torah bloße Literatur sei, aber indem er sie zu einem vergänglichen Werk von Menschenhand erklärte, sprach er der Schriftrolle den expliziten wie impliziten Wahrheitsanspruch ab. Indem er nun aber der Schrift auch den impliziten Wahrheitsanspruch absprach, wendete er sich nicht nur gegen die sadduzäischen Schriftgläubigen, die auf dem wortwörtlichen Sinn der Überlieferung beharrten, sondern auch gegen die Pharisäer des Midrasch, deren herzhaft freier kommentatorischer Umgang mit der Schrift in seinen Augen wohl eine Art gottlose Sophisterei war.

---

4 Zur Beziehung von Midrasch und Evangelien vgl. u.a. den Text von Frank Kermode in diesem Band sowie Gabriel Josipovici: *The Book of God*, London (Yale University Press) 1988, S. 210–275.

5 Es sei in diesem Zusammenhang noch einmal darauf hingewiesen, dass rabbinisches Judentum und Christentum als zwei gleichzeitig entstandene Religionen und zwei ineinander verschränkte Reformbewegungen der altisraelitischen Religion angesehen werden müssen. Vgl. u.a.: Daniel Boyarin: *Border Lines*, Philadelphia (University of Pennsylvania Press) 2004; sowie *Dying for God*, Stanford (Stanford University Press) 1999.

6 „Wenn aber schon der Dienst, der zum Tod führt und dessen Buchstaben in Stein gemeißelt waren, so herrlich war, dass die Israeliten das Gesicht des Moses nicht anschauen konnten, weil es eine Herrlichkeit ausstrahlte, die doch vergänglich war" (2 Kor 3,7) – Paulus hütet sich, Moses die göttliche Offenbarung abzusprechen, aber seine feine Ironie, die Moses' Herrlichkeit als „vergänglich" markiert und seine Verklärung so übertreibt, dass die Israeliten geradezu geblendet davon waren, scheint deutlich Geringschätzung auszudrücken.

Paulus schrieb zwar selbst und war auch ein begnadeter Stilist, der sich der wirksamsten rhetorischen Mittel bediente, doch trotzdem – oder nicht zuletzt auch deshalb – positionierte sich Paulus gegen den literarisierenden Umgang mit Gottes Wort. Die Verdrehbarkeit der Worte, insbesondere der Worte des Gesetzes waren ihm ebenso ein Dorn im Auge wie die von den pharisäischen Rabbis gepflegte Lebensart, sich im literarischen Umgang mit den biblischen Texten und Traditionen letztlich immer mehr der Welt zu- und vom Gott der Väter abzuwenden. Er erkannte die Gefahr der Literatur/Schrift in der immer größer werdenden Entfernung vom ursprünglichen Sinn ihrer Sätze und leitete nicht zuletzt daraus ab, dass Gott nicht auf Tafeln aus Stein sondern auf Tafeln aus Herzensfleisch dem Menschen sein Wort zukommen lässt. In diesem Sinne ließe sich Paulus ebenso wie Platon, obgleich sie beide große Literatur verfassten, als Antiliterat bezeichnen. Die Skepsis gegenüber der Literatur und dem literarischen Denken, die sich aus der Perspektive der pragmatischen Religionen ebenso wie aus der des Philosophenstaates durchaus verstehen lässt, vermochte sich jedoch nie sonderlich lange gegenüber dem Freiheitsdrang der literarischen Kreativität zu behaupten.

Die schöpferische Energie des Midrasch und seine besondere Art des literarischen Denkens blieben in der jüdischen Kultur auch nach dem Abschluss des Babylonischen Talmuds und der Versprengung des jüdischen Volkes in die Diaspora unvermindert wach. „Hat einmal ein einziges Buch alle Wahrheit zu enthalten versprochen, bleibt diese Grundform des Wahrheitsbesitzes nahezu unverzichtbar",[7] schreibt Hans Blumenberg, um die Fixiertheit an den Buchgedanken über alle Unterscheidung von schriftlicher und mündlicher Torah hinweg zu erklären. Auch wenn die rabbinische Tradition jene Wahrheit des Buches eben nicht vom Schriftlichen des Buches umfasst glaubt, sondern im „unfassbaren, unschreibbaren, unhörbaren, unendlichen" Namen Gottes, von dem die schriftliche Torah gewissermaßen nur ein gespiegelter Ausschnitt[8] ist, so blieb doch den Rabbis die Schrift und das Schreiben das bevorzugte Mittel, um sich der Wahrheit wenigstens in ihrer Unfassbarkeit zu nähern.

Im 11. Jahrhundert verfasste der französische Rabbi Schlomo ben Jizchak, genannt Raschi, im französischen Troyes seinen maßgeblichen Talmudkommentar, der in jener, vom kurzzeitigen Aufblühen jüdischen Handwerks und jüdischer Agrarindustrie[9] sowie den ersten für die Aschkenazim so verheerenden Kreuzzügen geprägten, Zeit eine neue Epoche der kreativen Bibelhermeneutik einleitete. Genial zwischen der Anerkennung der talmudischen Autoritäten und dem eigenen hermeneutischen Willen zur logischen Konsistenz lavierend, begann Raschi vorsichtig,

---

7 Hans Blumenberg: *Lesbarkeit der Welt*, Frankfurt a.M. (Suhrkamp) 1986, S. 2.

8 Die Heilige Schrift auf den Gesetzestafeln stellte man sich als „schwarzes Feuer auf weißem Feuer" vor; und so ungreifbar und unfixierbar die Feuer sind, sowenig lässt sich Gottes Heilige Schrift in Stein oder auf Papier festhalten. Erst durch die Interpretation wird das Feuer zwischen den erkalteten Worten wieder entfacht (*Midrasch Tanhuma, Bereschit*, 1).

9 Raschi war nebenberuflich Winzer und Weinhändler, was ihm überhaupt erst ermöglichte, die damals ungeheuer teuren, für seinen Kommentar notwendigen Handschriften zu erwerben.

doch nicht ohne Nachdruck, die rabbinische Idee der göttlichen Totalkomposition der Torah vom Sockel zu stoßen.

Gewiss mag Gott, wo er als Autor der (immer als Einheit gedachten schriftlichen und mündlichen) Torah eben auch als Autor der *Wahrheit* angesehen wurde, diese Wahrheit und also das Buch nicht wie ein menschlicher Schriftsteller nach und nach, sondern auf einen Schlag verfasst haben, doch das Buch, wie es uns vorliegt und wie wir es als Grundlage unseres Erkenntnisversuches der göttlichen Wahrheit hinnehmen müssen, folgt nach Ansicht Raschis ganz offensichtlich einer dynamischen Entwicklungslogik und muss dementsprechend auch gemäß dieser interpretiert werden.[10] Ohne diese narrative Entwicklungslogik besonders in den Vordergrund zu schieben, folgt er ihr in zahlreichen seiner Kommentare, indem er der wörtlichen Bedeutung (*peschat*) einer Textstelle die Priorität gegenüber der übertragenen, allegorischen Bedeutung (*derasch*) einräumte. In vielen Kommentaren gelingt es ihm auf phantasievolle Weise, den Eindruck von Kontinuität zwischen der wörtlichen und allegorischen Bedeutung eines Textabschnitts zu erwecken, doch der entscheidende literarische Schritt Raschis besteht darin, das Buch *Bibel* nicht mehr nur als totales Werk mit aufgelöster Zeitstruktur anzusehen, sondern erzählerische Passagen aufzudecken, die einer notwendig erzählerischen Entwicklungslogik folgen. Indem er in der Torah literarische Formen und Sinnentwicklungsstrukturen offen legt, denen sich der (göttliche) Autor aufgrund seiner Wahl des *Genres* offensichtlich zu fügen hatte, beschränkte Raschi gewissermaßen die Allmacht des Autors, der – im Gegensatz zur Ansicht des Midrasch – die allgemein gültigen literarischen Regeln nicht einfach aushebeln durfte, um einen etwaig höheren Sinn zum Ausdruck zu bringen. Raschi begann also erstmals wieder, die Torah zwar nicht vollständig, aber doch ansatzweise als literarisches Werk zu lesen, wobei freilich die Frage nach göttlicher oder menschlicher Autorschaft für ihn nicht die mindeste Bedeutung hatte.

In den Jahrhunderten nach Raschi, in denen die nicht konvertierten Juden aus Frankreich vertrieben wurden und hauptsächlich im maurischen Spanien Zuflucht suchten, entstand mit der prophetischen Kabbala eine neue Form der Schriftauslegung.[11] Die Kabbalisten versuchten nicht mehr, durch Interpretationen das Verständnis für den Text zu erweitern, sondern machten Ernst mit dem Gedanken von der Immanenz Gottes in der Schrift. Insofern sie das Bilderverbot auch auf Text und Wort bezogen, musste es ihnen als Sünde erscheinen, Wörter und Sätze durch

---

10 Vgl. Michael Signer: *Rashi as Narrator*, in: www.aroumah.net/agora/signer01-rashi.php.

11 Zwischen Raschi und spanischer Kabbala darf Moses Maimonides nicht ungenannt bleiben, da sein an Aristoteles geschulter Versuch, aus der Theologie der Torah ein philosophisches System zu entwickeln, enormen Einfluss auf die jüdische Philosophie ausübte. Da er sich allerdings entschieden vom Denken der Immanenz entfernte und seine Philosophie auf den Gedanken der göttlichen Transzendenz aufbaute, ist er für die Ausuferung des literarischen Denkens weniger bedeutsam. Für Maimonides galt alles Literarische der Torah als Rhetorik für die Einfältigen, die Philosophen hingegen müssten durch allegorische Interpretationen die Tore zu den tieferen Schichten der Wahrheit aufstoßen.

Interpretation zum Abbild von Bedeutung zu machen. Stattdessen versuchten sie, die begrifflichen Vorstellungen, aus denen die Mauern der Subjektivität errichtet sind, so aufzulösen, dass ihr Geist unmittelbar in die Schrift, also in das wahre Buch Gottes eingeht und mit Gott eins wird. Die Lektüre des Buches sollte in diesem Sinne weit mehr zu einer ekstatischen Technik als zu einer rein intellektuellen Auseinandersetzung werden. Man sollte sich von dieser mystischen Verstiegenheit allerdings nicht darüber hinwegtäuschen lassen, mit welch überbordender spielerischer Freude sich die größten Kabbalisten wie Abulafia und Mosche de Leon[12] in das neue literarische Genre hineinsteigerten und versuchten, das Konzept eines der Schrift immanenten Gottes nicht nur bis an die äußersten Grenzen seiner Logik zu treiben, sondern sogar mit dem unauslöschlich von der Bibel induzierten Gefühl der Transzendenz Gottes zu vereinen. Dass die Kabbalisten sich überwiegend der Pseudepigraphie befleißigten und ihre eigenen hochsymbolischen Schriften, in denen sie wie niemand sonst gegen das eigene Verbot der Trennung von Signifikat und Signifikant verstießen, in die Feder von rabbinischen Gelehrten diktierten, die mehr als zehn Jahrhunderte zuvor im Heiligen Land gewirkt hatten, deutet nicht zuletzt auf ihr klares Bewusstsein für ihr literarisches Vorgehen und die Kraft der eigenen schöpferischen Energie.[13]

Als 1492 die spanischen und 1531 die portugiesischen Juden zu Konversion oder Exil gezwungen wurden, kam es, wenn auch auf übelste Weise ausgelöst, zu einer historisch völlig neuartigen Entwicklung des literarischen Denkens und Verstehens. Der Zwang, nach außen hin als gläubiger Christ zu wirken, zugleich aber hinter verschlossenen Türen und Herzen den für wahr gehaltenen Glauben der Väter zu pflegen,[14] führte insbesondere in der zweiten und dritten Generation der so genannten Marranen zu einer Glaubens- und Identitätskrise, deren Überwindung nicht nur zu neuen religiösen Formen führte, sondern auch zum entscheidenden Anstoß für eine Neuorientierung des literarischen Denkens, das in der nun erstmals unkaschierten Verwendung fiktionaler Mittel den Roman als Überlebensort der

---

12 Das Buch *Zohar* von Mosche de Leon gehört zu den beeindruckendsten Werken der frühen Neuzeit und lässt sich in der literarischen Tradition am ehesten noch mit Finnegans Wake vergleichen, doch leider erschließt sich die komplexe Symbolik und Kunst der Anspielung dieses Meisterwerkes nur den größten Experten der Kabbala, deren Interesse bedauerlicherweise meist kein literarisches ist. Als eine der schönsten Einführungen sei die von Gershom Scholem: *Die Geheimnisse der Schöpfung*, Frankfurt a.M. (Jüdischer Verlag) 1992 empfohlen.

13 Die christliche Mystik des späten Mittelalters hat sich, nicht zuletzt in Auseinandersetzung mit der Kabbala, sehr weit diesem Gedankenkosmos genähert. So schrieb z.B. Meister Eckehart im 6. Traktat: „Wer Gott im Sein hat, […] dem leuchtet er in allen Dingen, denn alle Dinge schmecken ihm nach Gott" (*Deutsche Predigten*, Zürich 1979, S. 60). Die Mystik gewann beachtlichen Einfluss auf die Literatur der Renaissance, doch betrachtete die christliche Theologie die Gedankenwelt der Mystik lange für ebenso gefährlich wie die der zur etwa gleichen Zeit neu erwachenden Philosophie.

14 Die totale Dualität von innerem und äußerem Glauben ist freilich nur die Extremposition (u.a. von Yizhak Baer vertreten). In der Spannung zwischen dieser totalen Dualität und der kompletten Assimilation an die christliche Umgebung entspringen die ambivalenten Mischformen der Identität jedes Einzelnen.

Widersprüche und in der Selbstbezüglichkeit der Vernunft die Philosophie als Ruhepunkt des Streits erfand.[15]

Die Glaubenskrise jenes Jahrhunderts, in dem sich die Welt räumlich nach Amerika und Indien öffnete und nach Europa einen Reichtum brachte, der die Frage zwischen Arm und Reich völlig neu mitten in die Gesellschaft trug, führte einerseits zu immer schärferen Formen eines multiplen religiösen Fundamentalismus und andererseits zu immer größerer Selbstbewusstwerdung des Individuums. Orientierungslosigkeit, Sorge, Zweifel und das ungeheure Gegenmittel des emphatischen Aktionismus entfachten die kreativen und dogmatischen Geister. Während die einen mit Hammer und Kreuz die fliehenden Wahrheiten hinter Barrikaden, an Kathetern und im Gewissen festnagelten, brachen andere auf, neue Wahrheiten zu erfinden oder in der Wahrheitslosigkeit neue Anhaltspunkte des Daseins auszumachen. Mitten im Zentrum dieses Sturmes standen die Marranen und in ihren Seelen erfocht der Zeitgeist des Neuen Europas die ersten Siege der sich befreienden Vernunft wie Unvernunft. Während die einen sich aus dem Eindruck, mitten im Gottesgericht zu stehen, in die Hoffnungen eines jüdischen Messianismus flüchteten, suchten andere ihre Befreiung vom Schuldgefühl der Gottesleugnung im irdischen Glück kaufmännischen Erfolges. Einige machten sich mit allem Zorn der Selbstverleugnung zu Dienern des christlichen Dogmas, andere verschafften ihrer Phantasie die Rettung in lurianisch-kabbalistischer Magie und Mystik.[16] Die meisten tauchten unter und ließen sich im Vergessen der Geschichte begraben. Doch einige Genies entdeckten in dieser Situation den Stoff und die Herausforderung zur Erweckung jener Stimmen, die im literarischen Raum in die Welt hinüber treten, womit sie in der Literatur dem Geist des Buches jene Ewigkeit verliehen, der sie im Glauben hatten abschwören müssen. Vier Beispiele marranischer Dichter und Denker mögen dies verdeutlichen:

Miguel Cervantes, der den modernen Roman erfand[17] und in der Parodie des Buches im Buche den Juden und ihrem Gott das Abbild ihrer Selbst verschaffte, ohne sich des Verstoßes gegen das zweite Gebot schuldig zu machen.

Fernando de Rojas *Celestina* lehrte den Leser das Lachen an der Tragödie der anderen, bis es sich so sehr in Mitgefühl kehrt, dass es im Tal der Tränen, als das es die Welt erkennt, zu ersticken droht. Die Liebe als letztes Refugium nach dem Verlust des himmlischen Ideals wird auf bis ihren, den bloßen Menschen verratenden, Kern Schale um Schale entblößt. Der Pessimismus, der in Hiob noch seinen auf den ersten Blick besänftigenden Rahmenmythos fand, steht plötzlich als

---

15 Vgl. u.a. Yosef Hayim Yerushalmi: *From Spanish Court to Italian Ghetto*, New York (Columbia University Press) 1971; Yizhak Baer: *The Jews in Christian Spain*, Tel Aviv 1945; Benzion Netanyahu: *The Marranos of Spain*, Ithaca – London (Cornell University Press) 1999.

16 Yovel unterscheidet folgende Untergruppen der Marranen: Assimilierte, Schwankende, Anpasser, Nostalgiker, Utopisten, fanatische Neophyten, Spiritualitätssucher, Irdische Glückssucher, Skeptiker, Häretiker, Karrieristen, Proto-Universalisten, Sekularisten, Rationalisten, Atheisten, vgl. Yirmiyahn Yovel: *Spinoza. Das Abenteuer der Immanenz*, Göttingen (Steidl) 1996.

17 Vgl. insbesondere Milan Kunderas wundervolle Homage an Cervantes in: *Kunst des Romans*, München (Hanser) 1987.

blendende Luzidität im Spiegel des Lesers, der gleich dem Arzt Fernando de Rojas weiß, sich nur selbst an die Hand der eigenen Illusionen nehmen zu können.

Michel de Montaigne, ein freier Mensch, dessen Freiheit sich im bewussten Scheitern des Versuches, frei zu sein, entfaltete, und der damit für Europa einen Weg des Denkens aufzeigte, der durch alle Netze der systematischen Philosophie hindurch die Vernunft – als höchste Form der Selbsttäuschung – glücksähnlich zelebrieren lässt und zur Würde des Menschen ernennbar macht.

Baruch Spinoza, der die kausalen Irrwege in sich selbst verkehrte, um außerhalb der Illusion jenes mathematische Podest zu erträumen, an dem das allgemeine Maß guten Handelns anzutragen wäre, war der erste, der die Bibel einer literarischen Kritik unterzog, um ihr mangels logischer Konsequenz die göttliche Autorenschaft abzusprechen.[18] Indem Spinoza den menschlich beseelten Gott aus dem metaphorischen Buch holte, machte er Ernst mit der Entpsychologisierung und Entfiguralisierung Gottes und zog aus der logisch zu Ende gedachten Idee des Monotheismus die philosophische Schlussfolgerung des Pantheismus. In der religiösen Befreiung, welche der Pantheismus verkörpert, verwirklichte sich die der Torah implizit zu Grunde liegende Idee der Immanenz Gottes. Spinoza verschaffte dem literarischen Geist der Bibel den philosophischen Durchbruch und fügt sich damit, wenn auch zunächst als verfemter Häretiker, in die rabbinische Tradition des Midrasch. Die Bibel wird als Buch zu einer menschlichen Schöpfung, doch führt dies bei Spinoza nicht etwa zum Tod Gottes, sondern zu dessen Sublimierung, was für die literarische Kontinuität der jüdischen Bibelhermeneutik von entscheidender Bedeutung war.[19] Während Blaise Pascal fast zur gleichen Zeit meinte, sich zwischen der Unendlichkeit und Gott entscheiden zu müssen, gelang es Spinoza durch die Entfaltung des biblisch-literarischen Immanenzgedankens, beides in einer gemeinsamen Logik zu verbinden.[20]

Bis auf ganz wenige Ausnahmen hielt die jüdische Tradition sich bis in die Moderne strikt an das Bilderverbot und lebte ihre religiöse Inspiration hauptsächlich literarisch aus. Die christliche Tradition hingegen entdeckte im Schatten ihrer theologischen Spekulationen bemerkenswerterweise gerade die Bilder und Bildnisse, um in

---

18 Baruch Spinoza: *Der theologisch-politische Traktat*, Hamburg (Meiner) 1994.

19 Dass die orthodoxe Linie des rabbinischen Glaubens längst ebenso den Bildern von Jenseits, Transzendenz, Erlösung, Himmel und Hölle anhing und Spinozas Philosophie als Häresie verurteilte und verurteilt, kann nicht darüber hinwegtäuschen, dass es sich hier um eine Traditionslinie des gleichen zu sich selbst strebenden Denkens handelt.

20 Der Unendlichkeitsgedanke war der hauptsächliche Oszillationspunkt der spätmittelalterlichen christlichen Glaubenskrise und gehörte zu den wichtigsten der im Jahre 1277 vom Pariser Bischof inkriminierten Lehrsätze. Die Ungeheuerlichkeit des Unendlichkeitsgedankens wurde zur eigentlichen Geburtsstunde der neuzeitlichen Philosophie, die nicht länger die Augen vor den endlosen Abgründen der Logik zu verschließen vermochte (vgl. vor allem Alexandre Koyré: *Von der geschlossenen Welt zum unendlichen Universum*, Frankfurt a.M. [Suhrkamp] 1984). Interessanterweise führte die christliche Auseinandersetzung mit der Unendlichkeit erst bei Giordano Bruno, dem literarischsten der Philosophen und gutem Kenner der Kabbala, zum pantheistischen Konzept göttlicher Immanenz (vgl. u.a. Nuccio Ordine: *Le seuil de l'ombre*, Paris [Belles Lettres] 2003), was, ähnlich wie im Falle Spinozas, weit mehr von Poeten als von Philosophen rezipiert wurde.

der bildlichen Evokation des Unabbildbaren ihre religiöse Kreativität zu entfalten und sich auf diese Weise dem Unsichtbaren des ins Herz schreibenden Gottes zu nähern. Während die Bildende Kunst wie geschaffen scheint, um im nichträumlichen „Dahinter" den transzendenten Gott zu evozieren, scheint es, zumindest auf den ersten zentralperspektivischen Blick, völlig undenkbar, einen immanenten Gott in einem Bildnis zu evozieren. Näher zu untersuchen bliebe, inwiefern die christliche Literatur des späten Mittelalters und der frühen Neuzeit gerade über den kreativen Ansporn der Bilder und ihres Wechselspiels von Sichtbarem und Unsichtbarem zu den geistigen Räumen fand, die – verschränkt mit der Erfindung des Romans aus der marranischen Glaubenkrise – zur Geburt der großen literarischen Tradition Europas führten.

Identitäts- und Glaubenskrisen weiten sich, wo immer sie in der Geschichte auftreten, zwar für viele und manchmal für ganze Völker zur Katastrophe aus, doch wird, ganz im Sinne von Hölderlins Spruch: „Wo die Gefahr am größten, wächst das Rettende auch", jede solcher Krisen zugleich zum Antrieb neuer Denk-, Schöpfungs- und Glaubensformen. In der über 2500jährigen Literaturgeschichte der Bibel lässt sich dies so deutlich wie an kaum einem anderen kulturellen Phänomen nachvollziehen und herausarbeiten.

Wenn das Bild, das der Mensch durch seine Welterfahrung von sich selbst gewinnt, nicht mehr mit dem Bild übereinstimmt, das seine Religion und kulturelle Tradition dem Menschen als das seine vorspiegelt, wird er zunächst versuchen, durch neue Interpretationsformen die Bedeutung des ursprünglichen kulturreligiösen Materials an die gewandelte Zeit anzupassen. Im Laufe dieser hermeneutischen Anpassung entsteht ein so unüberschaubares Konvolut an Auslegungen und Kommentaren bis schließlich die Entfernung vom Geist des Originales so groß wird, dass im Allgemeinen zwei Bewegungen einsetzen: Die eine strebt zurück zu den Wurzeln, sieht sich als entfremdet und versucht, sich selbst wieder an das ursprüngliche Bild anzupassen. Die andere bricht mit der Tradition und erschafft eine scheinbar neue Religion oder Weltanschauung, die sie gegen die *alte* absetzt. Doch nichts in der geistigen Welt ist so neu, dass es nicht in den Netzen des Alten verfangen bliebe. Das Diktum, dass die Welt immer nur anders interpretiert worden sei, es aber darauf ankäme, sie zu verändern, vertuscht, dass jede Veränderung letztlich doch wieder nur Ausdruck einer anderen Interpretation ist. Die Torah, die Welt oder das Imaginäre: dem Menschen steht nur das Spielfeld von Wahrnehmung und Fiktion zur Verfügung, um sich darin den Eindruck oder Glauben zu verschaffen, selbstbestimmt und nicht allzu verloren zu sein.

Die Glaubenskrisen der jüdischen Tradition führten ebenso wie die Glaubenskrisen im Christentum zu immer neuen Interpretationsformen und schöpferischen Werken, doch während die jüdische Tradition über all ihre Schismen und Atheismen hinweg einen kulturellen, ja identitären Bezug zur Bibel aufrecht erhielt, führten die Glaubenskrisen im Christentum nicht nur zu Reformationen und Schismen, sondern mit jeder grundsätzlichen Infragestellung Gottes auch zur

Résistance gegen die Bibel als solche. Der Fall aus dem christlichen Glaubensbekenntnis wurde meist auch zum kulturellen Fall aus dem Buch, das an die Wahrheit der Gottesfigur geknüpft war. So ging im Tanz um sein Grab schließlich auch das Buch verschütt.

Als im 18. Jahrhundert die Trennung von Staat und Kirche vollzogen wurde und intellektuelle Aufrichtigkeit zumindest in religiösen Glaubensfragen keine Gefahr für Leib und Leben mehr darstellte, und als zudem der Erfolg des naturwissenschaftlichen Denkens die wissenschaftlichen Methoden auch auf geistige und geistliche Werke anwendbar machte, kam es zu völlig neuartigen Auseinandersetzungen mit der Bibel. Als im Zeitalter der Aufklärung die Glaubensgegner Widerspruch um Widerspruch in den biblischen Texten und theologischen Konzepten aufdeckten, um mit rhetorischen Spitzen den gesunden Menschenverstand gegen die Religionen aufzustacheln, da sah auch die Theologie sich bald genötigt, sich mit den unleugbaren Widersprüchen auseinanderzusetzen und intellektuelle Strategien zu entwickeln, die die Widersprüche durch historische, theologische oder literarische Erklärungen auflösen würden. So entwickelten sich nach und nach die Methoden der historisch-kritischen Exegese. Zwischen den Polen der erhabenen Argumentationsverweigerung des Vatikans, der polternden Anfeindungen der Religion à la Voltaire und Marx, der nach vorn flüchtenden Verteidigung protestantischer Theologie und der sich unbeteiligt gebenden Synagoge entstand, was weitaus bedeutsamer ist, in jener Zeit der unbeschreibliche Reichtum der literarischen Auseinandersetzung mit der Bibel, der biblischen Glaubens- und Denkkultur, mit den eigenen Zweifeln an Gott und dessen Wort sowie mit der Sehnsucht, wenigstens an etwas zu glauben. Diese neue, sich an der Vernunft aufwerfende Weltverlorenheit, der einst in den Mythen und religiösen Systemen die kreative Selbstbestimmung und Selbstversicherung entgegengestellt worden war, fand im Maße der fortschreitenden Individualisierung nun ihre Antwort in den multiplen Welten des Romans, der Poesie, der Kunst. Das literarische Denken, das sich im Ursprung jeder Religion entfaltet, um dank fiktionaler Strategien das Unheimliche des Imaginären und Wirklichen handhabbar zu machen, entdeckte, nun erstmals im vollkommenen Selbstbewusstsein der Fiktion, die künstlerischen Ausdrucksformen. Zwar ließ sich so keine Beruhigung mehr an transzendentalen Gewissheiten verschaffen, aber durch die Selbstverwirklichung im fiktionalen Denken vermochte sich das Selbst auf essentiell neue Weise als wirklich selbst zu erfahren. Die spirituelle Selbstentfaltung und Selbstgeborgenheit, wie sie im Verlust der Religion als Mangel erfahren wurde, fand ihr Refugium im literarischen Raum. Das himmlische Jenseits, das der Religion als Projektionsfläche des Spirituellen diente, sublimierte sich, ohne nun weiter an Wahrheitskriterien zerrieben werden zu können. Die Literatur wurde in gewisser Weise zur höchsten ideellen Vervollkommnung von Religion.[21] Insofern

---

21 Man könnte dem entgegenhalten, dass die Literatur lediglich profaner Religionsersatz war und dass die Proklamation von Nationaldichtern und die Errichtung von Dichtertempeln in der Gründerzeit der europäischen Nationalstaaten lediglich die psychologische Lücke füllten, die vom staatli-

die literarischen Werke jedoch auf die beständige geistige und kreative Aktivität des Lesers wie Schreibers angewiesen bleiben und weder mit Autoritätsbeweisen noch mit wissenschaftlichen Gewissheiten verteidigt werden können, steht die Literatur als Religion in der ständigen Gefahr, sich in ihrer Stille aufzulösen.

Die Bibel wurde in jener Blütezeit der Literatur nicht nur zu einem der wesentlichen Bezugspunkte und Inspirationsquellen, sondern fand in der Literatur vor allem zu völlig neuen Verständnis- und Auslegungshorizonten. Die fruchtbarste Beschäftigung mit dem biblischen Stoff und Denken vollzieht sich seither in der Literatur oder ist zumindest von der Literatur inspiriert. Stellvertretend dafür seien nur einige Nationaldichter genannt, deren Werke, wie einst die Bibel, zu nationalen Identifikationsquellen wurden: Goethes *Faust*, Melvilles *Moby-Dick*, Dostojewskis *Brüder Karamasov*, Daniel Defoes *Robinson Crusoe*, Victor Hugos *Die Elenden*.

Im Zuge dieser literarischen Entwicklung entstanden auch die ersten Studien, die die Bibel als literarisches Werk oder zumindest als ein unter Benutzung literarischer Stilistik entstandenes Werk untersuchten (Robert Lowth, Johann Gottfried Herder, René de Chateaubriand, William Wordsworth).[22] Ihr Einfluss auf die Wissenschaft blieb allerdings fast ebenso stark begrenzt, wie sich die Theologie und Philosophie als getrennt von der Literatur auffassten und sich kategorisch überlegen gaben. Bezeichnenderweise stammen diese frühen literaturwissenschaftlichen Bibelstudien fast allesamt – unter Ausnahme des Grenzgängers Bishop Lowth – von eher literarisch als theologisch denkenden und eher essayistisch als wissenschaftlich arbeitenden Schriftstellern, was schon damals die Zitations- und Diskursfähigkeit ihrer Texte behinderte, so dass die produktive Rezeption ihrer Werke wiederum in der Literatur und nicht in der Wissenschaft stattfand.

Auch im beginnenden 20. Jahrhundert blieb die Bibel eine der bedeutendsten literarischen Inspirationsquellen, wobei ein deutlicher Unterschied zwischen den meist nicht mehr bibelfesten Schriftstellern der christlichen Tradition und den kaum religiöseren, aber meist noch bibelfesten jüdischen Schriftstellern auszumachen ist. Während die Schriftsteller des protestantisch oder katholisch geprägten Milieus früh auf einen entblößten Realismus vorgeblicher Illusionslosigkeit oder auf die Absurdität allen Sinns im Dasein einschwenkten, blieb für die jüdischen Schriftsteller trotz des Verlusts ihres religiösen Glaubens die Bibel die prädestinierte Quelle, um in der literarischen Auseinandersetzung mit Stoff und Denkweise der

---

chen Laizismus aufgerissen wurde, doch hieße dies, sowohl den Geist der Zeit als auch die sich hier vollziehende Tradition und Logik des ursprünglichen literarischen Geistes der Religionen verkennen. Bedeutsam in diesem Zusammenhang ist auch die insbesondere von der Romantik vertretene mystisch-religiöse Einheit von Literatur und Kunst, für die Schleiermacher den Begriff der Kunstreligion prägte (vgl. Bernd Auerochs: *Die Entstehung der Kunstreligion*, Göttingen [Vandenhoeck und Ruprecht] 2006).

22 Robert Lowth: *Lectures on the sacred poetry of the Hebrews* (1753); Johann Gottfried Herder: *Älteste Urkunde des Menschengeschlechts* (1782/83). Eine umfassende Darstellung in: David Norton: *A History of the Bible as Literature*, Cambridge – New York (Cambridge University Press) 1993.

jüdischen Tradition ihre gefühlte und erlittene Andersheit auszuloten. Proust schrieb das unendliche Buch im Buch. Kafka machte das Buch zu einem allmächtigen, sich ständig dem Zugang verschließenden Schloss und zu einem Prozess, der wie die biblischen Legenden die Überzeugung festigt, dass der Mensch vor dem Richter immer im Unrecht ist. Brechts *Heilige Johanna der Schlachthöfe* ließ im Chaos von Gottes Strafe, für die keiner der Nachgeborenen etwas kann, von der Schwächsten der Schwachen und rein durch die Macht der menschlichen Courage eine Atempause für die Nation der Unterdrückten erkämpfen. Ludwig Wittgenstein kalkulierte die Grenzen dessen, was durch die Sprache sagbar ist, und suchte sein Leben lang nach dem Ausdruck dessen, das sich nicht sagen lässt, doch gleichwohl da ist. Arnold Schönberg jagt in seinem Libretto von *Moses und Aron* den Propheten in die Sackgasse der moralisch konsequent zu Ende verketteten Logik und lässt dessen Bruder gegen alle offenbarte Wahrheit Gottes mit bloßer menschlicher, allzu menschlich politischer Vernunft obsiegen. Es ließen sich die Beispiele fortsetzen, wie die ins Vorurteil des Jüdischen geborene Andersheit in der Literatur den Identitätskampf führte, der ihr in der blanken Realität nur die Niederlage oder Selbstverleugnung bereit zu halten schien. Die literarische Auseinandersetzung mit der Bibel wurde zur Selbstvergewisserung einer zwar den Glauben verlorenen, aber im Denken fortwährenden Identität menschlichen Selbstbewusstseins. Das Buch wurde zum Fluchtort der Vernunft, die sich, von Gott und der Wirklichkeit überrumpelt, in Entfremdung vom Imaginären und Wesentlichen des Selbstseins befand.

Auswahl-Bibliographie deutscher Veröffentlichungen zum Thema „Bibel als Literatur"

Wir beschränken uns in der vorliegenden Bibliographie auf einige in deutscher Sprache erschienenen Bücher zum Thema und verweisen auf die ausführliche und regelmäßig aktualisierte Gesamtbibliographie auf der Webseite von *AROUMAH – Journal für Literatur der Bibel und Religionen* (www.aroumah.net).

Alonso-Schökel, Louis: *Das Alte Testament als Literarisches Kunstwerk*, Köln (Bachem) 1971.

Auerbach, Erich: *Mimesis. Dargestellte Wirklichkeit in der europäischen Literatur*, Bern (Francke) 1946.

Bach, Inka/Galle, Helmut: *Deutsche Psalmendichtung vom 16. bis 20. Jahrhundert. Untersuchungen zur Geschichte einer lyrischen Gattung*, Berlin – New York (de Gruyter) 1989.

Bar-Efrat, Shimon: *Wie die Bibel erzählt*, Gütersloh (Gütersloher Verlagshaus) 2006.

Bauke-Rüegg, Jan: *Theologische Poetik und literarische Theologie? Systematisch-theologische Streifzüge*, Zürich (Theologischer Verlag) 2004.

Bayer, Oswald: *Gott als Autor. Zu einer poietologischen Theologie*, Tübingen (Mohr Siebeck) 1999.

Blanchot, Maurice: *Das Unzerstörbare: Ein unendliches Gespräch über Sprache, Literatur und Existenz*, München (Hanser) 2007.

Buber, Martin/Rosenzweig, Franz: *Die Schrift und ihre Verdeutschung*, Berlin (Schocken) 1936ff..

Buber, Martin: *Königtum Gottes*, Berlin (Schocken) 1932.

Curtius, Ernst Robert: *Europäische Literatur und lateinisches Mittelalter*, Bern (Francke) 1948.

Chabrol, Claude/Marin, Louis: *Erzählende Semiotik nach Berichten der Bibel*, München (Kösel) 1973.

Dallmeyer, Hans-Jürgen/Dietrich, Walter: *David – ein Königsweg. Psychoanalytisch-theologischer Dialog*, Göttingen (Vandenhoeck & Ruprecht) 2002.

Delorme, Jean (Hg.): *Zeichen und Gleichnisse. Evangelientext und semiotische Forschung*, Düsseldorf (Patmos) 1979.

Dietrich, Walter: *David – Der Herrscher mit der Harfe*, Leipzig (Evang. Verl.-Anstalt) 2006.

Dietrich, Walter/Naumann, Thomas: *Die Samuelbücher*, Darmstadt (Wiss. Buchgesellschaft) 1995.

Dietrich, Walter/Link, Christian: *Die dunklen Seiten Gottes*, Neukirchen-Vluyn (Neukirchener) 2000.

Dyck, Joachim: *Athen und Jersualem, die Tradition der argumentativen Verknüpfung von Bibel und Poesie im 17. und 18. Jahrhundert*, München (Beck) 1977.

Ebach, Jürgen/Faber, Richard (Hg.): *Bibel und Literatur*, München (Fink) 1998.

Eckstein, Pia: *König David. Eine strukturelle Analyse des Textes aus der Hebräischen Bibel und seine Wiederaufnahme im Roman des 20. Jahrhunderts*, Bielefeld (Aisthesis) 2000.

Eisen, Ute E.: *Die Poetik der Apostelgeschichte*, Göttingen (Vandenhoeck & Ruprecht) 2006.

Frankemölle, Hubert (Hg.): *Das bekannte Buch – das fremde Buch. Die Bibel*, Paderborn u.a. (Ferdinand Schöningh) 1994.

Frye, Northrop: *Der Grosse Code: Die Bibel und Literatur*, Salzburg (Mueller-Speiser) 2007.

Garhammer, Erich: *Am Tropf der Worte. Literarisch predigen*, Paderborn (Bonifatius) 2000.

Gellner, Christoph: *Schriftsteller lesen die Bibel. Die Heilige Schrift in der Literatur des 20. Jahrhunderts*, Darmstadt (Wiss. Buchgesellschaft) 2004.

Gössmann, Wilhelm: *Welch ein Buch! – Die Bibel als Weltliteratur*, Stuttgart (Radius) 1991.

Gühne, Jan: *Kreuz und quer verlaufende Linien der Geschichte*, Berlin – Münster (Lit) 2006.

Gumpert, Gregor: *Lust an der Tora. Lektüren des ersten Psalms im 20. Jahrhundert*, Würzburg (Ergon) 2004.

Gunkel, Hermann: *Das Märchen im Alten Testament*, Frankfurt a.M. (Athenäum) 1987.

Gunkel, Hermann: *Die israelitische Literatur*, Darmstadt (Wiss. Buchgesellschaft) 1963.

Hahn, Friedrich: *Bibel und moderne Literatur. Große Lebensfragen in Textvergleichen*, Stuttgart (Quell) 1967.

Hardmeier, Christof: *Textwelten der Bibel entdecken*, Gütersloh (Gütersloher Verl.-Haus) 2003.

Hardmeier, Christof: *Erzähldiskurs und Redepragmatik im Alten Testament*, Tübingen (Mohr Siebeck) 2005.

Harnisch, Wolfgang (Hg.): *Die neutestamentliche Gleichnisforschung im Horizont von Hermeneutik und Literaturwissenschaft*, Darmstadt (Wiss. Buchgesellschaft) 1982.

Herder, Johann Gottfried: *Vom Geist der Ebräischen Poesie* (1782/83), jetzt in: Herder: *Werke*, Bd. 5, Frankfurt a.M. (Dt. Klassiker-Verlag) 1993.

Huizing, Klaas: *Ästhetische Theologie*, Bd. 1–3, Stuttgart (Kreuz) 2000–2004.

Jabès, Edmond: *Vom Buch zum Buch*, München (Hanser) 1999.

Jens, Walter/Küng, Hans: *Dichtung und Religion*, München (Piper) 1988.

Kaiser, Gerhard/Mathys, Hans-Peter: *Das Buch Hiob – Dichtung als Theologie*, Neukirchen (Neukirchener) 2006.

Klein, Johannes: *David versus Saul. Ein Beitrag zum Erzählsystem der Samuelbücher*, Stuttgart (Kohlhammer) 2002.

Klein, Renate: *Leseprozess als Bedeutungswandel. Eine rezeptionsästhetische Erzähltextanalyse der Jakobserzählungen im Buch Genesis*, Leipzig (Evang. Verl.-Anstalt) 2002 (*ABG* 11).

Klein, Renate: *Jakob. Wie Gott auf krummen Linien gerade schreibt*, Leipzig (Evang. Verl.-Anstalt) 2007.

Kircher, Bertram (Hg.): *Die Bibel in den Worten der Dichter*, Freiburg i.Br. (Herder) 2005.

Leszek Kołakowski: *Der Himmelsschlüssel. Erbauliche Geschichten*, München (Suhrkamp) 1969.

Körtner, Ulrich: *Der inspirierte Leser. Zentrale Aspekte biblischer Hermeneutik*, Göttingen (Vandenhoeck & Ruprecht) 1994.

Krauss, Heinrich/Küchler, Max: *Erzählungen der Bibel. Das Buch Genesis in literarischer Perspektive*, Bd. 1–3, Göttingen (Vandenhoeck & Ruprecht) 2002–2005.

Kurz, Paul Konrad: *Gott in der modernen Literatur*, München (Kösel) 1996.

Kuschel, Karl-Josef: *Jesus im Spiegel der Weltliteratur. Eine Jahrhundertbilanz in Texten und Einführungen*, Düsseldorf (Patmos) 1999.

Link, Franz (Hg.): *Paradeigmata. Literarische Typologie des Alten Testaments*, 2 Bde., Berlin (Duncker & Humblot) 1989.

Liss, Hanna: *Die unerhörte Prophetie: Kommunikative Strukturen prophetischer Rede im Buch Yeshayahu*, Leipzig (Evang. Verl.-Anst.) 2003.

Lohfink, Norbert: *Das Deuteronomium*, Leuven (Leuven UP) 1985.

Lohfink, Norbert: *Im Schatten deiner Flügel. Große Bibeltexte neu erschlossen*, Freiburg i. Br. (Herder) 2000.

Lohfink, Norbert: *Krieg und Staat im alten Israel*, Barsbüttel (Inst. für Theologie und Frieden) 1992.

Langenhorst, Georg: *Theologie und Literatur. Ein Handbuch*, Darmstadt (Wiss. Buchgesellschaft) 2005.

Marin, Louis: *Semiotik der Passionsgeschichte*, München (Kaiser) 1976.

Martus, Steffen/Polaschegg, Andrea (Hg.): *Das Buch der Bücher – gelesen. Lesarten der Bibel in den Wissenschaften und Künsten*, Bern – Berlin u.a. (Lang) 2006.

Miles, Jack: *Gott. Eine Biographie*, München (Hanser) 1996.

Mosès, Stéphane: *Eros und Gesetz. Zehn Lektüren der Bibel*, München (Fink) 2004.

Most, Glenn W.: *Der Finger in der Wunde. Die Geschichte des ungläubigen Thomas*, München (Beck) 2007.

Motté, Magda: *Auf der Suche nach dem verlorenen Gott. Religion in der Literatur der Gegenwart*, Mainz (Matthias Grünewald) 1997.

Motté, Magda: *Esthers Tränen, Judiths Tapferkeit. Biblische Frauen in der Literatur des 20. Jahrhunderts*, Darmstadt (Wiss. Buchgesellschaft) 2003.

Nitsche, Stefan Ark: *Jesaja 24 – 27: ein dramatischer Text*, Stuttgart (Kohlhammer) 2006.

Plaut, Günther W. (Hg.): *Die Tora in jüdischer Auslegung*, 5 Bde., Gütersloh (Kaiser) 2000–2004.

Poplutz, Uta: *Erzählte Welt. Narratologische Studien zum Matthäusevangelium*, Neukirchen-Vluyn (Neukirchener) 2008.

Rad, Gerhard von: *Das Opfer des Abraham*, München (Kaiser) 1971.

Reichman, Ronen/Liss, Hanna/Krochmalnik, Daniel (Hg.): *Raschi und sein Erbe*, Heidelberg (Winter) 2007.

Richter, Wolfgang: *Exegese als Literaturwissenschaft. Entwurf einer Alttestamentlichen Literaturtheorie und Methodologie*, Göttingen (Vandenhoeck & Ruprecht) 1971.

Rohls, Jan/Wenz, Gunther (Hg.): *Protestantismus und deutsche Literatur*, Göttingen (Vandenhoeck & Ruprecht) 2004.

Schiller, Friedrich: *Die Sendung Moses* (1781), in: *Sämtliche Werke*, Bd. IV: *Historische Schriften*, hg. v. Alt, Peter-André, München (Hanser) 2004.

Schmidt, Hans-Peter: *Schicksal Gott Fiktion. Die Bibel als Literarisches Meisterwerk*, Paderborn u.a. (Ferdinand Schöningh) 2005.

Schmidinger, Heinrich (Hg.): *Die Bibel in der deutschsprachigen Literatur des 20. Jahrhunderts*, Mainz (Matthias Grünewald) 1999.

Schöne, Albrecht: *Säkularisation als sprachbildende Kraft*, Göttingen (Vandenhoeck & Ruprecht) 1958.

Seybold, Klaus: *Poetik der Psalmen*, Stuttgart (Kohlhammer) 2003.

Seybold, Klaus: *Poetik der erzählenden Literatur im Alten Testament*, Stuttgart (Kohlhammer) 2007.

Spinoza, Baruch: *Theologisch-Politischer Traktat*, Hamburg (Meiner) 1994.

Steiner, Georges: *Nach Babel*, Frankfurt a.M. (Suhrkamp) 2004.

Steiner, Georges: *Grammatik der Schöpfung*, München (Hanser) 2001.

Steins, Georg: *Eine methodologische Studie: Die „Bindung Isaaks" im Kanon. Grundlagen und Programm einer kanonisch-intertextuellen Lektüre*, Freiburg i.Br. (Herder) 1999.

Steins, Georg/Untergaßmair, Franz-Georg (Hg.): *Das Buch, ohne das man nichts versteht. Die kulturelle Kraft der Bibel*, Münster (Lit) 2005.

Stock, Alex: *Poetische Dogmatik* (bisher 7 Bände), Paderborn (Ferdinand Schöningh) 1995ff.

Strunk, Reiner: *Poetische Theologie*, Neukirchen-Vluyn (Neukirchener) 2008.

Taubes, Jacob: *Die Politische Theologie des Paulus*, München (Fink) 1995.

Utzschneider, Helmut: *Gottes Vorstellung. Untersuchungen zur literarischen Ästhetik und ästhetischen Theologie des Alten Testaments*, Stuttgart (Kohlhammer) 2007.

Utzschneider, Helmut/Nitsche, Stefan Ark: *Arbeitsbuch literaturwissenschaftliche Bibelauslegung*, Gütersloh (Gütersloher Verl.-Haus) 2001.

Utzschneider, Helmut/Blum, Erhard (Hg.): *Lesarten der Bibel. Untersuchungen zu einer Theorie der Exegese des Alten Testaments*, Stuttgart (Kohlhammer) 2006.

Vette, Joachim: *Samuel und Saul. Ein Beitrag zur narrativen Poetik des Samuelbuches*, Münster (Lit) 2005.

Quellenverzeichnis

Robert Alter: „Narration and Knowledge", in: *The Art of Biblical Narrative*, New York (Basic Books) 1981, S. 155–177.

Mieke Bal: „Dealing/With/Women: Daughters in the Book of Judges", in: Regina M. Schwartz (ed.): *The Book and the Text. The Bible and Literary Theory*, Cambridge, Mass. – Oxford (Basil Blackwell) 1990, S. 16–39.

Adele Berlin: „Character and Characterization", in: *Poetics and Interpretation of Biblical Narrative*, Winona Lake (Eisenbrauns) 1994, S. 33–42.

Daniel Boyarin: „Dual Signs, Ambiguity, and Intertextual Readings", in: *Intertextuality and the Reading of Midrash*, Bloomington – Indianapolis (Indiana University Press) 1990, S. 57–79.

David Clines: „Deconstructing the Book of Job", in: Martin Warner (Hg.): *The Bible as Rhetoric: Studies in Biblical Persuasion and Credibility*, London u.a. (Routlegde) 1990, S. 65–80.

David Damrosch: „The Growth of the David Story", in: *The Narrative Covenant – Transformations of Genre in the Growth of Biblical Literature*, Ithaca (Cornell University Press) 1987, S. 182–260 (gekürzt).

J. Cheryl Exum: „The Poetic Genius of the Song of Songs", in: Anselm Hagedorn: *Perspectives on the Song of Songs* (Beihefte zur Zeitschrift für die alttestamentliche Wissenschaft 346), Berlin (de Gruyter) 2000, S. 78–95.

Harold Fish: „Prophet and Audience a Failed Contract", in: *Poetry with a Purpose. Biblical Poetics and Interpretation*, Bloomington – Indianapolis (Indiana U.P.), 1988, S. 43–54.

Jan Fokkelman: „Points of View, Knowledge and Values", in: *Reading Biblical Narrative. An Introductory Guide*, Leiderdorp (Deo Publishing) 1999, S. 123–155.

Gabriel Josipovici: „The Rhythm Established: Bereshit Bara", in: *The Book of God, a Response to the Bible*, New Haven – London (Yale University Press) 1988, S. 53–75.

Frank Kermode: „Necessities of Upspringing", in: *The Genesis of Secrecy. On the Interpretation of Narrative*, Cambridge – London (Harvard U.P.) 1979, S. 75–99.

Robert Polzin: „The Book of Deuteronomy", in: *Moses and the Deuteronomist. A Literary Study of the Deuteromic History, Part One*, New York (Seabury P.) 1980, S. 25–72 (gekürzt).

Meir Sternberg: „Ideology of Narration and Narration of Ideology", in: *The Poetics of Biblical Narrative. Ideological Literature and the Drama of Reading*, Bloomington (Indiana University Press) 1985, S. 84–128 (gekürzt).

In den Texten sind oft die Fußnoten gekürzt, wo sie sich mit inzwischen veralteter exegetischer Fachliteratur auseinandersetzen.